»Originell und äußerst einfallsreich.«   Entertainment Weekly

Ernest Cline ist international erfolgreicher Roman- und Drehbuchautor, Vater und Vollzeit-Geek. Er ist Verfasser der Romane »Ready Player One« und »Armada« und hat am Drehbuch für Steven Spielbergs Verfilmung von »Ready Player One« mitgearbeitet. Seine Bücher wurden in über 50 Ländern veröffentlicht und standen mehr als 100 Wochen auf der »New York Times«-Bestsellerliste, einige Wochen lang auf Platz eins. Zusammen mit seiner Familie – sowie einer großen Sammlung klassischer Videospiele und einem DeLorean mit eingebautem Fluxkompensator – lebt er in Austin, Texas.

Weitere Informationen finden Sie auf www.tor-online.de und www.fischerverlage.de

ERNEST CLINE

READY PLAYER ONE

ROMAN

Aus dem Amerikanischen
von Hannes und Sara Riffel

 | TOR

5. Auflage: Mai 2018

Erschienen bei FISCHER Tor
Frankfurt am Main, Mai 2017

Die amerikanische Originalausgabe erschien 2011
unter dem Titel ›Ready Player One‹
bei The Crown Publishing Group.
© 2015 by Dark All Day, Inc.

Für die deutschsprachige Ausgabe:
© 2017 S. Fischer Verlag GmbH,
Hedderichstr. 114, D-60596 Frankfurt am Main

Satz: Dörlemann Satz, Lemförde
Druck und Bindung: CPI books GmbH, Leck
Printed in Germany
ISBN 978-3-596-29659-0

Für Susan und Libby

Denn für den Ort,
an den wir gehen,
gibt es keine Karte

OOOO

JEDER IN MEINEM ALTER erinnert sich daran, wo er war und was er gerade getan hat, als er zum ersten Mal von dem Wettbewerb hörte. Ich saß in meinem Versteck und schaute Zeichentrickfilme, als mir der Newsfeed dazwischenfunkte: In der vergangenen Nacht war James Halliday gestorben.

Natürlich wusste ich, wer Halliday war. Jeder wusste das. Er hatte das *Massively Multiplayer Online Game* OASIS entwickelt, ein Computerspiel, aus dem nach und nach eine global vernetzte Virtuelle Realität hervorgegangen war, die von den meisten Menschen tagtäglich genutzt wurde. Der beispiellose Erfolg der OASIS hatte Halliday zu einem der reichsten Menschen der Welt gemacht.

Anfangs verstand ich nicht, warum die Medien ein solches Theater um den Tod des Milliardärs machten. Schließlich hatten die Bewohner des Planeten Erde andere Sorgen. Die anhaltende Energiekrise. Der katastrophale Klimawandel. Hungersnöte, Armut und Krankheit. Ein halbes Dutzend Kriege. Sie wissen schon: »Vierzig Jahre Dunkelheit, Erdbeben, Vulkanausbrüche. Die Toten erheben sich. Menschenopfer. Hunde und Katzen leben miteinander. Massenhysterie!« Normalerweise werden die Leute in Ruhe gelassen, wenn sie vor ihren interaktiven Sitcoms oder Soaps sitzen, außer es ist wirklich etwas Wichtiges passiert. Wenn zum Beispiel ein neuer Killervirus entdeckt wurde oder sich wieder eine Großstadt unter einem Atompilz in Asche verwandelt hat. Schwerwiegende Dinge eben. Halliday war zwar berühmt gewesen, aber sein

Tod hätte eigentlich als kurze Meldung in den Abendnachrichten abgehandelt werden sollen, damit die breite Masse der Zuschauer den Kopf schütteln konnte, wenn die Sprecher den obszön hohen Geldbetrag nannten, den seine Erben nun unter sich aufteilen würden.

Aber genau hier wurde es spannend. James Halliday hatte keine Erben.

Bei seinem Tod war er siebenundsechzig Jahre alt gewesen und Junggeselle, ohne lebende Verwandte und, dem Vernehmen nach, auch ohne Freunde. Die letzten fünfzehn Jahre seines Lebens hatte er in völliger Zurückgezogenheit verbracht, und wenn man den Gerüchten glauben konnte, war er in dieser Zeit völlig verrückt geworden.

Kein Wunder also, dass den Leuten an jenem Januarmorgen von Toronto bis Tokio die Kinnlade runterklappte, als bekannt-wurde, was Halliday in seinem Testament verfügt hatte!

Halliday hatte eine kurze Videobotschaft vorbereitet, die nach seinem Tod auf der ganzen Welt ausgestrahlt werden sollte. Außerdem hatte er dafür gesorgt, dass jedem OASIS-Nutzer an ebendiesem Morgen per Mail eine Kopie dieses Videos zugestellt wurde. Ich kann mich noch gut an den wohlvertrauten Klingelton erinnern, als die Mail in meinem Posteingang landete, nur wenige Sekunden, nachdem ich die Nachricht im Fernsehen gesehen hatte.

Bei der Videobotschaft handelte es sich genau genommen um einen unglaublich raffinierten Kurzfilm mit dem Titel *Anoraks Einladung*. Exzentrisch, wie Halliday war, hatte er sein ganzes Leben lang eine Obsession für die 1980er gehegt, jenes Jahrzehnt, in dem er ein Teenager gewesen war, und in *Anoraks Einladung* wimmelte es nur so von obskuren popkulturellen Anspielungen, die ich zum Großteil gar nicht mitbekam, als ich den Film zum ersten Mal sah.

Das ganze Video war nur etwa fünf Minuten lang, und in den Tagen und Wochen nach Hallidays Tod wurden diese fünf Minuten so genau unter die Lupe genommen wie kein anderer Film zuvor. Selbst der Zapruder-Film dürfte nicht mit einer derartigen Akribie analysiert worden sein. Bald war jede Sekunde von Hallidays Botschaft meiner Generation in Fleisch und Blut übergegangen.

Anoraks Einladung beginnt mit Trompetenstößen, den ersten Takten eines alten Songs mit dem Titel »Dead Man's Party«.

Während der ersten Sekunden ist nur die Musik zu hören, der Bildschirm bleibt noch schwarz, bis die Gitarren einsetzen. Dann taucht Halliday auf. Aber er ist kein siebenundsechzigjähriger Mann und auch nicht krank. Er sieht genauso aus wie auf dem *Time*-Cover, damals, im Jahr 2014 – ein großgewachsener, schlanker, gesunder Mann Anfang vierzig, mit zerzaustem Haar und der für ihn typischen Hornbrille. Er trägt sogar dieselben Kleider wie auf dem *Time*-Foto: ausgeblichene Jeans und ein klassisches *Space-Invaders*-T-Shirt.

Halliday befindet sich auf einer Highschoolparty, die in einer großen Turnhalle stattfindet, umgeben von Teenagern, deren Kleider, Frisuren und Bewegungen nahelegen, dass die Aufnahmen in den späten 1980ern gemacht wurden.[1] Auch Halliday tanzt – dabei hatte niemand ihn je tanzen sehen. Mit einem manischen Grinsen dreht er sich rasant im Kreis, schlenkert mit den Armen und wackelt mit dem Kopf, immer im Takt der Musik. Er hat es drauf und vollführt einige für die

---

1 Eine sorgfältige Analyse dieser Szene zeigt, dass sämtliche Teenager hinter Halliday in Wirklichkeit Statisten aus verschiedenen Teeniefilmen von John Hughes sind, die digital ausgeschnitten und in das Video eingepasst wurden.

80er typische Moves. Aber Halliday hat keinen Tanzpartner. Er tanzt, wie es in dem Song heißt, mit sich selbst.

In der linken unteren Ecke erscheinen wie bei einem alten MTV-Video kurz ein paar Textzeilen – der Name der Band, der Songtitel, die Plattenfirma und das Erscheinungsjahr: Oingo Boingo, »Dead Man's Party«, MCA Records, 1985.

Als der Gesang einsetzt, bewegt Halliday synchron dazu die Lippen, wobei er sich weiter um die eigene Achse dreht: »All dressed up with nowhere to go. Walking with a dead man over my shoulder. Don't run away, it's only me …«

Unvermittelt hört Halliday auf zu tanzen, und als er mit der rechten Handkante durch die Luft fährt, bricht auch die Musik ab. Im selben Moment verschwinden die Tänzer und die Turnhalle hinter ihm, und die Kulisse wechselt schlagartig.

Jetzt steht Halliday in einem Bestattungsinstitut, unmittelbar neben einem offenen Sarg.[2] Darin liegt ein zweiter, weit älterer Halliday. Der Leichnam ist ausgemergelt und vom Krebs gezeichnet. Auf seinen Augen liegen blanke Vierteldollarmünzen.[3]

Der jüngere Halliday blickt mit gespielter Traurigkeit auf den Leichnam seines älteren Ichs hinab und wendet sich dann den versammelten Trauergästen zu.[4] Er schnippt mit den Fingern, und plötzlich hält er eine Schriftrolle in der rechten Hand. Mit

---

2 Seine Umgebung entstammt einer Szene aus dem Film *Heathers*. Offenbar hat Halliday die Kulisse des Bestattungsinstituts digital nachgebaut und sich selbst hineinmontiert.

3 Betrachtet man die Münzen mit hoher Auflösung, kann man erkennen, dass beide 1984 geprägt wurden.

4 Bei den Trauergästen handelt es sich um Schauspieler und Statisten aus der in ebendiesem Bestattungsinstitut spielenden Szene aus *Heathers*. Winona Ryder und Christian Slater sind deutlich zu erkennen – sie sitzen weiter hinten im Raum.

großer Geste öffnet er sie; sie entrollt sich bis zum Boden und dann weiter den Mittelgang entlang. Halliday durchbricht die vierte Wand, spricht den Zuschauer direkt an und beginnt zu lesen.

»Im Vollbesitz meiner geistigen Kräfte und aus freiem Willen erkläre ich, James Donovan Halliday, hiermit vor Zeugen, dass dies mein Testament und Letzter Wille ist, womit sämtliche Testamente und Nachträge, die bereits existieren mögen, ihre Wirkung verlieren ...« Er liest weiter, immer schneller und schneller, ackert sich durch mehrere Absätze Juristenjargon, bis er so schnell spricht, dass man ihn nicht mehr versteht. Dann verstummt er unvermittelt. »Vergessen wir das«, sagt er. »Sogar bei diesem Tempo würde es einen Monat dauern, das Ding komplett vorzulesen. Bedauerlicherweise habe ich nicht so viel Zeit.« Er lässt die Schriftrolle fallen, und sie verschwindet in einer Wolke aus Goldstaub. »Beschränken wir uns auf das Wesentliche.«

Das Bestattungsinstitut verschwindet, und es erscheint eine neue Kulisse. Jetzt steht Halliday vor einer gewaltigen Tresortür. »Mein gesamter Besitz, einschließlich einer Mehrheitsbeteiligung an meiner Firma, Gregarious Simulation Systems, wird unter Treuhandverwaltung gestellt, bis eine bestimmte Bedingung erfüllt ist, die ich in meinem Testament genau definiert habe. Die erste Person, die diese Bedingung erfüllt, wird mein gesamtes Vermögen erben, das derzeit auf über zweihundertvierzig Milliarden Dollar veranschlagt wird.«

Die Tresortür schwingt auf, und Halliday tritt hindurch. Der Tresorraum ist riesig. In seinem Inneren türmen sich Goldbarren zu einem Block von der Größe eines Mehrfamilienhauses. »Hier ist die Kohle, um die es geht«, sagt Halliday mit einem breiten Grinsen. »Was soll's? Schließlich kann ich nichts davon mitnehmen, oder?«

Halliday lehnt sich gegen den Stapel Goldbarren, und die Kamera zoomt sein Gesicht ganz nah heran. »Jetzt fragt ihr euch bestimmt, was ihr machen müsst, um an den ganzen Zaster ranzukommen? Immer mit der Ruhe, meine Freunde, das erkläre ich gleich …« Er legt eine dramatische Pause ein, und sein Gesicht nimmt die Miene eines Kindes an, das gleich ein großes Geheimnis enthüllen wird.

Halliday schnippt wieder mit den Fingern, und der Tresorraum verschwindet. Im selben Augenblick schrumpft Halliday und verwandelt sich in einen kleinen Jungen, der braune Cordhosen und ein *Muppet-Show*-T-Shirt trägt.[5] Der junge Halliday steht in einem unaufgeräumten Wohnzimmer mit einem leuchtend orangefarbenen Teppich, holzvertäfelten Wänden und einem kitschigen 70er-Jahre-Dekor. Neben ihm steht ein 21 Zoll großer Zenith-Fernseher, an den ein *Atari 2600* angeschlossen ist.

»Das war meine erste Spielekonsole«, sagt Halliday mit Kinderstimme. »Ein Atari 2600. Den habe ich 1979 zu Weihnachten bekommen.« Er hockt sich vor den Atari, greift nach dem Joystick und beginnt zu spielen. »Und das war mein Lieblingsspiel«, sagt er und weist mit einer Kopfbewegung auf den Bildschirm, wo sich ein kleines Quadrat durch eine Folge einfacher Labyrinthe bewegt. »Es hieß *Adventure*. Wie viele frühe Videospiele wurde *Adventure* von einer einzigen Person entwickelt und programmiert. Damals nannte Atari seine Programmierer jedoch nicht, so dass der Name des Spieleerfinders nirgendwo auf der Verpackung erscheint.« Auf dem Fernsehschirm sehen wir, wie Halliday mit Hilfe eines Schwerts einen roten Drachen tötet; was aufgrund der primitiven Graphik und der niedrigen

---

5   Halliday sieht jetzt genauso aus wie auf einem Schulfoto, das 1980 aufgenommen wurde, als er acht Jahre alt war.

Auflösung des Spiels allerdings eher so aussieht, als würde ein Quadrat eine entstellte Ente mit einem Pfeil durchbohren.

»Also hat der Typ, der *Adventure* erfunden hat, ein Mann namens Warren Robinett, sich in dem Spiel selbst verewigt. In eines der Labyrinthe des Spiels hat er einen Schlüssel eingeschmuggelt. Wenn man diesen Schlüssel entdeckte – einen kleinen grauen Punkt von der Größe eines einzigen Pixels –, konnte man damit in einen geheimen Raum gelangen, in dem Robinett seinen Namen versteckt hatte.« Auf dem Bildschirm steuert Halliday seinen quadratischen Protagonisten in diesen geheimen Raum. In der Mitte des Bildschirms erscheinen die Wörter CREATED BY WARREN ROBINETT.

»Das«, sagt Halliday und deutet ehrfürchtig auf den Bildschirm, »war das allererste *Easter Egg* in einem Videospiel. Robinett versteckte es im Quellcode des Spiels, ohne einer Menschenseele davon zu erzählen. Und Atari produzierte *Adventure* und verschickte es in die ganze Welt, ohne von diesem geheimen Raum zu wissen. Erst Monate später fanden sie heraus, dass dieses *Easter Egg* überhaupt existierte, gleichzeitig mit den Kids, die das Spiel spielten. Ich war eins dieser Kinder, und als ich Robinetts Osterei das erste Mal entdeckte, war das eines der coolsten Videospiel-Erlebnisse meines ganzen Lebens.«

Der junge Halliday lässt den Joystick los und steht auf. Während er das tut, verblasst das Wohnzimmer, und die Kulisse verändert sich erneut. Halliday steht jetzt im Halbdunkel einer Höhle; das flackernde Licht von Fackeln, die sich außerhalb des Blickfeldes befinden, wird von den feuchten Wänden zurückgeworfen. Im selben Augenblick nimmt auch Halliday wieder eine andere Gestalt an – er verwandelt sich in seinen berühmten OASIS-Avatar Anorak, einen hochgewachsenen Zauberer. Sein Gesicht ist das von Halliday, wenn auch ein wenig attraktiver und ohne Brille. Wie immer trägt er ein langes schwarzes Gewand mit dem Emblem des Avatars (ein großes A in verschlungener Handschrift) auf beiden Ärmeln.

»Vor meinem Tod«, sagt Anorak mit einer viel tieferen Stimme, »habe ich selbst ein *Easter Egg* in meinem beliebtesten Videospiel versteckt – in der OASIS. Wer mein Osterei als Erster findet, erbt mein ganzes Vermögen.«

Eine weitere dramatische Pause.

»Das Ei ist allerdings gut versteckt. Ich habe es nicht einfach unter irgendeinen Stein gelegt. Man könnte sogar sagen, es ist in einem Tresor eingeschlossen, der in einem geheimen Raum vergraben ist, der wiederum mitten in einem Labyrinth verborgen ist, das sich irgendwo« – er tippte sich gegen die rechte Schläfe – »hier befindet. Aber keine Sorge. Ich habe ein paar Hinweise hinterlassen, damit jeder weiß, wo's losgeht. Und hier ist der erste.«

Anorak macht mit der rechten Hand eine theatralische Geste. Drei Schlüssel erscheinen und drehen sich langsam vor ihm in der Luft. Allem Anschein nach bestehen sie aus Kupfer, Jade und durchsichtigem Kristall. Während die Schlüssel sich drehen, sagt Anorak ein paar Gedichtzeilen auf, die jeweils kurz als flammende Untertitel am unteren Rand des Bildschirms sichtbar werden:

Drei Schlüssel öffnen der Tore drei,
Und wer sich als würdig erweist dabei,
Muss alsbald auf sein Geschick sich besinnen,
Will er das »Ende« erreichen und den Preis gewinnen.

Die beiden Schlüssel aus Jade und Kristall verschwinden, und nur der Kupferschlüssel bleibt zurück – Anorak trägt ihn nun an einer Kette um den Hals.

Die Kamera folgt Anorak, der sich umdreht und tiefer in die dunkle Höhle hineinschreitet. Nach wenigen Sekunden bleibt er vor zwei massiven Holztüren stehen, die in die Felswand eingelassen sind. Die Türen sind mit Stahlbändern verstärkt, und auf ihnen prangen Bilder von Schilden und Drachen. »Ich konnte dieses Spiel nicht mehr in Ruhe austesten, weshalb ich mir Sorgen mache, dass ich mein *Easter Egg* vielleicht etwas zu gut versteckt habe. Ich weiß es nicht. Falls dem so ist, kann ich daran jetzt auch nichts mehr ändern. Wir werden sehen.«

Anorak stößt die beiden Türen auf. Dahinter kommt eine riesige Schatzkammer zum Vorschein, in der sich ganze Berge funkelnder Goldmünzen und mit Edelsteinen besetzter Kelche auftürmen.[6] Dann tritt er in den offenen Durchgang, wendet sich dem Zuschauer zu und streckt die Arme aus, um die beiden riesigen Türflügel aufzuhalten.[7]

»Lange Rede, kurzer Sinn«, ruft Anorak aus. »Möge die Jagd auf Hallidays *Easter Egg* beginnen!« Ein Blitz zuckt herab, und er verschwindet. Durch die Tür sind noch eine Weile die funkelnden Schätze zu sehen.

Dann wird der Bildschirm schwarz.

Es folgte ein Link auf seine private Internetseite, die sich am Morgen seines Todes drastisch verändert hatte. Seit über ei-

---

6 Genaue Analysen haben gezeigt, dass sich unter den Schatzhaufen Dutzende der seltsamsten Gegenstände verbergen, zum Beispiel mehrere frühe Heimcomputer (ein Apple IIe, ein Commodore 64, ein Atari 800XL und ein TRS-80 Color Computer 2), eine Reihe von Controllern für die unterschiedlichsten Systeme und Hunderte von vielflächigen Würfeln, wie sie bei den alten Strategie- und Rollenspielen verwendet wurden.

7 Das Standbild dieser Szene sieht dem von Jeff Easley gemalten Titelbild des *Dungeon Master's Guide* – einem *Dungeons-&-Dragons*-Regelwerk aus dem Jahr 1983 – zum Verwechseln ähnlich.

nem Jahrzehnt war dort nur eine kurze, sich ständig wiederholende Animation zu sehen gewesen: Hallidays Avatar Anorak, wie er in einer mittelalterlichen Bibliothek sitzt, tief über einen zerschrammten Arbeitstisch gebeugt, geheimnisvolle Zaubertränke mischt und sich in Folianten vertieft. An der Wand hinter ihm hing ein großes Gemälde mit einem schwarzen Drachen.

Doch diese Animation war nun verschwunden, und an ihrer Stelle befand sich eine Highscore-Liste, wie sie früher bei den Automatenspielen in den Spielhallen üblich gewesen war. Die Liste umfasste zehn nummerierte Plätze, und auf jedem standen die Initialen JDH – James Donovan Halliday – und dahinter eine Punktzahl mit sechs Nullen. Die Liste wurde bald als »Scoreboard« bekannt.

Direkt unter dem Scoreboard befand sich ein Icon, das wie ein kleines, in Leder gebundenes Buch aussah. Von dort führte ein Link zu *Anoraks Almanach*, den man kostenlos herunterladen konnte – einer Sammlung Hunderter undatierter Tagebucheinträge Hallidays. Der *Almanach* bestand aus über tausend Seiten Text, aber er verriet so gut wie nichts über Hallidays Privatleben. Die meisten Einträge waren hingeworfene Bemerkungen über verschiedene Videospielklassiker, Science-Fiction- und Fantasy-Romane, Filme, Comicserien und die Popkultur der 80er Jahre oder gelegentlich eingestreute humorvolle Tiraden, die sich mit allem Möglichen beschäftigten, von organisierter Religion bis zu Diätlimonade.

Die »Jagd«, wie der Wettbewerb schließlich genannt wurde, wurde innerhalb kürzester Zeit ein fester Bestandteil der globalen Kultur. Hatten Erwachsene und Kinder früher davon geträumt, in der Lotterie zu gewinnen, träumten sie jetzt davon, Hallidays *Easter Egg* zu finden. An diesem Spiel konnte sich jeder beteiligen, und anfangs schien es keine richtige oder falsche Herangehensweise zu geben. *Anoraks Almanach* war lediglich zu entnehmen, dass eine gewisse Vertrautheit mit Hallidays Obsessionen unabdingbar war, um das Ei zu finden. Das führte zu einer weltweiten Faszination für die Popkultur der 1980er Jahre. Fünfzig Jahre nach dem Ende dieses Jahrzehnts waren Filme und Musik, Spiele und Mode der 80er wieder der letzte Schrei. Bis zum Jahr 2041 waren Irokesenschnitt und verwaschene Jeans wieder in, und Coverversionen von Hits aus den 80ern dominierten die Charts. Menschen fortgeschrittenen Alters, die in den 80er Jahren Teenager gewesen waren, machten die überaus seltsame Erfahrung, dass sich ihre Enkel die Moden und Marotten ihrer Jugend aneigneten.

Eine neue Subkultur war geboren, bestehend aus Millionen von Menschen, die ihre gesamte Freizeit darauf verwendeten, nach Hallidays Osterei zu suchen. Anfangs wurden diese Leute einfach als »Egg-Hunter« – Eijäger – bezeichnet, später wurden sie jedoch fast nur noch »Jäger« genannt.

Im ersten Jahr der Jagd war es schick, ein Jäger zu sein, und fast jeder OASIS-Nutzer nahm das für sich in Anspruch.

Doch als sich Hallidays Tod das erste Mal jährte, begann sich die Leidenschaft, mit der die Leute dem *Easter Egg* nachjagten, allmählich zu legen. Ein ganzes Jahr war vergangen, und niemand hatte etwas gefunden. Keinen einzigen Schlüssel, keine einzige Tür. Ein Teil des Problems war die schiere Größe der OASIS. Die Schlüssel konnten in Tausenden simulierter Welten verborgen sein, und ein Jäger konnte Jahre damit zubringen, auch nur eine von ihnen zu durchsuchen.

Obwohl einige »professionelle« Jäger auf ihren Blogs behaupteten, sie kämen dem Durchbruch mit jedem Tag näher, ließ sich die Wahrheit auf Dauer nicht verleugnen: Niemand wusste genau, wonach man eigentlich suchen oder wo man mit der Suche anfangen sollte.

Ein weiteres Jahr verstrich.

Und ein weiteres.

Und noch eines.

Die Allgemeinheit verlor das Interesse an dem Wettbewerb. Manche Leute kamen zu dem Schluss, dass sich irgendein verrückter Reicher einen Jux erlaubt hatte. Andere glaubten, dass niemand das Ei jemals finden würde, selbst wenn es wirklich existierte. Unterdessen entwickelte sich die OASIS immer weiter und wurde immer beliebter. Gegen Übernahmeversuche und juristische Anfechtungen wurde sie durch Hallidays hieb- und stichfestes Testament und eine Armee fanatischer Anwälte geschützt, die er mit der Aufgabe betraut hatte, sein Vermögen zu verwalten.

Hallidays *Easter Egg* wurde mit der Zeit zu so etwas wie einer urbanen Legende, und die schwindende Zahl der Jäger war zunehmend der Lächerlichkeit preisgegeben. Wenn sich Hallidays Todesjahr wieder einmal jährte, berichteten Nachrichtensprecher spöttisch, dass niemand auch nur einen Schritt weitergekommen sei. Und jedes Jahr schmissen mehr Jäger ihre Tastatur hin, weil sie zu dem Schluss gekommen waren, dass Hallidays Ei tatsächlich unauffindbar war.

Ein weiteres Jahr verstrich.

Und noch eines.

Und dann, am Abend des 11. Februar 2045, erschien der Name eines Avatars auf dem ersten Platz des Scoreboards, und die ganze Welt konnte ihn lesen. Nach fünf langen Jahren war der Kupferschlüssel endlich gefunden worden, und zwar von einem achtzehn Jahre alten Jungen, der am Stadtrand von Oklahoma City in einem Trailerpark lebte.

Dieser Junge war ich.

Dutzende von Büchern, Zeichentrickfilmen, abendfüllenden Streifen und Miniserien haben seither versucht, die ganze Geschichte zu erzählen, aber keiner ist der Wahrheit auch nur nahegekommen. Deshalb möchte ich berichten, was wirklich passiert ist, und die Dinge ein für alle Mal klarstellen.

LEVEL 1

Es ist wirklich ätzend, ein Mensch zu sein,
meistens jedenfalls.
Videospiele sind das Einzige,
was das Leben erträglich macht.

ANORAKS ALMANACH, KAPITEL 91, VERSE 1–2

OOOI

ICH WURDE VON SCHÜSSEN aus dem Schlaf gerissen. Irgendwer da draußen rief etwas, ein paar gedämpfte Schreie ertönten, und dann herrschte wieder Stille.

Hier in den *Stacks* war das nichts Ungewöhnliches, aber mir setzte das trotzdem ziemlich zu. Ich wusste, dass ich wahrscheinlich nicht mehr würde einschlafen können, also beschloss ich, mir die Zeit mit ein paar Spielhallen-Klassikern zu vertreiben. *Galaga*, *Defender*, *Asteroids*. Digitale Dinosaurier, die schon lange vor meiner Geburt museumsreif gewesen waren. Aber ich war ein Jäger, also waren sie für mich keine Kuriositäten aus grauer Vorzeit, sondern geheiligte Artefakte, tragende Säulen meines Pantheons. Wenn ich die Klassiker spielte, tat ich das voller Ehrfurcht.

Ich hatte mich in einer Ecke der winzigen Wäschekammer des Wohnwagens, eingekeilt zwischen Wand und Trockner, in einem alten Schlafsack zusammengerollt. Im Zimmer meiner Tante auf der anderen Seite des Flurs war ich nicht willkommen, doch das war mir nur recht. Ich schlief sowieso lieber in der Wäschekammer. Hier war es warm, ich war einigermaßen für mich, und der Empfang war ganz in Ordnung. Außerdem roch es angenehm nach Flüssigwaschmittel und Weichspüler. Ansonsten stank es in dem Wohnwagen überall nach Katzenpisse und bitterer Armut.

Die meiste Zeit schlief ich in meinem Versteck. Aber in den letzten Nächten war die Temperatur unter null Grad gesunken, und sosehr es mir zuwider war, mich im Trailer meiner

Tante aufzuhalten, war das immer noch besser, als zu erfrieren.

Hier lebten insgesamt fünfzehn Leute. Tante Alice schlief im kleinsten der drei Zimmer. Die Depperts wohnten direkt neben ihr, und die Millers hatten das größte Zimmer am Ende des Flurs. Sie waren zu sechst, und sie bezahlten den größten Teil der Miete. Unser Wohnwagen war nicht so überfüllt wie manche andere. Immerhin handelte es sich um ein übergroßes Modell, es gab genug Platz für alle.

Ich kramte meinen Laptop hervor und fuhr ihn hoch – ein ziemlich unhandliches, schweres Teil, fast zehn Jahre alt. Ich hatte ihn in einem Müllcontainer hinter einem verlassenen Einkaufszentrum auf der anderen Seite der Autobahn gefunden. Um ihn wieder zum Laufen zu bringen, hatte ich bloß den Arbeitsspeicher austauschen und das steinzeitliche Betriebssystem neu draufspielen müssen. Nach heutigen Standards war der Prozessor langsamer als ein Faultier, aber für meine Bedürfnisse reichte es. Der Laptop diente mir als tragbare Bibliothek, Spielhalle und Heimkino. Die Festplatte war randvoll mit alten Büchern, Filmen, Fernsehserien und Musikdateien. Außerdem besaß ich fast jedes Computerspiel, das im 20. Jahrhundert geschrieben worden war.

Ich startete den Emulator und klickte *Robotron: 2084* an, eines meiner absoluten Lieblingsspiele. Das hektische Tempo und die brutale Schlichtheit hatten mir schon immer gefallen. Bei *Robotron* ging es fast nur um Instinkt und Reflexe. Wenn ich mich in ein altes Videospiel vertiefte, bekam ich immer einen klaren Kopf. Wenn ich deprimiert war, musste ich nur auf *Player One* drücken, und sobald ich mich auf das unerbittliche Bombardement der Pixel auf dem Bildschirm vor mir konzentrierte, lösten sich all meine Sorgen augenblicklich in Luft auf. Hier, in dem zweidimensionalen Universum der

Spiele, war das Leben einfach: *du gegen die Maschine. Mit der linken Hand steuern, mit der rechten schießen und dabei versuchen, so lange wie möglich am Leben zu bleiben.*

Ich verbrachte einige Stunden damit, böse Roboter zu killen, schließlich musste ich unbedingt »die letzte Menschenfamilie retten«. Irgendwann bekam ich jedoch einen Krampf in den Fingern und geriet aus dem Takt. Wenn einem das in den höheren Leveln passiert, ging alles ratzfatz den Bach runter. Innerhalb von wenigen Minuten fackelte ich meine sämtlichen Leben ab, und dann erschienen die beiden Worte auf dem Bildschirm, die mir am meisten zuwider waren: GAME OVER.

Ich klickte den Emulator weg und stöberte in meinen Videodateien herum. Im Laufe der letzten fünf Jahre hatte ich jeden einzelnen Film, jede Fernsehserie und jeden Zeichentrickfilm runtergeladen, der in *Anoraks Almanach* erwähnt wird. Natürlich hatte ich mir noch nicht alles angeschaut. Dafür würde ich wahrscheinlich Jahrzehnte brauchen.

Ich wählte eine Folge von *Familienbande* aus, einer Sitcom aus den 80er Jahren über eine bürgerliche Familie, die in Ohio wohnt. Ich hatte mir die Serie besorgt, weil Halliday von ihr begeistert gewesen war – vielleicht war in einer der Folgen ja ein Hinweis versteckt, der etwas mit der Jagd zu tun hatte. Ich war sofort süchtig geworden, und inzwischen hatte ich mir alle 180 Folgen mehrmals angesehen. Irgendwie wurden sie mir nie langweilig.

Wenn ich so im Dunkeln saß und mir die Serie auf meinem Laptop anschaute, stellte ich mir oft vor, *ich* würde in diesem hell erleuchteten Haus wohnen und diese lächelnden, verständnisvollen Menschen seien *meine* Familie. Es gab kein Problem, das sich nicht innerhalb von einer halbstündigen Folge lösen ließ (oder innerhalb von einer Doppelfolge, wenn es mal wirklich ernst wurde).

Mein eigenes Leben hatte zu keinem Zeitpunkt auch nur die geringste Ähnlichkeit mit *Familienbande* gehabt – deshalb liebte ich die Serie wahrscheinlich auch so sehr. Ich war das einzige Kind zweier Teenager, beides Flüchtlinge, die sich in den *Stacks* kennengelernt hatten, und dort war ich auch aufgewachsen. An meinen Vater erinnere ich mich nicht. Er ist erschossen worden, als er während eines Stromausfalls einen Lebensmittelladen plünderte, und da war ich erst ein paar Monate alt gewesen. Ich weiß über ihn nur, dass er ein großer Comicfan gewesen war. In einem Karton mit seinen Sachen habe ich ein paar alte USB-Sticks gefunden, und darauf waren *The Amazing Spider-Man*, *The X-Men* und *Green Lantern*. Komplett! Meine Mama hat mir erzählt, mein Vater hätte mir einen alliterativen Namen gegeben, weil er fand, das klänge nach der Geheimidentität eines Superhelden. Deshalb hieß ich also Wade Watts. Wie Peter Parker oder Clark Kent. Er musste ziemlich cool gewesen sein, auch wenn sein Tod alles andere als glorios war.

Meine Mutter Loretta hat mich alleine großgezogen. Gewohnt haben wir in einem kleinen Wohnwagen in einem anderen Teil der *Stacks*. Sie hatte zwei Ganztagsjobs in der OASIS, einen als Telefonverkäuferin und einen als Hostess in einem Bordell. Deshalb musste ich auch immer Ohrenstöpsel tragen, damit ich nicht hörte, wie sie im Zimmer nebenan mit Freiern in anderen Zeitzonen redete. Allerdings taugten die Ohrenstöpsel nicht viel, also sah ich mir ständig alte Filme an, die Lautstärke voll aufgedreht.

Die OASIS kenne ich, solange ich denken kann, denn meine Mutter benutzte die virtuelle Welt als Babysitter. Kaum war ich alt genug, eine Videobrille und haptische Handschuhe zu tragen, half mir meine Mama, meinen ersten Avatar zu erschaffen. Dann setzte sie mich in irgendeine Ecke und wandte sich wieder ihrer Arbeit zu, während ich mich daranmachte, eine Welt zu erforschen, die sich grundlegend von allem unterschied, was ich bis dahin gekannt hatte.

Von da an wurde ich mehr oder minder von dem interaktiven Erziehungsprogramm der OASIS großgezogen, auf das jedes Kind kostenlosen Zugriff hatte. Einen großen Teil meiner Kindheit verbrachte ich in einer Simulation der *Sesamstraße*, sang zusammen mit liebenswerten Muppets Lieder, spielte interaktive Spiele und lernte so laufen, reden, rechnen, lesen und schreiben sowie mit anderen zu teilen. Nachdem ich das alles konnte, brauchte ich nicht lange, bis ich herausfand, dass die OASIS außerdem die größte öffentliche Bibliothek der Welt war, wo sogar ein Kind, das keinen Cent besaß, Zugriff auf jedes Buch hatte, das je geschrieben worden war, und auch auf jeden Song, jeden Film, jede Fernsehserie, jedes Gemälde. Ob Wissen, Kunst oder Unterhaltung – mir stand alles zur Verfügung. Allerdings war das nicht immer nur ein Segen. Denn langsam öffnete mir die Lektüre die Augen, und ich begriff, was Sache war.

Natürlich macht nicht jeder die gleichen Erfahrungen. Aber für mich kam es einem Tritt in die Fresse gleich, im 21. Jahrhundert auf dem Planeten Erde aufzuwachsen. Existentiell gesprochen.

Das Schlimmste war, dass mir niemand erklärte, was wirklich los war. Im Gegenteil. Und natürlich glaubte ich jedes Wort, schließlich war ich nur ein Kind und wusste es nicht besser. Ich meine ja nur – mein Gehirn war noch im Wachstum begriffen, wie sollte ich da merken, dass ich von vorne bis hinten verarscht wurde?

Also schluckte ich den ganzen Schwachsinn. Jedenfalls für eine Weile. Als ich älter wurde, bekam ich langsam aber sicher

mit, dass mich so ziemlich *jeder* über so ziemlich *alles* angelogen hatte, und zwar seit ich das Licht der Welt erblickt hatte.

Eine äußerst beunruhigende Feststellung.

Mein Grundvertrauen in die Welt war von diesem Moment
an, nun ja, angekratzt.

Die hässliche Wahrheit dämmerte mir allmählich, als ich
begann, mich in den kostenlosen OASIS-Bibliotheken umzu-
sehen. Ich las die alten Bücher, die von Leuten geschrieben
worden waren, die keine Angst davor hatten, die Wahrheit aus-
zusprechen. Künstler und Wissenschaftler, Philosophen und
Dichter, viele von ihnen schon lange tot. Während ich ihre
Worte verschlang, wurde mir nach und nach klar, was eigentlich los war. Was mit *mir* los war. Mit *uns*. Heilige Scheiße!

Ich wünschte, jemand hätte mich irgendwann beiseitege-
nommen und mir klar und deutlich die Wahrheit gesagt:

»Hör mal zu, Wade. Du bist das, was man als ›menschliches
Wesen‹ bezeichnet. Das ist ein ziemlich kluges Tier. Wie alle
anderen Tiere auf diesem Planeten stammen wir von einzel-
ligen Organismen ab, die vor Millionen von Jahren lebten.
Diesen Vorgang nennt man ›Evolution‹, und darüber wirst
du später mehr erfahren. Aber glaub mir, das ist der Grund,
weshalb wir jetzt hier sind. Beweise dafür gibt es jede Menge,
meist in versteinerter Form, tief in der Erde vergraben. Diese
andere Geschichte? Von wegen, irgend so ein allmächtiger Typ
namens Gott, der oben im Himmel lebt, hätte uns erschaffen?
Völliger Quatsch. Ein uraltes Märchen, das die Leute einander
seit Tausenden von Jahren erzählen. Das haben wir erfunden.
Wie den Weihnachtsmann und den Osterhasen. Tut mir leid,
mein Junge, ist halt so. Musst du mit klarkommen.

Wahrscheinlich fragst du dich, was passiert ist, bevor du hier
aufgetaucht bist. Ziemlich lange Geschichte. Nachdem wir uns
erst mal zu Menschen entwickelt hatten, wurde es richtig in-

teressant. Wir haben gelernt, Nahrungsmittel anzupflanzen und Tiere zu zähmen, damit wir nicht mehr die ganze Zeit jagen mussten. Unsere Stämme wurden immer größer, und wir haben uns wie ein unaufhaltsamer Virus auf dem ganzen Planeten ausgebreitet. Dann, nachdem wir einen Haufen Kriege um Land, Ressourcen und erfundene Götter geführt hatten, ist so etwas wie eine ›globale Zivilisation‹ entstanden. Aber so richtig zivilisiert ging es auch weiterhin nicht zu. Wir haben immer noch andauernd Kriege gegeneinander geführt. Aber wir sind auch mit den Naturwissenschaften weitergekommen, und daraus resultierte der technologische Fortschritt. Dafür, dass wir nur ein paar haarlose Affen sind, haben wir einige erstaunliche Dinge erfunden. Computer. Medikamente. Laser. Mikrowellenherde. Künstliche Herzen. Atombomben. Und ein globales Kommunikationsnetz, das es uns ermöglicht, miteinander zu reden, jeder mit jedem, zu jeder Zeit. Ziemlich beeindruckend, was?

Tja, aber so glatt lief es dann doch nicht. Für unsere globale Zivilisation haben wir einen enorm hohen Preis bezahlt. Wir brauchten unglaublich viel Energie, und dafür haben wir jede Menge fossile Brennstoffe abgefackelt, die tief in der Erde vergraben waren. Der größte Teil davon war schon vor deiner Geburt aufgebraucht, und jetzt ist so ziemlich alles futsch. Weshalb wir nicht mehr genug Energie haben, um die Zivilisation auf dem bisherigen Niveau am Laufen zu halten. Also mussten wir uns einschränken. Und zwar nicht zu knapp. Das Ganze nennt sich ›Globale Energiekrise‹, und damit schlagen wir uns jetzt schon eine ganze Weile herum.

Wie sich herausstellte, hatte der exzessive Energieverbrauch auch ein paar unangenehme Nebenwirkungen. Die Temperatur auf unserem Planeten ist angestiegen, und die Natur hat darunter gelitten. Die Polkappen schmelzen, der Meeresspiegel steigt, und das Wetter läuft aus dem Ruder. Pflanzen und Tiere sterben im Rekordtempo aus, und ein Haufen Leute sind obdachlos und verhungern. Und wir führen noch immer Kriege gegeneinander, vor allem um die wenigen Ressourcen, die noch übrig sind.

Um es kurz zu machen: Das Leben ist ein ganzes Stück härter geworden als früher, in der ›guten alten Zeit‹, bevor du auf die Welt gekommen bist. Da ging es uns wirklich verdammt gut, doch davon können wir heute nur noch träumen. Wenn ich ehrlich bin, sieht die Zukunft nicht eben vielversprechend aus. Du bist in eine ziemlich beschissene Zeit hineingeboren worden. Und ich vermute, alles wird noch schlimmer. Die menschliche Zivilisation befindet sich auf dem absteigenden Ast. Manche Leute reden sogar von einem Kollaps.

Wahrscheinlich fragst du dich, was dir bevorsteht. Das ist einfach. Das Gleiche wie allen anderen Menschen, die je gelebt haben. Du wirst sterben. Wir sterben alle. Das ist der Lauf der Dinge.

Was nach dem Tod kommt? Nun ja, so genau wissen wir das nicht. Aber alles spricht dafür, dass dann alles vorbei ist. Du bist tot, in deinem Gehirn wird's zappenduster, und du hörst auf, nervige Fragen zu stellen. Die Geschichten, von wegen da gäbe es einen wundervollen Ort, der ›Himmel‹ heißt, wo kein Schmerz und kein Tod existieren und wo man in ewiger Glückseligkeit lebt? Völliger Quatsch. Wie der ganze andere Kram über Gott. Es gibt keinen einzigen Hinweis darauf, dass es so etwas wie einen Himmel geben könnte. Wir haben ihn einfach erfunden. Reines Wunschdenken. Du hast den ganzen Rest deines Lebens Zeit, dich damit abzufinden, dass du eines Tages sterben wirst und nichts von dir übrig bleibt.

Tut mir leid.«

Okay, vielleicht ist Ehrlichkeit auch nicht immer der Weisheit letzter Schluss. Möglicherweise ist es keine gute Idee, jedem Neuankömmling auf dem Planeten Erde gleich zu erzählen, dass die Welt, in die er hineingeboren wurde, nichts als Chaos, Leid und Armut für ihn bereithält. Ich habe das alles erst nach und nach herausgefunden, im Laufe mehrerer Jahre, und manchmal wäre ich trotzdem am liebsten von der nächstbesten Brücke gesprungen.

Glücklicherweise hatte ich Zugang zur OASIS, was in etwa einer Rettungsluke in eine andere Welt gleichkam. Die OASIS hat mich davor bewahrt, den Verstand zu verlieren. Sie war mein Spielplatz und meine Vorschule, ein magischer Ort, an dem alles möglich war.

Die OASIS ist der Schauplatz meiner glücklichsten Kindheitserinnerungen. Wenn meine Mama nicht arbeiten musste, loggten wir uns gleichzeitig ein, spielten gemeinsam dasselbe Spiel oder liefen durch ein interaktives Bilderbuchabenteuer. Abends musste sie mich zwingen auszuloggen, denn ich wollte nicht in die Realität zurückkehren. Die Realität war ätzend.

Ich habe meiner Mutter nie für irgendetwas die Schuld gegeben. Sie war ein Opfer des Schicksals und grausamer Umstände, wie alle anderen auch. Ihre Generation traf es am härtesten. Sie war in eine Welt des Überflusses hineingeboren worden und musste dann mit ansehen, wie alles den Bach runterging. Mir ist vor allem im Gedächtnis geblieben, wie leid sie mir tat. Sie hatte beständig Depressionen, und das Einzige, was sie glücklich machen konnte, waren ebendiese Drogen. Das hat sie dann natürlich umgebracht. Als ich elf Jahre alt war, hat sie sich irgendwelchen Scheiß in den Arm gejagt und ist auf unserem schäbigen Schlafsofa verreckt, während sie auf einem alten MP3-Player, den ich repariert und ihr zu Weihnachten geschenkt hatte, Musik hörte.

Tja, und dann musste ich zur Schwester meiner Mutter ziehen. Tante Alice nahm mich allerdings nicht aus Freundlichkeit oder familiärem Verantwortungsgefühl bei sich auf. Sie hatte es auf die Essensgutscheine abgesehen, die die Regierung monatlich ausgab. Meistens musste ich mir selbst etwas zu essen suchen. Für gewöhnlich war das kein Problem, denn ich hatte ein Talent dafür, alte Computer und OASIS-Konsolen aufzuspüren und zu reparieren, die ich dann im Pfandhaus verkaufte oder gegen Essensgutscheine eintauschte. Damit verdiente ich immerhin so viel, dass ich nicht hungern musste, im Unterschied zu vielen meiner Nachbarn.

In dem Jahr nach dem Tod meiner Mutter suhlte ich mich in Selbstmitleid. Aber ich versuchte auch, meinem Leben etwas Positives abzugewinnen, mir vor Augen zu führen, dass es mir, obwohl ich ein Waisenkind war, besser ging als den meisten Kindern in Afrika. Und in Asien. Oder auch in Nordamerika. Ich hatte immer ein Dach über dem Kopf gehabt und mehr als genug zu essen. Und ich hatte OASIS. So mies war mein Leben gar nicht. Zumindest redete ich mir das ein, in dem vergeblichen Versuch, die entsetzliche Einsamkeit zu lindern, die ich jetzt empfand.

Dann begann die Jagd auf Hallidays *Easter Egg*. Ich glaube, das hat mich gerettet. Plötzlich hatte ich etwas, für das ich mich begeistern konnte, einen Traum, dem ich nachjagen konnte. Während der letzten fünf Jahre hatte mein Leben einen Sinn. Ich begab mich auf Schatzsuche und hatte damit jeden Morgen einen Grund aufzustehen.

Von dem Moment an, als ich anfing, nach dem Ei zu suchen, schien die Zukunft nicht mehr ganz so trostlos zu sein.

Ich war etwa bei der Hälfte der vierten Folge von *Familienbande* angekommen, als sich die Tür der Wäschekammer mit einem Quietschen öffnete und meine Tante Alice hereinkam, eine unterernährte Harpyie in einem Hauskleid, einen Korb mit schmutziger Wäsche in den Händen. Sie wirkte klarer als gewöhnlich, was kein gutes Zeichen war. Wenn sie high war, kam ich viel besser mit ihr klar.

Sie warf mir wie üblich einen verächtlichen Blick zu und fing an, Wäsche in die Maschine zu stopfen. Dann veränderte sich ihre Miene, und sie sah noch einmal hinter den Trockner, um mich eingehender zu betrachten. Als sie meinen Laptop sah, wurden ihre Augen groß. Ich klappte ihn rasch zu und wollte ihn in meinen Rucksack schieben, aber dafür war es bereits zu spät.

»Her damit, Wade«, sagte sie im Befehlston und griff nach dem Laptop. »Den kann ich verpfänden und damit die Miete bezahlen.«

»Nein!«, schrie ich und riss ihn ihr aus der Hand. »Den brauch ich doch für die Schule!«

»Was du brauchst, ist eine Tracht Prügel!«, fauchte sie. »Damit du endlich etwas mehr Dankbarkeit lernst! Hier muss jeder Miete bezahlen. Ich habe es satt, dich die ganze Zeit durchzufüttern!«

»Du behältst doch schon alle meine Essensgutscheine. Das ist mehr als genug, um meinen Anteil an der Miete abzudecken.«

»Von wegen!« Sie versuchte, mir den Laptop zu entreißen, aber ich ließ ihn einfach nicht los. Also drehte sie sich auf dem Absatz um und stapfte hinaus. Ich wusste, was jetzt kommen würde, deshalb tippte ich rasch einen Befehl in den Laptop, mit dem die Tastatur gesperrt und die Festplatte gelöscht wurde.

Kurz darauf kam Tante Alice zusammen mit ihrem Freund Rick zurück, der sich noch im Halbschlaf zu befinden schien. Rick rannte grundsätzlich mit nacktem Oberkörper herum, weil er mit seiner beeindruckenden Sammlung von Tattoos protzen wollte. Ohne ein Wort zu sagen, marschierte er auf mich zu und hob die Faust. Ich zuckte zusammen und händigte ihm den Laptop aus. Daraufhin gingen er und Tante Alice hinaus, wobei sie bereits laut überlegten, wie viel sie dafür im Pfandhaus bekommen würden.

Den Laptop zu verlieren war keine große Sache. In meinem Versteck hatte ich noch zwei weitere. Aber sie waren bei weitem nicht so schnell, und ich würde alle meine Dateien vom Sicherungslaufwerk rüberspielen müssen. Schöne Scheiße. Allerdings war ich selbst schuld. Ich wusste, wie riskant es war, irgendetwas von Wert hierher mitzunehmen.

Durch das Fenster der Wäschekammer sah ich, dass es draußen allmählich hell wurde. Vielleicht sollte ich heute einfach etwas früher zur Schule gehen.

Ich zog mich so schnell und so leise wie möglich an. Eine abgetragene Cordhose, ein weites Sweatshirt und eine Jacke, die mir viel zu groß war, bildeten meine gesamte Wintergarderobe. Dann schulterte ich meinen Rucksack und kletterte auf die Waschmaschine. Nachdem ich mir meine Handschuhe übergestülpt hatte, öffnete ich das mit Frost bedeckte Fenster. Der arktische Morgen brannte auf den Wangen, während ich über das Meer von Wohnwagendächern hinwegblickte.

Der Trailer meiner Tante war die oberste Wohneinheit in einem Stapel, der zweiundzwanzig Wagen hoch war, womit er eine oder zwei Ebenen höher lag als die meisten anderen in der unmittelbaren Umgebung. Die Wohnwagen der untersten Ebene standen auf der Erde oder auf einem Betonfundament, aber die Einheiten über ihnen hingen an einem Gerüst, das im Laufe der Jahre stückweise und aufs Geratewohl weitergewachsen war.

Wir wohnten in den *Portland Avenue Stacks*, einem riesigen

Bienenstock aus blechernen Schuhschachteln, die am Rand der I-40, unmittelbar westlich des Stadtkerns von Oklahoma City mit seinen verfallenen Wolkenkratzern, vor sich hin rosteten. Die über fünfhundert Stapel waren durch ein behelfsmäßiges Geflecht aus recycelten Rohren, Stahlträgern, Stützpfeilern und Fußgängerbrücken miteinander verbunden. Ein Dutzend uralter Baukräne stand am Rand des sich immer weiter ausdehnenden Viertels – sie leisteten die eigentliche Stapelarbeit.

Die oberste Ebene, das »Dach« der *Stacks*, war mit einem Flickwerk aus alten Sonnenkollektoren bedeckt, die die Wohneinheiten mit Energie versorgten. Ein Bündel aus Schläuchen und geriffelten Rohrleitungen schlängelte sich an den Seiten der Stapel hinauf, versorgte die Trailer mit Wasser und diente der Abwasserbeseitigung (ein Luxus, den sich nicht alle *Stacks* in der Stadt leisten konnten). Bis zu den unteren Ebenen, dem Bodensatz, gelangte nur wenig Sonnenlicht. In den dunklen, schmalen Streifen Erde zwischen den Stapeln standen zahllose Autowracks, deren Benzintanks geleert worden waren und die sich nicht mehr von der Stelle bewegten.

Einer unserer Nachbarn, Mr Miller, hatte mir einmal erklärt, dass in Trailerparks wie dem unseren früher nur einige Dutzend Wohnwagen in ordentlichen Reihen nebeneinandergestanden hatten. Nach dem Ölcrash und dem Ausbruch der Energiekrise waren die großen Städte mit Flüchtlingen aus den umliegenden Vororten und den ländlichen Gegenden überschwemmt worden, was zu einem enormen Wohnraummangel geführt hatte. Grundbesitz im Umkreis einer der großen Städte wurde viel zu wertvoll, um nur ein paar Wohnwagen darauf abzustellen, und so war jemand auf die brillante Idee verfallen, die, wie sich Mr Miller ausdrückte, »Scheißteile einfach übereinanderzustapeln«, um die Flächennutzung zu optimieren. Die Idee setzte sich allgemein durch, und die Trailerparks im ganzen Land entwickelten sich rasch zu »Stapeln« wie diesem hier – sonderbaren Hybriden aus Elendsviertel, illegaler Siedlung und Flüchtlingslager. Inzwischen gab es am Rand sämtlicher Großstädte solche *Stacks*, und es wimmelte darin nur so von entwurzelten Provinzlern wie meinen Eltern. Verzweifelt auf der Suche nach Arbeit, etwas Essbarem, Elektrizität und einem verlässlichen Zugang zur OASIS waren sie aus ihrer verfallenden Kleinstadt geflohen und hatten den letzten Rest Benzin aufgebraucht, um ihre Familien und ihren Wohnwagen zur nächsten Metropole zu karren.

Die meisten Stapel in unserer Siedlung – gelegentlich hatte sich ein altes Wohnmobil, ein Container oder ein VW-Bus zwischen die Trailer verirrt – waren mindestens fünfzehn Einheiten hoch. In den letzten Jahren waren manche sogar bis zu einer Höhe von zwanzig Einheiten oder mehr angewachsen. Das machte eine Menge Leute nervös. Es war nicht ungewöhnlich, dass ein Stapel einstürzte, und wenn die Gerüststützen im falschen Winkel nachgaben, konnte der Dominoeffekt vier oder fünf benachbarte Stapel mit sich zu Boden reißen.

Unser Trailer befand sich am nördlichen Rand der *Stacks* in der Nähe einer baufälligen Autobahnüberführung. Von meinem Aussichtspunkt am Fenster der Wäschekammer aus konnte ich einen spärlichen Strom von Elektrofahrzeugen sehen, die über den rissigen Asphalt krochen und Waren oder Arbeiter in die Stadt beförderten. Während ich auf die trostlose Skyline blickte, schob sich allmählich die Sonne über den Horizont. Wie immer, wenn ich sie aufgehen sah, dachte ich daran, dass es sich um einen *Stern* handelte – einen von einer Milliarde Sterne in unserer Galaxis. Die ebenfalls nur eine von Milliarden von Galaxien im Universum war. Dieses kleine Ritual half mir, die Dinge in einem größeren Zusammenhang zu betrachten. Angefangen hatte ich damit, als ich einmal eine Wissenschaftsdoku aus den frühen 80ern gesehen hatte, die *Unser Kosmos* hieß.

So leise wie möglich schlüpfte ich durch das Fenster hinaus, hielt mich am Rahmen fest und ließ mich über die kalte Verkleidung des Trailers nach unten gleiten. Die Stahlplattform, auf der der Trailer ruhte, war nicht viel größer als dieser selbst, so dass nur ein Vorsprung von einem halben Meter blieb. Ich ließ mich vorsichtig hinab, bis meine Füße Halt fanden, und schloss das Fenster. Dann packte ich das Seil, das ich zur Sicherheit an der Außenverkleidung angebracht hatte, und schob mich seitwärts die Plattform entlang bis zur nächsten Ecke. Von dort aus konnte ich am Gerüst hinunterklettern. Diese Route nahm ich fast immer, wenn ich den Trailer meiner Tante verlassen oder zu ihm hinaufsteigen wollte. An der Seite des Stapels war zwar eine Treppe befestigt, aber sie war wenig vertrauenerweckend und schrammte gegen das Gerüst, wenn man sie betrat, was ziemlich viel Lärm machte. Keine gute Idee. In den *Stacks* war es am besten, nicht gehört oder gesehen zu werden. Hier waren eine Menge gefährliche und verzweifelte Menschen unterwegs – Leute, die einen erst vergewaltigten, dann ermordeten und schließlich die Organe auf dem Schwarzmarkt verkauften.

Wenn ich das Geflecht aus Stahlträgern hinunterstieg, musste ich immer an alte Videospiele wie *Donkey Kong* oder *BurgerTime* denken. Die Idee war mir gekommen, als ich vor ein paar Jahren mein erstes Spiel für den Atari 2600 schrieb (für Jäger ein Initiationsritus wie für Jedi die Konstruktion ihres ersten Lichtschwerts). Es handelte sich um ein *Pitfall*-Plagiat mit dem Namen *The Stacks*, in dem man auf dem Weg zur Schule durch ein vertikales Labyrinth aus Trailern steuern, Computerteile einsammeln, sich Essensgutscheine und Powerups schnappen und Methsüchtigen und Pädophilen ausweichen musste. Mein Spiel machte deutlich mehr Spaß als die Realität.

Auf dem Weg nach unten legte ich neben dem Airstream-Trailer drei Einheiten tiefer, in dem Mrs Gilmore wohnte, eine Pause ein. Sie war eine äußerst liebenswerte Dame Mitte siebzig, und sie stand immer total früh auf. Ich warf einen Blick durchs Fenster und sah sie in ihrer Küche herumschlurfen und das Frühstück richten. Als sie mich entdeckte, begannen ihre Augen zu leuchten.

»Wade!«, rief sie und öffnete das Fenster. »Guten Morgen, mein Junge.«

»Guten Morgen, Mrs Gilmore«, erwiderte ich. »Hoffentlich habe ich Sie nicht erschreckt.«

»Ach was!«, sagte sie und zog ihren Morgenmantel fester zu. »Aber da draußen ist es ja eisig! Warum kommst du nicht rein und frühstückst mit mir? Es gibt Sojaschinken. Und dieses Eipulver ist nicht übel, wenn man es ausreichend salzt …«

»Vielen Dank, aber heute kann ich nicht, Mrs Gilmore. Ich muss in die Schule.«

»Na gut. Dann ein andermal.« Sie warf mir eine Kusshand zu und machte sich am Fenster zu schaffen, um es wieder zu schließen. »Pass bloß auf, dass du dir beim Runterkraxeln nicht den Hals brichst, okay, Spider-Man?«

»Aber klar! Bis später, Mrs Gilmore.« Ich winkte ihr zum Abschied zu und setzte meinen Abstieg fort.

Mrs Gilmore war wirklich ein Schatz. Immer wenn ich nicht wusste, wohin, durfte ich mich auf ihrem Sofa breitmachen, was ich aber nicht oft tat, weil ich dort wegen der ganzen Katzen nicht einschlafen konnte. Mrs Gilmore war furchtbar religiös und verbrachte die meiste Zeit in der OASIS, wo sie bei einer der großen Online-Megakirchen die Messe besuchte, Kirchenlieder sang, sich Predigten anhörte und virtuelle Reisen ins Heilige Land unternahm. Einmal habe ich ihre uralte OASIS-Konsole repariert, als sie den Geist aufgegeben hatte, und zum Dank beantwortet sie seitdem meine endlosen Fragen darüber, wie es gewesen war, in den 1980ern aufzuwachsen. Über diese Zeit wusste sie fast alles – auch Sachen, die man nicht aus Büchern oder Filmen erfahren konnte. Außerdem betete sie dauernd für mich. Tat ihr Bestes, um meine Seele zu retten. Ich brachte es einfach nicht übers Herz, ihr zu sagen, dass ich organisierte Religion für kompletten Schwachsinn hielt. Schließlich schadete ihr Glaube ja niemandem, sondern gab ihr Hoffnung und die Kraft weiterzumachen – und hatte damit für sie dieselbe Bedeutung wie die Jagd für mich. Um den *Almanach* zu zitieren: »Leute, die in Glashäusern wohnen, sollten das Maul halten.«

Als ich die unterste Ebene erreichte, sprang ich die letzten anderthalb Meter vom Gerüst auf den Boden. Meine Gummistiefel knirschten im Schneematsch. Hier unten war es ziemlich dunkel, also holte ich meine Taschenlampe hervor und machte mich durch das Labyrinth auf den Weg nach Osten. Ich tat mein Bestes, nicht gesehen zu werden, und achtete darauf, nicht über Einkaufswagen, Zylinderblöcke oder irgendwelchen anderen Müll zu stolpern, der in den schmalen Gassen zwischen den Stapeln herumlag. Um diese frühe Uhrzeit begegnete ich nur selten jemandem. Die Pendelbusse fuhren nur alle paar Stunden, deshalb warteten die Leute, die einen Job hatten, bereits an der Haltestelle an der Autobahn. Die meisten von ihnen arbeiteten als Tagelöhner in den riesigen Fabrikfarmen am Stadtrand.

Nachdem ich einen knappen Kilometer gelaufen war, kam ich zu einem riesigen Berg alter Autos. Vor Jahrzehnten hatten die Kräne möglichst viele Wracks vom Gelände entfernt, um Platz für noch mehr Stapel zu schaffen, und diese hatten sie ein paar hundert Meter außerhalb der Siedlung zu gewaltigen Hügeln aufgetürmt. Viele davon waren fast so groß wie die Stapel selbst.

Ich ging zum Rand des Hügels, und nachdem ich mich rasch umgeschaut hatte, um mich zu vergewissern, dass mir niemand gefolgt war, schlüpfte ich in einen Spalt zwischen zwei zusammengedrückten Autos. Ich schob mich weiter in den wackeligen Berg aus verbogenem Blech hinein, bis ich eine kleine »Lichtung« hinter einem Lieferwagen erreichte. Nur das hintere Drittel des Wagens war sichtbar, der Rest war unter anderen Fahrzeugen verborgen. Zwei umgestürzte Pick-ups lagen schräg auf seinem Dach. Der größte Teil ihres Gewichts wurde jedoch von den Autos getragen, die rechts und links aufgetürmt waren, wodurch so etwas wie ein Bogengewölbe entstanden war, das den Lieferwagen vor dem Gewicht der Fahrzeugmassen über ihm schützte.

Ich zog eine Kette hervor, die ich um den Hals trug und an der ein einzelner Schlüssel hing. Ein Glücksfall – der Schlüssel hatte noch in der Zündung gesteckt, als ich den Lieferwagen entdeckt hatte. Viele der Fahrzeuge waren noch funktionstüchtig gewesen, als sie aufgegeben worden waren. Die Leute konnten sich das Benzin nicht mehr leisten, also hatten sie ihre Autos einfach irgendwo abgestellt und waren davongegangen.

Ich steckte die Taschenlampe ein und schloss die Hecktüren des Lieferwagens auf. Sie öffneten sich etwa einen halben Meter weit, gerade genug Platz für mich, um hineinzuschlüpfen. Ich zog sie hinter mir zu und schloss wieder ab. Die Hecktüren des Wagens hatten keine Fenster, und so kauerte ich in völliger Finsternis, bis ich das alte Stromkabel ertastete, das ich mit Klebeband an der Decke befestigt hatte. Ich drückte auf einen Schalter, und eine alte Schreibtischlampe erfüllte den winzigen Raum mit Licht.

Die Windschutzscheibe des Lieferwagens war zerbrochen, und das eingedellte grüne Dach eines Kleinwagens steckte in der Öffnung, aber der Ladebereich war unbeschädigt geblieben. Jemand hatte auch die Vordersitze ausgebaut (wahrscheinlich, um sie als Möbel zu benutzen), und so hatte ich jetzt ein kleines »Zimmer«, das etwa zwei Meter breit, anderthalb Meter hoch und drei Meter lang war.

Das war mein Versteck.

Ich war vor vier Jahren bei der Suche nach ausrangierten Computerteilen darauf gestoßen. Als ich zum ersten Mal die Tür öffnete und in den Lieferwagen hineinschaute, war mir sofort klar, dass ich etwas unglaublich Wertvolles gefunden hatte: mein eigenes Zimmer. Niemand wusste etwas davon, also war ich hier sicher vor der Schikane meiner Tante oder der Loser, mit denen sie immer zusammen war. Hier konnte ich meine Sachen aufbewahren, ohne befürchten zu müssen, dass sie gestohlen wurden. Und, was am wichtigsten war, ich konnte mich in aller Ruhe in die OASIS einloggen.

Der Lieferwagen war meine Zuflucht. Meine Bat-Höhle. Meine Festung der Einsamkeit. Hier ging ich zur Schule, machte meine Hausaufgaben, las Bücher, schaute Filme und spielte Videospiele. Außerdem begab ich mich von hier aus auf die Suche nach Hallidays *Easter Egg*.

Wände, Boden und Decke hatte ich mit Eierkartons und Teppichstücken abgeklebt, um den Lieferwagen so schalldicht wie möglich zu machen. In einer Ecke standen mehrere Kisten mit kaputten Laptops und Computerteilen neben einem Regal mit alten Autobatterien und einem Heimtrainer, den ich zu einem Ladegerät umgebaut hatte. Das einzige Möbelstück war ein Klappstuhl.

Ich ließ meinen Rucksack fallen, streifte meine Jacke ab und sprang auf den Heimtrainer. Ich strampelte, bis an der Anzeige abzulesen war, dass die Batterien voll waren (so bekam ich jeden Tag zumindest ein bisschen Bewegung), setzte mich dann auf meinen Stuhl und schaltete den elektrischen Heizstrahler an, der danebenstand. Ich zog die Handschuhe aus und rieb die Hände vor den Heizdrähten, die allmählich hellorange glühten. Lange konnte ich den Heizstrahler nicht anlassen, er verbrauchte zu viel Strom.

Ich klappte die rattensichere Stahlkassette auf, in der ich mein Essen aufbewahrte, und nahm eine Flasche Wasser und ein Päckchen Milchpulver heraus. In einer Schüssel rührte ich alles zusammen und kippte eine Ladung *Fruit Rocks* hinein. Nachdem ich mein Frühstück hinuntergeschlungen hatte, holte ich eine alte *Star-Trek*-Brotdose hervor, die ich unter dem zerdrückten Armaturenbrett des Lieferwagens versteckt hielt. Darin befanden sich meine OASIS-Konsole, die haptischen Handschuhe und die Videobrille, die ich von der Schule erhalten hatte. Das waren bei weitem die wertvollsten Dinge, die ich besaß. Viel zu wertvoll, um sie mit mir herumzutragen.

Ich zog die elastischen Handschuhe an und streckte und dehnte meine Finger. Dann schnappte ich mir die OASIS-Konsole, ein flaches, schwarzes Rechteck von der Größe eines Taschenbuchs. Darin war eine WLAN-Antenne eingebaut, aber der Empfang im Lieferwagen war ziemlich mies, weil er unter einem riesigen Berg zusammengepressten Metalls begraben lag. Deshalb hatte ich mir eine externe Antenne gebastelt und auf der Motorhaube des obersten Wagens auf dem Schrotthaufen montiert. Das Antennenkabel schlängelte sich durch ein Loch in der Decke des Lieferwagens herein. Ich steckte es in einen Port an der Seite der Konsole und setzte die Videobrille auf. Sie schloss sich so dicht um meine Augen wie eine Schwimmbrille und ließ mich in vollkommene Schwärze eintauchen. Kleine Ohrhörer fuhren links und rechts aus der Videobrille aus und stöpselten sich automatisch in meine Ohren. Außerdem waren in die Brille zwei Stereomikrofone eingebaut, die alles aufnahmen, was ich sagte.

Ich schaltete die Konsole ein und startete den Log-in-Vorgang. Es blitzte kurz rot auf, als die Brille meine Netzhaut scannte. Dann räusperte ich mich und sagte, wobei ich jede Silbe sorgfältig betonte: »You have been recruited by the Star League to defend the Frontier against Xur and the Ko-Dan armada.«

Meine Passphrase wurde ebenso bestätigt wie mein Stimmmuster, und damit war ich eingeloggt. Der folgende Text erschien in der Mitte meines virtuellen Displays:

Identifikationsüberprüfung erfolgreich.
Willkommen in der OASIS, Parzival!
Log-in beendet: 07:53:21 OST-2.10.2045

Der Text verblasste und wurde durch eine kurze Nachricht ersetzt, die nur aus drei Wörtern bestand. Sie war von Halliday selbst im Log-in-Vorgang verankert worden, als er angefangen hatte, die OASIS zu programmieren, und zwar als Hommage an die direkten Vorfahren der Simulation – die Videospielautomaten seiner Jugend. Diese drei Wörter waren immer das Letzte, was ein OASIS-Nutzer sah, wenn er die reale Welt verließ und die virtuelle betrat:

READY PLAYER ONE

OOO2

MEIN AVATAR nahm vor meinem Spind im zweiten Stock der Highschool Gestalt an – genau hier hatte ich gestanden, als ich mich gestern Abend ausgeloggt hatte.

Ich ließ meinen Blick über den Korridor schweifen. Meine virtuelle Umgebung sah fast (wenn auch nicht ganz) real aus. Alles in der OASIS war wunderschön dreidimensional gerendert. Sofern man nicht an der Bildschärfe drehte oder allzu genau hinschaute, konnte man leicht vergessen, dass man sich in einer computergenerierten Welt befand. Und das mit meiner klapprigen Schulkonsole! Wenn man die Simulation mit einem supermodernen Ganzkörperanzug betrat, war es dem Vernehmen nach fast unmöglich, die OASIS von der Wirklichkeit zu unterscheiden.

Ich berührte meinen Spind, und er öffnete sich mit einem leisen, metallischen Klicken. Innen war er nur spärlich ausgeschmückt. Ein Bild von Prinzessin Leia mit einer Blasterpistole. Eine Gruppenaufnahme der Mitglieder von Monty Python in ihren *Kokosnuss*-Kostümen. Das *Time*-Cover mit James Halliday. Ich streckte den Arm aus und tippte die Schulbücher an, die sich im obersten Fach stapelten. Sie verschwanden und tauchten in der Inventarliste meines Avatars wieder auf.

Außer den Schulbüchern besaß mein Avatar nicht viel: eine Taschenlampe, ein eisernes Kurzschwert, einen kleinen Bronzeschild und eine Lederrüstung mit Arm- und Beinschienen. Alles nichtmagischen Ursprungs und von schlichter Qualität, aber etwas Besseres konnte ich mir nicht leisten. Gegenstände in der OASIS kosteten genauso viel wie in der Wirklichkeit (manchmal sogar mehr), und man konnte nicht mit Essensgutscheinen bezahlen. Der »Credit« war die Landeswährung der OASIS. Selbst in unseren finsteren Zeiten war sie verhältnismäßig stabil und wurde höher bewertet als Dollar, Pfund, Euro oder Yen.

In der Tür meines Spinds war ein kleiner Spiegel angebracht, und als ich sie schloss, erhaschte ich einen Blick auf meinen Avatar. Gesicht und Körper hatte ich mehr oder minder der Realität nachempfunden. Mein virtuelles Ich hatte eine etwas kleinere Nase, und es war insgesamt größer. Und schlanker. Und muskulöser. Außerdem hatte es keine Akne. Von diesen unbedeutenden Kleinigkeiten einmal abgesehen, glichen wir einander jedoch wie ein Ei dem anderen. Der streng kontrollierte Dresscode der Schule sah vor, dass alle Avatare Menschen und vom gleichen Alter und Geschlecht sein mussten wie ihre Besitzer. Hermaphroditische Dämoneneinhörner mit zwei Köpfen waren nicht erlaubt. Jedenfalls nicht auf dem Schulgelände.

Man konnte seinem Avatar jeden beliebigen Namen geben, solange er einmalig war. Will sagen, man musste sich einen Namen aussuchen, den nicht bereits jemand anderes benutzte. Der Name deines Avatars war gleichzeitig deine E-Mail-Adresse und deine Chat-ID, also sollte er möglichst cool und leicht zu merken sein. Promis blätterten gerüchteweise auch schon mal gewaltige Summen dafür hin, um irgendeinem Cybersquatter einen Namen abzukaufen, den dieser für sich reserviert hatte.

Als ich meinen OASIS-Account einrichtete, taufte ich meinen Avatar »Wade-the-Great«. Danach änderte ich den Namen alle paar Monate, meistens in etwas ähnlich Albernes. Inzwischen hatte mein Avatar jedoch schon seit fünf Jahren denselben Namen. Als die Jagd begann, beschloss ich noch am selben Tag, mich ihr anzuschließen, und benannte meinen Avatar in »Parzival« um, nach dem Ritter aus der Artus-Legende, der den Heiligen Gral gefunden hat.

Die Leute verwendeten online nur selten ihren richtigen Namen. Anonymität war einer der großen Vorteile der OASIS. In der Simulation wusste niemand, wer man wirklich war, außer man gab seine Identität freiwillig preis. Ein Großteil der Popularität und Kultur der OASIS beruhte auf dieser Tatsache. Der richtige Name, der Fingerabdruck und das Netzhautmuster eines Users waren in seinem Account gespeichert, aber Gregarious Simulation Systems behandelte diese Informationen streng vertraulich. Nicht einmal die Angestellten von GSS konnten die wahre Identität eines Avatars herausfinden. Vor einiger Zeit, als Halliday noch an der Konzernspitze stand, hatte GSS in einem bahnbrechenden Verfahren vor dem Obersten Gerichtshof das Recht erstritten, die Identität aller Nutzer geheim zu halten.

Als ich mich das erste Mal bei einer staatlichen Schule in der OASIS eingeschrieben hatte, musste ich meinen wahren Namen, den Namen meines Avatars, meine Postanschrift und meine Sozialversicherungsnummer angeben. Diese Informationen wurden in meinem Schülerprofil gespeichert, waren jedoch nur dem Direktor der Schule zugänglich. Keiner meiner Lehrer oder Mitschüler wusste, wer ich wirklich war, und umgekehrt.

Schülern war es nicht gestattet, in der Schule den Namen ihres Avatars zu verwenden. Damit sollte vermieden werden, dass Lehrer so alberne Dinge sagen mussten wie: »Pimp_ Grease, pass bitte besser auf!« oder »BigWang69, komm bitte nach vorne und erzähle uns, was für ein Buch du gelesen hast.« Stattdessen wurde von den Schülern verlangt, ihre echten Vornamen zu verwenden, gefolgt von einer Zahl, um sie von anderen Schülern mit demselben Namen zu unterscheiden. Als ich mich einschrieb, gab es an der Schule bereits zwei andere Schüler mit dem Namen Wade, also wurde mir die Schüler-ID »Wade3« zugeteilt. Dieser Name schwebte über dem Kopf meines Avatars, wann immer ich mich auf dem Schulgelände befand.

Die Schulglocke läutete, und am Rand meines Displays blinkte eine Warnung, dass mir noch vierzig Minuten bis zum Beginn der ersten Unterrichtsstunde blieben. Mit einer Abfolge kleiner Handbewegungen steuerte ich meinen Avatar durch den Korridor. Falls meine Hände einmal anderweitig beschäftigt waren, konnte ich ihm auch Sprachbefehle erteilen.

Ich ging in Richtung des Klassenzimmers, in dem Weltgeschichte unterrichtet wurde, lächelte und winkte mir bekannten Gesichtern zu. In ein paar Monaten würde ich meinen Abschluss machen. Ich wusste jetzt schon, dass ich die Schule vermissen würde. Ich hatte nicht das Geld, um aufs College zu gehen, nicht einmal in der OASIS, und für ein Stipendium waren meine Noten nicht gut genug. Mir würde nichts anderes übrigbleiben, als ein Vollzeitjäger zu werden. Meine einzige Chance, die *Stacks* zu verlassen, bestand darin, den Wettbewerb zu gewinnen. Andernfalls musste ich einen Fünfjahresvertrag bei irgendeinem Konzern unterschreiben, der mich dann nach Lust und Laune ausbeuten konnte. Und das war ungefähr so verlockend, wie mich nackt in einem Haufen Glassplitter zu wälzen.

Während ich den Korridor entlangschlenderte, nahmen vor den Spinden weitere Schüler Gestalt an, gespenstische Erscheinungen, die sich rasch verfestigten. Das Geplapper von Teenagern hallte alsbald über den Flur. Und es dauerte nicht lange, bis mir die erste Beleidigung zugerufen wurde.

»Hey, hey! Das ist doch Wade3!«, schrie eine Stimme. Ich drehte mich um und sah Todd13 vor mir, einen fiesen Avatar aus dem Matheunterricht. Er stand mit mehreren Freunden zusammen. »Scharfe Klamotten, Alter«, sagte er. »Wo hast du die denn aufgetrieben?«

Mein Avatar trug ein schwarzes T-Shirt und Bluejeans, eine der kostenlosen Voreinstellungen, die man auswählen konnte, wenn man einen Account einrichtete. Todd13 und seine Ne-andertaler-Kumpels trugen teure Designerklamotten, die sie wahrscheinlich in irgendeinem Offworld-Einkaufszentrum gekauft hatten.

»Hat mir deine Mutter geschenkt«, erwiderte ich, ohne meine Schritte zu verlangsamen. »Richte ihr doch meinen Dank aus, wenn du mal wieder zu Hause bist, um an ihrer Brust zu nuckeln und dein Taschengeld abzuholen.« Kindisch, ich weiß. Aber auch wenn hier alles virtuell war – wir befanden uns auf der Highschool, und je kindischer eine Beleidigung war, umso wirkungsvoller war sie.

Einige der Freunde von Todd13 und die anderen Schüler, die in der Nähe herumstanden, lachten. Todd13 sah mich wütend an, und er wurde sogar rot – ein Zeichen dafür, dass er es ver-säumt hatte, die Echtzeitgefühlsfunktion seines Accounts zu deaktivieren, die dafür sorgte, dass ein Avatar den Gesichts-ausdruck und die Körpersprache des Originals widerspiegelte. Er wollte etwas antworten, aber ich schaltete ihn stumm, so dass ich nicht hören konnte, was er sagte. Ich lächelte nur und ging weiter.

Dass ich meine Mitschüler stummschalten konnte, war wirk-lich ein tolles Feature der OASIS, und ich machte fast täglich Gebrauch davon. Das Beste daran war, dass sie *sehen* konnten, dass du sie stummgeschaltet hattest, und sie konnten rein gar nichts dagegen tun. Auf dem ganzen Planeten Ludus konnte kein Spieler einen anderen angreifen. Die Simulation ließ das schlichtweg nicht zu. In der Schule waren Worte die einzigen Waffen, also hatte ich gelernt, mit ihnen umzugehen.

In der realen Welt hatte ich bis zur sechsten Klasse die Schule besucht. Das war keine besonders angenehme Erfahrung gewesen. Ich war ziemlich schüchtern, furchtbar ungeschickt und besaß weder Selbstbewusstsein noch sonst irgendeine soziale Kompetenz – kein Wunder, hatte ich doch den größten Teil meiner Kindheit in der OASIS verbracht. Online hatte ich keine Probleme, mit Leuten zu reden oder Freundschaften zu schließen. Aber in der realen Welt verwandelte ich mich jedes Mal in ein nervöses Wrack, wenn ich mich mit jemandem unterhalten sollte – vor allem mit Gleichaltrigen. Ich wusste nie, wie ich mich verhalten oder was ich sagen sollte, und wenn ich einmal den Mut aufbrachte, ein Gespräch anzufangen, sagte ich fast immer das Falsche.

Mein Äußeres trug nicht unwesentlich zu dem Problem bei. Ich war übergewichtig, und das schon, solange ich denken konnte. Meine fragwürdige Ernährung, die im Wesentlichen aus von der Regierung subventionierten zucker- und stärkereichen Nahrungsmitteln bestand, war daran sicher nicht ganz unschuldig, aber ich war auch OASIS-süchtig, und so kam ich nur dann ins Schwitzen, wenn ich vor oder nach der Schule vor irgendwelchen Schlägern davonlaufen musste. Was die Sache noch schlimmer machte – meine ganze Garderobe bestand aus schlechtsitzenden Pullis und Hosen aus Secondhandläden und Altkleidercontainern. Mit anderen Worten: Ich trug eine Zielscheibe auf der Stirn.

Dennoch tat ich mein Bestes, mich anzupassen. Jahr um Jahr suchte ich beharrlich wie ein T-1000 die Kantine nach einer Clique ab, die mich vielleicht aufnehmen würde. Doch selbst die Außenseiter wollten nichts mit mir zu tun haben. Sogar den Sonderlingen war ich zu merkwürdig. Und Mädchen? Mit Mädchen zu sprechen kam überhaupt nicht in Frage. Für mich glichen sie einer exotischen außerirdischen Spezies, wunderschön und furchterregend. Sobald ich mich einem Mädchen auch nur näherte, brach mir der kalte Schweiß aus, und ich verlor die Fähigkeit, in ganzen Sätzen zu sprechen.

Für mich war die Schule eine Übung in angewandtem Darwinismus gewesen. Ein täglicher Spießrutenlauf aus Spott, Misshandlungen und Einsamkeit. Als ich in die sechste Klasse kam, fragte ich mich allmählich, wie es mir gelingen sollte, in den folgenden sechs Jahren bis zum Schulende nicht den Verstand zu verlieren.

Dann gab der Direktor eines glorreichen Tages bekannt, dass alle Schüler mit akzeptablem Notenschnitt beantragen konnten, in eine der neuen staatlichen Schulen in der OASIS versetzt zu werden. Das eigentliche staatliche Schulsystem war schon seit Jahrzehnten in einem katastrophalen Zustand, völlig unterfinanziert und überlaufen. Und jetzt waren die Zustände an vielen Schulen so schlimm geworden, dass jeder Schüler, der nicht völlig auf den Kopf gefallen war, dazu angehalten wurde, die Schule online zu besuchen. Fast hätte ich mir den Hals gebrochen, so schnell rannte ich zum Sekretariat, um meinen Antrag abzugeben. Ich wurde angenommen und bekam die Erlaubnis, im darauffolgenden Schuljahr die »OASIS Public School« #1873 zu besuchen.

Vor meiner Versetzung hatte mein OASIS-Avatar Incipio – den Planeten im Zentrum von Sektor 1, wo neue Avatare das Licht der Welt erblickten – noch nie verlassen. Auf Incipio konnte man nicht viel mehr tun, als mit anderen Neulingen zu chatten oder in einem der riesigen virtuellen Einkaufszentren, die den ganzen Planeten bedeckten, shoppen zu gehen.

Wollte man sich irgendwohin begeben, wo es interessanter war, musste man einen Teleportationspreis entrichten – Geld, das ich nicht hatte. Also war mein Avatar auf Incipio gestrandet gewesen. So lange jedenfalls, bis mir meine neue Schule einen Teleportationsgutschein mailte, der die Kosten für den Transport meines Avatars nach Ludus abdeckte, dem Planeten, auf dem sich alle staatlichen Schulen in der OASIS befanden.

Hier auf Ludus gab es Hunderte von Schulen und Universitäten, die gleichmäßig über die gesamte Oberfläche des Planeten verteilt waren. Jeder Campus sah gleich aus, denn der Konstruktionscode war derselbe. Für jede neue Schule kopierte man ihn einfach und fügte ihn anderorts wieder ein. Und da es sich bei den Gebäuden um Software handelte, war ihre Architektur nicht von finanziellen Zwängen oder den Naturgesetzen eingeschränkt. Alle Schulen glichen prachtvollen Palästen der Gelehrsamkeit mit Marmorkorridoren, riesigen Klassenzimmern, Antigravitations-Turnhallen und virtuellen Bibliotheken, die sämtliche (von der Schulbehörde gebilligten) Bücher enthielten, die jemals geschrieben wurden.

An meinem ersten Tag auf der OPS #1873 glaubte ich, ich sei gestorben und in den Himmel gekommen. Ich musste auf dem Weg zur Schule nicht mehr vor Schlägern und Drogenabhängigen davonlaufen, sondern konnte direkt in mein Versteck gehen und den ganzen Tag dort bleiben. Und das Beste war – in der OASIS wusste niemand, dass ich fett war, dass ich Akne hatte oder dass ich ständig nur schäbige Kleidung trug. Niemand tyrannisierte mich, niemand spuckte mich an oder lauerte mir bei den Fahrradständern auf. Niemand konnte mich auch nur anfassen. Hier war ich sicher.

Als ich das Klassenzimmer betrat, saßen bereits einige Schüler an ihren Tischen. Ihre Avatare rührten sich nicht und hatten die Augen geschlossen. Das war ein Zeichen, dass sie »beschäftigt« waren – also telefonierten, im Netz surften oder sich in einen Chatroom eingeloggt hatten. In der OASIS galt es als schlechtes Benehmen, einen beschäftigten Avatar anzusprechen. Für gewöhnlich wurde man ignoriert oder erhielt eine automatische Nachricht, dass man sich verpissen sollte.

Ich setzte mich an meinen Tisch und klickte ein Icon am Rand meines Displays an. Die Augen meines Avatars schlossen sich, aber ich konnte noch immer meine Umgebung wahrnehmen. Ich klickte ein weiteres Icon an, und direkt vor mir erschien ein großes, zweidimensionales Browserfenster. Fenster wie diese waren nur für meinen Avatar sichtbar, damit mir niemand über die Schulter schauen und mitlesen konnte (es sei denn, ich ließ das ausdrücklich zu).

Meine Startseite war die *Hatchery*, die »Brutstätte«, eines der unter Jägern beliebten Nachrichtenforen. Die Seite der *Hatchery* war so gestaltet wie eine DFÜ-Mailbox aus der Prä-Internet-Ära. Man musste sich »einwählen«, und während des Log-in-Vorgangs ertönten die schrillen Pfeiftöne eines 300-Baud-Modems. Äußerst cool! Ich brachte ein paar Minuten damit zu, die neuesten Threads zu überfliegen, um mich mit den aktuellen Nachrichten und Gerüchten vertraut zu machen. Selbst postete ich nur selten etwas, obwohl ich darauf achtete, jeden Tag vorbeizuschauen. An diesem Morgen fand ich nichts von Interesse. Die üblichen Grabenkämpfe zwischen den verschiedenen Clans. Endlose Auseinandersetzungen über die »richtige« Interpretation dieser oder jener kryptischen Passage in *Anoraks Almanach*. Avatare mit höheren Stufen prahlten damit, dass sie irgendein neues magisches Artefakt aufgespürt hätten. Dieser Mist lief jetzt schon seit Jahren so. Da niemand wirklich weitergekommen war, versank die Jäger-Subkultur knietief in Angeberei, Unfug und sinnlosen internen Machtkämpfen. Traurige Sache, wirklich.

Meine Lieblingsthreads waren diejenigen, in denen Sechser gedisst wurden. »Sechser« war ein abschätziger Spitzname für die Angestellten von Innovative Online Industries. IOI (was »ai-o-ai« ausgesprochen wurde) war ein globales Firmenkonglomerat und der größte Internetprovider der Welt. Ein Großteil des Unternehmens beschäftigte sich damit, OASIS-Zugänge bereitzustellen und in der Simulation selbst Waren und Dienstleistungen zu verkaufen. IOI hatte bereits mehrmals versucht, Gregarious Simulation Systems durch eine feindliche Übernahme unter seine Kontrolle zu bringen, war jedoch jedes Mal gescheitert. Und seit Hallidays Tod versuchten sie, sich eine Rechtslücke in seinem Testament zunutze zu machen.

IOI hatte innerhalb des Konzerns eine neue Abteilung geschaffen, die sie die »Oologie-Division« nannten. (Ursprünglich hatte man unter Oologie die wissenschaftliche Erforschung des »Vogeleis« verstanden, aber in den letzten Jahren bezeichnete der Begriff vor allem die »Wissenschaft« von der Suche nach Hallidays *Easter Egg*.) Die Oologie-Division von IOI diente nur einem Zweck: Hallidays Wettbewerb und die Kontrolle über sein Vermögen, seine Firma und die OASIS zu gewinnen.

Wie die meisten Jäger fand ich diese Vorstellung schrecklich. Die PR-Maschinerie des Konzerns hatte an dessen Absichten nicht den geringsten Zweifel gelassen: IOI war der Meinung, dass Halliday seine Schöpfung nie richtig zu Geld gemacht hatte, und dem wollten sie abhelfen. Sie würden für den Zugang eine monatliche Gebühr verlangen und jede verfügbare Oberfläche mit Werbung zukleistern. Mit der Nutzeranonymität und der Redefreiheit wäre es dann vorbei. Sobald IOI die

Simulation in Konzernbesitz gebracht hatte, wäre die OASIS nicht mehr die virtuelle Open-Source-Utopie, in der ich aufgewachsen war, sondern ein überteuerter Vergnügungspark für eine reiche Elite – ein einziger Albtraum.

Die Jäger von IOI, die von der Firma als »Oologen« bezeichnet wurden, mussten in der OASIS ihre Mitarbeiternummer als Avatarnamen verwenden. Diese Nummern waren alle sechsstellig und begannen mit der Ziffer »6«. Deswegen wurden sie von allen die *Sechser* genannt.

Um ein Sechser zu werden, musste man einen Vertrag unterschreiben, der – unter anderem – festlegte, dass Hallidays Ei, wenn man es denn fand, das ausschließliche Eigentum von IOI wurde. Als Gegenleistung bekam man freie Kost & Logis, ein Gehalt, eine Krankenversicherung und eine Altersvorsorge. Der Konzern stellte den Avataren außerdem leistungsfähige Rüstungen, Fahrzeuge und Waffen zur Verfügung und bezahlte sämtliche Teleportationskosten. Als Sechser zu arbeiten war in etwa so, als hätte man sich von der Armee anwerben lassen.

Sechser waren nicht schwer zu erkennen, denn sie sahen alle gleich aus. Sie benutzten alle denselben männlichen Avatar (ganz gleich, welches Geschlecht sie in Wirklichkeit hatten), einen Gorilla mit kurzgeschnittenen dunklen Haaren, den voreingestellten Standard-Gesichtszügen des Systems und den gleichen marineblauen Uniformen. Diese Konzerndrohnen konnte man nur auseinanderhalten, indem man einen Blick auf die sechsstellige Nummer warf, die auf ihrer rechten Brust prangte, direkt unter dem Firmenlogo von IOI.

Wie die meisten Jäger verachtete ich die Sechser – ihre bloße Existenz war mir ein Gräuel. Dass IOI eine Armee von vertraglich gebundenen Jägern angestellt hatte, war ein grundlegender Verstoß gegen den Geist des Wettbewerbs. Natürlich ließ sich einwenden, dass die Clans eigentlich auch nichts anderes taten. Inzwischen gab es Hunderte von Jägerclans, manche davon mit Tausenden von Mitgliedern, die alle zusammenarbeiteten, um das Ei zu finden. Jeder Clan existierte auf der Grundlage einer unangreifbaren rechtsgültigen Vereinbarung: Sollte ein Mitglied das Ei finden, würden alle den Preis unter sich aufteilen. Einzelgänger wie ich hatten für die Clans zwar auch nicht viel übrig, aber wir respektierten sie, im Unterschied zu den Sechsern, deren Ziel es war, die OASIS an einen bösen multinationalen Konzern auszuliefern.

Meine Generation hatte nie eine Welt ohne die OASIS gekannt. Für uns war sie weit mehr als ein Spiel oder eine Entertainment-Plattform. Solange wir zurückdenken konnten, war sie ein wesentlicher Bestandteil unseres Lebens gewesen. Wir waren in eine hässliche Welt hineingeboren worden, und die OASIS war unsere Zuflucht. Die Vorstellung, die OASIS könnte privatisiert und gleichgeschaltet werden, erfüllte uns mit einem Entsetzen, das jemand, der ohne sie aufgewachsen war, nur schwer nachvollziehen konnte. Für uns war das so, als würde jemand damit drohen, uns die Sonne wegzunehmen oder eine Gebühr dafür zu verlangen, wenn man zum Himmel blicken wollte.

In den Sechsern hatten die Jäger einen gemeinsamen Feind, und Sechser zu dissen war ein Lieblingszeitvertreib in den Foren und Chatrooms. Viele Jäger auf höheren Stufen verfolgten den strikten Grundsatz, jeden Sechser zu töten, der ihnen über den Weg lief (oder es wenigstens zu versuchen). Mehrere Internetseiten beschäftigten sich damit, die Aktivitäten der Sechser zu verfolgen, und manche Jäger verbrachten mehr Zeit damit, Sechser aufzuspüren, als nach dem Ei zu suchen. Die größeren Clans richteten sogar jährliche Wettbewerbe aus, bei denen es darum ging, möglichst viele Sechser zu erwischen.

Nachdem ich noch bei ein paar anderen Foren vorbeigeschaut hatte, klickte ich auf das Lesezeichen für eine meiner Lieblingsseiten, »Artys Sendschreiben«, der Blog einer Jägerin namens Art3mis (was »Artemis« ausgesprochen wurde). Ich hatte ihn vor ungefähr drei Jahren entdeckt und las ihn seither regelmäßig. Art3mis postete wunderbar weitschweifige Essays über ihre Suche nach Hallidays Ei, das sie als »MacGuffin« bezeichnete, der sie noch in den Wahnsinn treiben würde. Sie hatte einen einnehmenden, intelligenten Stil, und ihre Einträge zeichneten sich durch Selbstironie und ebenso beiläufige wie witzige Anspielungen aus. Ihre (nicht selten zum Schreien komischen) Exegesen des *Almanach* waren mit Links zu Büchern, Filmen, Fernsehserien und Songs durchsetzt, auf die sie im Laufe ihrer Nachforschungen gestoßen war. Ich ging davon aus, dass diese Postings auch eine Menge falscher Spuren und erfundener Informationen enthielten, aber unterhaltsam waren sie trotzdem.

Ich muss wohl nicht extra erwähnen, dass ich total in Art3mis verknallt war …

Hin und wieder postete sie Screenshots ihres Avatars, der rabenschwarze Haare hatte, und ich speicherte diese manchmal (immer) in einem Ordner auf meiner Festplatte. Ihr Avatar hatte ein hübsches Gesicht, war jedoch nicht so perfekt, dass er unnatürlich gewirkt hätte. In der OASIS war man es gewohnt, überall phantastisch schöne Gesichter zu sehen. Die Gesichtszüge von Art3mis wirkten jedoch nicht so, als seien sie dem Drop-down-Menü mit Mustervorlagen für die Erschaffung von Avataren entnommen. Ihr Gesicht sah irgendwie echt aus – ganz so, als sei es eingescannt und auf ihren Avatar übertragen worden. Große haselnussbraune Augen, rundliche Wangenknochen und ein spitzes Kinn. Außerdem grinste sie fortwährend. Ich fand sie wahnsinnig attraktiv.

Auch Art3mis' Körper war einigermaßen ungewöhnlich. In

der OASIS begegnete man in der Regel zwei verschiedenen Frauentypen: absurd dünnen Supermodels oder vollbusigen Pornostars mit Wespentaille (was in der OASIS noch unnatürlicher aussah als in der realen Welt). Art3mis dagegen war klein und hatte eine Rubensfigur. Rundungen überall.

Mir war klar, dass es ebenso albern wie unklug von mir war, mich in sie zu verlieben. Was wusste ich denn schon über sie? Natürlich behielt sie ihre wahre Identität für sich. Ebenso ihr Alter und ihren Wohnort. Ich hatte keine Ahnung, wie sie in Wirklichkeit aussah. Sie konnte fünfzehn oder fünfzig sein. Viele Jäger bezweifelten sogar, dass sie weiblich war, aber zu denen gehörte ich nicht. Wahrscheinlich, weil ich die Vorstellung nicht ertragen konnte, in ein Mädchen verliebt zu sein, das in Wirklichkeit ein Kerl in den mittleren Jahren war, der Chuck hieß, Haare auf dem Rücken und eine Halbglatze hatte.

Seit ich vor einigen Jahren »Artys Sendschreiben« entdeckt hatte, war es zu einem der beliebtesten Blogs im Internet geworden, mit inzwischen mehreren Millionen Zugriffen am Tag. Art3mis war mittlerweile eine Berühmtheit, zumindest unter uns Jägern. Aber das war ihr nicht zu Kopf gestiegen. Ihre Texte waren noch genauso witzig und selbstironisch wie früher. Ihr neuester Blogeintrag hieß »Der John-Hughes-Blues«, und darin analysierte sie in aller Ausführlichkeit ihre sechs Lieblingsfilme des Meisters, die sie in zwei Trilogien unterteilte: in die »Tagträume für weibliche Nerds« (*Das darf man nur als Erwachsener*, *Pretty in Pink* und *Ist sie nicht wunderbar?*) und die »Tagträume für männliche Nerds« (*The Breakfast Club*, *L. I. S. A. – Der helle Wahnsinn* und *Ferris macht blau*).

Kaum hatte ich den Eintrag zu Ende gelesen, öffnete sich auf meinem Display ein Chatfenster. Mein bester Freund, Aech. (Okay, für die Haarspalter: Er war mein einziger Freund, Mrs Gilmore nicht mitgerechnet.)

> AECH: Einen wunderschönen guten Morgen, Amigo.
> PARZIVAL: Hola, Compadre.
> AECH: Was treibst du so?
> PARZIVAL: Ich surf nur ein bisschen rum. Und du?
> AECH: Bin im Basement. Lass uns vor der Schule
>   da abhängen, Alter.
> PARZIVAL: Super! Bin schon unterwegs.

Ich schloss das Chatfenster und sah auf die Uhr. Mir blieb noch
etwa eine halbe Stunde, bis der Unterricht anfing. Ich grinste
und klickte ein kleines Icon am Rand des Displays an, das wie
eine Tür aussah. Dann wählte ich Aechs Chatroom aus einer
Liste von Lesezeichen.

OOO3

DAS SYSTEM VERIFIZIERTE, dass ich auf der Zugangsliste des Chatrooms stand, und gestattete mir einzutreten. Das Klassenzimmer schrumpfte zu einem winzigen Fenster in der rechten unteren Ecke meines Displays zusammen, so dass ich weiterhin im Blick behalten konnte, was vor meinem Avatar passierte. Mein übriges Gesichtsfeld wurde jetzt von Aechs Chatroom eingenommen. Mein Avatar tauchte direkt vor dem »Eingang« auf, einer Tür am oberen Ende einer mit Teppich ausgelegten Treppe. Die Tür führte nirgendwohin. Sie ließ sich nicht einmal öffnen. Was daran lag, dass das *Basement* und alles, was sich darin befand, kein Teil der OASIS war. Chatrooms waren eigenständige Simulationen – temporäre virtuelle Räume, auf die Avatare von überall in der OASIS Zugriff hatten. Mein Avatar befand sich nicht im eigentlichen Sinne »im« Chatroom. Das sah nur so aus. Wade3/Parzival saß weiterhin mit geschlossenen Augen in seinem Klassenzimmer. Sich in einen Chatroom einzuloggen war ein wenig so, als wäre man an zwei Orten gleichzeitig.

Aech hatte seinen Chatroom »Basement« getauft. Er hatte ihn so programmiert, dass er einem großen Partykeller in einem Einfamilienhaus der 1980er Jahre glich. Alte Film- und Comicposter hingen an den holzvertäfelten Wänden. In der Mitte des Raums stand ein altehrwürdiger RCA-Fernseher, der an einen Betamax-Videorekorder, einen LaserDisc-Player und mehrere klassische Videospielkonsolen angeschlossen war. Bücherregale säumten die rückwärtige Wand, randvoll mit

Rollenspielregelwerken und alten Ausgaben des *Dragon Magazine*.

Einen Chatroom von dieser Größe zu hosten war nicht billig, aber Aech konnte es sich leisten. Nach der Schule und an den Wochenenden verdiente er eine Menge Knete damit, bei PvP-Spielen im Fernsehen anzutreten. Aech war einer der bestplatzierten Kämpfer in der OASIS, sowohl in der *Deathmatch*- als auch in der *Capture-the-Flag*-Liga. Er war sogar noch berühmter als Art3mis.

In den letzten Jahren war das *Basement* ein hochexklusiver Treffpunkt für Elitejäger geworden. Man musste persönlich von Aech eingeladen werden, und es war eine große Ehre, dort abhängen zu dürfen, vor allem für einen Drittlevel-Niemand wie mich.

Als ich die Treppe hinabstieg, sah ich, dass bereits ein Dutzend anderer Jäger anwesend war, und ihre Avatare hätten nicht unterschiedlicher sein können. Es gab Menschen, Cyborgs, Dämonen, Dunkelelfen, Vulkanier und Vampire. Die meisten hingen vor den Spielautomaten herum, die in einer Reihe an der Wand standen. Andere durchstöberten neben der uralten Stereoanlage (aus der im Moment »The Wild Boys« von Duran Duran dröhnte) Aechs riesige Sammlung alter Musikkassetten.

Aech hatte sich auf eines der drei Sofas gefläzt, die vor dem Fernseher ein »U« bildeten. Sein Avatar war ein großer, breitschultriger Weißer mit dunklen Haaren und braunen Augen. Ich hatte ihn einmal gefragt, ob er seinem Avatar in Wirklichkeit ähnlich sah, und er hatte im Scherz geantwortet: »Ja. Nur dass ich in echt noch besser aussehe.«

Als ich zu ihm hinüberschlenderte, blickte er von dem Intellivision-Spiel auf, in das er vertieft gewesen war. Wie die Grinsekatze grinste er von einem Ohr zum anderen. »*Z!*«, rief er. »Was geht, Amigo?« Er streckte die rechte Hand aus und klatschte mich ab. Ich ließ mich auf das Sofa ihm gegenüber fallen. Aech nannte mich »Z«, seit wir uns das erste Mal begegnet waren. Er gab allen Leuten Spitznamen, die aus nur einem Buchstaben bestanden. Den Namen seines eigenen Avatars sprach er so aus, dass es sich wie ein englisches »H« anhörte – »Äitsch«.

»Was geht, Humperdinck?«, erwiderte ich. Das war ein Spiel, das wir schon länger spielten. Ich nannte ihn bei irgendeinem Namen, der mit H anfing, zum Beispiel Harry, Hubert, Henry oder Hogan, um seinen echten Vornamen zu erraten, denn er hatte mir einmal verraten, dass der mit dem Buchstaben »H« begann.

Ich kannte Aech jetzt seit etwas mehr als drei Jahren. Er ging auch auf Ludus zur Schule, und zwar in die Oberstufe der OPS #1172, die sich auf der anderen Seite des Planeten befand. Wir hatten uns damals in einem öffentlichen Jäger-Chatroom kennengelernt und sofort super verstanden, weil wir uns für die gleichen Dinge interessierten. Genauer gesagt, für eine Sache: Wir waren beide völlig von Hallidays *Easter Egg* besessen! Ich brauchte mich keine fünf Minuten mit Aech zu unterhalten, um zu erkennen, dass wir Seelenverwandte waren. Aech war mit ganzem Herzen Jäger und außerdem extrem klug. Über die 80er wusste er schlicht und ergreifend alles, mochte es auch noch so abseitig sein. Er war ein echter Halliday-Gelehrter! Und in mir hatte er offenbar dieselben Eigenschaften erkannt, denn er hatte mir seine Visitenkarte gegeben und mich eingeladen, im *Basement* abzuhängen, wann immer mir danach war. Seither waren wir enge Freunde.

Im Laufe der Jahre hatte sich zwischen uns eine freundschaftliche Rivalität entwickelt. Wir phantasierten darüber, wem von uns beiden es als Erstem gelingen würde, seinen Namen auf dem Scoreboard zu platzieren. Und wir versuchten ständig, einander mit unserem obskuren Jägerwissen zu übertreffen. Manchmal stellten wir sogar gemeinsam Recherchen an. Meistens bestanden diese darin, hier in Aechs Chatroom kitschige Filme und Fernsehserien aus den 80ern anzuschauen. Natürlich spielten wir auch haufenweise Videospiele. Aech und ich hatten zahllose Stunden auf Klassiker wie *Contra*, *Golden Axe*, *Heavy Barrel*, *Smash TV* und *Ikari Warriors* verwendet. Von meiner Wenigkeit abgesehen war Aech der beste Allroundspieler, den ich kannte. Bei den meisten Games waren wir einander ebenbürtig, bei anderen brachte er mir vernichtende Niederlagen bei, vor allem bei den Ego-Shootern. Aber da war er schließlich auch Experte.

Ich hatte keine Ahnung, wer Aech in Wirklichkeit war, aber ich vermutete, dass es ihm zu Hause nicht allzu gut ging. Wie ich verbrachte er offenbar jede wache Minute in der OASIS. Und obwohl wir uns noch nie persönlich begegnet waren, hatte er mir mehr als einmal gesagt, ich sei sein bester Freund, also nahm ich an, dass er genauso einsam war wie ich.

»Na, was hast du getrieben, nachdem du gestern abgehauen bist?«, fragte er und warf mir das andere Intellivision-Gamepad zu. Am Abend zuvor hatten wir ein paar Stunden hier herumgehangen und alte japanische Monsterfilme angeschaut.

»Nada«, erwiderte ich. »Bin nach Hause gegangen und hab ein paar klassische Automatenspiele durchgezockt.«

»Wie überflüssig!«

»Yeah. Aber ich hatte gerade Lust drauf.« Ich fragte ihn nicht, was er am Abend zuvor getan hatte, und von sich aus erzählte er auch nichts. Wahrscheinlich hatte er auf Gygax oder einem anderen geilen Planeten ein paar Quests gelöst, um Erfahrungspunkte zu sammeln, und wollte es mir nur nicht unter die Nase reiben. Aech konnte es sich leisten, eine Menge Zeit auf anderen Planeten zu verbringen, um Spuren zu verfolgen und nach dem Kupferschlüssel zu suchen. Aber er gab nie damit an oder verspottete mich, weil ich nicht die Kohle hatte, mich irgendwohin zu teleportieren. Und er bot mir auch nie an, mir ein paar Credits zu leihen, was eine ziemliche Kränkung gewesen wäre. Unter Jägern gab es ein unausgesprochenes Gesetz: Wenn man solo war, nahm man keine Hilfe an, von niemandem. Jäger, die Hilfe brauchten, traten einem Clan bei, und Aech und ich waren beide der Meinung, dass Clans etwas für Weicheier und Poser waren. Wir hatten beide geschworen, unser Leben lang solo zu bleiben. Hin und wieder quatschten wir zwar immer noch über das Ei, aber wir hielten uns stets bedeckt und erwähnten nie irgendwelche Einzelheiten.

Nachdem ich Aech in *Tron: Deadly Discs* über drei Runden geschlagen hatte, warf er angewidert sein Gamepad hin und schnappte sich eine Zeitschrift, die auf dem Boden herumlag. Es handelte sich um eine alte Ausgabe von *Starlog*. Ich erkannte Rutger Hauer auf dem Cover, eine PR-Aufnahme für *Der Tag des Falken*.

»*Starlog*?«, sagte ich und nickte anerkennend.

»Ja. Hab mir aus dem Archiv der *Hatchery* sämtliche Ausgaben runtergeladen. Bin immer noch nicht ganz durch. Gerade hab ich einen tollen Artikel über *Ewoks – Kampf um Endor* gelesen.«

»Eine Fernsehproduktion. 1985 ausgestrahlt«, erwiderte ich, wie aus der Pistole geschossen. *Star Wars* war eine meiner Spezialitäten. »Völliger Müll. Ein Tiefpunkt in der Geschichte der Saga.«

»Behauptest du, Arschgesicht. Hat aber seine Momente.«

»Nein«, erwiderte ich und schüttelte den Kopf. »Hat es nicht. Es ist noch schlimmer als der erste Ewok-Streifen, *Die Karawane der Tapferen*. Und das will echt was heißen!«

Aech verdrehte die Augen und las weiter. Er würde sich nicht provozieren lassen. Ich betrachtete das Cover des Magazins. »Hey, kann ich da mal reinschauen, wenn du durch bist?«

Er grinste. »Warum? Willst du den Artikel über *Der Tag des Falken* lesen?«

»Vielleicht.«

»Meine Fresse, du stehst wirklich auf diesen Mist, oder?«

»Du kannst mich mal.«

»Wie oft hast du den Schmachtfetzen schon gesehen? Ich musste ihn mir jedenfalls schon zweimal mit dir anschauen.« Jetzt provozierte *er* mich. Er wusste, dass *Der Tag des Falken* zu meinen heimlichen Lastern gehörte und dass ich den Film schon ein Dutzend Mal gesehen hatte.

»Damit habe ich dir einen Gefallen getan, du Pappnase!« Ich schob eine Caddy mit dem Ego-Shooter *Astrosmash* in die Intellivision-Konsole. »Eines Tages wirst du mir noch dafür danken. Wart nur ab! *Der Tag des Falken* ist Kanon, Alter.«

»Kanon« war ein Begriff, mit dem wir Filme, Bücher, Spiele, Songs und Fernsehserien bezeichneten, von denen Halliday bekanntermaßen ein Fan gewesen war.

»Das meinst du doch nicht ernst«, sagte Aech.

»Aber sicher.«

Er ließ das Magazin sinken und beugte sich vor. »Halliday war ganz bestimmt kein Fan von *Der Tag des Falken*. Das garantiere ich dir.«

»Und wo sind deine Beweise?«, fragte ich.

»Der Mann hatte Geschmack. Andere Beweise brauche ich nicht.«

»Dann erklär mir mal, warum er *Der Tag des Falken* als VHS *und* als LaserDisc hatte?« Eine Liste aller Filme, die sich zum Zeitpunkt von Hallidays Tod in seiner Sammlung befanden, war im Anhang von *Anoraks Almanach* enthalten. Wir kannten diese Liste beide auswendig.

»Halliday war Milliardär! Er hatte Millionen Filme, von denen er sich die meisten kein einziges Mal angeschaut hat. Er hatte auch DVDs von *Howard the Duck* und *Krull*. Das heißt nicht, dass sie ihm gefielen! Und deshalb zählen sie noch lange nicht zum Kanon.«

»Das steht überhaupt nicht zur Debatte, Homer«, sagte ich. »*Der Tag des Falken* ist ein Klassiker der 80er Jahre.«

»Von wegen – der Streifen ist lahm, sonst gar nichts! Die Schwerter sehen aus, als wären sie aus Alufolie. Und der Soundtrack ist voll der Synthesizerscheiß. Vom gottverdammten Alan Parsons Project! Lahmer geht's gar nicht mehr. Das ist jenseits von lahm. *Highlander II*-lahm.«

»Hey!« Ich tat so, also wollte ich ihm das Gamepad an den Kopf werfen. »Jetzt werd nicht beleidigend! Allein schon wegen der Besetzung gehört *Der Tag des Falken* zum Kanon. Roy Batty! Ferris Bueller! Und der Typ, der in *WarGames* Professor Falken gespielt hat.« Ich kramte in meinem Gedächtnis. »John Wood. Wiedervereint mit Matthew Broderick!«

»Ein Tiefpunkt ihrer Karriere«, erwiderte Aech lachend. Ihm machte es großen Spaß, sich über alte Filme zu streiten, sogar noch mehr als mir. Die anderen Jäger im Chatroom versammelten sich nach und nach um uns und hörten zu. Unsere Streitgespräche waren für ihren Unterhaltungswert berüchtigt.

»Du bist ja total bekifft!«, rief ich. »Bei *Der Tag des Falken* hat Richard Donner Regie geführt! *Die Goonies*! *Superman*! Du willst doch wohl nicht behaupten, dass der Typ nichts taugt?«

»Ist mir doch egal, selbst wenn Spielberg Regie geführt hätte. Das ist ein Mädchenfilm, der sich als *Sword & Sorcery* tarnt. Der einzige Genrefilm, der noch weniger Testosteron hat, ist wahrscheinlich … *Legende*. *Der Tag des Falken* ist echt nur was für Tunten wie dich!«

Gelächter auf den billigen Plätzen. Langsam wurde ich tatsächlich ein wenig sauer. *Legende* war ebenfalls einer meiner Lieblingsfilme, und Aech wusste das genau.

»Ach, dann bin ich also eine Tunte? Du bist doch derjenige mit dem Fell-Fetisch!« Ich riss ihm das *Starlog*-Magazin aus den Händen und warf es gegen das *Rückkehr-der-Jedi-Ritter*-Poster an der Wand. »Wahrscheinlich glaubst du auch noch, dass dein umfassendes Wissen über die Ewok-Kultur dir dabei hilft, das Ei zu finden?«

»Fang nicht wieder mit den Endorianern an«, sagte er und hob den Zeigefinger. »Ich hab dich gewarnt. Sonst sperr ich deinen Zugang. Ich schwör's!« Ich wusste, dass das eine leere Drohung war, und wollte die Sache mit den Ewoks gerade auf die Spitze treiben, schließlich konnte ich ihn nicht ungestraft von »Endorianern« schwafeln lassen. Doch in dem Moment nahm ein Neuankömmling am oberen Ende der Treppe Gestalt an. Ein völliger Loser namens I-r0k. Ich stöhnte laut auf. I-r0k und Aech gingen auf dieselbe Schule und hatten manchmal auch gemeinsam Unterricht. Trotzdem kapierte ich nicht, warum Aech ihn ins *Basement* reinließ. I-r0k hielt sich für einen Elitejäger, dabei war er nur ein unerträglicher Poser. Klar, er teleportierte sich kreuz und quer durch die OASIS, spielte Quests durch und sprang von einem Level zum nächsten. Aber er hatte echt von nichts einen Plan! Außerdem fuchtelte er immer mit einer Plasmawumme herum, die so groß war wie ein Schneemobil. Sogar im Chatroom, wo das völlig unsinnig war. Der Typ war so was von stillos.

»Streitet ihr Asis euch wieder über *Star Wars*?«, sagte er, während er die Treppe herabstieg und zu den Jägern trat, die uns umringten. »Das ist doch so was von ausgelutscht, Mann!«

Ich wandte mich zu Aech um. »Wenn du jemandem den Zugang sperren möchtest, warum fängst du dann nicht mit diesem Clown an?« Ich drückte auf die Resettaste an der Konsole und fing ein neues Spiel an.

»Halt's Maul, Penis-Wal!«, entgegnete I-r0k. Diese Verball-hornung meines Namens fand er besonders lustig. »Er sperrt mir den Zugang nicht, weil er weiß, dass ich zur Elite gehöre! Hab ich nicht recht, Aech?«

»Nein«, sagte Aech und verdrehte die Augen. »Hast du nicht. Du gehörst genauso wenig zur Elite wie meine Großmutter. Und die ist tot.«

»Fick dich, Aech! Dich und deine tote Großmutter.«

»Meine Güte, I-r0k«, murmelte ich. »Dir gelingt es immer wieder, das Niveau einer Unterhaltung zu heben. Mir wird ganz warm ums Herz, wenn ich dich sehe.«

»Tut mir leid, Captain No-Credits, ich wollte dir nicht zu nahe treten«, entgegnete I-r0k. »Sag mal, solltest du nicht ei-gentlich auf Incipio sein und die Leute um ein paar Münzen anbetteln?« Er streckte die Hand nach dem zweiten Gamepad aus, aber ich schnappte es ihm weg und warf es Aech zu.

I-r0k sah mich wütend an. »Arsch.«

»Poser.«

»Poser? Penis-Wal nennt *mich* einen Poser?« Er wandte sich zu den anderen Jägern um. »Diese arme Sau ist so pleite, dass er einen Flug nach Greyhawk schnorren musste, um für ein paar Kupferstücke Kobolde zu killen. Und er nennt *mich* einen Poser!«

Einige der Umstehenden kicherten, und ich spürte, wie ich unter der Videobrille rot wurde. Vor etwa einem Jahr hatte ich den Fehler begangen, mich von I-r0k auf einen anderen Pla-neten mitnehmen zu lassen, um ein paar Erfahrungspunkte zu sammeln. Nachdem er mich auf Greyhawk in einer Gegend abgesetzt hatte, wo auf niedrigen Stufen Quests durchgespielt wurden, war der Penner mir heimlich gefolgt. Ich hatte die nächsten Stunden damit zugebracht, eine kleine Gruppe von Kobolden zu killen, darauf zu warten, bis sie wieder ins Leben zurückkehrten, um sie dann erneut abzuschlachten. Immer und immer wieder. Mein Avatar befand sich damals noch auf der ersten Stufe, und das war für mich der einzige Weg, um aufzusteigen. I-r0k hatte in jener Nacht mehrere Screenshots von meinem Avatar gemacht und sie mit »Penis-Wal, der tapfere Kobold-Killer« getaggt. Dann hatte er sie in der *Hatchery* gepostet. Und er fing immer noch bei jeder Gelegenheit damit an.

»Ganz richtig, ich habe dich einen Poser genannt, du Poser.« Ich stand auf und rückte ihm auf die Pelle. »Du bist ein ignoranter, strunzdoofer Twink! Nur weil du es bis zur vierzehnten Stufe gebracht hast, bist du noch lange kein Jäger. Dazu muss man nämlich ein wenig Peilung von der Materie haben.«

»Wohl wahr«, sagte Aech und nickte zustimmend. Wir schlugen die Fäuste gegeneinander. Wieder lachten die Umstehenden, dieses Mal jedoch über I-r0k.

I-r0k starrte uns zornig an. »Na gut. Wollen wir doch mal sehen, wer hier ein Poser ist«, sagte er. »Schaut euch das an, Mädels.« Mit einem Grinsen holte er einen Gegenstand aus seinem Inventar – ein altes Atari-Spiel, noch in der Verpackung. Den Namen des Spiels hielt er mit der Hand verdeckt, aber das Cover erkannte ich trotzdem sofort. Auf dem Bild waren ein junger Mann und eine junge Frau zu sehen, beide in altertümlicher griechischer Kleidung und mit Schwertern in der Hand. Hinter ihnen lauerten ein Minotaurus und ein bärtiger Kerl mit Augenklappe. »Also, was ist, Schlaumeier?«, sagte I-r0k an mich gewandt. »Ich geb dir einen Tipp … Es ist ein Atari-Spiel, das als Teil eines Wettbewerbs erschienen ist. Es enthielt zahlreiche Rätsel, und wenn man sie löste, konnte man einen Preis gewinnen. Kommt euch das nicht bekannt vor?«

I-r0k versuchte immer wieder, uns mit irgendwelchen vermeintlichen Entdeckungen aus dem Halliday-Universum zu beeindrucken. Jäger waren im Allgemeinen dafür berüchtigt, immer alles besser zu wissen, um zu beweisen, dass sie mehr obskures Wissen zusammengetragen hatten als jeder andere. Aber I-r0k war wirklich so was von ahnungslos.

»Du willst mich verarschen, oder?«, fragte ich. »Du bist jetzt erst auf die *Swordquest*-Reihe gestoßen?«

I-r0k blickte etwas belämmert drein.

»Was du da in der Hand hast, ist *Swordquest: Earthworld*«, fuhr ich fort, »das erste Spiel der Reihe.« Ich lächelte breit. »Weißt du denn auch, wie die anderen drei Spiele heißen?«

Seine Augen wurden schmal. Natürlich hatte er keinen Schimmer. Wie schon gesagt – ein völliger Poser.

»Sonst jemand?«, fragte ich und blickte in die Runde. Die Jäger sahen einander an, aber niemand meldete sich zu Wort.

»*Fireworld*, *Waterworld* und *Airworld*«, antwortete Aech.

»Volltreffer!«, sagte ich, und wieder schlugen wir die Fäuste gegeneinander. »Allerdings wurde *Airworld* nie fertiggestellt, weil Atari das Geld ausging und sie den Wettbewerb abbrachen, bevor er abgeschlossen war.«

I-r0k ließ das Spiel wieder in seinem Inventar verschwinden.

»Du solltest dich bei den Sechsern bewerben«, sagte Aech lachend. »Die könnten jemand mit deinem umfassenden Wissen gebrauchen.«

I-r0k zeigte ihm den Mittelfinger. »Wenn ihr beiden Schwuchteln schon von dem *Swordquest*-Wettbewerb gehört habt, warum habt ihr ihn dann nie erwähnt?«

»Komm schon, I-r0k«, sagte Aech und schüttelte den Kopf. »*Swordquest: Earthworld* war die inoffizielle Fortsetzung von *Adventure*. Jeder Jäger, der etwas taugt, weiß das. Leichter ging es wohl nicht mehr, was?«

I-r0k versuchte verzweifelt, sein Gesicht zu wahren. »Na schön, wenn ihr solche Experten seid – wer hat denn die ganzen *Swordquest*-Spiele programmiert?«

»Dan Hitchens und Tod Frye«, zählte ich auf. »Sonst noch was?«

»Darf ich auch mal?«, schaltete sich Aech ein. »Was für einen Preis erhielten die Gewinner der Wettbewerbe von Atari?«

»Ah«, sagte ich. »Gute Frage! Mal sehen … Der Gewinner des *Earthworld*-Wettbewerbs bekam den ›Talisman der vorletzten Wahrheit‹. Aus massivem Gold und mit Diamanten besetzt. Der Typ, der ihn gewonnen hat, ließ ihn einschmelzen, um damit das College zu bezahlen, soweit ich mich erinnere.«

»Ja, ja«, hakte Aech nach. »Nicht ablenken. Was ist mit den anderen beiden?«

»Keine Panik. Der *Fireworld*-Preis war der ›Kelch des Lichts‹, und der *Waterworld*-Preis hätte die ›Krone des Lebens‹ sein sollen, wurde aber nie verliehen, genauso wenig wie der *Airworld*-Preis, der ›Stein der Weisen‹.«

Aech grinste, klatschte mich beidhändig ab und sagte: »Und wenn der Wettbewerb nicht abgebrochen worden wäre, hätten die Gewinner der ersten vier Runden um den Hauptpreis gespielt, das ›Schwert der höchsten Magie‹.«

Ich nickte. »Die Preise wurden alle in den *Swordquest*-Comics erwähnt, die den Spielen beilagen. Comics, die übrigens in der letzten Szene von *Anoraks Einladung* in der Schatzkammer zu sehen sind.«

Die Umstehenden klatschten laut Beifall. I-r0k ließ beschämt den Kopf hängen.

Mir war von Anfang an klar gewesen, dass Halliday sich von dem *Swordquest*-Wettbewerb hatte inspirieren lassen. Ob er der Reihe auch das eine oder andere Rätsel entliehen hatte, wusste ich allerdings nicht. Trotzdem hatte ich mich eingehend mit den Spielen und ihren Lösungen beschäftigt – sicher ist sicher.

»Na gut. Ihr habt gewonnen«, sagte I-r0k. »Aber ihr solltet euch vielleicht ab und an auch mal mit was anderem beschäftigen.«

»Und du«, erwiderte ich, »solltest dir ein neues Hobby suchen. Denn für einen Jäger fehlt dir nicht nur die Intelligenz, sondern auch das Engagement.«

»Zweifellos«, sagte Aech. »Du könntest ja ausnahmsweise mal versuchen, ein bisschen Recherche zu betreiben, I-r0k. Ich mein ja nur – schon mal was von Wikipedia gehört? Ist sogar umsonst.«

I-r0k drehte sich auf dem Absatz um und ging zu den Langboxen mit Comics hinüber, die sich an der rückwärtigen Wand stapelten – ganz so, als hätte er das Interesse an der Diskussion verloren. »Meinetwegen«, sagte er über die Schulter. »Wenn ich nicht so viel Zeit *offline* damit verbringen würde, Miezen flachzulegen, wüsste ich wahrscheinlich auch so viel nutzloses Zeug wie ihr beiden.«

Aech ignorierte ihn und wandte sich wieder mir zu. »Wie hießen die beiden Zwillinge, die in den *Swordquest*-Comics vorkommen?«

»Tarra und Torr.«

»Verdammte Hacke, Z! Du bist wirklich der Oberhammer.«

»Danke, Aech.«

Eine Nachricht flackerte über mein Display und informierte mich darüber, dass in drei Minuten der Unterricht beginnen würde. Ich wusste, dass Aech und I-r0k die gleiche Nachricht vor Augen hatten, denn unsere Schulen richteten sich nach demselben Stundenplan.

»Zeit, mal wieder was für unsere Bildung zu tun«, flachste Aech und stand auf.

»So ein Mist!«, sagte I-r0k. »Bis später, ihr Loser.« Er zeigte mir den Stinkefinger, und sein Avatar verschwand, als er sich aus dem Chatroom ausloggte. Die anderen Jäger taten es ihm nach, bis nur noch Aech und ich übrig waren.

»Im Ernst, Aech«, sagte ich. »Warum erlaubst du diesem Deppen, hier abzuhängen?«

»Weil es Spaß macht, ihn beim Spielen zu schlagen. Und weil seine Unwissenheit mir Hoffnung gibt.«

»Wie das?«

»Wenn die anderen Jäger auch so ahnungslos sind wie I-r0k – und das sind die meisten, Z, glaub mir –, dann bedeutet das, dass wir beide eine echte Chance haben, den Wettbewerb zu gewinnen.«

Ich zuckte mit den Achseln. »So kann man die Sache wohl auch sehen.«

»Magst du nach der Schule noch mal hier vorbeischauen? So um sieben? Ich muss noch was erledigen, aber danach will ich ein paar Sachen auf meiner To-see-Liste abhaken. Ein *Spaced*-Marathon vielleicht?«

»Aber klar«, erwiderte ich. »Bin dabei!«

Als die Schulglocke das letzte Mal läutete, loggten wir uns gleichzeitig aus.

0004

MEIN AVATAR öffnete die Augen, und ich befand mich wieder im Klassenzimmer. Die Tische um mich herum waren inzwischen alle besetzt, und unser Lehrer, Mr Avenovich, nahm vor der Tafel Gestalt an. Der Avatar von Mr A sah aus wie ein etwas beleibter, bärtiger Collegeprofessor. Er zeichnete sich durch ein ansteckendes Lächeln, eine Drahtgestellbrille und eine Tweedjacke mit Flicken an den Ellbogen aus. Wenn er sprach, klang das irgendwie immer, als würde er aus einem Roman von Charles Dickens vorlesen. Ich mochte ihn. Er war ein guter Lehrer.

Natürlich wussten wir nicht, wer Mr Avenovich wirklich war oder wo er wohnte. Weder kannten wir seinen wirklichen Namen, noch konnten wir uns sicher sein, dass er ein Mann war. Vielleicht verbarg sich hinter seinem Avatar ja eine Inuit-Frau aus Anchorage, Alaska, die diese äußere Gestalt und Stimme angenommen hatte, damit ihre Schüler ihr besser zuhörten. Aber aus irgendeinem Grund vermutete ich, dass Mr Avenovichs Avatar genauso aussah und klang wie der Mensch, der ihn steuerte.

Meine Lehrer waren alle ziemlich klasse. Im Unterschied zu ihren realen Kollegen machte den meisten Lehrern in der OASIS ihre Arbeit offenbar Spaß, wahrscheinlich weil sie nicht die Hälfte der Zeit damit zubringen mussten, Babysitter zu spielen und die Schüler zur Ordnung zu rufen. Darum kümmerte sich die OASIS-Software – sie sorgte dafür, dass die Schüler nicht zu viel redeten und auf ihren Plätzen blieben.

Die Lehrer konnten sich ganz auf den Unterricht konzentrieren.

Außerdem war es online viel einfacher, die Schüler bei der Stange zu halten, denn in der OASIS glich jedes Klassenzimmer einem Holodeck. Ein Lehrer konnte seine Schüler auf virtuelle Ausflüge mitnehmen, ohne die Schule zu verlassen.

Während Mr Avenovich an diesem Morgen Weltgeschichte unterrichtete, lud er eine Simulation hoch, die es der Klasse ermöglichte mitzuerleben, wie Archäologen im Jahr 1922 in Ägypten König Tuts Grabmal entdeckten. (Am Tag davor hatten wir denselben Ort 1334 Jahre vor unserer Zeitrechnung besucht und Tutanchamuns Reich in seiner ganzen Pracht bestaunen können.)

In der Biologiestunde sausten wir durch ein menschliches Herz und schauten zu, wie es das Blut durch den Körper pumpte. Ich musste an einen alten Film denken – *Die phantastische Reise.*

Im Kunstunterricht schlenderten wir durch den Louvre, während unsere Avatare alberne Baskenmützen trugen.

Im Astronomieunterricht statteten wir den einzelnen Jupitermonden einen Besuch ab. Wir standen auf der vulkanischen Oberfläche von Io, während unsere Lehrerin erklärte, wie der Mond ursprünglich entstanden war. Hinter ihr erfüllte Jupiter selbst die Hälfte des Himmels, wobei sich der »Große rote Fleck« direkt über ihrer linken Schulter befand. Dann schnippte sie mit den Fingern, und wir standen auf Europa, wo wir über die Möglichkeit extraterrestrischen Lebens unter der Eiskruste des Mondes sprachen.

Während der Mittagspause saß ich auf einer der grünen Wiesen, die an die Schule angrenzten, bewunderte die simulierte Landschaft und kaute einen Proteinriegel, ohne die Videobrille abzunehmen. Das war allemal besser, als in meinem dunklen Versteck zu hocken. Da ich in der Oberstufe war, durfte ich den Planeten in den Pausen verlassen, aber dafür fehlte mir das nötige Kleingeld.

In die OASIS konnte man sich kostenlos einloggen, aber in ihr herumzureisen war nicht ganz billig. Meist hatte ich nicht genügend Credits, um Ludus zu verlassen. Wenn die Glocke das Ende eines Schultages einläutete, loggten sich diejenigen Schüler, die in der Wirklichkeit etwas zu tun hatten, aus und verschwanden. Alle anderen teleportierten sich woandershin. Auf den Schulparkplätzen von Ludus wimmelte es nur so von UFOs, TIE-Abfangjägern, alten NASA-Raumfähren, Vipern aus *Kampfstern Galactica* und allen erdenklichen Raumschiffen, die irgendwann einmal über eine Kinoleinwand oder einen Fernsehbildschirm geflogen waren. Jeden Nachmittag stand ich auf dem Rasen vor der Schule und schaute voller Neid zu, wie diese Schiffe losdüsten, um die unbegrenzten Möglichkeiten der Simulation zu erkunden. Die Kids, die selbst kein Schiff besaßen, flogen entweder irgendwo mit oder stürmten zum nächsten Passagierterminal, um offworld einen Club, eine Arena oder ein Rockkonzert zu besuchen. Nur ich nicht. Ich ging nirgendwohin. Ich saß auf Ludus fest, dem langweiligsten Planeten in der ganzen OASIS.

Die »Ontologically Anthropocentric Sensory Immersive Simulation« war riesig.

Als die OASIS erstmals ans Netz ging, enthielt sie lediglich ein paar hundert Planeten, die von den Nutzern erforscht werden konnten, alle von den Programmierern und Designern bei GSS geschaffen. Die Simulation bot das ganze Spektrum von *Sword-&-Sorcery*-Szenarien über Cyperpunk-Städte, die einen kompletten Planeten bedeckten, bis hin zu verstrahlten, postapokalyptischen und von Zombies verseuchten Einöden. Manche Planeten waren bis ins letzte Detail ausgestaltet. Andere waren wahllos nach verschiedenen Mustervorlagen generiert. Jeder war mit einer Vielzahl von semiintelligenten NSCs (Nicht-Spieler-Charakteren) besiedelt – Menschen, Tieren, Monstern, Aliens und Androiden –, mit denen OASIS-Nutzer interagieren konnten.

Darüber hinaus hatte sich GSS von seinen Konkurrenten bereits existierende virtuelle Welten lizenziert, so dass Content, der für Spiele wie *Everquest* und *World of Warcraft* geschaffen worden war, in die OASIS übertragen wurde und Kopien von Norrath und Azeroth der stetig wachsenden Liste von OASIS-Planeten hinzugefügt werden konnten. Bald folgten andere virtuelle Welten, vom Metaversum bis zur Matrix. Das *Firefly*-Universum war in einem Sektor direkt neben der *Star-Wars*-Galaxie verankert, an die wiederum eine detaillierte Neugestaltung des *Star-Trek*-Universums angrenzte. Nutzer konnten nun zwischen ihren fiktionalen Lieblingswelten hin und her teleportieren. Mittelerde. Vulkan. Pern. Arrakis. Scheibenwelt, Flusswelt, Ringwelt. Welten über Welten.

Der Übersichtlichkeit halber war die OASIS in siebenundzwanzig gleich große, quadratische Sektoren unterteilt worden, die jeweils Hunderte verschiedener Planeten umfassten. (Die dreidimensionale Raumkarte aller siebenundzwanzig Sektoren ähnelte auffällig einem Zauberwürfel – einem mechanischen Geduldsspiel aus den 80ern. Wie viele andere Jäger auch wusste ich, dass das kein Zufall war.) Jeder Sektor hatte eine Kantenlänge von genau zehn Lichtstunden oder 10,8 Milliarden Kilometern. Wenn man also mit Lichtgeschwindigkeit unterwegs war (der Höchstgeschwindigkeit, die ein Raumschiff in der OASIS erreichen konnte), konnte man einen Sektor in genau zehn Stunden durchqueren. Diese Art der Fortbewegung war nicht billig. Raumschiffe, die mit Lichtgeschwindigkeit flogen, waren selten, und sie benötigten Treibstoff. Gregarious Simulation Systems verlangte Geld für den virtuellen Treibstoff, mit dem sich die virtuellen Raumschiffe fortbewegten – schließlich war der Zugang zur OASIS kostenlos. Die primäre Einnahmequelle von GSS waren jedoch die Teleportationspreise. Teleportation war die schnellste Möglichkeit, von einem Ort zum anderen zu gelangen, und sie war auch die teuerste.

Reisen innerhalb der OASIS waren nicht nur kostspielig, sondern auch gefährlich. Jeder Sektor war in viele weitere Zonen unterschiedlicher Form und Größe unterteilt. Manche Zonen waren so groß, dass sie mehrere Planeten umfassten, während andere nur wenige Kilometer auf der Oberfläche einer Welt einnahmen. In jeder Zone galt eine einzigartige Kombination von Regeln und Parametern. In manchen Zonen funktionierte Magie, in anderen nicht. Dasselbe galt für Technologie. Flog man mit einem auf Technologie basierenden Raumschiff in eine Zone, in der Technologie nicht funktionierte, setzten die Triebwerke aus, sobald man die Zonengrenze überquerte. Dann musste man irgendeinen albernen graubärtigen Zauberer mit einem magiebetriebenen Schlepper anheuern, der einen da wieder rauszog.

In dualen Zonen war sowohl der Einsatz von Magie als auch von Technologie gestattet, und in Nullzonen war keines von beidem erlaubt. Es gab pazifistische Zonen, in denen kein Kampf Spieler gegen Spieler zugelassen war, und PvP-Zonen, wo jeder Avatar auf sich allein gestellt war.

Man musste vorsichtig sein, wenn man eine neue Zone oder einen neuen Sektor betrat. Und verdammt gut vorbereitet.

Aber wie gesagt, das Problem hatte ich nicht. Ich saß in der Schule fest.

Ludus war als Ort der Gelehrsamkeit entwickelt worden, und so gab es auf dem ganzen Planeten kein einziges

Quest-Portal und keinen einzigen Spielebereich. Lediglich Tausende nahezu identische Schulen, Hügellandschaften, kunstvoll gestaltete Parks, Flüsse, Auen und nach derselben Vorlage generierte weitläufige Wälder. Keine Burgen, Verliese oder Raumstationen in der Umlaufbahn, die mein Avatar hätte überfallen, keine NSC-Schurken, Monster oder Aliens, mit denen ich hätte kämpfen, und keine Schätze oder magischen Gegenstände, die ich hätte finden können.

Das war alles ziemlich ätzend, aus verschiedenen Gründen.

Eine Quest durchzuspielen, mit NSCs zu kämpfen und Schätze anzuhäufen war für einen Avatar auf niedriger Stufe die einzige Möglichkeit, Erfahrungspunkte (EPs) zu sammeln. Und mit zunehmenden EPs gelangte man auf höhere Stufen, wurde stärker und erlernte neue Fähigkeiten.

Viele OASIS-Nutzer kümmerten sich nicht um die Stufe ihres Avatars – ihnen war der Spielaspekt der Simulation gleichgültig. Sie waren nur in der OASIS, um ihren Spaß zu haben, um Geschäfte zu tätigen, shoppen zu gehen oder mit ihren Freunden herumzuhängen. Diese Nutzer mieden einfach jeden Spiele- oder PvP-Bereich, wo ihre wehrlosen Erstlevel-Avatare von NSCs oder anderen Spielern angegriffen werden konnten. Solange man sich in sicheren Bereichen wie Ludus aufhielt, musste man sich keine Sorgen machen, der eigene Avatar könnte ausgeraubt, entführt oder ermordet werden.

Ich fand es schrecklich, in einem sicheren Bereich festzusitzen.

Wenn ich Hallidays Ei finden wollte, dann musste ich irgendwann die gefährlichen Sektoren der OASIS betreten. Und wenn ich dann nicht ausgesprochen mächtig und gut bewaffnet war, würde ich nicht lange am Leben bleiben.

Während der vergangenen fünf Jahre war es mir nach und nach gelungen, meinen Avatar auf die dritte Stufe zu befördern. Das war nicht leicht gewesen. Hin und wieder hatte ich andere Schüler (meistens Aech) begleitet, wenn sie zu einem Planeten geflogen waren, auf dem mein Schlappschwanz von Avatar überleben konnte. Dort bat ich sie dann, mich in der Nähe eines Spielebereichs für Neulinge abzusetzen, und verbrachte die ganze Nacht oder das ganze Wochenende damit, Orks, Kobolde oder irgendwelche anderen lächerlichen Monster abzuschlachten. Für jeden NSC, den mein Avatar besiegte, bekam ich einige magere Erfahrungspunkte und, für gewöhnlich, eine Handvoll Kupfer- oder Silbermünzen, die mein Gegner fallen ließ. Die Münzen tauschte ich umgehend gegen Credits ein, mit denen ich den Teleportationspreis zurück nach Ludus bezahlen konnte, nicht selten kurz vor Unterrichtsbeginn. Manchmal, aber nicht oft, ließ einer der NSCs, die ich tötete, einen Gegenstand fallen. Auf diese Weise war mein Avatar zu Schwert, Schild und Rüstung gekommen.

Am Ende des vergangenen Schuljahrs hatte ich aufgehört, Aech bei seinen Ausflügen zu begleiten. Sein Avatar befand sich jenseits der dreißigsten Stufe, und er war meistens zu Planeten unterwegs, auf denen mein Avatar keine Überlebenschance hatte. Zwar war er gern bereit, mich auf irgendeiner Anfängerwelt abzusetzen, aber wenn ich nicht genügend Credits für den Rücktransport verdiente, verpasste ich den Unterricht, weil ich auf einem anderen Planeten festsaß. Und das war keine ausreichende Entschuldigung. Inzwischen hatte ich schon so viele unentschuldigte Fehlstunden angehäuft, dass ich kurz davor stand, von der Schule zu fliegen. Falls das passierte, würde ich meine OASIS-Konsole und meine Videobrille abgeben müssen. Und was noch schlimmer war – ich würde die Oberstufe auf einer Schule in der realen Welt beenden müssen! Das konnte ich nicht riskieren.

Also verließ ich Ludus in jener Zeit nur selten. Ich saß auf dem Planeten und auf der dritten Stufe fest. Ein Drittlevel-Avatar war echt eine peinliche Sache. Die anderen Jäger nahmen einen nicht ernst, bevor man nicht wenigstens die zehnte Stufe erreicht hatte. Obwohl ich von Beginn an dabei war, hielten mich alle noch immer für einen Anfänger. Das war mehr als frustrierend.

Vor lauter Verzweiflung suchte ich nach einem Teilzeitjob, um mir nach der Schule etwas Taschengeld zu verdienen. Ich bewarb mich um Dutzende von Hotline- und Programmiererjobs (größtenteils Routinearbeiten in der OASIS, als Codeschreiber für Einkaufszentren oder Bürogebäude), aber es war völlig hoffnungslos. Millionen von Erwachsenen mit einem Collegeabschluss standen Schlange für diese Jobs. Die »Große Rezession« ging jetzt in ihr drittes Jahrzehnt, und die Arbeitslosigkeit war immer noch auf dem Höchststand. Sogar die Fastfoodrestaurants in der Gegend hatten eine Warteliste von zwei Jahren.

Also saß ich weiterhin in der Schule fest. Ich kam mir vor wie ein Junge, der ohne einen Cent in der Tasche in der größten Videospielhalle der Welt gelandet ist und nichts tun kann, außer herumzulaufen und den anderen Kids beim Spielen zuzuschauen.

OOO5

NACH DEM MITTAGESSEN war mein Lieblingsfach an der Reihe – »Fortgeschrittene OASIS-Studien«. Das war ein Oberstufenwahlfach, bei dem die Geschichte der OASIS und ihrer Schöpfer unterrichtet wurde. So leicht hatte ich noch nie eine Eins bekommen.

Während der letzten fünf Jahre hatte ich alles nur Erdenkliche über James Halliday in Erfahrung gebracht. Ich hatte mich mit seinem Leben beschäftigt, mit seinen Leistungen und seinen Interessen. Seit seinem Tod waren über ein Dutzend verschiedener Halliday-Biographien erschienen, und ich hatte sie alle gelesen. Mehrere Dokumentarfilme waren über ihn gedreht worden, und auch die hatte ich mir aufmerksam angeschaut. Ich hatte jedes Wort analysiert, das Halliday je geschrieben hatte, und jedes Videospiel gespielt, an dessen Entstehung er beteiligt gewesen war. Ich machte mir Notizen und schrieb alles nieder, was sich als Spur erweisen könnte (in ein Notizheft, das ich als mein »Gralstagebuch« bezeichnete, seit ich den dritten *Indiana-Jones*-Film gesehen hatte).

Je mehr ich über Halliday herausfand, umso mehr betete ich ihn an. Er war ein Gott unter den Nerds, ein übermenschliches Wesen vom Kaliber eines Gygax, Garriott oder Wozniak. Gleich nach der Highschool war er von zu Hause ausgezogen und hatte sich allein auf seinen Verstand und seine Phantasie verlassen müssen. Im Laufe der Jahre war er dann berühmt geworden und hatte ein gewaltiges Vermögen angehäuft. Er hatte eine völlig neue Realität geschaffen, in die sich der größte Teil der Menschheit zurückzog, um dem Alltag zu entfliehen. Und um dem Ganzen die Krone aufzusetzen, hatte er sein Testament in den großartigsten Videospielwettbewerb aller Zeiten verwandelt.

In »Fortgeschrittene OASIS-Studien« brachte ich die meiste Zeit damit zu, meinen Lehrer, Mr Ciders, in den Wahnsinn zu treiben, indem ich ihn auf Fehler in unserem Lehrbuch hinwies und andauernd den Arm hob, um einschlägige Details über Halliday zum Besten zu geben, die ich (und nur ich) für interessant hielt. Nach der ersten Woche rief Mr Cinders mich nur noch dann auf, wenn niemand sonst die Antwort auf seine Frage wusste.

Heute las er Auszüge aus *The Egg Man* vor, einer erfolgreichen Halliday-Biographie, die ich bereits viermal durchgeackert hatte. Während seines Vortrags musste ich mich zusammenreißen, um ihn nicht zu unterbrechen und auf einige wirklich wichtige Einzelheiten hinzuweisen, die das Buch unberücksichtigt ließ. Stattdessen behielt ich die Versäumnisse im Kopf, und während Mr Ciders von Hallidays Kindheit erzählte, dachte ich einmal mehr über das sonderbare Leben nach, das Halliday geführt, und über die Spuren, die er hinterlassen hatte.

Geboren wurde James Donovan Halliday am 12. Juli 1972 in Middletown, Ohio. Er war ein Einzelkind. Sein Vater, der als Maschinenführer arbeitete, war Alkoholiker, seine Mutter eine manisch-depressive Kellnerin.

Dem Vernehmen nach war James ein aufgewecktes Kind, im Umgang mit anderen jedoch unbeholfen. Es bereitete ihm große Schwierigkeiten, mit anderen Menschen zu kommunizieren. Trotz seiner offensichtlichen Intelligenz hatte er in der Schule schlechte Noten, denn er richtete den größten Teil seiner Aufmerksamkeit auf Computer, Comics, SF- und Fantasy-Romane, Filme und – vor allem – Videospiele.

Als er in der Mittelstufe war, saß Halliday eines Tages alleine in der Cafeteria und las ein *Dungeons-&-Dragons*-Regelwerk. Das Spiel faszinierte ihn, obwohl er es noch nie gespielt hatte, weil er keine Freunde hatte, mit denen er es hätte spielen können. Ein Junge in seiner Klasse namens Ogden Morrow bemerkte, was Halliday las, und lud ihn zu dem wöchentlichen *D&D*-Spieleabend ein, der bei ihm zu Hause stattfand. Dort, in Morrows Keller, machte Halliday die Bekanntschaft einer ganzen Gruppe von Meganerds. Sie akzeptierten ihn sofort als ihresgleichen, und zum ersten Mal in seinem Leben hatte James Halliday einen Freundeskreis.

Ogden Morrow sollte später Hallidays Geschäftspartner werden, sein Mitarbeiter und bester Freund. Die beiden sind oft mit Jobs und Wozniak oder Lennon und McCartney verglichen worden. Ihre Zusammenarbeit veränderte den Verlauf der Menschheitsgeschichte.

Mit fünfzehn kreierte Halliday sein erstes Computerspiel, *Anoraks Quest*. Er programmierte es in BASIC auf einem TRS-80 Color Computer, den er zu Weihnachten bekommen hatte (obwohl er sich von seinen Eltern den etwas teureren Commodore 64 gewünscht hatte). *Anoraks Quest* war ein Abenteuerspiel, dessen Schauplatz Chthonia war, die Fantasywelt, die Halliday an der Highschool für seine *D&D*-Kampagne geschaffen hatte. »Anorak« war ein Spitzname, den eine britische Austauschschülerin ihm gegeben hatte. Er gefiel ihm so gut, dass er ihn für seinen Lieblingscharakter verwendete, einen mächtigen Zauberer, der später in vielen seiner Videospiele auftauchen sollte.

Halliday schuf *Anoraks Quest* aus reinem Vergnügen und schenkte das Spiel seinen Kumpels in der *D&D*-Gruppe. Alle waren davon begeistert und verbrachten Stunden damit, die vertrackten Rätsel zu lösen. Ogden Morrow überzeugte Halliday, dass *Anoraks Quest* besser war als die meisten Computerspiele, die damals auf dem Markt waren, und ermutigte ihn, das Spiel zu verkaufen. Er half Halliday, ein einfaches Titelbild zu entwerfen, und gemeinsam kopierten sie *Anoraks Quest* auf Dutzende von 5,25-Zoll-Disketten und steckten sie zusammen mit einer fotokopierten Benutzeranleitung in Ziploctüten. Die ersten Exemplare legten sie im Software-Regal des örtlichen Computerladens aus. Es dauerte nicht lange, und sie konnten ihre Kopien nicht so schnell herstellen, wie sie sich verkauften.

Morrow und Halliday beschlossen, ihre eigene Videospielfirma zu gründen, Gregarious Games. Anfangs hatte sie ihren Sitz in Morrows Keller. Halliday programmierte neue Versionen von *Anoraks Quest* für den Atari 800XL, den Apple II und den Commodore 64, und Morrow schaltete Anzeigen auf den hinteren Seiten mehrerer Computermagazine. Innerhalb von sechs Monaten wurde das Spiel ein landesweiter Verkaufsschlager.

Fast hätten Halliday und Morrow ihren Highschoolabschluss nicht geschafft, weil sie den Großteil ihrer Zeit damit zubrachten, an *Anoraks Quest II* zu arbeiten. Statt aufs College zu gehen, konzentrierten sie ihre ganze Energie auf ihre neue Firma, die bald zu groß für Morrows Keller wurde. 1990 bezog Gregarious Games neue Räumlichkeiten in einem heruntergekommenen Einkaufszentrum in Columbus, Ohio.

Im Laufe des nächsten Jahrzehnts eroberte die kleine Firma die Videospielbranche im Sturm. Sie veröffentlichte eine Reihe erfolgreicher Action- und Abenteuerspiele, die alle Hallidays bahnbrechende, für die Egoperspektive optimierte Graphik-Engine verwendeten. Gregarious Games setzte in Sachen interaktive Spiele neue Standards, und jedes Mal, wenn sie einen neuen Titel auf den Markt brachten, gingen sie an die Grenze dessen, was mit der damals erhältlichen Hardware möglich war.

Der etwas füllige Ogden Morrow verfügte über ein natürliches Charisma, und er kümmerte sich um die Geschäfte und die Öffentlichkeitsarbeit des Unternehmens. Bei den Pressekonferenzen von Gregarious Games grinste er hinter seinem widerspenstigen Bart und seiner Drahtgestellbrille hervor und machte ein Riesentamtam um die neuesten Produkte. Halliday schien in jeder Hinsicht das Gegenteil von Morrow zu sein. Er war groß, hager, furchtbar schüchtern und ließ sich nach Möglichkeit nicht in der Öffentlichkeit blicken.

Die Leute, die in jener Zeit bei Gregarious Games angestellt waren, erzählen, dass er sich häufig in seinem Büro einschloss, wo er unablässig programmierte, oft tage- oder wochenlang, ohne etwas zu essen, zu schlafen oder mit jemandem zu sprechen.

Wenn Halliday sich einmal überreden ließ, ein Interview zu geben, wirkte sein Verhalten äußerst exzentrisch, selbst für einen Spieledesigner. Er zappelte in einem fort herum, war distanziert und so unbeholfen, dass ihn manche Interviewer für geisteskrank hielten. Oft sprach Halliday so schnell, dass er kaum noch zu verstehen war, und sein Lachen war beängstigend schrill, zumal er in der Regel der Einzige war, der wusste, worüber er eigentlich lachte. Wenn Halliday sich während eines Interviews (oder einer Unterhaltung) langweilte, stand er meist einfach auf und ging wortlos aus dem Zimmer.

Hallidays zahlreiche Obsessionen waren allgemein bekannt. An der Spitze standen klassische Videospiele, SF- und Fantasy-Romane und Filme aller Genres. Außerdem war er auf die 80er fixiert, das Jahrzehnt, in dem er ein Teenager gewesen war.

Halliday schien von allen Leuten zu erwarten, dass sie seine Obsessionen teilten, andernfalls wurde er nicht selten zornig. Er war dafür bekannt, dass er langjährige Angestellte feuerte, wenn sie irgendein obskures Filmzitat nicht erkannten, das er zum Besten gegeben hatte, oder wenn er herausfand, dass sie mit den Zeichentrickfilmen, Comics oder Videospielen, für die er schwärmte, nicht vertraut waren. (Ogden Morrow stellte die Mitarbeiter dann immer wieder ein, meist ohne dass Halliday es bemerkte.)

Im Laufe der Jahre schien Hallidays ohnehin schon unter-entwickelte soziale Kompetenz weiter zu verkümmern. (Nach seinem Tod wurden mehrere psychologische Studien über ihn veröffentlicht, die zu dem Schluss kamen, dass sein zwang-haftes Festhalten an immer gleichen Tagesabläufen und seine manische Beschäftigung mit obskuren Interessengebieten auf ein Asperger-Syndrom oder eine andere Form von hochfunk-tionalem Autismus zurückging.)

Trotz seiner Verschrobenheiten stellte niemand je Hallidays Genialität in Frage. Die Spiele, die er kreierte, waren durch die Bank äußerst erfolgreich. Am Ende des 20. Jahrhunderts war Halliday weithin als der größte Videospieldesigner seiner Ge-neration anerkannt.

Ogden Morrow war selbst ein brillanter Programmierer, aber seine wahre Begabung lag in seinem Geschäftssinn. Er arbeitete nicht nur mit Halliday an den Spielen der Firma, sondern er plante und koordinierte anfangs auch sämtliche Marketingkampagnen und Sharewareprojekte, und das mit erstaunlichen Ergebnissen. Als Gregarious Games schließlich an die Börse ging, schoss die Aktie sofort in die Stratosphäre.

An ihrem dreißigsten Geburtstag waren Halliday und Mor-row Multimillionäre. Sie kauften sich Villen in derselben Straße. Morrow legte sich einen Lamborghini zu, machte oft

Urlaub und reiste in der Welt herum. Halliday kaufte einen der Original-DeLorean aus *Zurück in die Zukunft*. Allerdings verbrachte er weiterhin den größten Teil seiner Zeit an der Tastatur und verwendete sein Vermögen darauf, klassische Videospiele, *Star-Wars*-Actionfiguren, alte Brotdosen und Comics zu erwerben, bis er die größte private Sammlung der Welt zusammenhatte.

Auf der Höhe ihres Erfolges schien Gregarious Games plötzlich in einen Winterschlaf zu fallen. Mehrere Jahre vergingen, ohne dass ein neues Spiel veröffentlicht wurde. Morrow ließ verlauten, das Unternehmen arbeite an einem äußerst ehrgeizigen Projekt und bewege sich in eine völlig neue Richtung. Gerüchte kursierten, Gregarious Games entwickle eine neue Hardware und die finanziellen Mittel des Unternehmens seien bald aufgebraucht. Es gab auch Anzeichen dafür, dass Halliday und Morrow ihr ganzes Privatvermögen in dieses neue Vorhaben investiert hatten. Immer häufiger hieß es, Gregarious Games stünde kurz vor dem Bankrott.

Im Dezember 2012 benannte sich Gregarious Games dann in Gregarious Simulation Systems um, und unter diesem neuen Banner führten sie ihr Vorzeigeprodukt ein – das einzige Produkt, das GSS jemals auf den Markt bringen würde: die OASIS – die »Ontologically Anthropocentric Sensory Immersive Simulation«.

Im Laufe der Zeit veränderte die OASIS das Leben, die Arbeitsweise und die Kommunikation der Menschen auf der ganzen Welt von Grund auf. Sie beeinflusste die Unterhaltungsindustrie, die Sozialen Netzwerke, selbst die globale Politik. Und obwohl sie anfangs als ein neues *Massively Multiplayer Online Game* vermarktet wurde, entwickelte sich die OASIS zu einem neuen Lebensstil.

Bevor es die OASIS gab, bildeten *Massively Multiplayer Online Games* (MMOGs) die ersten künstlichen Welten, in denen sich Tausende von Spielern gleichzeitig aufhalten konnten. Die Größe dieser Welten war relativ überschaubar – meist bestanden sie nur aus einem zusammenhängenden Territorium oder einem Dutzend kleinerer Planeten. MMOG-Spieler konnten diese Online-Welten lediglich durch ein kleines, zweidimensionales Fenster betrachten – den Monitor ihres Computers –, und sie interagierten mit ihr, indem sie sich einer Tastatur, einer Maus und anderer primitiver Eingabegeräte bedienten.

Gregarious Simulation Systems hob das Prinzip der MMOGs auf ein völlig neues Niveau. In der OASIS war der Nutzer nicht auf einen einzigen Planeten beschränkt oder auch auf ein Dutzend. Die OASIS umfasste Hunderte (und später Tausende) von Welten, die man erforschen konnte, alle bis ins kleinste Detail in 3-D und mit hoher Auflösung gerendert, bis hin zu Insekten und Grashalmen, Wind und Wetter. Die Nutzer konnten diese Planeten umrunden und bekamen nie dieselbe Gegend zweimal zu sehen. Selbst in ihrer ersten primitiven Inkarnation war das Ausmaß dieser Simulation atemberaubend.

Halliday und Morrow sprachen von der OASIS als einer »Open-Source-Realität«, einem formbaren Online-Universum, zu dem jeder über das Internet Zugang hatte, entweder über einen Heimcomputer oder über eine Videospielkonsole. Man konnte sich einloggen und augenblicklich dem grauen Alltag entfliehen. Man konnte sich eine völlig neue Persona erschaffen und selbst bestimmen, wie man aussah und auf andere wirkte. In der OASIS konnten fette Menschen schlank sein, hässliche schön, schüchterne extrovertiert. Und umgekehrt. Man konnte seinen Namen ändern, sein Alter und sein Geschlecht, Hautfarbe, Größe, Gewicht, Stimme, Frisur und

Körperbau. Oder man konnte sich von seinem menschlichen Körper ganz verabschieden und ein Elf werden, ein Oger, ein Alien oder irgendein anderes Geschöpf aus Literatur, Film oder Mythologie.

In der OASIS konnte man alles werden, was man sein wollte, ohne seine wahre Identität preiszugeben, denn die Anonymität jedes Nutzers war gewährleistet.

Man konnte die virtuellen Welten in der OASIS verändern oder sich völlig neue ausdenken. Die Online-Präsenz einer Person war jetzt nicht mehr auf eine Internetseite oder das Profil eines Sozialen Netzwerks beschränkt. In der OASIS konnte man seinen eigenen Planeten erschaffen, ein virtuelles Schloss darauf bauen, es so einrichten, wie es einem gefiel, und ein paar tausend Freunde zu einer Party einladen. Freunde, die möglicherweise auf dem ganzen Globus verteilt lebten, in einem Dutzend unterschiedlicher Zeitzonen.

Der Schlüssel zum Erfolg der OASIS waren zwei Hardwarekomponenten, die GSS entwickelt hatte und die beide notwendig waren, um Zugang zu der Simulation zu erhalten: die OASIS-Videobrille und die haptischen Handschuhe.

Die drahtlose, in Einheitsgröße erhältliche Videobrille war nur wenig größer als eine normale Sonnenbrille. Sie setzte einen leichten, ungefährlichen Laser ein, um die atemberaubend realen Umgebungen der OASIS direkt auf die Netzhaut des Trägers zu »zeichnen«, so dass die Online-Welt sein ganzes Gesichtsfeld einnahm. Diese Videobrille war den bis dahin erhältlichen klobigen VR-Brillen um Lichtjahre voraus und stellte einen Paradigmenwechsel innerhalb der VR-Technologie dar – genauso wie die leichten haptischen Handschuhe, die es den Nutzern ermöglichten, die Hände ihres Avatars direkt zu steuern und mit der simulierten Umgebung zu interagieren, als hielten sie sich tatsächlich darin auf. Wenn man nach einem Gegenstand griff, Türen öffnete oder ein Fahrzeug lenkte, ließen einen die haptischen Handschuhe diese nicht existierenden Gegenstände und Oberflächen *spüren*, als wären sie wirklich da. Mit den Handschuhen konnte man, wie es in der Fernsehwerbung hieß, »die Hand ausstrecken und die OASIS berühren«. Gemeinsam machten die Videobrille und die Handschuhe jeden Ausflug in die OASIS zu einer einzigartigen, noch nie dagewesenen Erfahrung, und nachdem die Menschen erst einmal eine Kostprobe davon erhalten hatten, gab es kein Zurück mehr.

Die Software, mit der die Simulation lief, Hallidays neue »OASIS Reality Engine«, stellte ebenfalls einen gewaltigen technologischen Fortschritt dar, weil es ihr gelang, die Beschränkungen zu überwinden, denen alle bisherigen simulierten Realitäten ausgesetzt waren. Bei früheren MMOGs durfte nicht nur eine bestimmte Gesamtgröße, sondern auch die Anzahl der Nutzer pro Server – für gewöhnlich ein paar Tausend – nicht überschritten werden. Wenn zu viele Leute gleichzeitig eingeloggt waren, lief die Simulation nur noch in Zeitlupe, und Avatare erstarrten mitten in der Bewegung, während das System versuchte, Schritt zu halten. Die OASIS dagegen nutzte eine neue Form fehlertoleranter Server-Cluster, die zusätzliche Rechenleistung aus sämtlichen Computern bezogen, die mit ihnen verbunden waren. Als die OASIS freigeschaltet wurde, konnten bis zu fünf Millionen Nutzer online sein, ohne dass es zu wahrnehmbaren Verzögerungen kam, von einem Systemcrash ganz zu schweigen.

Die OASIS wurde der Öffentlichkeit mit einer gewaltigen Marketingkampagne vorgestellt. Die allgegenwärtige Fernseh-, Plakat- und Internetwerbung zeigte eine üppig bewachsene grüne Oase samt Palmen und einem Teich mit kristallblauem Wasser, die von einer trostlosen Wüste umgeben war.

Die OASIS war vom ersten Tag an ein Riesenerfolg. Sie war etwas, wovon die Menschen seit Jahrzehnten geträumt hatten. Die »Virtuelle Realität«, die ihnen schon so lange versprochen worden war, war endlich da, und sie übertraf all ihre Vorstellungen. Die OASIS war eine Online-Utopie, ein Holodeck für zu Hause. Und das überzeugendste Verkaufsargument? Sie war *kostenlos*.

Die meisten Online-Spiele finanzierten sich damals durch monatliche Abogebühren. GSS dagegen verlangte nur eine einmalige Anmeldegebühr von fünfundzwanzig Cent, und dafür bekam man ein OASIS-Konto auf Lebenszeit. Die Werbung wiederholte den immer gleichen Slogan: *Die* OASIS – *das großartigste Videospiel aller Zeiten, und es kostet dich nur einen Vierteldollar.*

In einer Zeit drastischer gesellschaftlicher und kultureller Umbrüche, in der die meisten Menschen sich danach sehnten, der Wirklichkeit zu entfliehen, war die OASIS ein Gottesgeschenk. Außerdem war sie preiswert, legal, sicher und (nach neuesten medizinischen Erkenntnissen jedenfalls) nicht suchterzeugend. Die permanente Energiekrise trug ihren Teil zur unglaublichen Popularität der OASIS bei. Wegen der sprunghaft ansteigenden Ölpreise wurde es für den Durchschnittsbürger zu teuer, mit dem Flugzeug oder mit dem eigenen Wagen zu reisen, und die OASIS wurde zum einzigen Ausflugsziel, das die Leute sich leisten konnten. Als die Epoche billiger Energie zu Ende ging, breiteten sich Armut und Angst wie ein Virus aus. Jeden Tag hatten mehr und mehr Leute Grund dazu, Trost in Hallidays und Morrows virtuellem Utopia zu suchen.

Firmen, die sich in der OASIS niederlassen wollten, mussten entweder Miete bezahlen oder virtuellen Grundbesitz erwerben. In weiser Voraussicht hatte GSS dafür Sektor 1 reserviert, und alsbald wurden dort Millionen von Gewerbeeinheiten verkauft oder vermietet. Einkaufszentren von der Größe ganzer Städte schossen in die Höhe, und Ladenzeilen breiteten sich über Planeten aus wie Zeitrafferaufnahmen von Schimmel, der eine Orange verschlingt. Stadtentwicklung war noch nie so einfach gewesen.

GSS verdiente jedoch nicht nur Milliarden von Dollar mit Land, das es gar nicht gab, sondern machte auch ein Riesengeschäft damit, virtuelle Gebäude und Fahrzeuge zu verkaufen. Die OASIS wurde ein so wesentlicher Bestandteil des Alltags der meisten Menschen, dass sie nur allzu bereitwillig echtes Geld dafür hinblätterten, ihre Avatare mit Kleidern, Möbeln, Häusern, fliegenden Autos, magischen Schwertern und Maschinenpistolen auszustatten. Diese Gegenstände bestanden zwar lediglich aus Einsen und Nullen auf den Servern der OASIS, aber sie waren auch Statussymbole. Die meisten Gegenstände kosteten nur ein paar Credits, doch da ihre Herstellungskosten gleich null waren, machte GSS damit einhundert Prozent Gewinn. Selbst während der andauernden wirtschaftlichen Rezession ermöglichte es die OASIS den Amerikanern, ihrer liebsten Freizeitbeschäftigung zu frönen: dem Shoppen.

Innerhalb kürzester Zeit wurde die OASIS das beliebteste Ausflugsziel im Internet, und zwar in einem solchen Maße, dass die Begriffe »OASIS« und »Internet« allmählich synonym verwendet wurden. Zumal das äußerst benutzerfreundliche, dreidimensionale OASIS-OS, das GSS kostenlos zur Verfügung stellte, zum mit Abstand beliebtesten Betriebssystem wurde.

Es dauerte nicht lange, und Milliarden von Menschen auf der ganzen Welt arbeiteten und spielten jeden Tag in der OASIS. Manche von ihnen lernten einander kennen, verliebten sich und heirateten, ohne auch nur einen Fuß auf denselben Kontinent gesetzt zu haben. Die Grenze zwischen der wahren Identität einer Person und ihrem Avatar verschwamm mehr und mehr.

Eine neue Zeit war angebrochen – eine Zeit, in der die meisten Menschen ihre komplette Freizeit in einem Videospiel verbrachten.

0006

DER REST DES SCHULTAGES ging rasch vorbei. Mit Ausnahme der letzten Stunde. Latein.

Die meisten Schüler belegten eine Fremdsprache, mit der sie irgendwann vielleicht sogar etwas würden anfangen können, wie zum Beispiel Mandarin, Hindi oder Spanisch. Ich hatte mich für Latein entschieden, weil Halliday Latein gelernt hatte. Außerdem hatte er in seinen ersten Adventures hin und wieder lateinische Wörter und Wendungen untergebracht. Bedauerlicherweise war meine Lateinlehrerin, Ms Rank, trotz der grenzenlosen Möglichkeiten, die die OASIS ihr bot, nicht in der Lage, ihren Unterricht interessant zu gestalten. Heute wiederholte sie einen Haufen Verben, die ich längst auswendig kannte, weshalb meine Aufmerksamkeit fast augenblicklich abschweifte.

Die Simulation sorgte dafür, dass Schüler während des Unterrichts lediglich auf Informationen oder Programme zugreifen konnten, die ihr Lehrer ihnen genehmigt hatte. Damit sollten die Kids daran gehindert werden, Filme anzuschauen, Spiele zu spielen oder miteinander zu chatten, anstatt aufzupassen. Glücklicherweise hatte ich, als ich in der elften Klasse war, einen Programmfehler in der Software der Schulbibliothek entdeckt, und seither konnte ich auf sämtliche Bücher in der Bibliothek zugreifen, darunter auch *Anoraks Almanach*. Wenn ich mich (wie jetzt) langweilte, rief ich immer eine meiner Lieblingspassagen auf, um mir die Zeit zu vertreiben.

In den letzten fünf Jahren war der *Almanach* zu meiner

Bibel geworden. Wie die meisten Bücher heutzutage war er eigentlich nur in elektronischer Form erhältlich. Da ich den *Almanach* jedoch Tag und Nacht lesen wollte, auch während der häufigen Stromausfälle in den *Stacks*, hatte ich einen alten Laserdrucker repariert, mir ein Exemplar ausgedruckt und in einen alten Ordner geheftet. So konnte ich es ständig in meinem Rucksack mit mir herumtragen und darin lesen, bis ich jedes Wort auswendig wusste.

Der *Almanach* enthielt Tausende von Anspielungen auf Bücher, Fernsehserien, Filme, Songs, Comics und Videospiele, für die Halliday schwärmte. Die meisten davon waren über vierzig Jahre alt, und man konnte sie in der OASIS kostenlos herunterladen. Wenn ich etwas brauchte, das nicht frei erhältlich war, konnte ich es mir fast immer von *Eggtorrent* besorgen, einem File-Sharing-Programm, das von Jägern auf der ganzen Welt benutzt wurde.

Wenn es um Recherche ging, zog ich alle Register. Während der letzten fünf Jahre hatte ich sämtliche Bücher durchgearbeitet, die für einen Jäger von Interesse waren. Douglas Adams. Kurt Vonnegut. Neal Stephenson. Richard K. Morgan. Stephen King. Orson Scott Card. Terry Pratchett. Terry Brooks. Bester, Bradbury, Heinlein, Tolkien, Vance, Gibson, Gaiman, Scalzi, Zelazny. Ich las jeden einzelnen Roman aller Lieblingsautoren Hallidays.

Aber nicht nur das.

Ich schaute mir auch jeden Film an, der im *Almanach* erwähnt wurde. Hallidays Lieblingsfilme wie *WarGames, Ghostbusters, Was für ein Genie, Lanny dreht auf* oder *Die Rache der Eierköpfe* schaute ich mir immer wieder an, bis ich jede einzelne Szene mitsprechen konnte.

Ganz zu schweigen von den Filmen, die Halliday als »Die heiligen Trilogien« bezeichnete: *Star Wars* (die Original- und die *Prequel*-Trilogie, in dieser Reihenfolge), *Herr der Ringe*, *Matrix*, *Mad Max*, *Zurück in die Zukunft* und *Indiana Jones*. (Halliday hatte einmal gesagt, dass es ihm lieber gewesen wäre, die anderen *Indiana-Jones*-Filme, ab *Indiana Jones und das Königreich des Kristallschädels*, gäbe es gar nicht. Ich konnte ihm nur zustimmen.)

Darüber hinaus zog ich mir die komplette Filmographie seiner Lieblingsregisseure rein. Cameron, Gilliam, Jackson, Fincher, Kubrick, Lucas, Spielberg, Tarantino. Und, natürlich, Kevin Smith.

Drei Monate brachte ich allein damit zu, jeden einzelnen Teeniefilm von John Hughes zu analysieren und wichtige Szenen auswendig zu lernen.

Nur wer feige ist, wird erwischt. Die Mutigen finden einen Ausweg.

Keine Frage, ich hatte nichts ausgelassen.

Auch Monty Python knöpfte ich mir vor. Und nicht nur *Die Ritter der Kokosnuss*. Sämtliche Filme, Alben und Bücher und alle Folgen der klassischen BBC-Fernsehserie (einschließlich der beiden »verschollenen Folgen«, die damals fürs deutsche Fernsehen gedreht wurden).

Ich würde es mir nicht einfach machen.

Mir würde nichts durch die Lappen gehen. Rein gar nichts.

Irgendwann fing ich an, ein bisschen zu übertreiben.

Vielleicht hatte ich sogar ein wenig den Verstand verloren.

Ich schaute sämtliche Folgen von *The Greatest American Hero*, *Airwolf*, *A-Team*, *Knight Rider*, *Die Spezialisten unterwegs* und der *Muppet Show*.

Und was ist mit den *Simpsons*?, werden Sie sich fragen.

Über Springfield wusste ich mehr als über die Stadt, in der ich wohnte.

Star Trek? Oh, da hatte ich meine Hausaufgaben gemacht.

TOS, TNG, DS9. Sogar *Voyager* und *Enterprise*. Ich habe mir sämtliche Folgen in chronologischer Reihenfolge angeschaut. Und die Filme auch. *Phaserkanonen auf Ziel fixiert.*

Die Zeichentrickfilme aus dem Samstagvormittagsprogramm habe ich mir quasi nebenbei reingezogen.

Seither kenne ich die Namen von jedem verdammten Gobot und Transformer.

Im Land der Saurier. Thundarr. He-Man. Schoolhouse Rock! *G. I. Joe* – ich wusste alles über sie. *Denn mit Wissen gewinnst du die halbe Schlacht.* Und wer war mein Freund, wenn's drauf ankam? *H. R. Pufnstuf.*

Japan? Habe ich Japan in meine Recherchen einbezogen? Klar. Und wie! Anime und Spielfilme. *Godzilla, Gamera, Star Blazers, The Space Giants* und *G-Force.* »Go. Speed Racer, go!«

Ich war nicht irgendein Dilettant.

Ich kasperte nicht nur herum.

Ich lernte sämtliche Nummern des Komikers Bill Hicks auswendig.

Musik? Tja, das war natürlich ein weites Feld.

Es dauerte seine Zeit.

Die 80er waren ein langes Jahrzehnt (zehn ganze Jahre immerhin), und Halliday schien keinen besonders anspruchsvollen Geschmack gehabt zu haben. Er hatte sich alles angehört, und ich folgte ihm auch darin. Pop, Rock, New Wave, Punk, Heavy Metal. Von *Police* über *Journey* und *R. E. M.* bis zu *The Clash.*

In weniger als zwei Wochen pfiff ich mir die komplette Diskographie von *They Might Be Giants* rein. Für *Devo* brauchte ich etwas länger.

Ich schaute mir auch haufenweise YouTube-Videos von süßen Nerd-Mädels an, die auf der Ukulele Coverversionen von Songs aus den 80ern spielten. Okay, das war nicht unbedingt notwendig. Aber ich stand nun mal auf Nerd-Mädels mit Ukulelen.

Ich lernte Songtexte auswendig. Sogar alberne Texte von Bands mit Namen wie *Van Halen, Bon Jovi, Def Leppard* und *Pink Floyd*.

Ich war wie besessen. Meine Noten wurden schlechter. Das war mir egal.

Ich las jedes Heft jeder Comicserie, die Halliday jemals gesammelt hatte.

Niemand würde behaupten können, ich hätte mich nicht angestrengt.

Vor allem nicht, wenn es um Videospiele ging. Games waren meine Spezialität.

Ich lud mir jedes Spiel herunter, das im *Almanach* erwähnt wurde, von *Akalabeth* bis *Zaxxon*. Ich spielte sie alle, und zwar so lange, bis ich sie völlig beherrschte. Und dann nahm ich mir das nächste Spiel vor.

Wirklich erstaunlich, was man alles bewältigen kann, wenn man sonst nichts zu tun hat! Zwölf Stunden am Tag, sieben Tage die Woche – da kann man sich eine Menge Sachen aneignen.

Ich arbeitete mich durch jedes Videospielgenre und jede Plattform. Klassische Automatenspiele, Heimcomputer, Konsolen, Handhelds. Pen & Paper, Ego-Shooter, Strategiespiele. Uralte 8-, 16- und 32-Bit-Klassiker aus dem letzten Jahrhundert. Je schwerer ein Spiel war, umso mehr Spaß machte es mir. Und während ich diese digitalen Relikte spielte, Nacht um Nacht, Jahr um Jahr, stellte ich fest, dass ich ein Naturtalent war. Die meisten Actionspiele hatte ich innerhalb von wenigen Stunden durch, und es gab kein Adventure- oder Rollenspiel, das ich nicht enträtseln konnte. Ich benutzte nie irgendwelche Cheats oder Komplettlösungen. Es machte einfach »klick«. Bei den alten Automatenspielen war ich sogar noch besser. Wenn ich mich in einen Hochgeschwindigkeitsklassiker wie *Defender* vertiefte, kam ich mir vor wie ein Falke im Sturzflug oder wie ein Hai, der über den Meeresboden rast. Zum ersten Mal in meinem Leben wusste ich, wie es war, *begabt* zu sein.

Aber nicht meiner anhaltenden Beschäftigung mit alten Filmen, Comics oder Videospielen verdanke ich den ersten Hinweis. Den fand ich, als ich mir die Geschichte der *Pen-&-Paper*-Rollenspiele vornahm.

Auf der ersten Seite von *Anoraks Almanach* prangten die vier Verse, die Halliday in der *Einladung* rezitiert hatte:

Drei Schlüssel öffnen der Tore drei,
Und wer sich als würdig erweist dabei,
Muss alsbald auf sein Geschick sich besinnen,
Will er das »Ende« erreichen und den Preis gewinnen.

Anfangs glaubte ich, das sei die einzige direkte Bezugnahme auf den Wettbewerb im ganzen *Almanach*. Doch dann entdeckte ich in den weitschweifigen Tagebucheinträgen und Essays über Popkultur eine geheime Botschaft.

Über sämtliche Seiten des *Almanach* verteilt befand sich eine Reihe markierter Buchstaben. Jeder dieser Buchstaben war mit einer winzigen, kaum sichtbaren »Kerbe« versehen. Aufgefallen waren mir diese Kerben zum ersten Mal im Jahr nach Hallidays Tod. Als ich damals meinen Ausdruck von *Anoraks Almanach* las, glaubte ich, kleine Unsauberkeiten vor mir zu haben, die dem Papier oder dem Drucker geschuldet waren. Aber als ich in der elektronischen Version nachschaute, fand ich dort genau dieselben Kerben in genau denselben Buchstaben. Vergrößerte man diese Buchstaben, stachen die Kerben deutlich hervor. Sie waren Hallidays Werk. Er hatte diese Buchstaben mit Absicht markiert.

Wie sich herausstellte, gab es insgesamt einhundertundachtzig dieser Buchstaben. Ich schrieb sie in der Reihenfolge ab, wie sie im Text vorkamen, und siehe da, sie bildeten Worte. Als ich sie in mein Gralstagebuch übertrug, wäre ich vor Aufregung fast gestorben.

> **Der Kupferschlüssel harret des Spielers Hand**
> **In einer Gruft erfüllt mit Grauen.**
> **Noch viel muss er lernen, noch viel muss er schauen,**
> **Muss auf sein gewonnenes Wissen bauen,**
> **Bis ihm ein Platz auf der Liste wird zuerkannt.**

Andere Jäger hatten diese Botschaft natürlich auch entdeckt, aber sie waren klug genug gewesen, das für sich zu behalten. Eine Zeitlang jedenfalls. Etwa sechs Monate, nachdem ich darauf gestoßen war, fand ein Großmaul von Erstsemester am MIT sie auch. Sein Name war Steven Pendergast, und er beschloss, seine fünfzehn Minuten Ruhm zu beanspruchen, indem er seine »Entdeckung« den Medien verriet. Einen Monat lang wurden Interviews mit diesem Trottel gesendet, obwohl er nicht die geringste Ahnung hatte, was die Botschaft bedeutete. Seither heißt es, wenn jemand mit einem Hinweis an die Öffentlichkeit ging, er habe »einen Pendergast abgezogen«.

Nachdem die Botschaft allgemein bekanntgeworden war, gaben ihr die Jäger den Spitznamen »der Limerick«. Inzwischen kannte die ganze Welt seit fast vier Jahren den Wortlaut, aber offenbar wusste niemand, was die Verse wirklich bedeuteten, und auch den Kupferschlüssel hatte noch niemand gefunden.

Ich wusste, dass Halliday in vielen seiner Adventures ähnliche Rätsel verwendet hatte, und jedes dieser Rätsel hatte im Kontext des Spiels einen Sinn ergeben. Also widmete ich einen ganzen Abschnitt meines Gralstagebuchs der Aufgabe, den Limerick zu entschlüsseln, und zwar Zeile für Zeile.

Der Kupferschlüssel harret des Spielers Hand

Diese Zeile schien mir ziemlich einfach zu sein. Jedenfalls konnte ich keine geheime Bedeutung erkennen.

In einer Gruft erfüllt mit Grauen.

Diese Zeile war schon kniffliger. Nahm man sie wörtlich, sagte sie aus, dass der Schlüssel irgendwo in einer Grabstätte verborgen sein musste, in der etwas Grauenhaftes lauerte. Allerdings stieß ich im Laufe meiner Recherchen auf ein altes *Dungeons-&-Dragons*-Abenteuer mit dem Titel *Gruft des Grauens*, das 1978 erschienen war. Mir war sofort klar, dass die zweite Zeile eine Anspielung darauf war. Halliday hatte während seiner ganzen Highschoolzeit *Advanced Dungeons & Dragons* gespielt, außerdem eine ganze Reihe anderer Rollenspiele wie *GURPS*, *Champions*, *Car Wars* und *Rolemaster*.

Bei *Gruft des Grauens* handelte es sich um ein dünnes Heft, auch »Modul« genannt. Es enthielt detailliertes Kartenmaterial und genaue Beschreibungen eines unterirdischen Labyrinths, in dem es von untoten Monstern nur so wimmelte. *D&D*-Spieler mussten das Labyrinth mit ihren Charakteren erforschen, während der Spielleiter aus dem Modul vorlas und sie durch die darin enthaltene Geschichte führte, indem er alles beschrieb, was sie sahen und wem oder was sie begegneten.

Je mehr ich darüber herausfand, wie diese frühen Rollenspiele funktionierten, desto klarer wurde mir, dass ein *D&D-*

Abenteuer das primitive Pendant einer Quest in der OASIS war. *D&D*-Charaktere entsprachen unseren heutigen Avataren. In gewisser Hinsicht waren diese alten Rollenspiele die ersten Simulationen gewesen, lange bevor es Computer gab, die einen in eine virtuelle Realität entführen konnten. Wenn man damals in eine andere Welt entfliehen wollte, musste man sie sich selbst erschaffen, und dazu gebrauchte man seine Phantasie, ein Blatt Papier, Bleistift, Würfel und ein entsprechendes Regelwerk. Diese Erkenntnis haute mich um. Sie veränderte meine Wahrnehmung der Jagd auf Hallidays *Easter Egg* von Grund auf. Seither betrachte ich sie als ein äußerst komplexes *D&D*-Abenteuer. Halliday war ganz eindeutig der Spielleiter, mochte er die Fäden auch aus dem Jenseits ziehen.

Tief in einem uralten FTP-Archiv vergraben, fand ich eine digitale Kopie des siebenundsechzig Jahre alten *Gruft-des-Grauens*-Abenteuers. Während ich sie unter die Lupe nahm, entwickelte ich eine Theorie: Irgendwo in der OASIS hatte Halliday die *Gruft des Grauens* neu erschaffen, und dort war der Kupferschlüssel versteckt.

Die nächsten Monate verbrachte ich damit, das Modul genau zu studieren und sämtliche Karten und Beschreibungen auswendig zu lernen, denn irgendwann würde ich herausfinden, wo die Gruft lag. Einen Haken hatte die Sache allerdings: Der Limerick enthielt allem Anschein nach keinen Fingerzeig, *wo* Halliday das verdammte Ding versteckt hatte. Der einzige Hinweis bestand möglicherweise in dem Satz: *Noch viel muss er lernen, noch viel muss er schauen, muss auf sein gewonnenes Wissen bauen, bis ihm ein Platz auf der Liste wird zuerkannt.*

Diese Worte wiederholte ich in Gedanken so oft, dass ich vor Frustration am liebsten laut aufgeschrien hätte. *Noch viel muss er lernen.* Yeah. Okay, von mir aus. Aber *worüber*?

In der OASIS gab es buchstäblich Tausende von Welten, und

Halliday konnte seine neue *Gruft des Grauens* auf jeder einzelnen von ihnen versteckt haben. Jeden Planeten zu durchsuchen, einen nach dem anderen, würde eine Ewigkeit dauern. Selbst wenn ich die Mittel dazu gehabt hätte.

Ein in Sektor 2 gelegener Planet namens Gygax schien mir der vielversprechendste Ort zu sein, um mit der Suche anzufangen. Halliday hatte ihn selbst programmiert, und er hatte ihn nach Gary Gygax benannt, einem der Erfinder von *Dungeons & Dragons* und der Verfasser des ursprünglichen *Gruft-des-Grauens*-Abenteuers. Laut Eggipedia (einem Wiki für Jäger) war der Planet Gygax über und über mit Schauplätzen aus alten *D&D*-Modulen bedeckt, aber die *Gruft des Grauens* gehörte nicht dazu. In der ganzen OASIS schien es keine Reproduktion der Gruft und auch keinen anderen Planeten zu geben, der *D&D* gewidmet war. Die Jäger hatten sämtliche Planeten unter die Lupe genommen. Wäre auf einem von ihnen eine *Gruft des Grauens* verborgen gewesen, hätte das längst jemand entdeckt und gemeldet.

Die Gruft musste also irgendwo anders sein. Und ich hatte nicht die geringste Ahnung, wo. Trotzdem hoffte ich, dass ich, wenn ich nur am Ball blieb und meine Recherchen fortsetzte, schon alles Nötige in Erfahrung bringen würde, um sie zu finden. Wahrscheinlich meinte Halliday genau das mit: *Noch viel muss er lernen, noch viel muss er schauen, muss auf sein gewonnenes Wissen bauen, bis ihm ein Platz auf der Liste wird zuerkannt.*

Falls irgendwelche anderen Jäger dort draußen meine Interpretation des Limericks teilten, behielten sie es jedenfalls für sich. In keinem Forum war mir bisher ein Beitrag über die *Gruft des Grauens* begegnet. Allerdings konnte das auch daran liegen, dass meine Theorie über das alte *D&D*-Abenteuer völliger Blödsinn war.

Also hielt ich weiterhin die Augen offen und bereitete mich auf den Tag vor, an dem ich endlich über einen Hinweis stolpern würde, der zum Kupferschlüssel führte.

Und dann passierte es wirklich. Ausgerechnet, während ich im Lateinunterricht saß und vor mich hin träumte.

OOO7

UNSERE LEHRERIN, Ms Rank, stand vor der Klasse und konjugierte bedächtig lateinische Verben. Sobald sie ein Wort aussprach – zuerst auf Englisch, dann auf Lateinisch –, tauchte es automatisch auf der Tafel hinter ihr auf. Wenn wir uns mit der Konjugation von Verben abplagten, musste ich jedes Mal an den Text eines alten Liedes aus *Schoolhouse Rock!* denken: »To run, to go, to get, to give. Verb! You're what's happening!«

Ich summte die Melodie leise vor mich hin, während Ms Rank anfing, das Verb »lernen« zu konjugieren. »Lernen. *Discere*«, sagte sie. »Nun, das solltet ihr euch leicht merken können, denn es ist mit dem Wort ›Disziplin‹ verwandt. Zum Lernen braucht man Disziplin.«

Als ich hörte, wie sie das Wort »lernen« wiederholte, fiel mir wieder der Limerick ein: *Noch viel muss er lernen, noch viel muss er schauen, muss auf sein gewonnenes Wissen bauen, bis ihm ein Platz auf der Liste wird zuerkannt.*

Als Nächstes verwendete Ms Rank das Verb in einem Satz: »Wir gehen zur Schule, um zu lernen«, sagte sie. »*Ad discendum in scholam imus.*«

Tja, und da ging mir plötzlich ein Licht auf. Ein ganzer Kronleuchter. Ich schaute mich im Klassenzimmer um. Wer hatte »noch viel zu lernen«?

Schüler. Schüler an einer Highschool.

Ich befand mich auf einem Planeten, auf dem es von Schülern nur so wimmelte, und alle hatten sie noch »viel zu lernen«.

Bedeutete der Limerick vielleicht, dass die Gruft hier auf Ludus versteckt war? Auf dem Planeten, wo ich seit fünf Jahren Däumchen drehte?

Dann fiel mir ein, dass *ludus* ein lateinisches Wort für »Schule« war. Ich konsultierte mein Wörterbuch und fand heraus, dass das Wort mehr als eine Bedeutung hatte. *Ludus* konnte »Schule« heißen, aber auch »Sport« oder »Spiel«.

Spiel.

Ich fiel von meinem Klappstuhl und landete mit einem dumpfen Knall auf dem Boden meines Verstecks. Meine OASIS-Konsole versuchte, diese Bewegung nachzuvollziehen und meinen Avatar auf den Boden des Klassenzimmers zu befördern, aber die Software, die das Betragen der Schüler regelte, hinderte sie daran, und auf meinem Display blinkte eine Warnung auf: BITTE BLEIBEN SIE WÄHREND DES UNTERRICHTS SITZEN!

Ich versuchte, meine Begeisterung zu zügeln. Vielleicht zog ich voreilige Schlüsse. Auf den Planeten der OASIS gab es Hunderte von Privatschulen und Universitäten. Der Limerick konnte sich auf jede von ihnen beziehen. Aber Ludus klang einfach am plausibelsten. James Halliday hatte Milliarden gespendet, um das staatliche Schulsystem in der OASIS anzuschieben – er wollte das große Potential demonstrieren, das die OASIS als Bildungsinstrument besaß. Noch kurz vor seinem Tod hatte er eine Stiftung gegründet, die dafür sorgen sollte, dass das staatliche Schulsystem in der OASIS auch über die nötigen Mittel verfügte. Außerdem stellte die »Halliday Learning Foundation« verarmten Kindern auf der ganzen Welt kostenlos die Hardware und einen Internetzugang zur Verfügung, damit sie in der OASIS die Schule besuchen konnten.

Die Programmierer von GSS hatten Ludus und alle Schulen darauf selbst entworfen. Es war also durchaus möglich, dass Halliday dem Planeten seinen Namen gegeben hatte. Bestimmt hatte er auch Zugang zum Quellcode des Planeten gehabt und hätte hier etwas verstecken können.

Wie Atombomben explodierten die Erkenntnisse in meinem Gehirn, eine nach der anderen.

In dem *D&D*-Abenteuer stand, dass der Eingang zur Gruft des Grauens in der Nähe eines niedrigen Hügels mit abgeflachtem Kamm verborgen war. »Er ist etwa 200 m breit und 300 m lang … Auf dem Hügel befinden sich schwarze Felsen, die so angeordnet sind wie Augenhöhlen, das Nasenloch und die grinsenden Zähne eines gigantischen Totenschädels.«

Aber wenn es irgendwo auf Ludus einen solchen Hügel gab, wäre dann nicht längst jemand darüber gestolpert?

Vielleicht nicht. Auf der Oberfläche von Ludus gab es zwischen den Tausenden von Schulen riesige unbebaute Landstriche, und diese waren wiederum von Hunderten weitläufiger Wälder bedeckt. Manche dieser Wälder erstreckten sich über Dutzende von Quadratkilometern, und die meisten Schüler setzten nie einen Fuß hinein, denn was hätte man dort schon Interessantes tun oder finden können? Wie seine Flüsse und Seen waren auch die Wälder von Ludus computergenerierte Landschaften, die einfach nur leeren Raum ausfüllen sollten.

Während des langen Aufenthalts meines Avatars auf Ludus hatte ich natürlich einige der Wälder erkundet, die sich in der Nähe meiner Schule befanden, wenn auch nur aus Langeweile. Aber da gab es nichts außer Tausender nach dem Zufallsprinzip generierter Bäume und hin und wieder einen Vogel, ein Kaninchen oder ein Eichhörnchen. (Eines dieser winzigen Geschöpfe zu töten brachte einem keine Erfahrungspunkte ein. Ich hab's ausprobiert.)

Also war es durchaus möglich, dass es irgendwo in den großen, unerforschten Waldgebieten von Ludus einen kleinen,
mit Steinen bedeckten Hügel gab, der einem menschlichen
Schädel glich.

Ich versuchte, auf eine Karte von Ludus zuzugreifen, doch
das System hinderte mich daran. Der Hack, mit dem ich mir
Zugang zur Online-Bibliothek der Schule verschafft hatte,
funktionierte beim OASIS-Atlas nicht.

»Verdammte Scheiße!«, entfuhr es mir. Die Software filterte
auch das heraus, so dass weder Ms Rank noch meine Klas-
senkameraden mich fluchen hörten. Aber auf meinem Display blinkte eine weitere Warnung auf: OBSZÖNITÄT UNTER-
DRÜCKT – VERWARNUNG WEGEN FEHLVERHALTENS.

Ich schaute auf die Zeitanzeige. Bis zum Ende des Schultages waren es noch genau siebzehn Minuten und zwanzig
Sekunden. Also blieb ich mit zusammengebissenen Zähnen
sitzen und zählte die Sekunden, während sich die Gedanken
in meinem Kopf überschlugen.

Ludus war eine unscheinbare Welt in Sektor 1. Außer Schulen gab es hier nicht viel, also war es der letzte Ort, an dem ein
Jäger nach dem Kupferschlüssel suchen würde. Es war eindeutig der letzte Ort, an dem *ich* ihn je vermutet hätte, und allein
das bewies schon, dass er das ideale Versteck war. Aber warum sollte Halliday den Kupferschlüssel hier versteckt haben?
Außer …

Außer er wollte, dass ein Schüler ihn fand.

Ich war noch immer ganz benommen von diesen Schluss-
folgerungen, als die Glocke endlich läutete. Um mich herum
drängten sich die Schüler zur Tür hinaus oder lösten sich einfach in Luft auf. Auch Ms Ranks Avatar verschwand, und bald
war ich im Klassenzimmer alleine.

Ich rief eine Landkarte von Ludus auf. Vor mir erschien ein

dreidimensionaler Globus, und ich tippte ihn mit dem Finger an, so dass er sich drehte. Ludus war ein vergleichsweise kleiner Planet – mit einem Äquatorumfang von genau tausend Kilometern hatte er ungefähr ein Zehntel der Größe des Erdmondes. Seine Oberfläche bestand aus einem einzigen zusammenhängenden Kontinent. Es gab keine Ozeane, nur einige Dutzend großer Seen. Da die Planeten in der OASIS nicht real waren, waren sie auch nicht den Naturgesetzen unterworfen. Auf Ludus war es ständig Tag, ganz gleich, wo man sich befand, und der Himmel war immer wolkenlos blau. Die Sonne, die reglos über allem hing, war nichts weiter als eine virtuelle Lichtquelle, die in einen imaginären Himmel hineinprogrammiert worden war.

Auf der Karte wurden die zahllosen Schulen als nummerierte Rechtecke dargestellt. Hügellandschaften, Flüsse, Gebirgszüge und Wälder trennten sie voneinander. Die Wälder unterschieden sich nach Form und Ausmaß voneinander, und viele von ihnen grenzten direkt an eine Schule. Neben den Globus rief ich das *Gruft-des-Grauens*-Abenteuer auf. Auf den ersten Seiten enthielt es eine unbeholfene Illustration des Hügels, unter dem sich die Gruft verbarg. Ich machte einen Screenshot und platzierte ihn am Rand meines Displays.

Schließlich durchsuchte ich das Netz nach einem Bilderkennungs-Plugin für den OASIS-Atlas und lud mir die Software über Eggtorrent herunter. Ich brauchte ein paar Minuten, bis ich herausfand, wie ich damit die Oberfläche von Ludus nach einem Hügel absuchen konnte, auf dem große schwarze Steine wie ein Schädel angeordnet waren – ein Hügel, der der Illustration aus dem *Gruft-des-Grauens*-Abenteuer ähnelte.

Nach zehnminütiger Suche markierte die Software einen möglichen Treffer.

Ich hielt die Luft an und platzierte das stark vergrößerte Bild aus der Ludus-Karte neben die Illustration aus dem *D&D*-Abenteuer. Die Form des Hügels und die Anordnung der Steine entsprachen haargenau der Illustration.

Ich zoomte ein wenig raus, bis ich sehen konnte, dass der Hügel im Norden in eine Klippe aus Sand und Geröll überging. Wie in dem *D&D*-Abenteuer.

Ich stieß einen Triumphschrei aus, der durch das leere Klassenzimmer hallte und von den Wänden meines winzigen Verstecks zurückgeworfen wurde. Ich hatte es geschafft. Ich hatte die Gruft des Grauens gefunden!

Als ich mich endlich wieder einigermaßen beruhigt hatte, führte ich ein paar schnelle Berechnungen durch. Der Hügel befand sich in der Mitte eines großen, amöbenförmigen Waldes auf der anderen Seite von Ludus, über vierhundert Kilometer von meiner Schule entfernt. Mein Avatar konnte mit einer Höchstgeschwindigkeit von fünf Kilometern pro Stunde rennen, also würde ich zu Fuß gut drei Tage brauchen, sofern ich keine Pause einlegte. Wenn ich teleportieren könnte, wäre ich innerhalb weniger Minuten dort. Eine so kurze Strecke kostete nicht viel, vielleicht etwas über hundert Credits. Aber das war immer noch mehr, als ich besaß. Auf meinem OASIS-Konto prangte nämlich eine große fette Null.

Ich überlegte, was für Möglichkeiten mir blieben. Aech würde mir das Geld bestimmt leihen, aber ich wollte ihn nicht um Hilfe bitten. Wenn es mir nicht gelang, die Gruft alleine zu erreichen, dann hatte ich es auch nicht verdient, überhaupt dort anzukommen. Außerdem würde sich Aech fragen, wofür ich das Geld brauchte, und da ich ihn noch nie um dergleichen gebeten hatte, würde ihn auch jede noch so gut ausgedachte Lüge misstrauisch machen.

Als ich an Aech dachte, musste ich lächeln. Wenn er davon

erfuhr, würde er wirklich ausrasten. Die Gruft befand sich *weniger als siebzig Kilometer von seiner Schule entfernt*! Sozusagen gleich um die Ecke.

Dabei kam mir ein Gedanke, und ich sprang auf. Ich rannte aus dem Klassenzimmer hinaus und den Korridor entlang.

Mir war nicht nur klargeworden, wie ich auf die andere Seite von Ludus teleportieren konnte, ich wusste auch, wie ich meine Schule dazu bringen würde, dafür zu bezahlen.

Die Schulen in der OASIS unterhielten alle eine Reihe von Sportmannschaften – Ringen, Fußball, Baseball, Volleyball, Football sowie einige andere Sportarten, die in der realen Welt nicht gespielt werden konnten, zum Beispiel Quidditch oder *Capture the Flag* in der Schwerelosigkeit. Die Schüler legten sich für ihre jeweiligen Mannschaften genauso ins Zeug wie in der realen Welt, wobei sie eine komplizierte, für den Sport optimierte haptische Ausrüstung trugen, so dass sie tatsächlich selbst rennen, springen, treten und attackieren mussten. Die Mannschaften trainierten abends, bereiteten sich gemeinsam auf Wettkämpfe vor und reisten zu anderen Schulen auf Ludus, um gegen sie anzutreten. Unsere Schule verteilte kostenlose Teleportationsgutscheine an alle, die ein Auswärtsspiel besuchen wollten, damit wir auf der Tribüne sitzen und die OPS #1873 anfeuern konnten. Bisher hatte ich nur einmal davon Gebrauch gemacht, und zwar als unsere *Capture-the-Flag*-Mannschaft bei der OPS-Meisterschaft gegen Aechs Schule angetreten war.

Im Schulsekretariat angekommen, überflog ich die Spielpläne und fand sofort, wonach ich suchte. An diesem Abend spielte unser Footballteam auswärts gegen die OPS #0571, von der aus die versteckte Gruft zu Fuß in etwa einer Stunde zu erreichen war.

Ich klickte das Spiel an, und im Inventar meines Avatars

nahm im selben Augenblick ein Teleportationsgutschein für eine kostenlose Hin- und Rückreise zur OPS #0571 Gestalt an.

Ich schaute noch rasch bei meinem Spind vorbei, um meine Schulbücher loszuwerden und Taschenlampe, Schwert, Schild und Rüstung einzustecken. Dann sprintete ich zum Haupteingang hinaus und über den weitläufigen grünen Rasen vor der Schule.

Als ich die rote Grenzlinie erreichte, die den Rand des Schulgeländes markierte, vergewisserte ich mich, dass mich niemand beobachtete, bevor ich sie überquerte. Im gleichen Moment änderte sich das Namensschild, das über meinem Kopf schwebte, von WADE3 zu PARZIVAL. Nachdem ich das Schulgelände verlassen hatte, konnte ich wieder den Namen meines Avatars verwenden. Ich konnte mein Namensschild sogar ganz ausschalten, was ich auch tat, denn ich wollte inkognito reisen.

Das nächste Transportterminal befand sich ein kleines Stück von der Schule entfernt am Ende eines gepflasterten Weges. Es handelte sich um einen großen Pavillon mit einem Kuppeldach, das von einem Dutzend Elfenbeinsäulen getragen wurde. Auf jeder Säule prangte das OASIS-Teleportations-Icon, ein großes »T« in der Mitte eines blauen Sechsecks. Der Unterricht war gerade erst zu Ende gegangen, deshalb marschierte ein steter Strom von Avataren im Gänsemarsch in das Terminal. In seinem Inneren befanden sich lange Reihen blauer Teleportationskabinen. Ihre Form und Farbe erinnerten mich immer an die TARDIS aus *Doctor Who*. Ich betrat die erste Kabine, die frei wurde, und die Türen schlossen sich automatisch. Den Zielort musste ich gar nicht erst auf dem Touchscreen eingeben, denn er war bereits in meinem Gutschein gespeichert. Ich schob ihn einfach in den Schlitz, und auf dem Bildschirm erschien eine Weltkarte mit einer Linie, die von meinem derzeitigen Standort zu meinem Ziel führte, einem blinkenden grünen Punkt direkt neben der OPS #0571. Die Kabine errechnete die Entfernung, die ich zurückzulegen hatte (462 Kilometer), und den Betrag, der meiner Schule in Rechnung gestellt werden würde (103 Credits). Der Gutschein wurde bestätigt, die Gebühr als BEZAHLT angezeigt, und mein Avatar verschwand.

Augenblicklich nahm ich in einer identischen Kabine in einem identischen Transportterminal auf der anderen Seite von Ludus wieder Gestalt an. Ich rannte hinaus und blickte zur OPS #0571 hinüber, die sich ein Stück weiter südlich befand. Sie sah ganz genauso aus wie meine Schule, nur die Landschaft drumherum war anders. Einige Schüler aus meiner Schule schlenderten zum Footballstadion hinüber, um sich das Spiel anzuschauen und unsere Mannschaft anzufeuern. So richtig konnte ich ihre Begeisterung nicht nachvollziehen. Sie hätten sich das Spiel genauso über Vidfeed ansehen können. Alle leeren Sitze im Stadion wurden ohnehin mit automatisch generierten NSC-Fans besetzt, die virtuelle Limonade tranken, Hotdogs verschlangen und wild Beifall klatschten. Manchmal lief sogar eine La-Ola-Welle durchs Publikum.

Ich rannte bereits in die entgegengesetzte Richtung, über die weitläufige grüne Wiese, die sich hinter der Schule erstreckte. In der Ferne erhob sich ein kleiner Gebirgszug, und an seinem Fuß konnte ich den Wald erkennen.

Ich schaltete meinen Avatar auf Autopilot, öffnete meine Inventarliste und wählte drei Dinge aus. Die Rüstung legte sich um meinen Körper, der Schild erschien in einer Schlinge auf meinem Rücken, und das Schwert hing jetzt in seiner Scheide an meinem Gürtel.

Ich hatte schon fast den Waldrand erreicht, als mein Telefon klingelte. Aechs ID wurde angezeigt. Wahrscheinlich rief er an, weil ich mich noch nicht ins *Basement* eingeloggt hatte. Aber wenn ich den Anruf entgegennahm, würde er einen Livefeed von mir sehen, wie ich mit Höchstgeschwindigkeit über eine Wiese rannte, während die OPS #0571 hinter mir immer kleiner wurde. Ich konnte meinen derzeitigen Standort verheimlichen, indem ich die Videofunktion ausschaltete, aber das würde ihn vielleicht misstrauisch machen. Also leitete ich das Gespräch an meine Vidmailbox weiter. Aechs Gesicht erschien in einem kleinen Fenster auf meinem Display. Er rief aus irgendeiner PvP-Arena an. Hinter ihm kämpfte ein Dutzend Avatare auf einem Spielfeld mit mehreren Ebenen verbissen gegeneinander.

»Yo, Z! Na, was treibst du so? Holst dir zu *Der Tag des Falken* einen runter, was?« Er grinste von einem Ohr zum anderen. »Ruf mich zurück. Ich hab immer noch Lust, Popcorn zu machen und einen *Spaced*-Marathon durchzuziehen. Bist du dabei?« Er legte auf, und sein Bild verschwand.

Ich schickte ihm eine Textnachricht, dass ich bergeweise Hausaufgaben machen müsste und deshalb heute Abend keine Zeit hätte. Dann rief ich das *Gruft-des-Grauens*-Abenteuer auf und las es noch einmal Seite für Seite durch. Ich ließ mir Zeit, denn ich war mir ziemlich sicher, dass es eine detaillierte Beschreibung all dessen enthielt, was mich erwartete.

»Irgendwo unter einem vergessenen und einsamen Berg, der nicht gerade einladend anmutet«, lautete die Einführung des Abenteuers, »liegt eine Grabanlage in der Art eines Labyrinths. Sie ist voller schrecklicher Fallen, welche die unerwünschten Besucher und Ahnungslosen töten sollen. Dazu kommen einige seltsame und wilde Monster. Sie bewachen einen großen Schatz, der sowohl aus Kostbarkeiten als auch aus magischen Dingen besteht, und irgendwo dort lauert der böse Halbleichnam.«

Vor allem der letzte Halbsatz bereitete mir Sorgen. Ein

»Halbleichnam« war eine untote Kreatur, zumeist ein mächtiger Zauberer oder König, der seinen Geist unter Einsatz von dunkler Magie an seinen wiederbelebten Leichnam gebunden und so eine pervertierte Form von Unsterblichkeit erlangt hatte. Solche untoten Schwarzmagier waren mir schon in zahllosen Videospielen und Fantasy-Romanen begegnet. Man ging ihnen besser aus dem Weg.

Ich studierte die Karte der Gruft und die Beschreibungen ihrer zahlreichen Räume. Der Eingang lag in der Flanke einer abbröckelnden Klippe. Ein Tunnel führte hinab in ein Labyrinth aus dreiunddreißig Zimmern und Gemächern, jedes voller bösartiger Monster, tödlicher Fallen und (meist verfluchter) Schätze. Wenn es einem irgendwie gelang, die Fallen zu überwinden und sich einen Weg durch das Labyrinth zu suchen, erreichte man schließlich die Gruft des Schwarzmagiers Acererak. Dieser Raum war randvoll mit irgendwelchen Schätzen, aber wenn man sie berührte, erschien der untote Magierkönig und stürzte sich auf einen. Gelang es einem wunderbarerweise, ihn zu besiegen, konnte man seinen Schatz rauben und die Gruft verlassen. Auftrag ausgeführt, Quest beendet.

Wenn Halliday die Gruft des Grauens so nachgebaut hatte, wie sie in dem Abenteuer beschrieben war, hatte ich ein Problem. Mein Avatar war eine Drittlevel-Niete mit nichtmagischen Waffen und läppischen siebenundzwanzig Trefferpunkten. Die meisten Fallen und Ungeheuer, die in dem Modul beschrieben waren, würden mich ratzfatz umbringen. Sollte es mir irgendwie gelingen, an ihnen vorbeizukommen und die Gruft zu erreichen, würde mich der unfassbar mächtige Schwarzmagier innerhalb von Sekunden einen Kopf kürzer machen. Dazu musste er mich bloß schief anschauen!

Allerdings gab es auch ein paar Sachen, die für mich sprachen. Erstens hatte ich nicht viel zu verlieren. Falls mein Avatar getötet wurde, würde ich des Schwerts, Schildes und der Lederrüstung verlustig gehen sowie der drei Stufen, die ich mir im Laufe der letzten Jahre mühsam erkämpft hatte. Ich würde mir einen neuen Avatar zulegen und auf der ersten Stufe von vorne anfangen müssen. Dieser Avatar würde dort das Licht der OASIS erblicken, wo ich das letzte Mal eingeloggt gewesen war, also vor meinem Spind. Nichts hinderte mich daran, in die Gruft zurückzukehren und es noch einmal zu versuchen. Und noch einmal, jeden Abend aufs Neue, um Erfahrungspunkte zu sammeln und die nächsthöhere Stufe zu erreichen, bis ich den Kupferschlüssel fand. (So etwas wie eine Sicherungskopie von Avataren gab es nicht. OASIS-Nutzer konnten immer nur einen Avatar verwenden. Manchen Hackern gelang es zwar, mit modifizierten Videobrillen ihr Netzhautmuster zu verändern und somit einen zweiten Account zu kreieren. Wer jedoch dabei erwischt wurde, wurde lebenslänglich aus der OASIS verbannt und durfte nicht mehr an Hallidays Wettbewerb teilnehmen. Kein Jäger würde jemals dieses Risiko eingehen.)

Mein anderer Vorteil bestand (so hoffte ich) darin, dass ich genau wusste, was mich in der Gruft erwartete, denn das Abenteuer enthielt eine detaillierte Karte des ganzen Labyrinths. Es verriet mir auch, wo die Fallen versteckt waren und wie ich sie unschädlich machen oder umgehen konnte. Außerdem wusste ich, in welchem Raum welche Monster lauerten und wo Waffen und Schätze verborgen waren. Es sei denn, Halliday hatte alles verändert. Dann war ich aufgeschmissen. Aber im Moment war ich viel zu aufgeregt, um mir ernsthaft Sorgen zu machen. Schließlich hatte ich gerade die größte, wichtigste Entdeckung meines Lebens gemacht. Ich war nur wenige Minuten vom Versteck des Kupferschlüssels entfernt!

Schließlich erreichte ich den Rand des Waldes und lief hinein. Er bestand aus Tausenden äußerst realistisch gerenderten Ahornbäumen, Eichen, Fichten und Lärchen. Die Bäume sahen aus, als wären sie aus den normierten Landschaftsvorlagen der OASIS generiert worden, aber die Details, die sie aufwiesen, waren überwältigend. Ich blieb stehen, um einen der Bäume genauer anzuschauen, und sah Ameisen über die zerklüftete Rinde klettern. Ich interpretierte dies als Zeichen dafür, dass ich auf der richtigen Spur war.

Kein Pfad führte durch den Wald, also verließ ich mich ganz auf die Karte in meinem Display, um zu dem Schädelhügel zu gelangen, der den Eingang der Gruft markierte. Sie führte mich auf eine große Lichtung in der Mitte des Waldes. Als ich zwischen den Bäumen hervortrat, hämmerte mein Herz gegen die Rippen.

Ich stieg den niedrigen Hügel hinauf und hatte dabei den Eindruck, die Illustration aus dem *D&D*-Abenteuer zu betreten. Halliday hatte alles ganz genau nachgebaut. Auf dem Hügelkamm waren zwölf massive Steinblöcke so angeordnet, dass sie die Gesichtszüge eines menschlichen Schädels bildeten.

Ich schritt zum nördlichen Rand des Hügelkamms und stieg den steilen Abhang hinunter. Indem ich eine Karte des Abenteuermoduls konsultierte, gelang es mir, die genaue Stelle zu finden, wo sich der Eingang zur Gruft befinden sollte. Dann begann ich zu graben, wobei ich meinen Schild als Schaufel benutzte. Innerhalb von Minuten hatte ich die Tunnelöffnung freigelegt, die in einen dunklen unterirdischen Korridor führte. Der Boden des Korridors bestand aus einem bunten Steinmosaik, in das ein Pfad aus roten Fliesen eingelegt war. Ganz genau wie in dem *D&D*-Abenteuer.

Ich schob die Karte der Gruft des Grauens in das rechte obere Eck meines Displays und setzte sie halbtransparent.

Dann schnallte ich mir den Schild auf den Rücken und holte meine Taschenlampe hervor. Mit einem letzten Blick vergewisserte ich mich, dass niemand mich beobachtete. Ich nahm mein Schwert in die andere Hand und betrat die Gruft des Grauens.

OOO8

DIE WÄNDE DES KORRIDORS, der in die Gruft führte, waren mit Dutzenden sonderbarer Gemälde bedeckt, auf denen versklavte Menschen, Orks, Elfen und andere Kreaturen abgebildet waren. Jedes Fresko befand sich genau dort, wo es dem *D&D*-Abenteuer zufolge sein sollte. Ich wusste, dass unter der gefliesten Steinoberfläche des Bodens mehrere federgelagerte Falltüren verborgen waren. Trat man auf eine davon, klappte sie nach unten, und man fiel in eine Grube voller spitzer, vergifteter Pfähle. Da auf meiner Karte jedoch genau verzeichnet war, wo sich die Falltüren befanden, konnte ich sie problemlos umgehen.

Bisher hatte alles ganz genau dem Abenteuer entsprochen. Falls das auch auf die übrige Gruft zutraf, würde ich vielleicht tatsächlich lange genug leben, um den Kupferschlüssel zu finden. In den Tiefen der Gruft lauerten nur einige wenige Monster – ein Gargoyle, ein Skelett, ein Zombie, ein paar Giftschlangen und natürlich der böse Schwarzmagier Acererak. Da die Karte mir ihre Verstecke verriet, sollte es mir möglich sein, ihnen aus dem Weg zu gehen. Es sei denn, einer von ihnen bewachte den Kupferschlüssel. Und ich hatte schon eine Vermutung, wem diese Ehre zufiel.

Ich tastete mich voran, als hätte ich keine Ahnung, was mich erwartete.

Nachdem ich die Sphäre der Vernichtung umgangen hatte, die sich am Ende des Korridors befand, gelangte ich neben der letzten Fallgrube an eine Geheimtür. Sie führte in einen schmalen, abschüssigen Durchgang. Ich kam mir vor, als befände ich mich in einem Low-Budget-Fantasyfilm: *Hawk – Hüter des magischen Schwertes* oder *Beastmaster – Der Befreier*.

Langsam arbeitete ich mich von einem Raum zum nächsten vor. Obwohl ich wusste, wo sich sämtliche Fallen befanden, musste ich äußerst vorsichtig sein, um ihnen allen auszuweichen. Wie in dem Abenteuer beschrieben, waren in einem dunklen, bedrohlich wirkenden Raum, der »Kapelle des Bösen«, Tausende von Gold- und Silbermünzen zwischen den Bänken versteckt. Das war mehr Geld, als mein Avatar tragen konnte, selbst mit dem nimmervollen Beutel, den ich zuvor gefunden hatte. Ich steckte so viele Goldmünzen wie möglich ein, und diese tauchten umgehend auf meiner Inventarliste auf. Die Währung wurde sofort umgerechnet, und mein Creditzähler sprang auf über zwanzigtausend – mehr Geld, als ich jemals zuvor besessen hatte. Außerdem erhielt mein Avatar dieselbe Anzahl von Erfahrungspunkten.

Während ich immer tiefer in die Gruft hinabstieg, erbeutete ich mehrere magische Gegenstände. Ein +1-Flammenschwert. Einen Edelstein des wahren Blicks. Einen +1-Schutzring. Ich fand sogar einen +3-Plattenpanzer. Die ersten magischen Gegenstände, die ich je erbeutet hatte – ich kam mir unbesiegbar vor.

Als ich die magische Rüstung anlegte, schrumpfte sie, bis sie meinem Avatar ganz genau passte. Ihr silberner Glanz erinnerte mich an die phantastischen Rüstungen, die die Ritter in *Excalibur* trugen. Ich schaltete sogar kurz auf Außenansicht, um zu bewundern, wie cool mein Avatar damit aussah.

Je weiter ich vordrang, umso selbstsicherer wurde ich. Die Gruft stimmte noch immer bis ins letzte Detail mit den Beschreibungen im Abenteuer überein. Bis ich den Thronsaal erreichte.

Dabei handelte es sich um einen weitläufigen Raum mit hoher Decke, die von zahlreichen massiven Steinsäulen getragen wurde. Am hinteren Ende des Raumes, auf einem gewaltigen Podest, stand ein mit Schädeln aus Silber und Elfenbein verzierter Obsidianthron.

All das entsprach ganz genau dem, was ich erwartet hatte – mit einer Ausnahme: Der Thron hätte eigentlich leer sein sollen, doch das war er nicht. Der Schwarzmagier Acererak saß darauf und starrte mich schweigend an. Auf seinem schrumpeligen Kopf funkelte eine verstaubte Goldkrone. Er sah ganz genauso aus wie auf dem Titelbild des Abenteuers. Dem Text zufolge hätte Acererak jedoch nicht hier sein dürfen. Sein Platz war in der Grabkammer tief unten in der Gruft.

Im ersten Moment wollte ich fliehen, entschied mich dann aber dagegen. Wenn Halliday den Schwarzmagier hierhergesetzt hatte, war vielleicht auch der Kupferschlüssel nicht fern. Das musste ich unbedingt herausfinden.

Ich durchquerte den Raum und blieb vor dem Podest stehen. Von hier aus konnte ich den Schwarzmagier besser sehen. Sein Mund war zu einem lippenlosen Grinsen verzerrt; die Zähne bestanden aus zwei Reihen spitzer Diamanten, und in den Augenhöhlen funkelten große Rubine.

Zum ersten Mal, seit ich die Gruft betreten hatte, war ich mir nicht sicher, was ich als Nächstes tun sollte.

Die Wahrscheinlichkeit, dass ich einen Kampf Mann gegen Mann mit einem Schwarzmagier überlebte, war gleich null. Mein läppisches +1-Flammenschwert konnte ihm nichts anhaben, und die beiden magischen Rubine in seinen Augenhöhlen waren in der Lage, meinem Avatar die Lebenskraft auszusaugen und mich augenblicklich zu töten. Selbst eine Gruppe von sechs oder sieben stärkeren Avataren hätte Schwierigkeiten gehabt, ihn zu besiegen.

Im Stillen wünschte ich mir (nicht zum letzten Mal), dass sich in der OASIS wie in einem alten Adventure einfach der Spielstand speichern ließ. Aber das war nicht möglich. Falls mein Avatar hier starb, würde ich noch einmal ganz von vorne anfangen müssen. Doch es brachte nichts, jetzt zu zögern. Wenn der Schwarzmagier mich tötete, würde ich morgen wiederkommen und es noch einmal versuchen. Die ganze Gruft würde wahrscheinlich zurückgesetzt werden, wenn die Serveruhr der OASIS Mitternacht schlug. Und dann wären auch all die verborgenen Fallen, die ich entschärft hatte, wieder aktiv, und die Schätze und magischen Gegenstände würden an ihren ursprünglichen Platz zurückkehren.

Ich klickte auf das »Aufnahme«-Icon am Rand meines Displays, um alles in einer Vidcap-Datei zu speichern – schließlich wollte ich es mir später noch einmal anschauen können. Doch da erschienen die Worte AUFZEICHNUNG NICHT GESTATTET auf meinem Display. Offenbar hatte Halliday diese Funktion in der Gruft deaktiviert.

Ich atmete tief durch, hob mein Schwert und setzte den rechten Fuß auf die unterste Stufe der Treppe, die zu dem Podest hinaufführte. Im gleichen Moment ertönte ein Geräusch wie von knackenden Knochen, und Acererak hob langsam den Kopf. Die Rubine in seinen Augenhöhlen begannen, rot zu glimmen. Ich wich mehrere Schritte zurück, denn ich erwartete, dass er sich auf mich stürzen würde. Aber er erhob sich nicht von seinem Thron. Stattdessen nickte er und richtete seinen schaurigen Blick auf mich. »Sei gegrüßt, Parzival«, sagte er mit rauer Stimme. »Sprich, wonach suchst du?«

Darauf war ich nicht vorbereitet. Dem Abenteuer zufolge war der Schwarzmagier eher schweigsam. Eigentlich sollte er mich angreifen, worauf mir nur die Wahl blieb, ihn entweder zu töten oder die Beine in die Hand zu nehmen.

»Ich suche den Kupferschlüssel«, erwiderte ich. Dann besann ich mich darauf, dass ich es mit einem König zu tun hatte, also senkte ich den Kopf, ließ mich auf ein Knie fallen und fügte »Euer Majestät« hinzu.

»Natürlich suchst du den Schlüssel«, sagte Acererak und bedeutete mir, mich zu erheben. »Und du bist zum richtigen Ort gekommen.« Er stand auf. Seine mumifizierte Haut knarrte wie altes Leder. Ich packte mein Schwert fester, denn ich rechnete noch immer damit, dass er mich angreifen würde.

»Woher weiß ich, dass du des Kupferschlüssels würdig bist?«, fragte er.

Heilige Scheiße! Was zum Teufel sollte ich ihm darauf antworten? Und was war, wenn ich etwas sagte, was ihm nicht passte? Würde er mir dann die Seele aussaugen und mich abfackeln?

Ich zerbrach mir den Kopf auf der Suche nach einer passenden Entgegnung. Das Beste, was mir einfiel, war: »Gestattet mir, mich zu beweisen, edler Acererak.«

Der Schwarzmagier stieß ein langes, verstörendes Kichern aus, das von den Mauern der Grabkammer widerhallte. »Also gut!«, sagte er. »Dann wirst du mir in einer Tjost gegenübertreten!«

Ich hatte noch nie davon gehört, dass ein untoter König jemanden zu einer Tjost herausforderte. Schon gar nicht in einer unterirdischen Grabkammer. »So sei es«, sagte ich mit zitternder Stimme. »Aber brauchen wir dafür nicht Pferde?«

»Nein, keine Pferde«, erwiderte er und erhob sich. » *Vögel.*«

Er wandte sich zu seinem Thron um und machte eine ausladende Handbewegung. Ein Lichtblitz zuckte herab, begleitet von einem Soundeffekt (den Halliday aus der alten Zeichentrickserie *Super Friends* geklaut hatte, da war ich mir ziemlich sicher). Der Thron zerfloss und verwandelte sich in einen alten münzbetriebenen Spielautomaten. Aus der Steuerkonsole ragten zwei Joysticks, der eine gelb, der andere blau. Als ich den Schriftzug auf dem beleuchteten Display las, musste ich unwillkürlich grinsen: JOUST. Williams Electronics, 1982.

»*Best of Three*«, krächzte Acererak. »Wenn du gewinnst, werde ich dir geben, was du suchst.«

»Und wenn *Ihr* gewinnt?«, fragte ich, obwohl ich die Antwort bereits kannte.

»Sollte ich den Sieg davontragen«, sagte der Schwarzmagier, und die Rubine in seinen Augenhöhlen blitzten auf, »dann wirst du sterben!« Eine orangefarbene Flammenkugel erschien in seiner rechten Hand. Er hob sie drohend.

»Klar«, sagte ich. »Ich habe nichts anderes erwartet. Wollte mich nur vergewissern.«

Die Feuerkugel verschwand wieder. Er öffnete seine lederne Handfläche, auf der jetzt zwei blanke Vierteldollarmünzen lagen. »Du bist eingeladen«, sagte er, trat vor den Automaten und schob beide Münzen in den linken Geldschlitz. Das Spiel gab zwei elektronische Glockentöne von sich, und der Guthabenzähler sprang von null auf zwei.

Acererak legte seine Knochenfinger um den gelben Joystick auf der linken Seite der Steuerkonsole. »Bist du bereit?«, krächzte er.

»Yeah«, sagte ich und holte tief Luft. Ich ließ meine Knöchel knacken, umschloss den zweiten Joystick mit der linken Hand und platzierte die rechte über dem Flatterknopf.

Acererak wiegte den Kopf von links nach rechts, und seine Halswirbel knackten. Es klang, als breche ein Ast. Dann drückte er auf den Zwei-Spieler-Knopf, und die Tjost begann.

Joust war ein klassisches Automatenspiel aus den 80er Jahren mit einer recht sonderbaren Prämisse. Jeder Spieler steuert einen Ritter, der mit einer Lanze bewaffnet ist. Spieler 1 reitet auf einem Strauß, Spieler 2 auf einem Storch. Man muss mit den Flügeln flattern, um über den Bildschirm zu fliegen und mit dem anderen Spieler sowie mit einigen – computergesteuerten – feindlichen Rittern (die alle auf Bussarden reiten) die Lanzen zu kreuzen. Wenn man mit seinem Gegner zusammenprallt, gewinnt derjenige, dessen Lanze auf dem Bildschirm höher ist. Der Verlierer stirbt, und ihm wird ein Leben abgezogen. Tötet man einen der feindlichen Ritter, legt sein Bussard ein grünes Ei, aus dem ein weiterer feindlicher Ritter schlüpft, wenn man es nicht rechtzeitig berührt. Außerdem taucht hin und wieder ein geflügelter Pterodactylus auf und sorgt für Chaos.

Ich hatte schon über ein Jahr lang kein *Joust* mehr gespielt. Aech hatte eine besondere Vorliebe für das Spiel gehabt, und eine Weile stand in seinem Chatroom ein *Joust*-Automat. Er forderte mich immer zu einem Spiel heraus, wenn er einen Streit schlichten oder eine besonders idiotische Meinungsverschiedenheit über irgendeine popkulturelle Abwegigkeit klären wollte. Ein paar Monate lang spielten wir fast jeden Tag. Anfangs war Aech etwas besser als ich, und er freute sich diebisch über jeden Sieg. Das ging mir so dermaßen gegen den Strich, dass ich jede Nacht heimlich einige Runden gegen eine KI spielte. Ich übte so lange, bis ich Aech schließlich fast jedes Mal besiegte. Jetzt war es an mir, mich auf seine Kosten zu freuen – ach, Rache konnte so süß sein! Irgendwann muss ich es dann übertrieben haben, denn nach einer besonders beschämenden Niederlage rastete er aus und schwor, dass er nie wieder gegen mich spielen würde. Seither benutzten wir *Street Fighter II*, um unsere Auseinandersetzungen beizulegen.

Allerdings war ich inzwischen ganz schön eingerostet. Ich brauchte fünf volle Minuten, bis ich mich ein wenig entspannte und mich mit der Steuerung und dem Spielrhythmus vertraut gemacht hatte. In der Zeit gelang es Acererak, mich zweimal zu töten, indem er sein geflügeltes Reittier auf der idealen Flugbahn gnadenlos in mich hineinflattern ließ. Er bediente die Steuerung mit der kalkulierten Perfektion einer Maschine. Was er natürlich auch war – ein von einer künstlichen Intelligenz gesteuerter NSC auf dem neuesten Stand der Technik, von Halliday selbst programmiert.

Bis zum Ende des ersten Spiels hatte ich die Moves und Tricks, die ich mir während der Marathonduelle mit Aech angeeignet hatte, allmählich wieder drauf. Acererak musste sich jedoch nicht erst aufwärmen. Er war von Anfang an in Hochform, und ich hatte nicht die geringste Chance, den schlechten Start wieder wettzumachen. Er tötete meinen letzten Mann, bevor ich auch nur 30 000 Punkte erreicht hatte. Beschämend.

»So viel zu Spiel Nummer eins«, sagte Acererak und schenkte mir ein steifes Grinsen. »Noch eins, und wir sind durch.«

Er verschwendete keine Zeit darauf, die Runde zu Ende zu spielen, sondern streckte den Arm aus, ertastete den Netzschalter auf der Rückseite des Automaten und schaltete ihn aus und wieder an. Nachdem der Automat hochgefahren und die chromatische Bildfolge von Williams Electronics über den Monitor gelaufen war, zauberte er erneut zwei Vierteldollarmünzen aus dem Nichts hervor und warf sie ein.

»Sprich, bist du bereit?«, fragte er wieder und beugte sich über die Steuerkonsole. Ich zögerte einen Moment und fragte dann: »Hm, würde es Euch etwas ausmachen, mit mir den Platz zu tauschen? Ich bin es gewohnt, links zu spielen.«

Das stimmte wirklich. Im *Basement* hatte ich stets die Straußenseite genommen. Dass ich während des ersten Spiels auf der rechten Seite gelandet war, hatte mir den Einstieg nicht gerade leichter gemacht.

Acererak schien einen Moment nachzudenken. Dann nickte er. »Wie du willst«, sagte er. Er trat einen Schritt zurück, und wir wechselten die Seiten. Plötzlich wurde mir klar, was für einen absurden Anblick wir bieten mussten: ein Typ in voller Rüstung, der neben einem untoten König stand, beide über die Steuerung eines Arcade-Automaten gebeugt. Dergleichen hätte man höchstens auf dem Cover einer alten Ausgabe von *Heavy Metal* oder *Dragon* erwartet.

Acererak drückte auf den Zwei-Spieler-Knopf, und ich richtete den Blick auf den Bildschirm.

Auch das nächste Spiel ging für mich schlecht los. Die Bewegungen meines Gegners waren unbarmherzig und präzise, und während der ersten Angriffswellen hatte ich nur damit zu tun, ihm auszuweichen. Außerdem lenkte mich, während er auf die Flattertaste drückte, das beständige Klicken seines knochigen Zeigefingers ab.

Also ließ ich erst mal die Schultern sinken, schüttelte den Kopf und zwang mich, nicht daran zu denken, wo ich war, gegen wen ich spielte und um was es ging. Ich versuchte, mir vorzustellen, ich wäre wieder im *Basement* und neben mir stünde Aech.

Es klappte. Ich konzentrierte mich ganz auf das Spiel, und das Blatt begann sich zu wenden. Allmählich entdeckte ich immer mehr Fehler in der Spielweise des Schwarzmagiers, immer mehr Lücken in seiner Programmierung. Das war etwas, das ich im Laufe der Jahre gelernt hatte, während ich mich an Hunderten von Videospielen geübt hatte. Es gab immer einen Weg, einen computergesteuerten Gegner zu besiegen. Bei einem Spiel wie diesem war ein begabter Spieler der KI des Spiels stets überlegen, denn die Software konnte nicht improvisieren. Sie konnte lediglich willkürlich reagieren oder einer begrenzten Anzahl vorab festgelegter Möglichkeiten folgen, die auf einer ebenso begrenzten Anzahl vorab programmierter Voraussetzungen basierten. Das war bei allen Videospielen so, und es würde sich erst ändern, wenn die Menschen eine echte künstliche Intelligenz erfanden.

Unser zweites Spiel war ein Tanz auf Messers Schneide, aber gegen Ende hatte ich ein Muster in der Technik des Schwarzmagiers entdeckt. Indem ich die Richtung, in die der Strauß flog, im letzten Moment änderte, brachte ich seinen Storch dazu, mit einem der heranfliegenden Bussarde zu kollidieren. Diesen Kniff wiederholte ich mehrmals, und er verlor ein Leben nach dem anderen. Schließlich machte ich ihm während der zehnten Welle den Garaus, wobei ich allerdings auch kein einziges Leben mehr übrig hatte.

Ich trat zurück und atmete erleichtert auf. Der Schweiß rann mir in Strömen über die Stirn und an meiner Videobrille herunter. Ich wischte mir mit dem Ärmel das Gesicht ab, und mein Avatar ahmte die Bewegung nach.

»Sauberes Spiel«, sagte Acererak. Und dann reichte er mir zu meiner großen Überraschung seine verkümmerte Klaue. Ich schüttelte sie, konnte jedoch ein nervöses Kichern nicht unterdrücken.

»Yeah«, erwiderte ich. »Sauberes Spiel, Alter.« Dabei fiel mir ein, dass ich gerade gegen James Halliday spielte – in gewisser Weise jedenfalls. Ich schob den Gedanken rasch beiseite, denn sonst wäre ich noch völlig ausgerastet.

Acererak zauberte erneut zwei Vierteldollarmünzen hervor und steckte sie in den Automaten. »Jetzt geht es ums Ganze«, sagte er. »Sprich, bist du bereit?«

Ich nickte. Dieses Mal drückte ich selbst auf den Zwei-Spieler-Knopf.

Das letzte, entscheidende Spiel dauerte länger als die ersten beiden zusammen. Während der abschließenden Angriffswelle flatterten so viele Bussarde über den Monitor, dass bei jeder Bewegung die Gefahr bestand, von einem umgenietet zu werden. Der Schwarzmagier und ich traten ein letztes Mal gegeneinander an, und zwar am oberen Rand des Spielfeldes. Beide droschen wir in einem fort auf den Flatterknopf, während wir den Joystick nach links und rechts rissen. Acererak versuchte verzweifelt, meinem Angriff auszuweichen, ließ sich jedoch einen Mikrometer zu tief hinabsinken. Sein Reittier zerstob in einer Pixel-Explosion.

PLAYER TWO GAME OVER erschien auf dem Bildschirm, und der Schwarzmagier stieß einen wütenden Schrei aus, der mir das Blut in den Adern gefrieren ließ. Er rammte eine Faust in den Automaten, der zu Millionen winziger Pixel zerbarst, die über den Boden hüpften. Dann wandte er sich zu mir um. »Gratulation, Parzival«, sagte er. »Du hast gut gespielt.«

»Ich danke Euch, edler Acererak«, entgegnete ich, wobei ich mich sehr zusammenreißen musste, nicht auf und ab zu hüpfen und in wildes Freudengeheul auszubrechen. Stattdessen erwiderte ich seine Verbeugung mit gemessener Miene. Während ich das tat, verwandelte sich der Schwarzmagier in einen hochgewachsenen menschlichen Zauberer in einem langen schwarzen Gewand. Ich erkannte ihn sofort. Es war Anorak, Hallidays Avatar.

Völlig sprachlos starrte ich ihn an. Seit Jahren spekulierten die Jäger, ob Anorak – als autonomer NSC – noch immer die OASIS durchstreifte. Hallidays Geist in der Maschine.

»Und jetzt«, sagte der Zauberer mit Hallidays vertrauter Stimme, »zu deiner Belohnung.«

Die Grabkammer wurde von Orchestermusik erfüllt. Triumphale Hörner untermalt von Streichern – das letzte Stück der Filmmusik, die John Williams für *Star Wars* geschrieben hatte. In jener Szene überreicht Prinzessin Leia Luke und Han ihre

Medaillen (wobei Chewbacca, wie wir uns erinnern, übergangen wird).

Während die Musik zu einem Crescendo anschwoll, streckte Anorak den rechten Arm aus. Auf seiner Handfläche lag der Kupferschlüssel, nach dem Millionen von Menschen seit fünf Jahren suchten. Als er ihn mir überreichte, wurde die Musik leiser und verstummte, und dann ertönte ein Läuten. Ich hatte gerade fünfzigtausend Erfahrungspunkte erhalten, genug, um meinen Avatar auf die zehnte Stufe zu katapultieren.

»Lebe wohl, Parzival«, sagte Anorak. »Ich wünsche dir viel Glück auf deiner Quest.« Und bevor ich ihn fragen konnte, was ich als Nächstes tun sollte oder wo ich das erste Tor finden würde, verschwand der Avatar in einem Lichtblitz, begleitet von einem Teleportations-Soundeffekt, der aus der alten *Dungeons-&-Dragons*-Zeichentrickserie geklaut war.

Nun stand ich ganz alleine auf dem Podest. Mein Blick fiel auf den Kupferschlüssel in meiner Hand, und Euphorie und Staunen drohten mich zu überwältigen. Er sah genauso aus wie in *Anoraks Einladung*: ein schlichter, altertümlicher Schlüssel, in den die römische Zahl »I« eingeprägt war. Mein Avatar drehte ihn in der Hand und betrachtete ihn eingehend, und da bemerkte ich die beiden winzigen Textzeilen, die in das Metall eingraviert waren. Ich hielt den Schlüssel ins Licht und las: »*Auf der tiefsten Ebene von Daggorath liegt verborgen, was du suchst.*« Fünf Buchstaben waren etwas hervorgehoben.

Ich musste den Satz kein zweites Mal lesen, denn ich verstand sofort, worauf er sich bezog. Ich wusste genau, wohin ich gehen und was ich tun musste, wenn ich dort angekommen war.

Die fünf Buchstaben TRASH bezogen sich auf die uralte TRS-80-Baureihe von Heimcomputern, die in den 70er und 80er Jahren von Tandy und Radio Shack hergestellt worden waren. Die Nutzer jener Zeit hatten dem TRS-80 den abschätzigen Spitznamen »Trash 80« gegeben.

Auf der tiefsten Ebene von Daggorath liegt verborgen, was du suchst.

Hallidays erster Computer war ein TRS-80 gewesen, mit unfassbaren 16K RAM. Und ich wusste ganz genau, wo ich in der OASIS einen Nachbau dieses Computers finden würde. Jeder Jäger wusste das.

Kurz nach der Entstehung der OASIS hatte Halliday einen kleinen Planeten namens Middletown erschaffen, der nach seiner Heimatstadt in Ohio benannt war. Auf diesem Planeten hatte er seine Heimatstadt, wie sie in den späten 80ern gewesen war, akribisch nachgebildet. Ein Sprichwort besagt, man könne nie wieder dorthin zurückkehren, woher man komme, doch Halliday hatte es Lügen gestraft. Middletown gehörte zu seinen Lieblingsprojekten, und er hatte Jahre damit zugebracht, es zu programmieren und zu verfeinern. Und es war (unter Jägern jedenfalls) wohlbekannt, dass das Haus, in dem Halliday während seiner Kindheit und Jugend gewohnt hatte, zu den detailliertesten und akkuratesten Schöpfungen der Middletown-Simulation gehörte.

Ich war noch nie da gewesen, aber ich hatte Hunderte von Screenshots und Vidcaps davon gesehen. In Hallidays Zimmer stand ein Nachbau seines ersten PCs, ein TRS-80 Color Computer. Ich war mir sicher, dass er das erste Tor dort versteckt hatte. Und der Anfang der Textzeile auf dem Schlüssel verriet mir auch, wie ich dorthin gelangen konnte: *Auf der tiefsten Ebene von Daggorath …*

»Dagorath« war ein Wort auf Sindarin, der Elbensprache, die sich J. R. R. Tolkien für *Der Herr der Ringe* ausgedacht hat. Das Wort bedeutet »Kampf«, doch Tolkien hat es mit nur einem »g« geschrieben, nicht mit zwei. »Daggorath« mit zwei »g« konnte sich nur auf eine Sache beziehen: auf ein nahezu unbekanntes Computerspiel namens *Dungeons of Daggorath*, das 1982 erschienen war. Das Spiel war nur für eine Plattform hergestellt worden, und zwar für den TRS-80 Color Computer.

In *Anoraks Almanach* hatte Halliday geschrieben, *Dungeons of Daggorath* sei das Spiel gewesen, das ihn dazu gebracht hatte, selbst Videospiele zu entwickeln.

Und es war eines der Spiele, die in der Middletown-Simulation in dem Schuhkarton neben dem TRS-80 in Hallidays Jugendzimmer lagen.

Also musste ich lediglich nach Middletown teleportieren, zu Hallidays Haus gehen, mich an den TRS-80 setzen, das Spiel spielen, die unterste Ebene des Verlieses erreichen und … dort würde ich das erste Tor finden.

Zumindest war das meine Interpretation.

Middletown befand sich in Sektor 7, ein ganzes Stück von Ludus entfernt. Aber ich hatte mehr als genug Gold eingesammelt, um es mir leisten zu können, dorthin zu teleportieren. An den bisherigen Standards meines Avatars gemessen, war ich stinkreich.

Ich sah auf die Uhr: 23:03 OSZ (OASIS-Serverzeit, die mit der »Eastern Standard Time« übereinstimmte). Mir blieben noch acht Stunden, bis ich wieder in der Schule sein musste. Vielleicht genügte das ja. Ich könnte mich jetzt gleich auf den Weg machen. Durch die Gruft zurückrennen und zum nächsten Transportterminal hetzen. Von dort könnte ich dann direkt nach Middletown teleportieren. Wenn ich sofort aufbrach, saß ich wahrscheinlich schon in einer Stunde vor Hallidays TRS-80.

Eigentlich brauchte ich dringend etwas Schlaf, schließlich war ich seit fast fünfzehn Stunden durchgängig in die OASIS eingeloggt. Und morgen war Freitag. Nach Schulschluss könnte ich direkt nach Middletown teleportieren und hätte das ganze Wochenende, um das erste Tor in Angriff zu nehmen.

Aber wem wollte ich hier eigentlich etwas vormachen? Ich würde heute Nacht sowieso nicht schlafen und morgen in aller Ruhe zur Schule gehen können. Ich musste weiter, und zwar sofort.

Ich wandte mich zum Ausgang um, blieb dann aber in der Mitte des Thronsaals wie angewurzelt stehen. Durch die Tür sah ich einen langen Schatten, der über die Wand tanzte, und Schritte hallten durch den Korridor.

Kurz darauf erschien die Silhouette eines Avatars auf der Schwelle. Ich wollte gerade nach meinem Schwert greifen, als mir bewusstwurde, dass ich noch immer den Kupferschlüssel in der Hand hielt. Ich steckte ihn in einen Beutel an meinem Gürtel und zog mein Schwert aus der Scheide. In dem Moment sprach der Avatar mich an.

0009

»WER ZUM TEUFEL bist du?«, wollte die Gestalt wissen. Ihre Stimme klang wie die einer jungen Frau, aber aggressiv, als hätte sie es auf einen Kampf abgesehen.

Als ich ihr die Antwort schuldig blieb, trat ein untersetzter weiblicher Avatar aus den Schatten in die von flackernden Fackeln erleuchtete Grabkammer. Sie hatte rabenschwarzes Haar, im Stil von Jeanne d'Arc kurzgeschnitten, und ich schätzte sie auf Anfang zwanzig. Als sie näher kam, stellte ich fest, dass ich sie kannte. Wir waren uns nie persönlich begegnet, aber ihr Gesicht war mir von Dutzenden von Screenshots vertraut, die sie im Laufe der Jahre auf ihrem Blog gepostet hatte.

Es war Art3mis.

Sie trug eine Schuppenrüstung, die in einem metallischen Blaugrau funkelte und eher nach SF aussah denn nach Fantasy. Zwillingsblasterpistolen baumelten an ihren Hüften, und in einer Scheide auf ihrem Rücken steckte ein langes, gekrümmtes Elbenschwert. Sie trug fingerfreie Rennfahrerhandschuhe à la *Mad Max II* und eine klassische Ray-Ban-Sonnenbrille. Alles in allem ein postapokalyptischer Cyberpunk-Look mit einer Spur »Mädchen von nebenan«. Mit einem Wort: Sie sah umwerfend aus.

Als sie auf mich zu kam, klackten die Absätze ihrer Kampfstiefel auf dem Steinboden. Sie blieb knapp außer Reichweite meines Schwertes stehen, zog ihre eigene Klinge jedoch nicht. Stattdessen schob sie die Sonnenbrille ihres Avatars hoch auf die Stirn – reine Affektiertheit, schließlich beeinträchtigte sie ihre Sicht nicht im mindesten – und musterte mich von oben bis unten.

Eine ganze Weile war ich viel zu überwältigt, um etwas zu sagen. Um mich aus der Lähmung zu befreien, rief ich mir in Erinnerung, dass die Person, die diesen Avatar steuerte, vielleicht gar keine Frau war. Dieses »Mädchen«, in das ich seit drei Jahren virtuell verknallt war, konnte sehr wohl ein fetter Typ namens Chuck sein, dem Haare auf dem Handrücken wuchsen. Nachdem ich dieses ernüchternde Bild heraufbeschworen hatte, war ich in der Lage, mich auf meine gegenwärtige Situation zu konzentrieren und die Frage zu formulieren, die auf der Hand lag: *Was hatte sie hier verloren?* Nachdem Gott und die Welt fünf Jahre nach dem Kupferschlüssel gesucht hatten, war es mehr als unwahrscheinlich, dass wir das Versteck in derselben Nacht aufgespürt hatten. Das wäre dann doch ein zu großer Zufall gewesen.

»Hat es dir die Sprache verschlagen?«, fragte sie. »Noch einmal: Wer. Zum Teufel. Bist du?«

Wie sie hatte auch ich das Namensschild meines Avatars deaktiviert. Und natürlich wollte ich anonym bleiben, vor allem unter diesen Umständen. Musste ich das noch extra betonen?

»Seid gegrüßt«, rief ich und deutete eine Verbeugung an. »Ich bin Juan Sánchez Villa-Lobos Ramírez.«

Sie grinste breit. »Der oberste Metallurge König Karls V. von Spanien?«

»Zu Euren Diensten«, erwiderte ich lächelnd. Sie hatte meine obskure *Highlander*-Anspielung verstanden und entsprechend pariert. Das war Art3mis, ganz sicher.

»Sehr hübsch.« Sie blickte über meine Schulter hinweg zu dem leeren Podest und wandte sich dann wieder mir zu. »Erzähl schon! Wie hast du abgeschnitten?«

»Bei was?«

»Bei der Tjost gegen Acererak?«, sagte sie, als wäre es offensichtlich.

Plötzlich ging mir ein Licht auf. Sie war nicht zum ersten Mal hier. Ich war nicht der erste Jäger, der den Limerick entschlüsselt und die Gruft des Grauens gefunden hatte. Art3mis war mir zuvorgekommen. Und da sie über den *Joust*-Automaten Bescheid wusste, war sie offenbar selbst schon gegen den Schwarzmagier angetreten. Aber wenn sie den Kupferschlüssel erhalten hätte, gäbe es für sie keinen Grund mehr, hierher zurückzukehren. Also hatte sie den Schlüssel noch nicht. Sie hatte gegen den Schwarzmagier gespielt, und er hatte sie geschlagen. Jetzt wollte sie es noch einmal versuchen. Gut möglich, dass es bereits ihr achter oder neunter Anlauf war. Und ganz offensichtlich ging sie davon aus, dass der Schwarzmagier mich ebenfalls besiegt hatte.

»Hallo?«, sagte sie und klopfte ungeduldig mit dem Fuß auf den Boden. »Ich warte!«

Ich überlegte, ob ich nicht einfach die Beine unter den Arm nehmen sollte. An ihr vorbei, durch das Labyrinth und rauf zur Oberfläche. Das könnte sie allerdings erst recht auf die Idee bringen, dass ich den Kupferschlüssel hatte, und dann würde sie versuchen, mich zu töten und ihn mir abzunehmen. Auf der Karte der OASIS war die Oberfläche von Ludus eindeutig als Sicherheitszone gekennzeichnet, also konnten Spieler dort nicht gegeneinander kämpfen. Ob das allerdings auch auf die Gruft zutraf, wusste ich nicht, denn sie lag unter der Erde und tauchte auf keiner Karte des Planeten auf.

Art3mis wirkte ziemlich respekteinflößend. Ganzkörperrüstung. Blasterpistolen. Und das Elfenschwert auf ihrem Rücken war vielleicht sogar eine Vorpalklinge. Wenn auch nur die Hälfte der Heldentaten, von denen sie auf ihrem Blog erzählt hatte, der Wahrheit entsprach, hatte es ihr Avatar mindestens bis auf die fünfzigste Stufe geschafft. Falls PvP-Kämpfe hier unten erlaubt waren, würde sie mich in der Luft zerreißen.

Also musste ich cool bleiben. Ich beschloss zu lügen.

»Der hat mich fertiggemacht«, sagte ich. »*Joust* ist nicht mein Spiel.«

Sie entspannte sich kaum merklich. Offenbar war das die Antwort gewesen, die sie hatte hören wollen. »Yeah, ging mir genauso«, sagte sie mitfühlend. »Halliday hat den alten König Acererak mit einer ziemlich abgefahrenen KI ausgestattet, was? Verdammt schwer zu schlagen.« Sie richtete den Blick auf mein Schwert, das ich noch immer kampfbereit in der Hand hielt. »Das kannst du wegstecken. Ich beiß dich schon nicht.«

Ich ließ das Schwert nicht sinken. »Ist diese Gruft eine PvP-Zone?«

»Keine Ahnung. Du bist der erste Avatar, dem ich hier begegnet bin.« Sie legte den Kopf leicht schräg und lächelte. »Gibt wohl nur eine Möglichkeit, das rauszufinden.«

Blitzschnell zog sie ihr Schwert und ließ es in einer einzigen fließenden Bewegung auf mich herabsausen. Die funkelnde Klinge zischte durch die Luft, und es gelang mir erst im letzten Moment, mein eigenes Schwert ungeschickt hochzureißen, um den Hieb zu parieren. Beide Schwerter erstarrten jedoch, wie von einer unsichtbaren Macht gehalten, Zentimeter voneinander entfernt mitten in der Bewegung. Eine Botschaft blinkte auf meinem Display auf: PLAYER-VERSUS-PLAYER-KÄMPFE HIER NICHT GESTATTET.

Erleichtert atmete ich auf. (Erst später sollte ich herausfinden, dass die Schlüssel nicht übertragbar waren. Man konnte sie nicht fallen lassen oder einem anderen Avatar geben. Wurde man getötet, während man einen besaß, verschwand der Schlüssel zusammen mit dem Leichnam.)

»Na, das wäre also geklärt«, sagte sie mit einem Grinsen.

»Also doch keine PvP-Zone.« Ihre Klinge zerteilte die Luft in Form einer Acht und verschwand in der Scheide auf ihrem Rücken. Ziemlich lässig.

Ich schob mein Schwert ebenfalls in die Scheide, allerdings ohne irgendwelche kunstvollen Moves. »Offenbar wollte Halliday nicht, dass sich jemand um das Recht duelliert, gegen den König anzutreten«, sagte ich.

»Yeah«, sagte sie, wobei sie immer noch grinste. »Hast du Glück gehabt.«

»Wieso *ich*?« Wütend verschränkte ich die Arme vor der Brust. »Wie kommst du darauf?«

Sie deutete auf das leere Podest hinter mir. »Dir sind bestimmt eine Menge Trefferpunkte flöten gegangen, als du gegen Acererak gekämpft hast.«

Also … musste man gegen Acererak kämpfen, wenn er einen beim *Joust* besiegt hatte. *Gut, dass ich gewonnen habe*, dachte ich bei mir. *Sonst würde ich wahrscheinlich jetzt gerade einen neuen Avatar kreieren.*

»Ich hab mehr als genug Trefferpunkte«, schwindelte ich. »Dieser Halbleichnam war eine ziemliche Memme.«

»Ach wirklich?«, erwiderte sie misstrauisch. »Ich bin auf der einundfünfzigsten Stufe, und er hat mich jedes Mal fast getötet. Deshalb leg ich mir immer einen Vorrat an Heiltränken zu, bevor ich hier runtergeh.« Sie betrachtete mich einen Moment lang eingehend und fuhr dann fort: »Außerdem kommen mir dein Schwert und deine Rüstung bekannt vor. Die hast du von hier aus der Gruft, was bedeutet, dass sie besser sind als das, was dein Avatar vorher hatte. Du siehst mir wie ein ziemliches Weichei aus, Juan Ramírez. Und ich glaube, dass du mir etwas verheimlichst.«

Da ich jetzt wusste, dass sie mich nicht angreifen konnte, überlegte ich, ob ich ihr nicht die Wahrheit sagen sollte. Warum nicht einfach den Kupferschlüssel aus der Tasche ziehen und ihn ihr zeigen? Aber ich besann mich eines Besseren. Wenn ich klug war, machte ich jetzt die Fliege und teleportierte direkt nach Middletown, solange ich noch einen Vorsprung hatte. Sie hatte den Schlüssel noch nicht, und das würde vielleicht noch ein paar Tage so bleiben. Keine Ahnung, wie viele Versuche ich gebraucht hätte, um Acererak zu schlagen, wenn ich nicht nächtelang *Joust* gespielt hätte!

»Glaub, was du willst, She-Ra«, sagte ich und schob mich an ihr vorbei. »Vielleicht begegnen wir uns irgendwann mal auf einem anderen Planeten. Dann finden wir heraus, wer der Stärkere ist.« Ich winkte ihr zum Abschied. »Wir sehen uns.«

»Verdammt, wo willst du hin?«, sagte sie und folgte mir.

»Nach Hause«, erwiderte ich, ohne stehen zu bleiben.

»Aber was ist mit dem Schwarzmagier? Und dem Kupferschlüssel?« Sie deutete auf das leere Podium. »In ein paar Minuten sitzt er wieder dort oben. Sobald die Serveruhr der OASIS Mitternacht schlägt, wird die ganze Gruft zurückgesetzt. Wenn du so lange hier wartest, hast du eine zweite Chance, ihn zu besiegen, ohne dich erst mit den ganzen Fallen herumschlagen zu müssen. Deshalb komme ich jeden zweiten Tag kurz vor Mitternacht hierher. Damit ich zwei Versuche hintereinander habe.«

Ganz schön clever. Wie lange ich wohl gebraucht hätte, um auf diese Idee zu kommen, wenn ich nicht beim ersten Versuch ans Ziel gelangt wäre? »Ich finde, wir sollten abwechselnd gegen ihn spielen«, sagte ich. »Ich war eben dran, also bist du nach Mitternacht an der Reihe, okay? Ich kann es ja dann morgen nach Mitternacht noch einmal versuchen. Wir können uns abwechseln, bis einer von uns ihn besiegt. Klingt fair?«

»Wenn du meinst«, sagte sie und sah mich argwöhnisch an. »Aber du solltest trotzdem hierbleiben. Vielleicht passiert etwas völlig anderes, wenn um Mitternacht zwei Avatare anwesend sind. Anorak hat diese Möglichkeit bestimmt eingeplant. Vielleicht tauchen dann zwei Inkarnationen des Schwarzmagiers auf, gegen die wir dann beide spielen können? Oder vielleicht …«

»Ich spiele lieber alleine«, unterbrach ich sie. »Wechseln wir uns doch einfach ab, ja?« Ich hatte fast den Ausgang erreicht, als sie mir in den Weg trat.

»Komm schon, es sind doch nur noch ein paar Minuten«, sagte sie. Und dann, mit leiser Stimme: »Bitte?«

Ich hätte einfach weitergehen können, direkt durch ihren Avatar hindurch. Aber ich tat es nicht. Ich wollte zwar so schnell wie möglich nach Middletown und das erste Tor ausfindig machen, aber ich stand schließlich vor der berühmten Art3mis, für die ich schon seit Jahren schwärmte. Und sie war sogar noch cooler, als ich sie mir vorgestellt hatte. Ich wollte einfach mehr Zeit mit ihr verbringen. Oder wie es Howard Jones, ein Dichter aus den 80ern, ausgedrückt hat: »Like to Get to Know You Well.« Wenn ich jetzt wegging, würde ich sie vielleicht nie wiedersehen.

»Hör mal«, sagte sie und blickte auf ihre Stiefelspitzen. »Tut mir leid, dass ich dich als Weichei beschimpft hab. Das war nicht cool.«

»Schon gut. Du hast ja recht. Ich bin grad mal auf der zehnten Stufe.«

»Trotzdem, du bist genauso ein Jäger wie ich. Und ein ziemlich guter dazu, sonst wärst du nicht hier. Deshalb möchte ich, dass du weißt, dass ich dich für deine Fähigkeiten respektiere. Und mich dafür entschuldige, dass ich solchen Blödsinn geredet hab.«

»Entschuldigung akzeptiert. Kein Problem.«

»Cool.« Sie wirkte sichtlich erleichtert. Die Mimik ihres Avatars war ausgesprochen realistisch, was darauf hindeutete, dass sie nicht von einer Software gesteuert wurde, sondern ihrem natürlichen Ausdruck entsprach. Ihre Ausrüstung hatte bestimmt einen Haufen Kohle gekostet. »Ich bin nur fast ausgeflippt, weil ich dich hier angetroffen hab«, sagte sie. »Ich meine, ich hab schon damit gerechnet, dass irgendwann jemand hierherfindet. Aber dass das so schnell geht, hat mich echt überrascht. Ich hatte diese Gruft eine ganze Weile für mich allein.«

»Wie lange denn?«, fragte ich, ohne eigentlich eine Antwort zu erwarten.

Sie zögerte, doch dann platzte es aus ihr heraus. »Drei Wochen! Ich komme schon drei verdammte Wochen hierher und versuche, diesen dämlichen Magierkönig in diesem albernen Spiel zu schlagen! Dabei ist seine KI echt ein Witz! Aber das weißt du bestimmt. Ich hab vorher noch nie *Joust* gespielt, und jetzt treibt es mich in den Wahnsinn! Ich schwöre, vor ein paar Tagen war ich *so* nah dran, ihn zu schlagen, aber dann …« Völlig frustriert fuhr sie sich mit den Fingern durchs Haar. »Argh! Ich kann nicht schlafen. Ich kann nicht essen. Meine Noten gehen den Bach runter, weil ich alles sausen lasse, um *Joust* zu üben …«

Ich wollte sie fragen, ob sie hier auf Ludus zur Schule ging, aber sie redete einfach weiter, immer schneller und schneller. Die Worte strömten nur so aus ihr heraus, und sie hielt kaum inne, um Luft zu holen.

»Und heute dachte ich, jetzt schaffst du es, du besiegst diesen Schweinehund und kriegst den Kupferschlüssel, aber dann hab ich gesehen, dass der Eingang freigeräumt war. Meine schlimmsten Befürchtungen hatten sich bewahrheitet! Jemand anderes hatte die Gruft gefunden. Ich bin völlig ausgerastet und den ganzen Weg gerannt. Ich meine, allzu große Sorgen hab ich mir nicht gemacht, denn niemand kann Acererak beim ersten Versuch schlagen, aber trotzdem ...« Sie hielt inne, um Luft zu holen, und verstummte plötzlich.

»Tut mir leid«, sagte sie schließlich. »Ich fang immer an rumzuschwafeln, wenn ich nervös bin. Oder aufgeregt. Oder beides, wie jetzt. Ich wollte unbedingt mit jemandem über das alles reden. Aber natürlich konnte ich keiner Menschenseele davon erzählen! Ich konnte ja schlecht einfach mal beiläufig erwähnen, dass ich ...« Wieder verstummte sie. »Mannomann, ich bin echt 'ne Quasselstrippe. Ich kann einfach nicht die Klappe halten!« Sie machte eine Handbewegung, als würde sie einen Reißverschluss vor ihrem Mund zuziehen, ihn verschließen und den imaginären Schlüssel wegwerfen. Woraufhin sie lachen musste – ein ehrliches, aufrichtiges Lachen, bei dem sie anfing zu prusten und zu schnauben, worüber wiederum ich lachen musste.

Sie war ja so was von bezaubernd! Ihr nerdiges Verhalten und ihr fortwährendes Geplapper erinnerten mich an Jordan, meine Lieblingsfigur aus *Was für ein Genie*. Ich hatte das Gefühl, als würden wir uns schon ewig kennen, und das war mir so noch nie passiert – weder in der realen Welt noch in der OASIS. Nicht mal mit Aech. Mir wurde ganz schwindelig.

Als sie sich schließlich wieder unter Kontrolle hatte, sagte sie: »Ich muss mir wirklich mal einen Filter einrichten, der mein Lachen rausschneidet.«

»Auf gar keinen Fall«, sagte ich. »Es ist toll.« Meine Gesichtszüge schienen mir irgendwie zu entgleiten, während ich das sagte. »Ich hab auch eine ziemlich idiotische Lache.«

Wirklich großartig, Wade. Jetzt hast du ihr Lachen gerade als »idiotisch« bezeichnet. Echt toll.

Aber sie schenkte mir ein schüchternes Lächeln und hauchte: »Vielen Dank.«

Ich hätte sie am liebsten geküsst! Simulation oder nicht – das war mir egal. Ich versuchte gerade, den Mut aufzubringen, sie nach ihrer Visitenkarte zu fragen, als sie die Hand ausstreckte.

»Ich hab mich noch gar nicht vorgestellt«, sagte sie. »Ich bin Art3mis.«

»Ich weiß«, sagte ich und schüttelte ihr die Hand. »Ich bin ein großer Fan von deinem Blog. Seit ein paar Jahren schon.«

»Im Ernst?« Ihr Avatar schien tatsächlich ein wenig rot zu werden.

Ich nickte. »Es ist eine Ehre, dich kennenzulernen«, sagte ich. »Ich heiße Parzival.« Da wurde mir bewusst, dass ich noch immer ihre Hand hielt, und ich ließ sie hastig los.

»Parzival, ja?« Sie legte den Kopf schräg. »Nach dem Ritter der Tafelrunde, der den Gral gefunden hat, richtig? Cool.«

Ich nickte – jetzt war es endgültig um mich geschehen. Sonst musste ich den Leuten fast immer erklären, woher mein Name stammte. »Und Artemis war die griechische Göttin der Jagd, stimmt's?«

»Genau! Die normale Schreibweise war leider schon vergeben, also musste ich Leetspeak verwenden.«

»Ich weiß«, sagte ich. »Das hast du mal in deinem Blog erwähnt. Vor zwei Jahren.« Fast hätte ich das Datum des Blogeintrags genannt, doch ich wollte nicht noch mehr wie ein Cyberstalker klingen. »Du hast erzählt, dass du immer noch irgendwelchen Noobs begegnest, die es ›Art-drei-miss‹ aussprechen.«

»Stimmt«, sagte sie und grinste. »Das hab ich.«

Sie reichte mir eine ihrer Visitenkarten. Was das Design der Karten betraf, hatte man in der OASIS jede Freiheit. Art3mis hatte ihre so programmiert, dass sie wie eine klassische Actionfigur von Kenner aussah (natürlich originalverpackt). Die

Figur selbst war eine primitive Nachbildung ihres Avatars in demselben Outfit und inklusive Schwert und Pistolen. Auf der Karte über der Figur stand ihr Name:

Art3mis
Kriegerin / Magierin | 52. Stufe
(Fahrzeug separat erhältlich)

Auf dem Rücken der Karte fand ich den Link zu ihrem Blog, E-Mail-Adresse und Telefonnummer.

Das war nicht nur das erste Mal, dass mir ein Mädchen ihre Karte gegeben hatte, es war auch die mit Abstand coolste Karte, die ich je gesehen hatte.

»Das ist die mit Abstand coolste Karte, die ich je gesehen habe«, sagte ich. »Vielen Dank!«

Ich reichte ihr meine Karte, die wie ein Adventuremodul für den Atari 2600 aussah. Meine Kontaktdaten standen auf dem Etikett:

Parzival
Krieger | 10. Stufe
(Mit Joystick spielbar)

»Wahnsinn!«, sagte sie und betrachtete die Karte eingehend. »Was für ein geiles Design!«

»Danke«, erwiderte ich und lief unter meiner Videobrille rot an. Am liebsten hätte ich ihr auf der Stelle einen Antrag gemacht.

Ich beförderte ihre Karte in mein Inventar, und sie tauchte direkt unter dem Kupferschlüssel auf der Liste auf. Als ich den Schlüssel sah, fiel mir plötzlich wieder ein, wie meine eigentlichen Prioritäten aussahen. Warum zum Teufel stand ich hier rum und betrieb Smalltalk mit diesem Mädchen? Das erste Tor wartete auf mich! Ich sah auf die Uhr. Weniger als fünf Minuten bis Mitternacht.

»Hör mal, Art3mis«, sagte ich. »Es war wirklich toll, dich kennenzulernen. Aber ich muss los. Der Server wird gleich zurückgesetzt, und ich möchte von hier verschwinden, bevor die ganzen Fallen und Untoten reaktiviert werden.«

»Oh … okay.« Sie klang tatsächlich enttäuscht! »Ich sollte mich wohl besser auf meinen *Joust*-Wettkampf vorbereiten. Aber lass mich noch einen Heilzauber gegen schwere Wunden wirken, bevor du gehst.«

Bevor ich widersprechen konnte, legte sie meinem Avatar die Hand auf die Brust und murmelte ein paar geheimnisvolle Worte. Da ich keine Trefferpunkte verloren hatte, blieb der Zauberspruch wirkungslos. Aber Art3mis wusste das nicht. Sie glaubte immer noch, dass ich gegen den Schwarzmagier gekämpft hatte.

»Bitte schön«, sagte sie und trat einen Schritt zurück.

»Danke«, erwiderte ich. »Aber das war nicht nötig. Schließlich sind wir Rivalen.«

»Ich weiß. Aber wir können trotzdem Freunde sein, oder?«

»Das hoffe ich.«

»Außerdem ist es noch ganz schön weit bis zum dritten Tor. Ich meine, wir beide haben fünf Jahre gebraucht, um bis hierher zu gelangen. Und wenn ich Halliday richtig einschätze, dann wird die Sache jetzt nicht eben leichter.« Sie senkte die Stimme. »Hör mal – bist du sicher, dass du nicht hierbleiben möchtest? Wir können bestimmt beide gleichzeitig spielen. Und einander Tipps geben. Ich habe da ein paar Fehler in seiner Technik entdeckt …«

Allmählich kam ich mir vor wie der letzte Arsch – verdammt, ich wollte sie nicht länger anlügen. »Das ist wirklich nett von

dir, aber ich muss los.« Ich suchte nach einer plausiblen Aus-
rede. »Ich muss morgen früh in die Schule.«

Sie nickte, aber misstrauisch, wie am Anfang. Dann weite-
ten sich ihre Augen, als wäre ihr gerade etwas eingefallen. Ihre
Pupillen huschten hin und her und konzentrierten sich auf
etwas direkt vor ihrem Gesicht. Offensichtlich betrachtete sie
ihr Browserfenster. Sekunden später verzerrte sich ihr Gesicht
vor Wut.

»Du hast mich angelogen!«, schrie sie. »Du verfluchter Mistkerl!« Sie ließ ihr Browserfenster sichtbar werden und drehte es
zu mir um. Es zeigte das Scoreboard auf Hallidays Homepage.
Vor lauter Aufregung hatte ich vergessen, einen Blick darauf
zu werfen.

Es sah genauso aus wie in den letzten fünf Jahren – mit
einem Unterschied: Der Name meines Avatars stand auf dem
ersten Platz, und daneben waren 10 000 Punkte verzeichnet.
Die anderen neun Plätze enthielten noch immer Hallidays Initialen JDH mit einer Reihe von Nullen dahinter.

»Heilige Scheiße«, murmelte ich. Seit Anorak mir den Kup-
ferschlüssel gereicht hatte, war ich der erste Jäger, der bei dem
Wettbewerb gepunktet hatte. Und alle Welt konnte es sehen.
Mein Avatar war auf einen Schlag berühmt geworden.

Sicherheitshalber warf ich einen Blick auf die Schlagzei-
len der Newsfeeds. Jede einzelne davon enthielt den Namen
meines Avatars. Zum Beispiel: GEHEIMNISVOLLER AVATAR
»PARZIVAL« SCHREIBT GESCHICHTE und PARZIVAL FINDET
KUPFERSCHLÜSSEL

Ich stand völlig benommen da und schnappte nach Luft.
Dann versetzte mir Art3mis einen Stoß, was ich natürlich
nicht spürte. Mein Avatar jedoch taumelte einen Schritt nach
hinten. »Du hast ihn beim ersten Versuch besiegt?«, fauchte
sie.

Ich nickte. »Er hat das erste Spiel gewonnen, aber dann habe ich ihn zweimal geschlagen. Allerdings nur ganz knapp.«

»*Scheiße!*«, brüllte sie und ballte die Fäuste. »Wie zum Teufel hast du das geschafft?« Gleich würde sie auf mich losgehen.

»Reines Glück«, erwiderte ich. »Ich hab mal eine ganze Weile gegen einen Freund *Joust* gespielt. Also hatte ich's einfach drauf. Wenn du noch etwas mehr übst …«

»Bitte!«, knurrte sie und hob die Hand. »Deine klugen Sprüche kannst du dir sparen.« Sie stieß einen Schrei der Enttäuschung aus. »Ich fass es nicht! Begreifst du denn nicht, dass ich schon seit *fünf gottverdammten Wochen* versuche, diesen Halbleichnam zu schlagen?«

»Aber gerade hast du doch noch gesagt, es wären drei Wochen …«

»Unterbrich mich nicht!« Sie versetzte mir einen weiteren Stoß. »Ich mach seit einem Monat nichts anderes, als *Joust* zu üben! Inzwischen träume ich schon von fliegenden Straußen!«

»Klingt unangenehm.«

»Und du kommst hier einfach reinspaziert und schaffst es *beim ersten Versuch*!« Sie fing an, sich mit der Faust gegen die Stirn zu schlagen, und da wurde mir klar, dass sie auf sich selbst wütend war, nicht so sehr auf mich.

»Hör zu«, sagte ich. »Ich hab wirklich Glück gehabt. Diese klassischen Automatenspiele liegen mir einfach.« Ich zuckte mit den Achseln. »Hör auf, dich selbst runterzumachen. Wir sind hier nicht in *Rain Man*!«

Sie hielt inne und starrte mich an. Nach ein paar Sekunden stieß sie einen langen Seufzer aus. »Warum konnte es nicht *Centipede* sein? Oder *Ms Pac-Man*? Oder *BurgerTime*? Dann hätte ich inzwischen längst das erste Tor geöffnet!«

»So sicher wäre ich mir da nicht«, sagte ich.

Sie sah mich einen Moment lang wütend an und begann,

maliziös zu lächeln. Dann wandte sie sich dem Ausgang zu und führte eine Folge komplizierter Gesten aus, während sie irgendeinen Zauberspruch flüsterte.

»Hey!«, rief ich. »Warte mal. Was machst du da?«

Aber ich wusste es bereits. Als sie ihren Zauberspruch beendet hatte, erschien vor dem Eingang eine massive Steinwand. Sie hatte eine Barriere errichtet! Ich saß in der Grabkammer fest.

»Verdammt!«, schrie ich. »Was soll das?«

»Du scheinst es schrecklich eilig zu haben, von hier zu verschwinden. Ich vermute mal, dass Anorak dir nicht nur den Kupferschlüssel gegeben hat, sondern auch einen Hinweis, wo sich das erste Tor befindet. Hab ich recht? Da wolltest du als Nächstes hin, stimmt's?«

»Yeah«, sagte ich. Erst wollte ich es abstreiten, aber was hätte das gebracht?

»Wenn du es nicht schaffst, meinen Spruch außer Kraft zu setzen – und das bezweifle ich sehr, du großer Krieger auf der zehnten Stufe –, dann sorgt die Barriere dafür, dass du hierbleibst, bis der Server zurückgesetzt wird. Die ganzen Fallen, die du entschärft hast, werden wieder aktiv sein. Das sollte dich eine Menge Zeit kosten, würde ich sagen.«

»Ja«, erwiderte ich, »das wird es.«

»Und während du versuchst, zur Oberfläche zurückzugelangen, habe ich eine weitere Chance, Acererak zu besiegen. Und dieses Mal werde ich ihn plattmachen. Ich bin dir direkt auf den Fersen, Mister!«

Ich verschränkte die Arme vor der Brust. »Wenn der König dir in den letzten fünf Wochen den Arsch versohlt hat, wieso glaubst du dann, dass du heute gewinnen wirst?«

»Konkurrenz hat mich schon immer beflügelt«, erwiderte sie. »Und jetzt habe ich welche, zum ersten Mal.«

Ich warf einen raschen Blick auf die Barriere. Bei einer so mächtigen Magierin würde der Zauberspruch die maximale Dauer anhalten: fünfzehn Minuten. Ich konnte nur darauf warten, bis er sich verflüchtigte. »Du bist echt böse«, sagte ich.

Sie grinste und schüttelte den Kopf. »Chaotisch neutral, Schätzchen.«

Ich erwiderte ihr Grinsen. »Ich werde trotzdem vor dir beim ersten Tor sein.«

»Vielleicht. Aber wir stehen noch ganz am Anfang. Du musst es erst mal öffnen. Und noch zwei weitere Schlüssel finden und zwei weitere Tore. Genug Zeit für mich, dich einzuholen und um Längen zu schlagen.«

»Das wird sich zeigen, Lady.«

Sie deutete auf das Fenster mit dem Scoreboard. »Du bist jetzt berühmt«, sagte sie. »Dir ist klar, was das bedeutet, oder?«

»Ich hatte noch keine Zeit, darüber nachzudenken.«

»Tja, ich schon. Seit fünf Wochen denke ich an nichts anderes. Der Name deines Avatars auf dem Scoreboard verändert alles. Die Öffentlichkeit wird sich wieder für den Wettbewerb interessieren, wie damals, als es losging. Die Medien laufen bereits Amok. Morgen wird jeder einzelne Erdenbürger den Namen Parzival kennen.«

Bei dem Gedanken wurde mir ein wenig schummrig.

»Du könntest auch in der realen Welt berühmt werden«, fuhr sie fort. »Du musst den Medien nur deine wahre Identität enthüllen.«

»Ich bin doch nicht bescheuert.«

»Gut. Denn es geht hier um mehrere Milliarden Dollar, und jetzt werden alle denken, du weißt, wie und wo das Easter Egg zu finden ist. Es gibt eine Menge Leute, die für diese Information töten würden.«

»Schon klar. Und ich weiß deine Besorgnis zu schätzen. Aber ich krieg das schon hin.«

Wobei ich mir da nicht ganz so sicher war. Bisher hatte ich mir über all diese Dinge noch keine Gedanken gemacht – wahrscheinlich weil ich nie wirklich geglaubt hatte, dass es jemals so weit kommen würde.

Wir standen schweigend da, behielten die Uhr im Auge und warteten. »Was würdest du tun, wenn du gewinnst?«, fragte sie plötzlich. »Wofür würdest du das ganze Geld ausgeben?«

Darüber hatte ich schon ziemlich oft nachgedacht. Aech und ich hatten völlig absurde Listen aufgestellt, was wir tun und kaufen würden, wenn wir gewannen.

»Ich weiß nicht«, sagte ich. »Das Übliche, denke ich mal. In eine Villa ziehen. Einen Haufen cooles Zeug kaufen. Nicht mehr arm sein.«

»Wow, was für eine Vision«, sagte Art3mis. »Und wenn du deine Villa und das ganze ›coole Zeug‹ gekauft hast, was machst du dann mit den hundertdreißig Milliarden, die noch übrig sind?«

Da ich nicht wollte, dass sie mich für einen geistlosen Trottel hielt, plauderte ich einen Traum aus, dem ich schon länger nachhing. Nur erzählt hatte ich ihn bisher niemandem.

»Ich würde in der Erdumlaufbahn ein atombetriebenes Raumschiff bauen lassen«, sagte ich. »Und dann würde ich es mit allem beladen, was man in hundert Jahren braucht, es mit einer selbsterhaltenden Biosphäre ausstatten und einem Supercomputer, auf dem jeder Film, jedes Buch, jedes Lied, jedes Videospiel und jedes Kunstwerk gespeichert ist, das die menschliche Zivilisation hervorgebracht hat. Außerdem würde ich eine autarke Kopie der OASIS mitnehmen und einige meiner besten Freunde sowie ein Team von Ärzten und Wissenschaftlern einladen, mit an Bord zu kommen, und dann würden wir machen, dass wir Land gewinnen. Das Sonnensystem verlassen und nach einem extrasolaren erdähnlichen Planeten suchen.«

Zu Ende gedacht hatte ich den Plan natürlich noch nicht. Ein paar Einzelheiten waren noch zu klären.

Sie hob eine Augenbraue. »Ziemlich ehrgeizig, das Ganze«, sagte sie. »Aber du bist dir schon bewusst, dass fast die Hälfte der Erdbevölkerung am Verhungern ist, oder?« Ihre Stimme klang völlig sachlich – als würde sie tatsächlich glauben, mir damit etwas Neues zu erzählen.

»Klar«, erwiderte ich. »Und sie verhungern, weil wir den Planeten zugrunde gerichtet haben. Die Erde stirbt, und es ist Zeit, von hier zu verschwinden.«

»Das ist eine ziemlich negative Einstellung«, sagte sie. »Wenn ich die ganze Kohle gewinne, werde ich dafür sorgen, dass auf diesem Planeten jeder genug zu essen hat. Wenn wir erst einmal den Hunger aus der Welt geschafft haben, können wir darüber nachdenken, wie wir die Umwelt wieder in Ordnung bringen und die Energiekrise überwinden.«

Ich verdrehte die Augen. »Klar doch. Und danach züchtest du gentechnisch einen Haufen Schlümpfe und Einhörner, damit sie in der perfekten Welt herumhüpfen, die du geschaffen hast.«

»Ich meine das absolut ernst.«

»Glaubst du wirklich, dass es so einfach ist?«, fragte ich. »Dass du nur zweihundertvierzig Milliarden Dollar unter die Leute bringen musst, und schon sind alle Probleme auf der Welt gelöst?«

»Ich weiß nicht. Vielleicht nicht. Aber ich möchte es wenigstens versuchen.«

»Falls du gewinnst.«

»Natürlich. Falls ich gewinne.«

In dem Moment schlug die Serveruhr der OASIS Mitternacht. Der Thron stand plötzlich wieder auf dem Podest, und auf ihm saß, völlig regungslos, Acererak. Er sah genauso aus wie in dem Moment, als ich die Grabkammer betreten hatte.

Art3mis schaute kurz zu ihm hinüber und wandte sich dann wieder mir zu. Sie lächelte und winkte kurz. »Wir sehen uns, Parzival.«

»Yeah«, sagte ich. »Wir sehen uns.« Sie drehte sich um und schritt auf das Podest zu. »Hey, Art3mis«, rief ich ihr nach.

Sie drehte sich um. Aus irgendeinem Grund hatte ich das Bedürfnis, ihr zu helfen, obwohl ich wusste, dass das keine gute Idee war. »Spiel auf der linken Seite«, sagte ich. »So hab ich gewonnen. Ich glaube, er ist leichter zu schlagen, wenn er den Storch hat.«

Sie starrte mich kurz an – wahrscheinlich fragte sie sich, ob ich versuchte, sie irgendwie hereinzulegen. Dann nickte sie und stieg die Treppe zum Podium hinauf. Acererak erwachte, kaum hatte sie den Fuß auf die erste Stufe gesetzt.

»Sei gegrüßt, Art3mis«, sagte er mit dröhnender Stimme. »Sprich, wonach suchst du?«

Ich konnte die Antwort nicht hören, aber kurz darauf verwandelte sich der Thron in einen *Joust*-Automaten. Art3mis sagte etwas zu dem Schwarzmagier, und die beiden wechselten die Seiten, so dass sie jetzt links stand. Dann fingen sie an zu spielen.

Ich schaute ihnen aus der Ferne zu, bis sich die Barriere verflüchtigte. Mit einem letzten Blick zurück zu Art3mis stieß ich die Tür auf und machte mich auf den Weg.

OOIO

ICH BRAUCHTE ETWAS MEHR als eine Stunde, um die Gruft zu durchqueren und wieder an die Oberfläche zu gelangen. Kaum war ich durch den Ausgang gekrochen, blinkten die Worte NACHRICHT ERHALTEN auf meinem Display auf. Offenbar hatte Halliday die Gruft von der Außenwelt abgeschirmt, so dass man keine Anrufe, Textnachrichten oder E-Mails erhalten konnte, solange man sich darin aufhielt. Wahrscheinlich sollte das die Jäger daran hindern, Unterstützung anzufordern oder Rat einzuholen.

Aech versuchte, mich zu erreichen, seit mein Name auf dem Scoreboard aufgetaucht war. Er hatte über ein Dutzend Mal angerufen und mehrere Textnachrichten geschickt, weil er wissen wollte, was in drei Teufels Namen los war – er schrie mich in Großbuchstaben an, ich solle mich AUF DER STELLE bei ihm melden. Noch während ich diese Nachrichten löschte, kam ein weiterer Anruf rein. Wieder Aech. Ich beschloss, nicht abzunehmen. Stattdessen schickte ich ihm eine kurze Textnachricht, in der ich ihm versprach, so bald wie möglich zurückzurufen.

Während ich aus dem Wald hinausrannte, platzierte ich das Scoreboard in eine Ecke meines Displays, um zu sehen, ob es Art3mis gelang, ihren *Joust*-Wettkampf zu gewinnen. Als ich schließlich das Transportterminal erreichte und in die nächstbeste Kabine sprang, war es kurz nach zwei Uhr morgens.

Ich gab mein Ziel auf dem Touchscreen ein, und auf dem

Display erschien eine Karte von Middletown. Ich wurde darum gebeten, eines der 256 Transportterminals auszuwählen.

Als Halliday Middletown programmierte, hatte er sich nicht mit einer einzigen Neuschöpfung seiner Heimatstadt zufriedengegeben. Er hatte 256 identische Kopien geschaffen, die gleichmäßig über die Oberfläche des Planeten verteilt waren. Ich glaubte nicht, dass es eine Rolle spielte, welcher Kopie ich einen Besuch abstattete, also entschied ich mich willkürlich für eine in Äquatornähe. Dann tippte ich auf BESTÄTIGEN, um die Gebühr zu entrichten, und mein Avatar verschwand.

Eine Millisekunde später stand ich in einer klassischen Telefonzelle in einem alten Greyhound-Busbahnhof. Als ich die Tür öffnete und hinaustrat, kam ich mir vor, als würde ich einer Zeitmaschine entsteigen. Mehrere NSCs schlenderten umher, und alle trugen 80er-Jahre-Klamotten. Eine Frau mit hochtoupierter Ozonkiller-Frisur und überdimensioniertem Walkman wackelte im Takt der Musik mit dem Kopf. Ein Junge in einer grauen *Members-Only*-Jacke lehnte an der Wand und beschäftigte sich mit einem Zauberwürfel. Ein Punk mit Irokesenschnitt saß auf einem Plastikstuhl und schaute auf einem Münzfernseher eine Folge *Trio mit vier Fäusten*.

Ich steuerte den Ausgang an, wobei ich mein Schwert zog. Die ganze Oberfläche von Middletown war eine PvP-Zone, also musste ich mich vorsehen.

Unmittelbar nach Beginn des Wettbewerbs waren alle 256 Kopien von Hallidays Heimatstadt von einem endlosen Strom von Jägern heimgesucht worden, die nach Schlüsseln und Hinweisen suchten. Eine allgemein verbreitete Theorie lautete, dass Halliday so viele Kopien von Middletown geschaffen hatte, damit mehrere Avatare gleichzeitig den Ort erforschen konnten, ohne miteinander kämpfen zu müssen. Allerdings war bei der ganzen Sucherei rein gar nichts herausgekommen. Keine Schlüssel. Keine Hinweise. Kein Ei. Seither hatte das Interesse an dem Planeten drastisch nachgelassen. Aber hin und wieder kam wahrscheinlich trotzdem noch ein Jäger hierher.

Falls sich ein anderer Jäger in Hallidays Haus befinden sollte, würde ich die Beine in die Hand nehmen, ein Auto klauen und fünfundzwanzig Kilometer (in eine beliebige Richtung) zur nächsten Kopie von Middletown fahren. Und wieder zur nächsten, bis ich eine Inkarnation von Hallidays Haus fand, die leer war.

Draußen herrschte wunderschönes Wetter – typisch für den Mittleren Westen. Die rotorangene Sonne hing tief am Himmel. Obwohl ich noch nie in Middletown gewesen war, hatte ich umfangreiche Nachforschungen darüber angestellt, und deshalb wusste ich, dass immer ein perfekter spätherbstlicher Nachmittag auf einen wartete, ganz gleich, wann man eintraf oder wo man sich befand.

Ich rief einen Stadtplan auf, um den kürzesten Weg von meinem derzeitigen Standort zu Hallidays Elternhaus zu finden. Es befand sich etwa eine Meile nördlich von hier. Ich drehte meinen Avatar in diese Richtung und lief los. Dabei schaute ich mich um und staunte über die Detailfreude, mit der alles ausgeführt war. Ich hatte gelesen, dass Halliday das meiste selbst programmiert hatte, damit seine Heimatstadt ganz genau seinen Kindheitserinnerungen entsprach. Er hatte alte Stadtpläne, Telefonbücher, Fotografien und Videoaufnahmen verwendet, um alles so authentisch wie möglich zu gestalten.

Das Straßenbild erinnerte mich stark an die Stadt in *Footloose*. Klein, ländlich und schwach bebaut. Die Häuser wirkten alle unglaublich groß und standen ziemlich weit auseinander. Wirklich erstaunlich, dass vor fünfzig Jahren sogar Familien mit niedrigem Einkommen ein ganzes Haus für sich gehabt hatten. Die NSC-Einwohner sahen alle aus wie Statisten in einem John-Cougar-Mellencamp-Video. Leute rechten ihren Rasen, führten ihren Hund spazieren oder saßen auf der Veranda. Aus reiner Neugier winkte ich einigen von ihnen zu, und sie erwiderten meine Geste mit einem freundlichen Lächeln.

Hinweise darauf, dass ich mich mitten in den 80er Jahren befand, waren allgegenwärtig. Von NSCs gesteuerte Pkw und Lkw fuhren langsam durch die Straßen, ausnahmslos benzinfressende Oldtimer: Trans-Ams, Dodge Omnis, IROC Z28 s und Chrysler Ks. Ich kam an einer Tankstelle vorbei, und auf dem Schild stand, dass das Benzin nur dreiundneunzig Cent pro Gallone kostete.

Gerade wollte ich in die Straße einbiegen, in der Halliday gewohnt hatte, als eine Fanfare ertönte. Mein Blick huschte zum Scoreboard, das noch immer in einer Ecke meines Displays schwebte.

Art3mis hatte es geschafft.

Ihr Name stand direkt unter meinem. Sie hatte 9000 Punkte – tausend weniger als ich. Offenbar hatte ich eine Prämie bekommen, weil ich der erste Avatar war, der den Kupferschlüssel erhalten hatte.

Zum ersten Mal wurde mir in vollem Umfang klar, welche Bedeutung das Scoreboard besaß. Von jetzt an konnte nicht nur jeder Jäger die Konkurrenz im Auge behalten – die ganze Welt erfuhr, wer an der Spitze stand, wodurch jeder, der die Tabelle anführte, zu einer Berühmtheit (und zur Zielscheibe) wurde.

Ich wusste, dass Art3mis genau in diesem Moment den Kupferschlüssel betrachtete und den Hinweis las, der darin eingraviert war. Sie würde ihn bestimmt genauso schnell entschlüsseln wie ich. Wahrscheinlich war sie sogar schon auf dem Weg nach Middletown.

Sofort setzte ich mich wieder in Bewegung. Jetzt hatte ich ihr gegenüber nur noch eine Stunde Vorsprung. Vielleicht weniger.

Als ich die Cleveland Avenue erreichte, die Straße, in der Halliday aufgewachsen war, sprintete ich über den rissigen Bürgersteig bis zum Vorgarten seines Elternhauses. Es sah genauso aus wie auf den Fotografien: ein bescheidenes zweistöckiges Gebäude im Kolonialstil mit roter PVC-Verkleidung. Zwei Fords aus den späten 70ern standen in der Einfahrt, einer davon auf Backsteine aufgebockt.

Während ich die digitale Kopie des Hauses betrachtete, versuchte ich, mir vorzustellen, wie es für Halliday wohl gewesen war, hier aufzuwachsen. Ich hatte gelesen, dass im realen Middletown, Ohio, sämtliche Häuser in dieser Straße Mitte der 90er abgerissen worden waren, um Platz für ein Einkaufszentrum zu schaffen. Hier in der OASIS hatte Halliday seiner Kindheit jedoch ein Denkmal gesetzt.

Ich rannte durch den Vorgarten und trat durch die Haustür, die direkt ins Wohnzimmer führte. Diesen Raum kannte ich gut, denn er war in *Anoraks Einladung* zu sehen. Die imitierte Holzvertäfelung, der orangefarbene Teppich und die knallbunten Möbel sahen aus, als stammten sie von einem Flohmarkt.

Das Haus war leer. Aus irgendeinem Grund hatte Halliday darauf verzichtet, NSC-Simulationen seiner selbst und seiner verstorbenen Eltern dort herumlaufen zu lassen. Vielleicht war das sogar ihm zu gruselig gewesen. Allerdings entdeckte ich ein mir wohlvertrautes Familienfoto an der Wohnzimmerwand. Das Porträt war 1984 im örtlichen K-Mart aufgenommen worden; Mr und Mrs Halliday trugen jedoch noch immer Kleider im Stil der späten 70er. Der zwölfjährige Jimmy stand zwischen ihnen und starrte durch seine dicken Brillengläser wütend in die Kamera. Die Hallidays sahen aus wie eine typisch amerikanische Familie. Nichts deutete darauf hin, dass dieser stoische Mann im braunen Freizeitanzug ein Alkoholiker war, der seine Frau prügelte, dass die Frau in dem geblümten Hosenanzug manisch-depressiv war oder dass der Junge in dem ausgeblichenen *Asteroids*-T-Shirt einmal ein völlig neues Universum erschaffen würde.

Während ich mich umsah, fragte ich mich, warum Halliday, der seine Kindheit immer als schrecklich bezeichnet hatte, später eine solche Sehnsucht nach ihr entwickelt hatte. Ich war mir sicher, dass ich, sollte es mir jemals gelingen, den *Stacks* zu entfliehen, nie wieder zurückblicken würde. Und ich würde ganz bestimmt keine detaillierte Simulation davon erschaffen.

Ich schaute zu dem klotzigen Zenith-Fernseher und der Atari-2600-Konsole hinüber, die darin eingestöpselt war. Die imitierte Holzmaserung des Plastikgehäuses der Konsole passte perfekt zur simulierten Holzmaserung des Fernsehschranks und der Wandvertäfelung. Neben dem Atari stand ein Schuhkarton mit neun Spielen: *Combat*, *Space Invaders*, *Pitfall*, *Kaboom!*, *Star Raiders*, *The Empire Strikes Back*, *Starmaster*, *Yars' Revenge* und *E. T.* Jäger maßen der Tatsache, dass *Adventure*, das Spiel, das Halliday am Ende von *Anoraks Einladung* auf ebendiesem Atari spielte, nicht dabei war, große Bedeutung bei. Sie hatten sämtliche Middletown-Simulationen nach einem *Adventure*-Modul abgesucht, aber auf dem ganzen Planeten schien es keines zu geben. Daraufhin hatten Jäger selbst Kopien von *Adventure* mitgebracht, die von der Atari-Konsole jedoch nie akzeptiert wurden. Bisher hatte niemand herausgefunden, warum.

Ich suchte rasch den Rest des Hauses ab, um mich zu vergewissern, dass kein anderer Avatar anwesend war. Dann öffnete ich die Tür zu Hallidays Zimmer. Es war leer, also trat ich ein und verschloss die Tür. Screenshots und SimCaps dieses

Zimmers waren schon seit Jahren erhältlich, und ich hatte sie mir alle genau angesehen. Jetzt stand ich allerdings zum ersten Mal »wirklich« darin. Mir lief ein Schauer über den Rücken.

Der Teppich war senffarben – entsetzlich! Die Tapete ebenso. Allerdings waren die Wände fast völlig mit Filmplakaten und Postern bedeckt: *Was für ein Genie, WarGames, Tron, Pink Floyd, Devo, Rush*. Direkt hinter der Tür stand ein Bücherregal mit Science-Fiction- und Fantasy-Taschenbüchern (die ich natürlich alle gelesen hatte). Ein zweites Bücherregal neben dem Bett war vollgestopft mit alten Computerzeitschriften und *Dungeons-&-Dragons*-Regelwerken. Mehrere lange weiße Kisten mit Comics waren an der Wand aufgestapelt, jede sorgfältigst beschriftet. Und dort, auf dem ramponierten Holzschreibtisch in der Ecke, stand James Hallidays erster Computer.

Wie bei vielen Heimcomputern jener Zeit waren Rechner und Tastatur im selben Gehäuse untergebracht. TRS-80 COLOR COMPUTER 2, 16K RAM, verkündete ein Schildchen darauf. Von der Rückseite schlängelten sich Kabel zu einer Datasette, einem kleinen Bildschirm, einem Nadeldrucker und einem 300-Baud-Modem. Eine lange Liste von Einwahlnummern diverser Mailboxnetze war neben dem Modem an den Schreibtisch geklebt.

Ich setzte mich und tastete nach dem Netzschalter für Computer und Fernseher. Es knisterte, dann folgte ein leises Brummen, während sich der Bildschirm langsam aufwärmte. Kurz darauf leuchtete er grün auf, und ich konnte folgende Worte lesen:

```
EXTENDED COLOR BASIC 1.1
COPYRIGHT (C) 1982 BY TANDY
OK
```

Darunter blinkte ein Cursor in sämtlichen Farben des Spektrums. Ich tippte HALLO und drückte auf die Enter-Taste.

In der nächsten Zeile erschien ?SYNTAX ERROR. »Hallo« war kein zulässiger Befehl in BASIC, der einzigen Sprache, die der uralte Computer verstand.

Von meinen Recherchen wusste ich, dass der Kassettenrekorder die Daten analog speicherte – als Töne auf einem Magnetband. Als Halliday angefangen hatte zu programmieren, hatte er noch nicht einmal ein Diskettenlaufwerk besessen. Er hatte seinen Code auf Kassetten speichern müssen. Neben dem Bandlaufwerk stand ein Schuhkarton mit Dutzenden dieser Kassetten, vor allem Textadventures: *Raaka-tu*, *Bedlam*, *Pyramid* und *Madness and the Minotaur*. Außerdem lagen da ein paar ROM-Module, die in einen Schlitz an der Seite des Computers passten. Ich wühlte in der Schachtel, bis ich ein Modul fand, auf dessen Etikett in schiefer gelber Schrift *Dungeons of Daggorath* stand. Das Bild darauf zeigte einen langen, finsteren Korridor, in dem ein ungeschlachter blauer Riese mit einer großen Steinaxt lauerte.

Als eine Liste der Spiele, die sich in Hallidays Kinderzimmer fanden, zum ersten Mal online gestellt wurde, beeilte ich mich, jedes einzelne davon herunterzuladen und durchzuspielen. Für *Dungeons of Daggorath* hatte ich damals fast ein ganzes Wochenende gebraucht. Die Graphik war primitiv, aber trotzdem machte das Spiel Spaß und irgendwie süchtig.

Aus verschiedenen Internetforen wusste ich, dass in den letzten fünf Jahren zahlreiche Jäger *Dungeons of Daggorath* an Hallidays TRS-80 durchgespielt hatten. Manche hatten sich sogar durch sämtliche Spiele in dem Schuhkarton gezockt, um herauszufinden, ob dann irgendetwas passieren würde – vergebens. Allerdings hatte keiner von ihnen den Kupferschlüssel besessen.

Meine Hände zitterten leicht, als ich den TRS-80 ausschaltete und das *Dungeons-of-Daggorath*-Modul einlegte. Als ich den Computer wieder einschaltete, blitzte der Bildschirm auf, wurde schwarz, und das grobschlächtige Bild eines Zauberers erschien, von unheilvollen Soundeffekten begleitet. Der Zauberer hielt einen Stab in der Hand, und darunter stand in Großbuchstaben: I DARE YE ENTER ... THE DUNGEONS OF DAGGORATH!

Ich setzte mich an die Tastatur und fing an zu spielen. Im selben Moment schaltete sich ein Ghettoblaster ein, der auf Hallidays Kommode stand, und eine mir wohlvertraute Musik erfüllte das Zimmer: der Soundtrack zu *Conan der Barbar* von Basil Poledouris.

Offenbar will Anorak mir damit sagen, dass ich auf dem richtigen Weg bin, dachte ich bei mir.

Bald hatte ich jedes Zeitgefühl verloren. Ich vergaß, dass mein Avatar in Hallidays Jugendzimmer saß und dass ich in Wirklichkeit in meinem Versteck direkt neben dem Heizstrahler hockte, mit den Fingern in der Luft tippte und Befehle in eine imaginäre Tastatur eingab. All das, was zwischen mir und den *Dungeons of Daggorath* stand, verschwand. Ich verlor mich in dem Spiel im Spiel.

In *Dungeons of Daggorath* steuert man seinen Avatar, indem man Befehle wie TURN LEFT oder GET TORCH eintippt. Auf diese Weise sucht man sich einen Weg durch ein Vektorgraphik-Labyrinth, während man gegen Spinnen, Steinriesen, Blobs und Geister kämpft und immer tiefer und tiefer in das aus fünf Leveln bestehende Verlies hinabsteigt. Ich brauchte eine Weile, bis mir die Befehle und Besonderheiten des Spiels wieder einfielen, aber dann hatte ich damit keine Schwierigkeiten mehr. Da es möglich war, zu jedem Zeitpunkt abzuspeichern, war ich praktisch unsterblich. (Allerdings erwies es sich als äußerst zeitraubend und mühsam, Spiele abzuspeichern und neu zu laden. Manchmal bedurfte es mehrerer Versuche, wobei ich immer wieder am Lautstärkeknopf des Bandlaufwerks herumspielen musste.) Immerhin konnte ich so zwischendurch auf die Toilette gehen und meinen Heizstrahler aufladen.

Während ich spielte, lief die Filmmusik zu *Conan der Barbar* aus. Der Ghettoblaster wechselte automatisch auf die B-Seite der Kassette, und es erklang der etwas synthesizerlastige Soundtrack von *Der Tag des Falken*. Ich konnte es gar nicht erwarten, das Aech unter die Nase zu reiben.

Die unterste Ebene des Verlieses, auf der mich der »böse Zauberer von Daggorath« erwartete, erreichte ich ungefähr um vier Uhr morgens. Nachdem ich zweimal gestorben war und den Spielstand neu hatte laden müssen, gelang es mir endlich, ihn mit Hilfe eines Elfenschwerts und eines Eisrings zu besiegen. Ich beendete das Spiel, indem ich den magischen Ring des Zauberers aufhob und ihn mir selbst ansteckte. Im selben Moment erschien das Bild eines Zauberers auf dem Monitor, auf dessen Gewand und Stab ein heller Stern prangte. Darunter stand: BEHOLD! DESTINY AWAITS THE HAND OF A NEW WIZARD!

Ich wartete, was geschehen würde. Einen Augenblick lang passierte nichts. Dann erwachte Hallidays uralter Nadeldrucker zum Leben und spuckte geräuschvoll eine einzige Textzeile aus: GRATULATION! DU HAST DAS ERSTE TOR GEÖFFNET!

Ich schaute mich um und sah, dass jetzt ein schmiedeeisernes Tor in die Wand eingelassen war, und zwar genau dort, wo gerade noch das *WarGames*-Plakat gehangen hatte. In der Mitte des Tors befand sich ein kupfernes Schloss mit einem Schlüsselloch.

Ich kletterte auf Hallidays Schreibtisch, um an das Schloss

zu gelangen, steckte den Kupferschlüssel hinein und drehte ihn herum. Das ganze Tor begann zu glühen wie heißes Metall, und die Doppeltüren schwangen nach innen. Zum Vorschein kam ein Sternenmeer. Es sah aus wie ein Portal in den Weltraum.

»*Mein Gott, es ist voller Sterne*«, hörte ich eine geisterhafte Stimme sagen. Ich erkannte das Zitat aus dem Film *2010* sofort. Dann hörte ich ein leises, ahnungsvolles Summen, gefolgt von Richard Strauss' »Also sprach Zarathustra«.

Ich beugte mich vor und blickte durch das Portal. Nach links und rechts, nach oben und unten. In jeder Richtung erstreckte sich ein grenzenloses Sternenmeer. In der Ferne konnte ich ein paar kosmische Nebelflecken und Galaxien ausmachen.

Ohne zu zögern, sprang ich durch das Portal. Es schien mich in sich hineinzuziehen, und ich begann zu fallen. Allerdings fiel ich nach vorne, nicht nach unten, und die Sterne fielen mit mir.

OOII

ICH FAND MICH in einer alten Spielhalle an einem *Galaga*-Automaten wieder.

Das Spiel lief bereits. Ich hatte zwei Schiffe und 41 780 Punkte. Meine Hände lagen auf der Steuerung. Nach kurzem Zögern fing ich reflexartig an zu spielen – im letzten Augenblick gelang es mir, den Joystick nach links zu reißen, sonst hätte ich eines meiner Schiffe verloren.

Während ich das Spiel mit einem Auge im Blick behielt, versuchte ich, mir über meine Umgebung klarzuwerden. Am Rand meines Gesichtsfelds sah ich links von mir einen *Dig-Dug*-, rechts einen *Zaxxon*-Automaten. Hinter mir ertönte der digitale Schlachtenlärm Dutzender anderer Automatenspiele. Nachdem ich den ersten Insektenschwarm abgeräumt hatte, sah ich mich auf dem Monitor meinem Spiegelbild gegenüber. Das war nicht das Gesicht meines Avatars. Es war das Gesicht von Matthew Broderick. Ein junger Matthew Broderick aus der Zeit vor *Ferris macht blau* und *Der Tag des Falken*.

Da wusste ich, wo ich war. Und *wer* ich war.

Ich war David Lightman, die Figur, die Matthew Broderick in dem Film *WarGames* spielt. Und das war die erste Szene des Films.

Ich befand mich *im Film*!

Ich schaute mich rasch um und sah einen detaillierten Nachbau des *20 Grand Palace*, jener Kombination aus Spielhalle und Pizzeria, in der *WarGames* beginnt. Vor den Automaten drängten sich Kids mit für die 80er Jahre typischem Stufenschnitt.

Andere saßen in Nischen, aßen Pizza und tranken Limonade. Aus der Jukebox in der Ecke dröhnte »Video Fever« von den Beepers. Alles war genauso wie im Film, die Geräuschkulisse eingeschlossen. Halliday hatte *WarGames* als interaktive und absolut detailgetreue Simulation neu geschaffen.

Heilige Scheiße.

Seit Jahren fragte ich mich, was mich hinter dem ersten Tor wohl erwarten würde. Aber *darauf* wäre ich nie gekommen. Dabei lag es gar nicht so fern. *WarGames* hatte zu Hallidays absoluten Lieblingsfilmen gehört. Deshalb hatte ich ihn mir gut drei Dutzend Mal angeschaut. Na ja, natürlich auch, weil er wirklich super war – die Hauptfigur war schließlich ein junger Computerhacker der alten Schule. Und jetzt sah es ganz so aus, als hätten sich meine Mühen gelohnt.

Ich hörte ein leises Piepsen, das aus der rechten Tasche meiner Jeans zu kommen schien. Während ich die linke Hand am Joystick behielt, griff ich in die Tasche und zog eine Digitaluhr hervor. Sie zeigte 07:45 Uhr. Als ich auf einen der Knöpfe drückte, um den Wecker abzuschalten, blinkte in der Mitte meines Displays eine Warnung auf: DAVID, DU KOMMST ZU SPÄT ZUR SCHULE!

Um herauszufinden, wohin mich das Tor eigentlich befördert hatte, rief ich über die Sprachsteuerung eine Karte der OASIS auf. Ich sah sofort, dass ich mich nicht nur nicht mehr auf Middletown befand – ich hatte die OASIS komplett verlassen. Mein Positions-Icon blinkte in der Mitte des Bildschirms, was bedeutete, dass mein Avatar in eine eigenständige Simulation versetzt worden war. Und wahrscheinlich konnte ich nur in die OASIS zurückkehren, sofern es mir gelang, das hier zu überstehen. Aber wenn es ein Videospiel war, was waren die Regeln? Und wenn es eine Quest war, was war mein Ziel? Während ich darüber nachgrübelte, fuhr ich fort, *Galaga* zu spielen. Schließlich betrat ein Junge die Spielhalle und kam zu mir herüber.

»Hi, David«, sagte er, den Blick auf den Monitor gerichtet.

Ich kannte ihn aus dem Film. Er hieß Allen. Im Film lässt Matthew Broderick Allen weiterspielen und eilt in die Schule.

»Hi, David«, wiederholte der Junge in demselben Tonfall. Als er das sagte, erschienen seine Worte als Text am unteren Rand meines Displays – wie Untertitel. Darunter blinkten in Rot die Worte LETZTE DIALOGWARNUNG.

Mir ging ein Licht auf. Die Simulation warnte mich, dass dies meine letzte Gelegenheit war, die gleiche Antwort wie im Film zu geben. Was als Nächstes geschehen würde, falls ich das nicht tat, konnte ich unschwer erraten. GAME OVER.

Aber ich geriet nicht in Panik, denn ich wusste die Antwort. Ich hatte *WarGames* schon so oft gesehen, dass ich den ganzen Film auswendig kannte.

»Hi, Allen«, sagte ich. Die Stimme, die aus meinem Kopfhörer drang, war jedoch nicht meine. Sie gehörte Matthew Broderick. Die Warnung auf meinem Display verschwand, und am oberen Rand erschien ein Punktezähler, der die Zahl 100 anzeigte.

Angestrengt versuchte ich, die Szene vor meinem geistigen Auge Revue passieren zu lassen. Mir fiel ein, was David als Nächstes gesagt hatte: »Wie geht's denn?«, sagte ich, und die Anzeige sprang auf 200 Punkte.

»Ganz gut«, erwiderte Allen.

Allmählich wurde mir ganz schummrig. Unglaublich – ich befand mich mitten in *WarGames*! Halliday hatte einen fünfzig Jahre alten Film in ein interaktives Echtzeit-Videospiel verwandelt. Wie lange er wohl gebraucht hatte, um das alles zu programmieren?

Auf meinem Display blinkte eine weitere Warnung auf: DAVID, DU KOMMST ZU SPÄT ZUR SCHULE! BEEIL DICH!

Ich trat einen Schritt zurück. »Willst du weitermachen, ich muss gehen«, fragte ich Allen.

»Klar«, erwiderte er.

Auf dem Boden der Spielhalle erschien ein grüner Pfad, der von meinem Standort zum Ausgang führte. Ich rannte los, doch dann fiel mir ein, dass mein Notizblock auf dem *Dig-Dug*-Automaten lag. Also lief ich zurück und holte ihn, so wie David im Film. In dem Moment erhielt ich weitere 100 Punkte, und auf dem Display erschienen die Worte ACTION BONUS!

»Mach's gut«, rief ich.

»Okay«, erwiderte Allen. Noch mal 100 Punkte. Das war ja einfach!

Ich folgte dem grünen Pfad aus der Spielhalle hinaus und die belebte Straße entlang. Dann bog ich in eine ruhigere Seitenstraße, die von Bäumen gesäumt war. Der Pfad führte direkt zu einem großen Backsteingebäude. Auf einem Schild über dem Eingang stand *Snohomish High School* – Davids Schule und der Schauplatz der nächsten Szene des Films.

Meine Gedanken überschlugen sich, während ich hineinstürzte. Falls ich im Laufe der nächsten beiden Stunden nur den Dialog von *WarGames* herbeten musste, würde das ein Kinderspiel werden. *WarGames* kannte ich sogar noch besser als *Was für ein Genie* und *Lanny dreht auf*.

Während ich den leeren Schulkorridor entlanglief, blinkte eine weitere Warnung vor mir auf: DU KOMMST ZU SPÄT ZUM BIOLOGIEUNTERRICHT!

Ich folgte dem grünen Pfad, der jetzt angefangen hatte zu pulsieren. Er endete vor der Tür eines Klassenzimmers im zweiten Stock. Durch das Fenster konnte ich sehen, dass der Unterricht bereits begonnen hatte. Der Lehrer stand vor der Tafel. Ich sah meinen Platz – der einzige leere Platz überhaupt.

Direkt hinter Ally Sheedy.

Ich öffnete die Tür und schlich so unauffällig wie möglich zu meinem Tisch, was dem Lehrer jedoch nicht entging.

»Ah, David! Nett, dass Sie mal reinschauen.«

Es bis zum Ende des Films zu schaffen erwies sich als weit schwieriger als gedacht. Zwar brauchte ich keine Viertelstunde, um die Regeln und das Belohnungssystem des Spiels zu begreifen. Aber letztlich musste ich weit mehr tun, als nur den Dialog herzusagen. Ich musste auch alles genau so *machen* wie Brodericks Figur im Film, ohne größere Abweichung und im richtigen Augenblick. Das war ungefähr so, als würde ich die Hauptrolle in einem Theaterstück spielen, das ich zwar oft gesehen, aber nie geprobt hatte.

Während der ersten Stunde war ich ziemlich nervös und versuchte fortwährend vorauszusehen, was ich als Nächstes sagen musste. Durch jeden Patzer verringerte sich meine Punktzahl, und auf meinem Display blinkte eine Warnung auf. Wenn ich zwei Fehler hintereinander beging, erschienen die Worte FINAL WARNING. Ich hatte keine Ahnung, was passieren würde, wenn ich dreimal danebenlag, aber vermutlich würde ich dann durch das Tor zurückbefördert, oder mein Avatar würde einfach ausgelöscht werden. Ich war nicht unbedingt scharf darauf, es herauszufinden.

Gelang es mir, siebenmal hintereinander etwas richtig zu machen, belohnte mich das Spiel mit einem Joker. Wenn ich das nächste Mal nicht weiterwusste, konnte ich das entsprechende Icon anklicken und erhielt einen Hinweis, was ich sagen oder tun musste – fast wie bei einem Teleprompter.

Während der Szenen, in denen meine Figur nicht vorkam, konnte ich mich zurücklehnen und zuschauen, wie sich alles entwickelte – in etwa so, als würde ich mir eine Zwischensequenz in einem Computerspiel ansehen. In einer dieser Pausen versuchte ich, auf eine Kopie des Films zuzugreifen, die ich auf meiner OASIS-Konsole abgespeichert hatte, um sie in einem Fenster meines Displays zu öffnen. Doch das System ließ das nicht zu. Ich stellte sogar fest, dass ich, solange ich mich innerhalb des Tors befand, gar kein Fenster öffnen konnte. Als ich es versuchte, erschien die Warnung: NICHT CHEATEN. BEIM NÄCHSTEN VERSUCH IST DAS SPIEL FÜR DICH ZU ENDE!

Zum Glück stellte sich heraus, dass ich gar keine Hilfe nötig hatte. Nachdem es mir gelungen war, die Höchstzahl von fünf Jokern anzusammeln, wurde ich etwas ruhiger, und das Spiel machte mir sogar Spaß. Warum auch nicht – schließlich befand ich mich in einem meiner Lieblingsfilme! Nach einer Weile fand ich heraus, dass ich Zusatzpunkte bekam, wenn ich einen Satz in genau demselben Tonfall aussprach wie im Film.

Damals wusste ich das noch nicht, aber ich war der erste Mensch, der eine völlig neue Art von Videospiel spielte. Als GSS Wind von der *WarGames*-Simulation im ersten Tor bekam (und das dauerte nicht lange), patentierte die Firma die Idee umgehend und fing an, die Rechte an alten Filmen und Fernsehserien aufzukaufen, um sie zu interaktiven Immersionsspielen zu konvertieren, die sie »Flicksyncs« nannten. Flicksyncs wurden äußerst beliebt. Für Spiele, die es den Leuten ermöglichten, eine Hauptrolle in einem ihrer Lieblingsfilme oder in einer ihrer Lieblingsfernsehserien zu spielen, gab es, wie sich herausstellte, einen riesigen Markt.

Als ich endlich die letzte Szene des Films erreichte, war ich vor Erschöpfung ganz zittrig. Ich war noch nie vierundzwanzig Stunden am Stück wach und durchgehend eingeloggt gewesen. Als Allerletztes musste ich den WOPR-Supercomputer anweisen, Tic-Tac-Toe gegen sich selbst zu spielen. Da der

WOPR nicht gewinnen konnte, zog er daraus den Schluss, dass ein thermonuklearer Krieg ebenfalls ein Spiel ohne Sieger ist. Folglich verzichtete er darauf, sämtliche Interkontinentalraketen der USA auf die UdSSR abzuschießen.

Ich, David Lightman, ein junger Computernerd aus einem Vorort von Seattle, hatte ganz allein den Untergang der menschlichen Zivilisation verhindert.

Die Befehlszentrale von NORAD brach in tosenden Beifall aus, und ich wartete auf den Abspann des Films. Der jedoch nicht kam. Stattdessen verschwanden sämtliche Figuren um mich herum, und ich befand mich plötzlich ganz allein in dem riesigen Raum. Als ich einen Blick auf das Spiegelbild meines Avatars in einem Computermonitor warf, stellte ich fest, dass ich nicht mehr wie Matthew Broderick aussah – ich hatte mich in Parzival zurückverwandelt.

Ich schaute mich in der leeren Befehlszentrale um und fragte mich, was ich wohl als Nächstes tun sollte. Plötzlich wurden die riesigen Bildschirme an den Wänden schwarz, und vier Zeilen leuchtend grüner Text erschienen darauf – ein weiteres Rätsel:

In einem Haus, ganz öd und leer,
der Captain den Schlüssel aus Jade versteckt.
Doch in die Pfeife bläst nur der,
der die Trophäen hat entdeckt.

Einen Moment lang stand ich völlig verblüfft da. Dann schüttelte ich meine Benommenheit ab und machte von dem Text rasch mehrere Screenshots. Während ich das tat, nahm das Kupfertor wieder Gestalt an. Es stand offen, und dahinter konnte ich Hallidays Kinderzimmer sehen. Der Ausgang.

Ich hatte es geschafft. Ich hatte das erste Tor überwunden.

Ich wandte mich noch einmal zu den Bildschirmen mit den Verszeilen um. Ich hatte Jahre gebraucht, den Limerick zu enträtseln und den Kupferschlüssel zu finden. Auf den ersten Blick sah dieser Spruch mit dem Jadeschlüssel so aus, als würde er mir ebenso große Schwierigkeiten bereiten. Ich verstand kein einziges Wort. Allerdings war ich auch todmüde – nicht eben eine gute Voraussetzung, um Rätsel zu lösen.

Ich sprang durch den Ausgang und landete mit einem dumpfen Geräusch auf dem Boden von Hallidays Zimmer. Als ich mich umdrehte, war das Tor verschwunden, und an der Wand hing wieder das *WarGames*-Poster.

Ein Blick auf die Statistik meines Avatars zeigte mir, dass ich mit mehreren tausend Erfahrungspunkten belohnt worden war und die zwanzigste Stufe erreicht hatte. Dann sah ich nach dem Scoreboard:

Highscores

1.	Parzival	110000	⛩
2.	Art3mis	9000	
3.	JDH	000000	
4.	JDH	000000	
5.	JDH	000000	
6.	JDH	000000	
7.	JDH	000000	
8.	JDH	000000	
9.	JDH	000000	
10.	JDH	000000	

Meine Punktezahl hatte sich um 100000 erhöht, und daneben war jetzt ein kupferfarbenes Icon für das erste Tor erschienen. Die Medien (und der Rest der Welt) hatten das Scoreboard sehr wahrscheinlich seit gestern Abend im Auge behalten, also war nun allgemein bekannt, dass ich das erste Tor überwunden hatte.

Ich war zu erschöpft, um über die Folgen nachzudenken. Ich wollte nur noch schlafen.

Unten in der Küche hingen die Schlüssel zum Wagen der Hallidays an einem Brett neben dem Kühlschrank. Bei dem Wagen (dem, der nicht auf Backsteinen aufgebockt war) handelte es sich um einen 1982er Ford Thunderbird. Der Motor sprang beim zweiten Versuch an. Ich rollte rückwärts aus der Einfahrt und raste zum Busbahnhof.

Von dort teleportierte ich zurück zum Transportterminal in der Nähe meiner Schule auf Ludus. Dann lief ich zu meinem Spind, warf sämtliche neugewonnenen Schätze meines Avatars hinein und loggte mich schließlich aus der OASIS aus.

Als ich meine Videobrille abnahm, war es 6:17 Uhr. Ich rieb mir die blutunterlaufenen Augen, sah mich in meinem dunklen Versteck um und versuchte, wieder einen klaren Kopf zu bekommen.

Plötzlich wurde mir bewusst, wie kalt es in dem Transporter war. Ich hatte den winzigen Heizstrahler im Laufe der Nacht immer wieder ein- und ausgeschaltet, und jetzt waren die Batterien leer. Allerdings war ich viel zu müde, um mich auf dem Heimtrainer abzustrampeln und sie aufzuladen. Zum Trailer meiner Tante war es mir aber auch zu weit. Bald würde die Sonne aufgehen, also konnte ich genauso gut hier pennen, ohne Angst zu haben zu erfrieren.

Ich glitt von meinem Stuhl auf den Boden und rollte mich in meinem Schlafsack zusammen. Noch während ich die Augen schloss, begann ich mir den Kopf über das Rätsel mit dem Jadeschlüssel zu zerbrechen. Sekunden später war ich jedoch bereits eingeschlafen.

Ich hatte einen Traum. Ich stand allein auf einem verwüsteten Schlachtfeld. Mir gegenüber waren mehrere Armeen aufmarschiert. Und ich trug eine Rüstung aus Papier. In der rechten Hand hielt ich ein Spielzeugschwert aus Plastik, in meiner linken ein großes Glasei. Es sah ganz genauso aus wie das Glasei, das Tom Cruise in *Lockere Geschäfte* solche Schwierigkeiten beschert. Trotzdem wusste ich, dass es im Kontext meines Traumes Hallidays *Easter Egg* darstellte.

Und ich stand da, für alle sichtbar, und hielt es in die Höhe.

Die feindlichen Armeen stießen wie ein Mann einen Schlachtruf aus und setzten sich in Bewegung. Mit gefletschten Zähnen und blutrünstigem Blick stürzten sie auf mich los. Sie würden sich das Ei holen, und ich konnte nichts tun, um sie daran zu hindern.

Ich wusste, dass ich träumte, und so rechnete ich fest damit, dass ich aufwachen würde, bevor sie mich erreichten. Aber ich wachte nicht auf. Der Traum nahm seinen Lauf, das Ei wurde mir aus der Hand und ich selbst in Stücke gerissen.

0012

ICH SCHLIEF zwölf Stunden am Stück.

Als ich schließlich aufwachte, rieb ich mir die Augen und blieb eine ganze Weile still liegen. Es war gar nicht so einfach, mich zu überzeugen, dass die Ereignisse des gestrigen Tages tatsächlich passiert waren. Mir kam alles vor wie ein Traum. Viel zu gut, um wahr zu sein! Schließlich griff ich nach meiner Videobrille und ging online, um mich zu vergewissern.

Jeder einzelne Newsfeed schien einen Screenshot des Scoreboards zu zeigen. Mit dem Namen meines Avatars an der Spitze. Art3mis befand sich noch immer auf dem zweiten Platz, aber ihre Punktezahl betrug jetzt 109 000 – sie hatte nur tausend Punkte weniger als ich. Und wie bei mir war daneben das kupferfarbene Icon des Tors erschienen.

Also hatte sie es geschafft. Während ich geschlafen hatte, hatte sie die Inschrift des Kupferschlüssels entziffert. Dann war sie nach Middletown gegangen, hatte das Tor aufgespürt und die *WarGames*-Simulation durchgespielt, genau wie ich ein paar Stunden zuvor.

Plötzlich war ich nicht mehr ganz so beeindruckt von meinen Leistungen.

Ich klickte mich durch einige andere Seiten, bevor ich bei einem der großen Sender hängenblieb. Zwei Männer saßen vor einem Screenshot des Scoreboards. Der Mann links, ein Intellektueller Mitte vierzig namens Edgar Nash, der als »Jäger-experte« bezeichnet wurde, erklärte dem Moderator, was die Punktezahlen bedeuteten.

»… Anschein nach hat der Avatar namens Parzival etwas mehr Punkte erhalten, weil er den Kupferschlüssel als Erster gefunden hat«, sagte Nash und deutete auf das Scoreboard. »Heute früh gewann er dann weitere 100 000 Punkte hinzu, und neben seiner Punktezahl ist das kupferfarbene Symbol eines Tors erschienen. Ein paar Stunden später veränderte sich die Punktezahl von Art3mis auf dieselbe Weise. Ich interpretiere das so, dass beide jetzt das erste der drei Tore überwunden haben.«

»Der berühmten drei Tore, von denen James Halliday in dem Video *Anoraks Einladung* gesprochen hat?«, fragte der Moderator.

»Genau die.«

»Aber Mr Nash – wie ist es möglich, dass dies nach fünf Jahren zwei Avataren am gleichen Tag gelingt, und zwar im Abstand von nur fünf Stunden?«

»Nun, dafür gibt es meines Erachtens nur eine plausible Erklärung. Parzival und Art3mis arbeiten ganz offensichtlich zusammen. Wahrscheinlich gehören sie einem sogenannten ›Jägerclan‹ an. Dabei handelt es sich um Zusammenschlüsse von …«

Ich runzelte die Stirn, wechselte das Programm und zappte so lange herum, bis ich auf einen übertrieben enthusiastischen Reporter stieß, der via Satellit Ogden Morrow interviewte.

»… live aus seinem Haus in Oregon. Vielen Dank, dass Sie heute bei uns sind, Mr Morrow!«

»Kein Problem!«, erwiderte Morrow. Seit er das letzte Mal ein Interview gegeben hatte, waren sechs Jahre vergangen, aber er schien keinen Tag älter geworden zu sein. Mit seinem zerzausten grauen Haar und dem langen Bart wirkte er wie eine Mischung aus Albert Einstein und dem Weihnachtsmann. Dieser Vergleich beschrieb auch seine Persönlichkeit recht gut.

Der Reporter räusperte sich – offenbar war er ein wenig nervös. »Lassen Sie mich mit der Frage beginnen, was Sie von den Ereignissen der letzten vierundzwanzig Stunden halten. Waren Sie überrascht, als die beiden Namen auf dem Scoreboard auftauchten?«

»Überrascht? Ja, ein bisschen schon. ›Aufgeregt‹ trifft es aber wahrscheinlich besser. Wie jedermann habe ich darauf gewartet, dass es passiert. Allerdings war ich mir nicht so sicher, ob ich es noch erleben würde. Dies ist ein großer Tag, finden Sie nicht auch?«

»Glauben Sie, dass diese beiden Jäger, Parzival und Art3mis, zusammenarbeiten?«

»Keine Ahnung. Möglich ist es schon.«

»Wie Sie wissen, behandelt Gregarious Simulation Systems die Identität aller OASIS-Nutzer streng vertraulich, so dass wir unmöglich herausfinden können, wer sich hinter einem Avatar verbirgt. Glauben Sie, dass einer der beiden an die Öffentlichkeit treten und seine Identität enthüllen wird?«

»Wenn sie klug sind, werden sie das schön bleiben lassen«, erwiderte Morrow und schob seine Drahtgestellbrille nach oben. »Ich an ihrer Stelle würde alles dafür tun, anonym zu bleiben.«

»Warum das?«

»Nun, sobald bekanntwird, wer sie wirklich sind, wird man sie nicht mehr in Ruhe lassen. Die Leute werden denken, sie könnten ihnen dabei helfen, Hallidays Ei zu finden, und sie rund um die Uhr belagern. Glauben Sie mir – ich weiß, wovon ich rede.«

»Ja, gut möglich.« Der Reporter schenkte ihm ein aufgesetztes Lächeln. »Allerdings hat unser Sender mit Parzival und Art3mis über E-Mail Kontakt aufgenommen, und wir haben ihnen ein äußerst großzügiges Angebot gemacht, wenn sie uns ein Exklusivinterview geben, entweder in der OASIS oder in der realen Welt.«

»Bestimmt bekommen die beiden viele solche Angebote. Aber ich bezweifle, dass sie darauf eingehen werden«, sagte Morrow. Dann schaute er direkt in die Kamera, und ich hatte den Eindruck, er würde nur mit mir sprechen. »Jeder, der klug genug ist, so weit zu kommen wie sie, sollte wissen, dass es besser ist, sich nicht mit den Aasgeiern von den Medien einzulassen.«

Der Reporter kicherte peinlich berührt. »Mr Morrow, das … war doch wirklich nicht nötig, finde ich.«

Morrow zuckte mit den Achseln. »Da bin ich anderer Meinung.«

Der Reporter räusperte sich erneut. »Nun also … was, meinen Sie, wird sich auf dem Scoreboard in den nächsten Wochen tun?«

»Ich wette, dass die anderen acht Plätze bald besetzt sein werden.«

»Wie kommen Sie darauf?«

»Eine Person kann ein Geheimnis vielleicht für sich behalten, bei zweien ist das eher unwahrscheinlich«, erwiderte er und blickte wieder direkt in die Kamera. »Ich weiß nicht so recht. Vielleicht irre ich mich ja. Aber *eine* Sache weiß ich mit Sicherheit: Die Sechser werden sämtliche schmutzigen Tricks anwenden, die sie kennen, um herauszufinden, wo sich der Kupferschlüssel und das erste Tor befinden.«

»Sie sprechen von den Angestellten der Innovative Online Industries?«

»Ja, IOI. Die Sechser. Ihr Ziel besteht darin, Schlupflöcher in den Wettbewerbsregeln zu finden, um Jims Letzten Willen zu unterlaufen. Es geht hier um nichts weniger als die Seele der OASIS. Jim hätte ganz sicher nicht gewollt, dass seine Schöpfung in die Hände faschistischer multinationaler Konglomerate wie IOI fällt.«

»Mr Morrow, dieser Sender gehört IOI …«

»Natürlich!«, rief Morrow fröhlich. »Denen gehört doch fast alles! Sie eingeschlossen, mein Junge! Ich meine, haben die Ihnen eigentlich einen Strichcode auf den Arsch tätowiert, als Sie eingestellt wurden, um Konzernpropaganda von sich zu geben?«

Der Reporter fing an zu stottern und schaute nervös zur Kamera hinüber.

»Jetzt aber schnell!«, sagte Morrow. »Schaltet mich ab, bevor ich noch irgendwas anderes sage!« Er brach in schallendes Gelächter aus, und genau in dem Moment kappte der Sender die Verbindung zu ihm.

Der Reporter brauchte ein paar Sekunden, um sich zu sammeln, dann sagte er: »Vielen Dank für dieses Gespräch, Mr Morrow. Leider fehlt uns die Zeit, dieses Thema zu vertiefen. Wir schalten jetzt wieder zu Judy, die eine Diskussionsrunde renommierter Halliday-Experten …«

Mit einem Lächeln schloss ich das Newsfeed-Fenster und grübelte über den Rat des alten Mannes nach. Ich hatte schon immer vermutet, dass Morrow mehr über den Wettbewerb wusste, als er durchblicken ließ.

Morrow und Halliday waren zusammen aufgewachsen, hatten zusammen eine Firma gegründet und zusammen die Welt verändert. Allerdings hatte Morrow ein gänzlich anderes Leben geführt als Halliday, denn er war nicht so menschenscheu gewesen. Und er hatte einen schweren Schicksalsschlag hinnehmen müssen.

Mitte der 90er Jahre, als Gregarious Simulation Systems noch Gregarious Games hieß, war Morrow mit seiner Highschool-Freundin Kira Underwood zusammengezogen. Kira war in London geboren und dort aufgewachsen. (Ihr Geburtsname lautete Karen, aber sie wollte Kira genannt werden, seit sie das erste Mal *Der dunkle Kristall* gesehen hatte.) Morrow lernte sie kennen, als sie als Austauschschülerin die elfte Klasse an seiner Highschool besuchte. In seiner Autobiographie schrieb Morrow, sie sei das »vollkommene Nerd-Mädchen« gewesen, das sich für Monty Python, Comics, Fantasy-Romane und Videospiele begeisterte, ohne sich dessen im Geringsten zu schämen. Sie und Morrow hatten einige Kurse gemeinsam, und er verknallte sich fast sofort in sie. Er lud sie (wie schon Jahre zuvor Halliday) ein, an seinen wöchentlichen *Dungeons-&-Dragons*-Abenden teilzunehmen, und zu seiner Überraschung sagte sie zu. »Sie war das einzige Mädchen in unserer Spielegruppe«, schrieb Morrow, »und wir verliebten uns alle heftigst in sie, Jim eingeschlossen. Sie war es auch, die ihm den Spitznamen ›Anorak‹ gab, ein britischer Slangausdruck für einen obsessiven Nerd. Ich glaube, dass Jim den Namen für seinen *D&D*-Charakter übernahm, um sie zu beeindrucken. Oder vielleicht wollte er ihr damit zeigen, dass er den Witz verstand. Das andere Geschlecht machte Jim außerordentlich nervös, und Kira war, soweit ich weiß, die einzige Frau, mit der er sich jemals zwanglos unterhalten hat – aber auch das nur während der Spieleabende, wenn er in die Rolle von Anorak schlüpfte. Und er redete sie immer nur mit ›Leucosia‹ an, dem Namen ihres *D&D*-Charakters.«

Ogden und Kira gingen öfter miteinander aus. Am Ende des Schuljahres, als für Kira die Zeit kam, nach Hause zurückzukehren, gestanden sie einander ihre Liebe. Sie blieben in Verbindung, indem sie sich jeden Tag E-Mails schickten, und zwar über ein Mailboxnetz aus der Zeit vor dem Internet, das ›FidoNet‹ hieß. Nachdem sie beide ihren Abschluss gemacht hatten, kehrte Kira in die Staaten zurück, zog mit Morrow zusammen und wurde eine der ersten Angestellten von Gregarious Games. (Damals bestand das Art Department lediglich aus ihr.) Nachdem die OASIS online gegangen war, verlobten sie sich. Ein Jahr später heirateten sie, und Kira trat von ihrem Posten als künstlerische Leiterin von GSS zurück. (Sie war inzwischen ebenfalls Millionärin geworden, was sie den Konzernaktien verdankte, die sie besaß.) Morrow blieb noch weitere fünf Jahre bei GSS. Dann, im Sommer 2022, erklärte er, dass er den Konzern verlassen werde – »aus persönlichen Gründen«, wie er damals behauptete. Jahre später schrieb er allerdings in seiner Autobiographie, dass er GSS verlassen habe, weil »wir nicht länger in der Videospielbranche tätig waren« und weil er den Eindruck hatte, dass sich die OASIS zu etwas Grässlichem entwickelt hatte. »Sie war zu einem Gefängnis geworden, in das sich die Menschheit freiwillig hineinbegab«, schrieb er. »Ein künstliches Paradies, in dem wir uns verstecken, während die menschliche Zivilisation langsam vor die Hunde geht, in erster Linie, weil sich niemand mehr um sie kümmerte.«

Gerüchten zufolge war Morrow ausgestiegen, weil er sich mit Halliday überworfen hatte. Keiner von beiden wollte diese Gerüchte je bestätigen oder dementieren, und niemand schien etwas Genaues zu wissen. Angestellte der Firma ließen jedoch verlauten, dass Morrow und Halliday zum Zeitpunkt von Morrows Rücktritt bereits mehrere Jahre nicht mehr miteinander geredet hatten. Als Morrow GSS verließ, verkaufte er jedenfalls seine sämtlichen Anteile für eine unbekannte Summe an Halliday.

Ogden und Kira zogen sich auf ihr Anwesen in Oregon zurück und gründeten ein Non-Profit-Software-Unternehmen, Halcydonia Interactive, das kostenlose Lernspiele für Kinder entwickelte. Ich war mit diesen Spielen aufgewachsen und hatte mich von ihnen nur allzu gerne in das magische Königreich Halcydonia entführen lassen, um dem tristen Alltag der *Stacks* zu entfliehen. Dabei lernte ich immerhin rechnen und Rätsel zu lösen und entwickelte ein gewisses Selbstwertgefühl. In mancher Hinsicht waren die Morrows meine ersten Lehrer gewesen.

Im Laufe des nächsten Jahrzehnts führten Ogden und Kira ein friedliches, glückliches Leben in relativer Zurückgezogenheit. Sie wollten gerne Kinder bekommen, doch das war ihnen nicht vergönnt. Und als sie sich schließlich dafür entschieden hatten, Kinder zu adoptieren, kam Kira im Winter 2034 bei einem Autounfall auf einer vereisten Bergstraße nur wenige Kilometer von ihrem Anwesen entfernt ums Leben.

Ogden führte Halcydonia Interactive alleine weiter. Es gelang ihm, die Medien weitgehend zu meiden – bis zu jenem Morgen, als Halliday starb, woraufhin sein Haus tage- und wochenlang belagert wurde. Alle gingen automatisch davon aus, dass er, der einstmals engste Freund des Verstorbenen, erklären konnte, warum Halliday sein ganzes Vermögen verschenken wollte. Um wieder seine Ruhe zu haben, hielt Morrow schließlich eine Pressekonferenz ab. Seither hatte er sich nicht mehr zu Wort gemeldet – bis heute. Das Video dieser Pressekonferenz hatte ich mir mehrmals angeschaut.

Zu Beginn hatte Morrow eine kurze Erklärung verlesen, in der es hieß, er habe schon über ein Jahrzehnt nicht mehr mit Halliday gesprochen. »Wir haben uns zerstritten«, sagte er. »Worüber ich allerdings nicht reden werde, weder heute noch sonst irgendwann. Jedenfalls hatte ich zu James Halliday seit über zehn Jahren keinen Kontakt mehr.«

»Warum hat Halliday Ihnen dann seine riesige Sammlung von Arcadeautomaten vererbt?«, fragte ein Reporter. »Sein übriger Besitz soll versteigert werden. Wenn Sie nicht mehr befreundet waren, warum sind Sie dann der Einzige, dem er etwas hinterlassen hat?«

»Ich habe nicht die geringste Ahnung«, erwiderte Morrow knapp.

Ein anderer Reporter fragte, ob Morrow vorhabe, selbst nach Hallidays *Easter Egg* zu suchen, schließlich habe er Halliday besser gekannt als irgendwer sonst. Morrow wies den Reporter darauf hin, dass die Wettbewerbsregeln in Hallidays Testament ausdrücklich festlegten, dass niemand, der jemals für Gregarious Simulation Systems gearbeitet hatte, daran teilnehmen durfte, Familienmitglieder eingeschlossen.

»Wussten Sie, woran Halliday in all den Jahren, die er sich zurückgezogen hatte, gearbeitet hatte?«, fragte ein anderer Reporter.

»Nein. Ich vermutete, dass er ein neues Spiel entwickelte. Jim arbeitete immer an einem neuen Spiel. Für ihn war das ebenso lebensnotwendig wie das Atmen. Aber dass es etwas … etwas von einer solchen Größenordnung sein könnte, hätte ich nicht erwartet.«

»Als derjenige, der James Halliday am besten gekannt hat – gibt es irgendwelche Ratschläge, die Sie den Millionen von Menschen geben können, die jetzt nach dem *Easter Egg* suchen?«

»Ich denke, das hat Jimmy selbst zur Genüge getan«, erwiderte Morrow und tippte sich gegen die Schläfe – ganz genau so wie Halliday in *Anoraks Einladung*. »Jim wollte schon immer, dass jeder seine Obsessionen teilte, sich für die Dinge begeisterte, die ihm wichtig waren. Ich denke, der Wettbewerb hat der ganzen Welt einen Anreiz gegeben, genau das zu tun.«

Ich schloss meinen Morrow-Ordner und rief meine E-Mails ab. Das System informierte mich, dass ich über zwei Millionen Nachrichten von unbekannten Absendern erhalten hatte. Diese wurden automatisch in einem separaten Ordner abgelegt, damit ich sie später durchschauen konnte. Nur zwei E-Mails blieben in meinem Posteingang – sie stammten von Adressen, die auf meiner offiziellen Kontaktliste standen. Eine war von Aech. Die andere von Art3mis.

Aechs Nachricht öffnete ich zuerst. Es war eine Vidmail, und das Gesicht seines Avatars erschien in einem Fenster. »Heilige Scheiße!«, rief er. »Ich kann's einfach nicht fassen! Du hast das gottverdammte erste Tor geknackt und dich immer noch nicht bei mir gemeldet! Ruf an! Sofort! Auf der Stelle!«

Ich überlegte, ob ich nicht ein paar Tage warten sollte, bis ich Aech zurückrief, verwarf diese Idee aber sofort wieder. Ich musste unbedingt mit jemandem über das alles reden, und Aech war mein bester Freund. Wenn es jemanden gab, dem ich vertrauen konnte, dann ihm.

Er nahm beim ersten Klingeln ab, und sein Avatar erschien in einem neuen Fenster. »Du Sack!«, rief er. »Du bist wirklich ein genialer, verschlagener, hinterhältiger Hundesohn!«

»Hallo, Aech«, erwiderte ich möglichst trocken. »Was geht?«

»Was geht? *Was geht?* Du meinst, außer dass mein bester Kumpel plötzlich auf dem ersten Platz des Scoreboards auftaucht? Ob sonst noch was geht?« Er beugte sich vor, so dass sein Mund das Vidfeed-Fenster vollständig ausfüllte, und brüllte: »Sonst ist nicht viel los! Alles wie immer!«

Ich musste lachen. »Tut mir leid, dass ich dich erst jetzt zurückrufe. Gestern wurde es ziemlich spät.«

»Was du nicht sagst! Mannomannomann – wie kannst du nur so gelassen bleiben? Kapierst du nicht, was das bedeutet? Das ist der Wahnsinn! Das ist jenseits von Gut und Böse! Ich meine – gratuliere, Alter!« Er verbeugte sich mehrmals. »Ich bin unwürdig!«

»Lass den Scheiß, ja? Das ist wirklich keine große Sache. Schließlich hab ich noch nichts gewonnen ...«

»Keine große Sache?«, zeterte er. »*Keine. Große. Sache?* Willst du mich verarschen? Du bist jetzt schon eine Legende, Alter! Du bist der erste Jäger, der den Kupferschlüssel gefunden hat! Und dann schaffst du auch noch das erste Tor! Du bist berühmter als Jesus! Geht das nicht in deinen verdammten Schädel?«

»Im Ernst jetzt. Hör auf. Ich bin eh schon fast am Ausrasten.«

»Hast du die Nachrichten gesehen? Die ganze Welt flippt aus! In den Jägerforen ist die Hölle los. Und alle reden nur über dich, Amigo.«

»Ich weiß. Hör mal, ich hoffe, du bist nicht sauer auf mich, weil ich dir nichts verraten hab. Ich tu's nicht gern, weißt du, dich nicht zurückzurufen und so ...«

»Komm schon!« Er rollte wegwerfend mit den Augen. »Du weißt nur zu gut, dass ich an deiner Stelle das Gleiche gemacht hätte. Das sind die Regeln des Spiels. Aber«, sein Tonfall wurde ernster, »mich interessiert schon, wie diese Art3mis es geschafft hat, direkt nach dir den Kupferschlüssel zu finden und das Tor zu überwinden. Alle denken, dass ihr beide zusammenarbeitet, aber ich weiß, das ist Quatsch. Ist sie dir gefolgt oder so was in der Art?«

Ich schüttelte den Kopf. »Nein. Sie hat das Versteck des Schlüssels sogar vor mir gefunden. Letzten Monat, hat sie gesagt. Allerdings ist sie erst jetzt an den Schlüssel rangekommen.« Ich schwieg einen Moment lang. »Ich kann dir jetzt wirklich keine Einzelheiten erzählen ...«

»Das ist schon okay, ich würde doch nicht wollen, dass du mir unabsichtlich irgendeinen Hinweis auf das Versteck des

Schlüssels gibst …« Er grinste breit, und seine weißen Zähne füllten das halbe Vidfeed-Fenster aus. »Allerdings solltest du vielleicht wissen, wo ich mich gerade befinde.«

Er drehte an den Einstellungen seiner Kamera, so dass sie von Nahaufnahme auf Totale umschaltete – und der flache Hügelkamm, direkt vor dem Eingang der Gruft des Grauens, rückte ins Bild.

Mir klappte die Kinnlade herunter. »Wie zum Teufel …«

»Na ja, als ich gestern Abend deinen Namen in den News-feeds gesehen hab, da fiel mir ein, dass du, solange ich dich kenne, nie die Kohle hattest, um groß rumzureisen. Also dachte ich mir, wenn du den Kupferschlüssel gefunden hast, dann muss er irgendwo in der Nähe von Ludus sein. Oder sogar *auf* Ludus.«

»Das war schlau«, sagte ich und meinte es auch so.

»Von wegen. Ich hab Stunden gebraucht, bis ich schließlich darauf kam, die Karte von Ludus nach Übereinstimmungen mit der Gegend abzusuchen, die in dem *Gruft-des-Grauens*-Abenteuer beschrieben wird. Und jetzt bin ich hier.«

»Gratuliere.«

»Nachdem du mir die Richtung gewiesen hattest, war es ganz einfach.« Er blickte über die Schulter zur Gruft hinüber. »Danach suche ich schon seit Jahren, dabei hätte ich von meiner Schule aus hinlaufen können! Ich bin wirklich ein Volltrottel, dass ich das nicht schon früher rausgekriegt hab.«

»Du bist kein Trottel«, sagte ich. »Du hast den Limerick doch ganz alleine entschlüsselt, sonst wüsstest du schließlich nichts von dem *Gruft-des-Grauens*-Abenteuer.«

»Du bist also nicht sauer?«, fragte er. »Dass ich mir Insider-infos zunutze gemacht hab?«

Ich schüttelte den Kopf. »Warum denn? Ich hätt's genauso gemacht.«

»Trotzdem, ich schulde dir was. Und das werd ich nicht vergessen.«

Ich wies mit einer Kopfbewegung auf die Gruft hinter ihm. »Warst du schon drin?«

»Yeah. Ich bin nur rausgekommen, um dich anzurufen. Muss eh warten, bis der Server sich um Mitternacht zurücksetzt. Im Moment ist die Gruft leer – deine Freundin Art3mis hat hier alles schon abgefrühstückt.«

»Wir sind keine Freunde«, sagte ich. »Sie ist aufgetaucht, kurz nachdem ich den Schlüssel bekommen hab.«

»Habt ihr euch geprügelt?«

»Nee. Die Gruft ist keine PvP-Zone.« Ich warf einen Blick auf die Zeitanzeige. »Sieht so aus, als hättest du noch ein paar Stunden, bevor's losgeht.«

»Yeah. Ich hab mir noch mal das *D&D*-Abenteuer angeschaut, um mich vorzubereiten. Irgendwelche Tipps?«

Ich grinste. »Nee. Eher nicht.«

»Dacht ich mir.« Er schwieg einen Moment lang. »Hör zu, ich muss dich was fragen«, sagte er. »Kennt irgendjemand in der Schule den Namen deines Avatars?«

»Nein. Ich hab darauf geachtet, ihn geheim zu halten. Niemand kennt mich dort als Parzival. Nicht mal die Lehrer.«

»Gut. Wie bei mir. Allerdings wissen ein paar von den Jägern, die öfter mal im *Basement* vorbeischauen, dass wir beide auf Ludus zur Schule gehn. Gut möglich, dass sie zwei und zwei zusammenzählen. Vor allem einer macht mir Sorgen …«

Ich spürte, wie Panik in mir aufstieg. »I-r0k?«

Aech nickte. »Er ruft mich pausenlos an, seit dein Name auf dem Scoreboard aufgetaucht ist. Ich hab mich dumm gestellt, und er hat's mir anscheinend abgekauft. Aber wenn mein Name auch auf dem Scoreboard steht, dann kannst du wetten, dass er damit angibt, dass er uns kennt. Und wenn er anfängt rumzuposaunen, dass wir beide auf Ludus zur Schule gehen …«

»Scheiße!«, fluchte ich. »Dann stehen sämtliche Jäger hier auf der Matte und suchen nach dem Kupferschlüssel.«

»Genau«, sagte Aech. »Und über kurz oder lang weiß dann jeder, wo sich die Gruft befindet.«

Ich seufzte. »Tja, dann solltest du dir den Schlüssel schnappen, bevor das passiert.«

»Ich werd mein Bestes tun.« Er hielt ein Exemplar des *Gruft-des-Grauens*-Abenteuers hoch. »Und jetzt entschuldige mich bitte, aber ich muss das Teil zum hundertsten Mal durchlesen.«

»Viel Glück, Aech«, sagte ich. »Ruf mich an, sobald du das erste Tor hinter dir hast.«

»Falls mir nichts dazwischenkommt …«

»Das schaffst du schon«, sagte ich. »Und dann sollten wir uns im Basement treffen und eine Runde quatschen.«

»Geht klar, Amigo.«

Er winkte mir zum Abschied und wollte gerade auflegen, als ich noch etwas hinzufügte. »Hey, Aech?«

»Yeah?«

»Ist vielleicht eine gute Idee, noch ein bisschen mit der Lanze zu üben. Du weißt schon – zwischen jetzt und Mitternacht.«

Einen Moment lang sah er mich verständnislos an; dann breitete sich ein Lächeln auf seinem Gesicht aus. »Danke, Kumpel.«

»Viel Glück.«

Sein Vidfeed-Fenster verschwand, und ich fragte mich, ob Aech und ich wohl bei alldem, was uns bevorstand, Freunde bleiben würden. Wir waren beide Einzelgänger, also standen wir von jetzt an unmittelbar in Konkurrenz zueinander. Würde ich es einmal bereuen, dass ich ihm heute geholfen hatte? Auf mich selbst wütend sein, dass ich ihn unabsichtlich zum Versteck des Kupferschlüssels geführt hatte?

Ich schob den Gedanken beiseite und öffnete die E-Mail von Art3mis. Dabei handelte es sich um eine einfache Textnachricht.

> Lieber Parzival,
> gratuliere! Siehst Du? Jetzt bist Du berühmt, wie ich
> Dir gesagt habe. Allerdings stehen wir jetzt beide im
> Rampenlicht. Irgendwie gruselig, was?
> Danke für den Tipp in der Gruft. Dass ich auf der linken
> Seite gespielt habe, hat wirklich geholfen. Aber glaub
> jetzt bloß nicht, dass ich Dir einen Gefallen schulde,
> Mister :-)
> Das erste Tor war ziemlich abgefahren, was? Ich hatte
> etwas völlig anderes erwartet. Wäre cool gewesen,
> wenn Halliday mir die Wahl gelassen hätte, Ally Sheedy
> zu spielen. Aber was soll man machen?
> Dieses neue Rätsel ist ganz schön knifflig, oder?
> Hoffentlich brauchen wir nicht weitere fünf Jahre, um es
> zu lösen.
> Jedenfalls wollte ich Dir sagen, dass es eine Ehre war,
> Dich kennenzulernen. Wäre schön, wenn wir uns bald
> wieder begegnen.
> Herzliche Grüße
> Art3mis
> PS: Genieß es, die Nummer 1 zu sein, Kumpel – lange
> bleibt das nicht so.

Ich las die Nachricht wieder und wieder und grinste dabei wie ein kleiner Junge. Dann tippte ich meine Antwort:

> Liebe Art3mis,
>
> gratuliere Dir! Du hattest recht – die Konkurrenz hat Dich ganz offensichtlich beflügelt.
>
> Den Tipp, dass Du auf der linken Seite spielen sollst, habe ich Dir doch gerne gegeben. Wird sich schon eine Gelegenheit finden, bei der Du Dich revanchieren kannst ;-)
>
> Das neue Rätsel ist total einfach. Ich hab es schon so gut wie gelöst! Wo ist Dein Problem?
>
> Es war auch eine Ehre, Dich kennenzulernen. Wenn Du jemals Lust hast, mit mir in einem Chatroom abzuhängen, dann melde Dich.
>
> MDMMDS
>
> Parzival
>
> PS: War das eine Kampfansage? Dann mal auf in den Tanz, Lady!

Nachdem ich die Mail ein Dutzend Mal überarbeitet hatte, schickte ich sie ab. Dann rief ich den Screenshot des Rätsels mit dem Jadeschlüssel auf und analysierte es Silbe für Silbe. Aber irgendwie konnte ich mich nicht konzentrieren. Ich musste immer wieder an Art3mis denken.

0013

AECH SCHAFFTE DAS ERSTE TOR früh am nächsten Morgen.

Sein Name erschien mit 108000 Punkten auf dem dritten Platz des Scoreboards. Der Wert des Kupferschlüssels war in seinem Falle um weitere 1000 Punkte gesunken, aber für das erste Tor hatte er, ebenso wie Art3mis und ich, 100000 erhalten.

An diesem Morgen ging ich wieder zur Schule. Erst wollte ich mich krankmelden, aber dann überlegte ich mir, dass das Verdacht erregen könnte. Wie sich herausstellte, hätte ich mir jedoch keine Sorgen machen müssen. Aufgrund des neuerwachten Interesses an der Jagd tauchten über die Hälfte der Schüler und auch einige Lehrer erst gar nicht auf. Da mein Avatar in der Schule unter dem Namen Wade3 bekannt war, schenkte mir niemand besondere Aufmerksamkeit. Während ich unbeachtet die Korridore entlangschlenderte, genoss ich das Gefühl, eine Geheimidentität zu haben. Ich kam mir vor wie Clark Kent oder Peter Parker. Meinem Vater hätte das bestimmt gefallen!

An jenem Nachmittag schickte I-r0k E-Mails an Aech und mich, die einen unverhohlenen Versuch darstellten, uns zu erpressen. Er schrieb, dass er, wenn wir ihm nicht verraten würden, wie er den Kupferschlüssel und das erste Tor finden konnte, in jedem Forum posten würde, was er wusste. Als wir uns weigerten, machte er seine Drohung wahr und erzählte jedem, der ihm zuhörte, dass Aech und ich auf Ludus zur Schule gingen. Natürlich konnte er nicht beweisen, dass er uns wirklich kannte, und inzwischen gab es Hunderte von Jägern, die behaupteten, mit uns befreundet zu sein, also hofften Aech und ich, dass seine Postings unbemerkt bleiben würden. Eine vergebliche Hoffnung. Mindestens zwei weitere Jäger waren so klug, den Zusammenhang zwischen Ludus, dem Limerick und der *Gruft des Grauens* zu erkennen. Am Tag nachdem I-r0k die Katze aus dem Sack gelassen hatte, erschien der Name »Daito« auf dem vierten Platz. Dann, weniger als fünfzehn Minuten später, der Name »Shoto« auf dem fünften. Irgendwie war es ihnen gelungen, den Kupferschlüssel am selben Tag zu gewinnen, ohne darauf zu warten, dass sich der Server um Mitternacht zurücksetzte. Wenige Stunden später überwanden Daito und Shoto beide das erste Tor.

Bisher hatte noch niemand etwas von diesen beiden Avataren gehört, aber ihre Namen schienen darauf hinzuweisen, dass sie entweder als Duo oder als Teil eines Clans zusammenarbeiteten. *Shoto* und *daito* waren die japanischen Namen für das Kurzschwert und das Langschwert, die ein Samurai führte. Wurden sie zusammen getragen, nannte man sie *daisho*, und unter diesem Spitznamen wurden die beiden bald bekannt.

Nur vier Tage waren vergangen, seit mein Name erstmals auf dem Scoreboard gestanden hatte, und an jedem weiteren Tag war ein neuer Name darunter aufgetaucht. Das erste Geheimnis war gelüftet, und die Jagd schien an Tempo zuzulegen.

Während der ganzen Woche war ich nicht in der Lage, dem Unterricht zu folgen. Zum Glück hatte ich schon genug Punkte gesammelt, um in zwei Monaten meinen Abschluss zu machen, so dass ich es ruhig ein wenig schleifen lassen konnte. Also stolperte ich wie betäubt von einer Unterrichtsstunde in die nächste, mit nichts im Kopf als dem Rätsel.

In einem Haus, ganz öd und leer,
der Captain den Schlüssel aus Jade versteckt.
Doch in die Pfeife bläst nur der,
der die Trophäen hat entdeckt.

Laut meinem Englischlehrbuch wurde ein Gedicht mit vier Zeilen und alternierendem Reimschema ein »Quartett« genannt, also wurde das mein Spitzname für das Rätsel. Jeden Abend nach der Schule loggte ich mich aus der OASIS aus und füllte die leeren Seiten meines Gralstagebuchs mit möglichen Interpretationen.

Von welchem »Captain« war da die Rede? Captain Kangaroo? Captain America? Captain Buck Rogers im 25. Jahrhundert?

Und was zum Teufel war dieses »Haus, ganz öd und leer«? Das war so wenig konkret, dass ich darüber fast den Verstand verlor. Hallidays Elternhaus in Middletown konnte nun wirklich nicht als »öd und leer« bezeichnet werden, vielleicht meinte er ein anderes Gebäude in seiner Heimatstadt. Aber irgendwie war das viel zu einfach, zu nahe am Versteck des ersten Tors.

Anfangs dachte ich, das »Haus, ganz öd und leer« könnte eine Anspielung auf *Die Rache der Eierköpfe* sein, einen der Lieblingsfilme Hallidays. Darin mieten ein paar Nerds ein heruntergekommenes Haus und renovieren es (in einer geradezu klassischen Musikmontageszene). Ich besuchte einen Nachbau des Hauses auf dem Planeten Skolnick und brachte einen Tag damit zu, es zu durchsuchen, doch das erwies sich als Sackgasse.

Die letzten beiden Zeilen des Quartetts waren mir ebenfalls ein völliges Rätsel. Sie schienen auszusagen, dass man, hatte man das »Haus, ganz öd und leer« gefunden, einen Haufen

Trophäen entdecken würde und dann in irgendeine Pfeife blasen musste. Oder war das vielleicht im übertragenen Sinne gemeint, dass man jemanden »verpfeifen« sollte? So oder so, ich kapierte es nicht. Aber ich nahm weiterhin jede Zeile Wort für Wort auseinander, bis sich mein Gehirn wie Zahnpasta anfühlte.

An jenem Freitag, dem Tag, an dem Daito und Shoto das erste Tor überwanden, saß ich nach Unterrichtsschluss ein paar Kilometer von der Schule entfernt auf einem Hügel, auf dessen Kamm ein einsamer Baum stand. Hierher kam ich oft, um zu lesen, meine Hausaufgaben zu erledigen oder einfach die Aussicht auf die umliegenden grünen Wiesen zu genießen. In meiner realen Welt gab es nirgends eine solche Aussicht.

Unter dem Baum sitzend sah ich die Millionen von Nachrichten durch, die noch immer meinen Posteingang verstopften. Damit war ich schon die ganze Woche beschäftigt. Sie stammten von Leuten aus allen Winkeln der Erde. Gratulationsbriefe. Hilferufe. Todesdrohungen. Interviewanfragen. Mehrere lange, zusammenhanglose Tiraden von Jägern, die auf der Suche nach dem Ei dem Wahnsinn verfallen waren. Außerdem hatte ich Einladungen erhalten, vier der größten Jägerclans beizutreten: den Oviraptoren, dem Schicksalsclan, den Schlüsselträgern und Team Banzai. Ich lehnte höflich ab.

Als ich meine Fanpost satthatte, widmete ich mich den als »geschäftlich« gekennzeichneten Mails. Ich hatte mehrere Angebote von Filmstudios und Buchverlagen erhalten, die alle daran interessiert waren, die Rechte an meiner Lebensgeschichte zu erwerben. Ich löschte alle, da ich mir vorgenommen hatte, meine wahre Identität geheim zu halten. Jedenfalls so lange, bis ich das Ei gefunden hatte.

Darüber hinaus lagen mir eine Reihe von Angeboten für

Werbeverträge vor, und zwar von Firmen, die mit dem Namen Parzival ihre Dienstleistungen und Produkte vermarkten wollten. Ein Computerfachgeschäft schlug vor, »von Parzival erprobte« Immersionsanzüge, Handschuhe und Videobrillen auf den Markt zu bringen. Außerdem hatte ich Angebote von einem Pizzalieferservice, einem Schuhhersteller und einem Internetshop, der maßgeschneiderte Avatare verkaufte. Es gab sogar einen Spielzeughersteller, der Parzival-Brotdosen und Actionfiguren produzieren wollte. Die Firmen boten mir an, mich in OASIS-Credits zu bezahlen und diese direkt auf das Konto meines Avatars zu überweisen.

Ich konnte mein Glück nicht fassen.

Ich antwortete auf jede einzelne dieser Anfragen, wobei ich schrieb, dass ich auf ihre Angebote unter den folgenden Bedingungen eingehen würde: Ich würde meine wahre Identität nicht enthüllen müssen, und ich würde nur mittels meines Avatars mit ihnen in Kontakt treten.

Die ersten Antworten trafen im Laufe der nächsten Stunde ein, mit Verträgen als Anhang. Ich konnte es mir nicht leisten, sie von einem Anwalt prüfen zu lassen, aber sie liefen alle innerhalb von einem Jahr aus, also unterzeichnete ich sie elektronisch und mailte sie zusammen mit einem dreidimensionalen Modell meines Avatars, das für die Werbung verwendet werden konnte, zurück. Als Stimmprobe verschickte ich die kurze Aufzeichnung eines tiefen Baritons, der mich so klingen ließ wie einen dieser Typen, die den Hintergrundkommentar für Filmtrailer sprachen.

Nachdem meine Sponsoren alles erhalten hatten, informierten sie mich, dass die ersten Zahlungen in den nächsten achtundvierzig Stunden auf meinem OASIS-Konto eingehen würden. Es war nicht genug Geld, um mich reich zu machen. Bei weitem nicht. Aber mir kam es wie ein Vermögen vor.

Ich rechnete ein wenig herum. Wenn ich sparsam lebte, hätte ich genug, um aus den *Stacks* auszuziehen und irgendwo ein kleines Apartment anzumieten. Wenigstens für ein Jahr. Schon die Vorstellung erfüllte mich mit nervöser Aufregung. Solange ich zurückdenken konnte, träumte ich davon, den *Stacks* zu entfliehen, und jetzt sah es ganz so aus, als würde dieser Traum Wirklichkeit werden.

Nachdem ich mich um die Werbeverträge gekümmert hatte, sah ich die übrigen Mails durch. Ich sortierte sie nach Absendern und stellte fest, dass ich über fünftausend E-Mails von Innovative Online Industries erhalten hatte. Genau genommen hatten sie mir fünftausendmal ein und dieselbe E-Mail geschickt. Und zwar in einem fort, seit mein Name auf dem Scoreboard erschienen war. Und im Minutentakt trafen immer neue ein.

Die Sechser bombardierten mich mit Mails, um sicherzustellen, dass ich sie auch ja bemerkte.

Sämtliche E-Mails waren mit »Priorität: sehr hoch« gekennzeichnet, und im Betreff stand DRINGLICHES GESCHÄFTS-ANGEBOT – BITTE UMGEHEND LESEN!

Als ich eine der Mails öffnete, wurde sofort eine Nachricht an IOI zurückgeschickt, die die Firma wissen ließ, dass ich ihre Mail endlich las. Daraufhin trafen von ihr auch keine weiteren Nachrichten mehr ein.

> . Lieber Parzival,
> bitte gestatten Sie mir, Ihnen als Allererstes zu Ihren jüngsten Erfolgen zu gratulieren – Erfolge, denen wir hier bei Innovative Online Industries den größten Respekt zollen.
> Im Namen von IOI möchte ich Ihnen ein höchst lukratives Angebot machen, wobei wir die Einzelheiten

gerne in einer persönlichen Chatlink-Session
besprechen können. Meine Kontaktdaten entnehmen
Sie bitte der angehängten Visitenkarte – Sie können
mich zu jeder Tages- und Nachtzeit erreichen, ganz wie
es Ihnen passt.

In Anbetracht unseres Rufes unter Jägern könnte
ich durchaus verstehen, dass Sie zögern, mit uns
zu sprechen. Allerdings sollten Sie sich darüber im
Klaren sein, dass wir in diesem Fall Ihre Konkurrenten
kontaktieren werden. Bitte seien Sie doch so freundlich
und erweisen uns die Ehre, unser großzügiges
Angebot wenigstens anzuhören. Was haben Sie zu
verlieren?

Für Ihre Aufmerksamkeit bedanke ich mich in aller Form.
Ich freue mich darauf, Sie kennenzulernen.

Mit vorzüglicher Hochachtung

Nolan Sorrento

Einsatzleiter

Innovative Online Industries

Daran, dass die Nachricht trotz des vernünftigen Tonfalls im Wesentlichen eine Drohung war, bestand kein Zweifel. Die Sechser wollten mich rekrutieren. Oder sie wollten mich dafür bezahlen, dass ich ihnen verriet, wie man den Kupferschlüssel finden und das Tor überwinden konnte. Und wenn ich mich weigerte, würden sie es bei Art3mis versuchen und dann bei Aech, Daito, Shoto und jedem anderen Jäger, dessen Name auf dem Scoreboard auftauchte. Diese dreisten Drecksskerle würden erst aufhören, wenn sie jemanden gefunden hatten, der dumm oder verzweifelt genug war, nachzugeben und ihnen die Informationen zu verkaufen, die sie haben wollten.

Mein erster Impuls war, sämtliche Kopien der E-Mail zu löschen und so zu tun, als hätte ich sie nie erhalten, doch dann überlegte ich es mir anders. Ich wollte wissen, was IOI zu bieten hatte. Und ich konnte mir nicht die Gelegenheit entgehen lassen, Nolan Sorrento kennenzulernen, den berüchtigten Anführer der Sechser. Mich mit ihm via Chatlink zu treffen war völlig ungefährlich, solange ich aufpasste, was ich sagte.

Erst überlegte ich, vor meinem »Bewerbungsgespräch« nach Incipio zu teleportieren, um für meinen Avatar einen neuen Anzug zu kaufen. Etwas Maßgeschneidertes vielleicht. Etwas Teures, Auffallendes. Aber dann besann ich mich eines Besseren. Ich hatte es nicht nötig, diesem Konzernwichser irgendetwas zu beweisen. Schließlich war ich jetzt berühmt. Ich würde bei dem Treffen in meinem Standardaufzug und mit einer Leck-mich-am-Arsch-Einstellung auftauchen. Ich würde mir das Angebot der Sechser anhören und ihnen dann erklären, dass sie mich mal kreuzweise konnten. Vielleicht würde ich alles aufzeichnen und auf YouTube posten.

Um mich auf das Treffen vorzubereiten, rief ich eine Suchmaschine auf und brachte so viel wie möglich über Nolan Sorrento in Erfahrung. Er hatte in Informatik promoviert. Bevor er »Einsatzleiter« bei IOI geworden war, hatte er einige äußerst populäre Spiele, darunter auch Rollenspiele für die OASIS, mitentwickelt. Ich hatte alle seine Spiele gespielt, und sie waren sogar ziemlich gut. Bevor er seine Seele verkauft hatte, war er ein passabler Programmierer gewesen. Warum IOI ihn eingestellt hatte, um die Schergen der Firma anzuführen, war nur allzu offensichtlich. Sie waren der Meinung, dass ein Spieleentwickler die besten Chancen hatte, Hallidays großes Videospielrätsel zu lösen. Allerdings mühten sich Sorrento und die Sechser jetzt schon seit über fünf Jahren ab, ohne den geringsten Erfolg. Und nachdem jetzt ein Avatarname nach dem anderen auf dem Scoreboard erschien, war die Konzernleitung bestimmt am Ausrasten. Der Druck, der auf Sorrento lastete, musste gewaltig sein. Ich fragte mich, ob es seine eigene Idee gewesen war, mich anzuschreiben, oder ob ihm das befohlen worden war.

Nach meinen Recherchen hatte ich das Gefühl, für dieses Gespräch mit dem Teufel bestens vorbereitet zu sein. Ich rief Sorrentos Visitenkarte auf und klickte auf die Chatlink-Einladung.

OO14

NACHDEM DIE CHATLINK-VERBINDUNG hergestellt worden war, nahm mein Avatar auf einer weitläufigen Aussichtsplattform Gestalt an. Ein Dutzend Planeten hingen jenseits des gewölbten Fensters im schwarzen Weltraum. Offenbar befand ich mich auf einer Raumstation oder einem riesigen Transportschiff.

Chatlink-Sessions unterschieden sich grundlegend von Chatrooms, und es war sehr viel teurer, sie zu hosten. Für einen Chatlink wurde eine Kopie des eigenen Avatars an einen anderen Ort innerhalb der OASIS projiziert. Der Avatar war nicht eigentlich dort, weshalb er für die anderen Avatare leicht transparent aussah. Allerdings konnte man trotzdem in eingeschränktem Maße mit seiner Umgebung interagieren – Türen öffnen, sich auf Stühle setzen und dergleichen. Chatlinks wurden in erster Linie zu Geschäftszwecken verwendet, wenn eine Firma ein Treffen an einem bestimmten Ort in der OASIS veranstalten wollte, ohne die Avatare aller Beteiligten dorthin zu transportieren. Für mich war es das erste Mal.

Ich drehte mich um und sah, dass mein Avatar vor einem geschwungenen Empfangstisch stand. Darüber schwebte das IOI-Logo – riesige, einander überlappende Chromlettern. Als ich näher kam, stand eine überirdisch schöne blonde Rezeptionistin auf und begrüßte mich. »Mr Parzival«, sagte sie und deutete eine Verbeugung an. »Willkommen bei Innovative Online Industries! Einen Augenblick bitte. Mr Sorrento ist bereits hierher unterwegs.«

Ich wusste nicht, wie das möglich war, denn ich hatte mein Kommen nicht angekündigt. Während ich wartete, versuchte ich, den Vidfeed-Rekorder einzuschalten, aber IOI hatte diese Funktion deaktiviert. Offensichtlich wollten sie nicht, dass ich festhielt, was gleich geschehen würde. YouTube konnte ich also vergessen.

Weniger als eine Minute später glitt eine Doppeltür auf der anderen Seite der Aussichtsplattform auf, und ein Avatar trat hindurch. Er kam direkt auf mich zu; das Klicken seiner Stiefel hallte laut durch den Raum. Sorrento. Ich erkannte ihn, weil er nicht den standardisierten Sechser-Avatar verwendete – vermutlich einer der Vorteile seiner Stellung. Das Gesicht seines Avatars entsprach den Fotos, die ich online gesehen hatte. Blonde Haare, braune Augen und eine Habichtsnase. Immerhin trug er die Uniform der Sechser – einen marineblauen Overall mit goldenen Schulterklappen, einem silbernen IOI-Logo auf der linken Brust und darunter seine Mitarbeiternummer: 655 321.

»Endlich!«, sagte er und kam wie ein Schakal grinsend auf mich zugeschritten. »Der berühmte Parzival beehrt uns mit seiner Anwesenheit!« Er streckte mir seine behandschuhte rechte Hand entgegen. »Nolan Sorrento, operativer Leiter der Oologie-Abteilung. Es ist eine Ehre, Sie kennenzulernen.«

»Yeah«, sagte ich und gab mir alle Mühe, reserviert zu klingen. »Ebenfalls – denke ich mal.« Selbst als Chatlink-Projektion hätte mein Avatar die ausgestreckte Hand schütteln können. Ich starrte sie jedoch nur an, als hätte er mir eine tote Ratte hingehalten. Nach kurzem Zögern ließ er sie sinken, doch sein Lächeln wurde eher noch breiter.

»Bitte folgen Sie mir.« Er ging mir über die Plattform voraus und trat wieder durch die Türen, die sich vor ihm automatisch öffneten. Dahinter kam eine riesige Landebucht zum Vorschein, in der eine einzelne interplanetare Raumfähre stand, auf der das IOI-Logo prangte. Sorrento setzte einen Fuß auf die Rampe, doch ich blieb hinter ihm stehen.

»Warum der Aufwand, mich via Chatlink hierherzubringen?«, fragte ich und wies mit einer Handbewegung auf die Bucht, in der wir standen. »Warum unterbreiten Sie mir Ihr Angebot nicht in einem Chatroom?«

»Bitte tun Sie mir den Gefallen«, sagte er. »Dieser Chatlink ist bereits Teil unseres Angebots. Wir möchten, dass Sie dasselbe erleben, als wenn Sie unserem Hauptquartier persönlich einen Besuch abstatten würden.«

Klar doch, dachte ich bei mir. *Wenn ich hier persönlich aufkreuzen würde, wäre ich längst von Tausenden von Sechsern umstellt und dir völlig ausgeliefert.*

Ich folgte ihm die Rampe hinauf. Sie wurde eingezogen, und die Fähre startete. Durch die rundumlaufenden Fenster sah ich, dass wir eine der Raumstationen der Sechser hinter uns zurückließen. Direkt vor uns befand sich ein riesiger, metallisch glänzender Planet – IOI-1. Er erinnerte mich an die schwebenden Killerkugeln aus der *Phantasm*-Reihe. Jäger bezeichneten IOI-1 als die »Heimatwelt der Sechser«. Der Konzern hatte sie kurz nach Beginn des Wettbewerbs als Online-Operationsbasis gebaut.

Unser Shuttle, das auf Autopilot zu fliegen schien, erreichte den Planeten in kürzester Zeit und begann, über seine verspiegelte Oberfläche zu gleiten. Während wir den Planeten einmal umkreisten, starrte ich aus dem Fenster. Soweit ich wusste, war bisher noch kein Jäger in den Genuss eines solchen Rundflugs gekommen.

IOI-1 war von Pol zu Pol mit Waffenlagern, Bunkern, Lagerhäusern und Hangars bedeckt. Überall sah ich Flugplätze, auf denen Reihen funkelnder Kampfschiffe, Raumschiffe und Panzer standen, die auf den nächsten Einsatz warteten. Sorrento schwieg, während wir die Armada der Sechser begutachteten. Offenbar wollte er die Bilder für sich sprechen lassen.

Ich hatte schon Screenshots der Oberfläche von IOI-1 gesehen, aber diese waren mit niedriger Auflösung aus der Umlaufbahn aufgenommen worden, von außerhalb des eindrucksvollen Verteidigungsnetzes. Die größeren Clans schmiedeten nun schon seit Jahren unverhohlen Pläne, den Hauptstützpunkt der Sechser zu vernichten, aber bisher war es ihnen nicht gelungen, die Verteidigungsplattformen zu überwinden und die Oberfläche des Planeten zu erreichen.

Nachdem wir IOI-1 umkreist hatten, tauchte vor uns die Konzernzentrale auf. Sie bestand aus drei Türmen mit verspiegelter Fassade – zwei rechteckige Wolkenkratzer und in der Mitte ein runder. Von oben betrachtet, bildeten die Gebäude das IOI-Logo.

Die Fähre bremste ab, schwebte einen Moment über dem mittleren Turm und steuerte dann eine Landeplattform an. »Beeindruckend, finden Sie nicht auch?«, sagte Sorrento schließlich, als wir aufsetzten.

»Nicht übel.« Ich war stolz darauf, wie ruhig meine Stimme klang. Dabei schwirrte mir noch immer der Kopf von dem, was ich gesehen hatte. »Das ist eine virtuelle Nachbildung der IOI-Türme in Columbus, richtig?«, fragte ich.

Sorrento nickte. »Ja, in Columbus befindet sich unsere Zentrale. Der Großteil meines Teams arbeitet in diesem Turm. Die unmittelbare Nähe zu GSS sorgt dafür, dass es in der OASIS nie zu Zeitverzögerungen kommt. Und natürlich fällt in Columbus auch nicht dauernd der Strom aus wie in den meisten größeren Städten in den USA.«

Damit sagte er mir nichts Neues. Gregarious Simulation Systems hatte seinen Hauptsitz in Columbus, und dort befanden sich auch die unterirdischen Gewölbe mit den zentralen OASIS-Servern. Auf der ganzen Welt gab es Spiegelserver, die jedoch alle mit dem Hauptknotenpunkt in Columbus verlinkt waren. Das war auch der Grund, weshalb die Stadt in den letzten Jahrzehnten zu einem Hightech-Mekka geworden war. In Columbus hatte ein OASIS-Nutzer den schnellsten und verlässlichsten Zugriff auf die Simulation. Die meisten Jäger träumten davon, irgendwann dorthin zu ziehen, mich eingeschlossen.

Ich stieg hinter Sorrento aus der Fähre und folgte ihm in einen Aufzug direkt neben der Landeplattform. »In den letzten paar Tagen sind Sie ja geradezu eine Berühmtheit geworden«, sagte er, während wir abwärtsfuhren. »Ziemlich aufregend – aber wahrscheinlich auch ein wenig beängstigend, oder? Immerhin wissen Sie Dinge, für die Millionen von Menschen töten würden.«

Auf eine solche Bemerkung hatte ich schon gewartet, deshalb hatte ich eine Antwort parat. »Können wir auf die Panikmache nicht verzichten? Erklären Sie mir einfach, was Sie mir anbieten wollen. Ich hab heut noch was vor.«

Er grinste mich an, als wäre ich ein besonders vorlautes Kind. »Ja, das glaube ich gern«, sagte er. »Aber ziehen Sie bitte keine voreiligen Schlüsse, was unser Angebot betrifft. Ich denke, Sie werden überrascht sein.« Und dann fügte er mit eisiger Stimme hinzu: »Ich bin mir sogar sicher.«

Ich tat mein Bestes, mich nicht einschüchtern zu lassen, und verdrehte die Augen. »Klar doch, Mann.«

Als wir das 106. Stockwerk erreichten, ertönte ein *Pling*, und die Türen des Aufzugs glitten auf. Wir schritten an einer weiteren Empfangsdame vorbei und einen langen, hell erleuchteten Korridor entlang. Die Inneneinrichtung schien einem utopischen SF-Streifen entsprungen. Makelloses Hightech. Unterwegs kamen wir an mehreren Sechsern vorbei, und sobald sie Sorrento bemerkten, nahmen sie stocksteif Haltung an und grüßten ihn, als wäre er ein hochrangiger General. Sorrento grüßte nicht zurück und nahm auch sonst keine Notiz von ihnen.

Schließlich führte er mich in einen riesigen Raum, der einen Großteil des 106. Stockwerks einzunehmen schien. Dort saßen zahllose Männer und Frauen in wabenförmigen Arbeitsnischen, alle mit einer hochmodernen Immersionsausrüstung ausgestattet.

»Willkommen in der Oologie-Abteilung von IOI«, sagte Sorrento mit unverhohlenem Stolz.

»Hier knechten Sie also die ganzen armen Wichte«, erwiderte ich und sah mich um.

»Bitte werden Sie nicht unhöflich«, sagte Sorrento. »Das könnte Ihr Team sein.«

»Würde ich dann meine eigene Nische bekommen?«

»Nein. Sie hätten Ihr eigenes Büro mit einer wundervollen Aussicht.« Er grinste. »Allerdings bliebe Ihnen nicht viel Zeit, sie zu genießen.«

Ich deutete auf einen der Immersionsanzüge – das neueste Modell von Habashaw. »Nette Ausrüstung«, sagte ich. Und das stimmte. Auf dem neuesten Stand der Technik.

»Schick, was? Bei unseren Immersionsanzügen handelt es sich um miteinander vernetzte Sonderanfertigungen. Unser System ermöglicht es mehreren Nutzern, auf jeden beliebigen Avatar unserer Abteilung zuzugreifen. Je nachdem, auf welche Hindernisse man während einer Quest stößt, kann die Steuerung sofort dem am besten geeigneten Teamangehörigen übertragen werden.«

»Yeah, aber das ist Betrug.«

»Na, na!«, entgegnete er und verdrehte die Augen. »Hallidays Wettbewerb hat keine Regeln – gegen welche sollte man also verstoßen? Das ist einer von vielen Fehlern, die der alte Narr begangen hat.« Bevor ich etwas erwidern konnte, wandte Sorrento sich um und führte mich aus dem Wabenlabyrinth hinaus. »Alle unsere Angestellten stehen mit einem Team von Fachleuten in Verbindung. Halliday-Experten, Videospieler, Popkulturhistoriker und Kryptologen. Sie arbeiten zusammen, um unseren Avataren dabei zu helfen, jede Herausforderung zu bestehen und jedes Rätsel zu lösen.« Er schenkte mir ein breites Grinsen. »Wie Sie sehen, haben wir an alles gedacht, Parzival. Und deshalb werden wir auch gewinnen.«

»Yeah«, sagte ich. »Bisher haben Sie ja auch spitzenmäßige Arbeit geleistet. Warum bin ich noch mal hier? Ach ja – Sie haben nicht die geringste Ahnung, wo der Kupferschlüssel ist, und möchten, dass ich Ihnen helfe.«

Sorrentos Augen verengten sich zu Schlitzen. Dann lachte er laut auf. »Sie gefallen mir«, sagte er. »Sie sind schlau. Und Sie haben Mut. Beides Eigenschaften, die ich sehr schätze.«

Wir folgten einem Korridor, bis wir schließlich Sorrentos riesiges Büro betraten. Die Fenster boten eine atemberaubende Aussicht auf die »Stadt«. Der Himmel war voller Luftgleiter und Raumschiffe, und die simulierte Sonne des Planeten ging gerade unter. Sorrento setzte sich hinter seinen Schreibtisch und bot mir einen Stuhl ihm gegenüber an.

Jetzt wird's ernst, dachte ich bei mir. *Sieh dich vor, Wade.*

»Kommen wir zur Sache«, sagte er. »IOI möchte Sie rekrutieren. Als Berater, der uns bei der Suche nach dem *Easter Egg* behilflich ist. Ihnen würden sämtliche Ressourcen des Konzerns zur Verfügung stehen. Geld, Waffen, magische Gegenstände, Schiffe, Artefakte. Was Sie wollen.«

»Und Männer?«

»Ihnen würde eine ganze Abteilung unterstehen, und Sie

wären allein mir Rechenschaft schuldig. Ich spreche hier von fünftausend bestens ausgebildeten, kampfbereiten Avataren, unter Ihrem persönlichen Befehl.«

»Nicht schlecht«, sagte ich, darum bemüht, weiterhin einen gelassenen Eindruck zu machen.

»Natürlich! Aber das ist noch nicht alles. Für Ihre Dienste würden wir Ihnen jährlich zwei Millionen Dollar bezahlen, plus einen Bonus von einer Million bei Vertragsunterzeichnung. Und falls wir mit Ihrer Hilfe das Ei tatsächlich finden, bekommen Sie weitere fünfundzwanzig Millionen Dollar.«

Ich tat so, als würde ich die Summen mit den Fingern zusammenzählen. »Wow«, sagte ich, als wäre ich tatsächlich beeindruckt. »Kann ich von zu Hause aus arbeiten?«

Sorrento schien sich zu fragen, ob ich es ernst meinte oder nicht. »Nein«, sagte er. »Ich fürchte, das ist nicht möglich. Sie würden nach Columbus ziehen müssen. Aber wir würden Ihnen hier auf dem Gelände eine erstklassige Wohnung zur Verfügung stellen, mit eigenem Büro, eigener Immersionsausrüstung auf dem neuesten Stand der Technik …«

»Moment mal«, unterbrach ich ihn und hob die Hand. »Wollen Sie damit sagen, dass ich im IOI-Wolkenkratzer wohnen müsste? Mit Ihnen? Und den anderen Sech… Oologen?«

Er nickte. »Bis wir das Ei gefunden haben.«

Bei dem Gedanken kam es mir gleich hoch. »Und sonst? Irgendwelche Boni? Krankenversicherung? Einschließlich Augen und Zähne? Bekäme ich eine separate Managertoilette? Das ganze Paket eben?«

»Natürlich.« Allmählich schien er die Geduld zu verlieren. »Also? Wie lautet Ihre Antwort?«

»Kann ich ein paar Tage darüber nachdenken?«

»Ich fürchte, nein. In ein paar Tagen ist das alles vielleicht schon vorbei. Wir brauchen Ihre Antwort jetzt.«

Ich lehnte mich zurück und starrte die Decke an, als würde ich es mir tatsächlich überlegen. Sorrento wartete und beobachtete mich aufmerksam. Als ich ihm gerade die Antwort geben wollte, die ich vorbereitet hatte, hob er die Hand.

»Hören Sie mir bitte einen Moment zu, bevor Sie Ihre Entscheidung fällen«, sagte er. »Ich weiß, dass die meisten Jäger der absurden Vorstellung anhängen, IOI sei böse. Und die Sechser seien skrupellose Konzerndrohnen ohne Ehre und ohne jeden Respekt vor dem ›wahren Geist‹ des Wettbewerbs. Sie halten uns für Verräter. Habe ich recht?«

Ich nickte und musste mir ein »Das ist noch vorsichtig ausgedrückt« verkneifen.

»Nun, das ist lächerlich«, fuhr er fort und schenkte mir ein etwas onkelhaftes Lächeln, das, so vermutete ich, von der Diplomatiesoftware erzeugt wurde, deren er sich bediente. »Die Sechser unterscheiden sich eigentlich nicht von einem Jägerclan, auch wenn sie besser ausgestattet sind. Wir sind genauso von dem Wettbewerb besessen wie die Jäger. Und wir haben das gleiche Ziel.«

Und das wäre?, hätte ich am liebsten geschrien. *Die* OASIS *zugrunde zu richten? Die einzige Sache zu pervertieren, die uns das Leben erträglich macht?*

Sorrento verstand mein Schweigen offenbar als Aufforderung, seine Litanei fortzusetzen. »Wissen Sie, entgegen der allgemeinen Auffassung wird sich die OASIS gar nicht so drastisch verändern, wenn IOI die Regie übernimmt. Natürlich wären wir gezwungen, eine monatliche Gebühr zu erheben. Und die Simulation müsste auch höhere Werbeeinnahmen einspielen. Aber wir haben außerdem vor, vieles zu verbessern. Contentfilter für Avatare. Strengere Richtlinien für Neukonstruktionen. Wir werden dafür sorgen, dass die OASIS wächst und gedeiht!«

Nein, dachte ich. *Ihr werdet sie in einen faschistischen, konzerngesteuerten Vergnügungspark verwandeln, wo die wenigen Leute, die sich den Eintritt noch leisten können, ihr letztes bisschen Freiheit verlieren.*

Ich hatte mir so viel von diesem Propagandageschwafel angehört, wie ich ertragen konnte.

»Also gut«, sagte ich. »Ich bin dabei. Ich lasse mich rekrutieren. Oder wie das hier genannt wird.«

Sorrento war sichtlich überrascht. Das war eindeutig nicht die Antwort, die er erwartet hatte. Er schenkte mir ein breites Lächeln und wollte mir gerade die Hand reichen, doch ich kam ihm zuvor.

»Aber ich habe noch drei kleine Bedingungen«, sagte ich. »Erstens will ich fünfzig Millionen, wenn ich das Ei finde. Nicht fünfundzwanzig. Ist das machbar?«

Er zögerte nicht einmal. »In Ordnung. Und die anderen beiden Bedingungen?«

»Ich möchte nicht unter Ihnen arbeiten«, sagte ich. »Ich möchte Ihren Job, Sorrento. Ich möchte für den ganzen Kram hier verantwortlich sein. Als Einsatzleiter. *El Numero uno*. Oh, und ich möchte, dass mich alle mit *El Numero uno* ansprechen. Ist das möglich?« Mein Mundwerk ging mit mir durch. Aber ich konnte einfach nicht anders.

Sorrentos Lächeln war verschwunden. »Was noch?«

»Ich möchte nicht mit Ihnen zusammenarbeiten.« Ich deutete mit dem Finger auf ihn. »Ich mag Sie nicht. Wenn Ihre Vorgesetzten Sie rauswerfen und mir Ihren Job geben, bin ich dabei. Dann ist die Sache geritzt.«

Stille. Sorrentos Gesicht war eine stoische Maske. Wahrscheinlich filterte seine Mimiksoftware bestimmte Gefühle wie Wut und Zorn heraus.

»Könnten Sie bei Ihren Bossen rückfragen, ob sie damit einverstanden sind?«, fragte ich. »Oder sehen sie uns im Augenblick sowieso zu? Darauf würde ich wetten.« Ich winkte in die unsichtbare Kamera. »Hallo Leute! Was sagt ihr dazu?«

Es folgte ein längeres Schweigen, währenddessen mich Sorrento finster anstarrte. »Natürlich verfolgen sie das Gespräch«, sagte er schließlich. »Und sie haben mich gerade darüber informiert, dass sie bereit sind, auf Ihre Bedingungen einzugehen.« Er klang überhaupt nicht verärgert.

»Wirklich?«, sagte ich. »Großartig! Wann kann ich anfangen? Und was noch wichtiger ist: Wann können Sie gehen?«

»Sofort«, sagte er. »Die Firma wird Ihren Vertrag vorbereiten und an Ihre Anwälte schicken. Dann werden wir … dann werden Sie zur Unterzeichnung nach Columbus fliegen.« Er stand auf. »Damit sollte alles …«

»Wissen Sie …« Ich hob eine Hand und schnitt ihm das Wort ab. »Ich habe mir die Sache gerade noch einmal überlegt und werde Ihr Angebot wohl doch ablehnen müssen. Ich glaube, ich suche das Ei lieber alleine.« Ich stand auf. »Sie und die anderen Sechser können mich mal kreuzweise.«

Sorrento lachte laut auf. Ein tiefes, beinahe herzliches Lachen, das ich mehr als ein wenig verstörend fand. »Oh, köstlich! Das war wirklich gut! Wir haben Ihnen das doch glatt abgenommen!« Nachdem er sich wieder gefangen hatte, sagte er: »Das war die Antwort, die ich erwartet habe. Dann kann ich Ihnen ja jetzt unser zweites Angebot unterbreiten.«

»Noch eins?« Ich setzte mich wieder und legte die Füße auf den Tisch. »Na schön – schießen Sie los!«

»Wir überweisen Ihnen fünf Millionen Dollar direkt auf Ihren OASIS-Account, und zwar umgehend … wenn Sie uns im Gegenzug durch das erste Tor führen. Das ist alles. Wir wollen Schritt für Schritt nachvollziehen können, wie Sie es geschafft haben. Alles Weitere übernehmen wir selbst. Ihnen steht es frei, alleine weiter nach dem Ei zu suchen. Und niemand wird je von dieser kleinen Transaktion erfahren.«

Ich muss zugeben, dass ich kurz darüber nachdachte. Mit fünf Millionen Dollar hätte ich ausgesorgt. Und selbst wenn ich den Sechsern half, das erste Tor zu überwinden, hieß das nicht automatisch, dass sie auch weiterkommen würden. Ich wusste ja nicht mal, ob mir selbst das gelingen würde!

»Ich rate Ihnen«, sagte Sorrento, »das Angebot anzunehmen, solange es gilt.«

Sein väterlicher Tonfall ging mir mächtig auf den Sack und brachte mich wieder zur Vernunft. Ich konnte Halliday nicht verraten. Wenn IOI dann irgendwie den Wettbewerb gewann, wäre ich verantwortlich. Damit würde ich nie und nimmer leben können. Ich hoffte nur, dass Aech, Art3mis und die anderen Jäger genauso dachten.

»Ich bin raus«, sagte ich und nahm die Füße vom Schreibtisch. »Vielen Dank für Ihre wertvolle Zeit.«

Sorrento musterte mich traurig und bedeutete mir dann mit einer Handbewegung, mich wieder hinzusetzen. »Wir sind hier noch nicht fertig. Es folgt noch ein letzter Vorschlag, Parzival. Und ich habe mir das Beste für ganz zum Schluss aufgehoben.«

»Sie kapieren es einfach nicht, oder? *Sie können mich nicht kaufen!* Also verpissen Sie sich. Adios. Auf. Wiedersehen.«

»Setz dich, Wade.«

Ich erstarrte. Hatte er mich gerade bei meinem richtigen Namen genannt?

»Ganz genau«, bellte Sorrento. »Wir wissen, wer du bist. Wade Owen Watts. Geboren am 12. August 2024. Eltern beide verstorben. Und wir wissen auch, *wo* du dich befindest. Du wohnst bei deiner Tante in einem Trailer an der Portland Avenue in Oklahoma City. Einheit 56-K, um genau zu sein.

Unser Überwachungsteam hat vor drei Tagen gesehen, wie du den Wohnwagen deiner Tante betreten hast, und seither hast du ihn nicht mehr verlassen. Was bedeutet, dass du noch immer dort bist.«

Direkt hinter ihm öffnete sich ein Vidfeed-Fenster und zeigte einen Livestream der *Stacks*, in denen ich wohnte, und zwar von schräg oben, aus der Perspektive eines Flugzeugs oder eines Satelliten. Aus diesem Winkel waren nur die beiden Türen des Trailers zu sehen. Offenbar hatten sie nicht bemerkt, wie ich jeden Morgen durch das Fenster der Wäschekammer geklettert oder abends zurückgekehrt war. Sie wussten nicht, dass ich mich im Moment in meinem Versteck befand.

»Siehst du?«, sagte Sorrento in freundlichem, herablassendem Tonfall. »Du solltest wirklich mehr an die frische Luft gehen, Wade. Es ist nicht gesund, so viel Zeit drinnen zu verbringen.« Die Kamera zoomte den Wohnwagen meiner Tante heran. Dann schaltete sie auf Wärmebild um, und ich konnte die schillernden Umrisse von einem knappen Dutzend Menschen darin erkennen, Kindern wie Erwachsenen. Fast alle saßen oder lagen völlig regungslos herum – wahrscheinlich waren sie in die OASIS eingeloggt.

Ich war sprachlos. Wie hatten sie mich gefunden? Eigentlich sollte es unmöglich sein, an die Kontoinformationen eines OASIS-Nutzers heranzukommen. Und meine Adresse war dort nicht einmal hinterlegt! Man musste sie nicht angeben, wenn man ein Konto eröffnete. Name und Netzhautmuster genügten. Wie hatten sie dann herausgefunden, wo ich wohnte?

Sie mussten irgendwie an meine Schülerakte herangekommen sein.

»Dein Instinkt sagt dir jetzt bestimmt, dass du dich ausloggen solltest, um zu fliehen«, fauchte Sorrento. »Das würde ich an deiner Stelle nicht tun. Dein Wohnwagen ist momentan mit einer großen Ladung Sprengstoff verdrahtet.« Er zog etwas aus der Tasche, das wie eine Fernsteuerung aussah, und hielt es hoch. »Und mein Finger liegt auf dem Zünder. Falls du dich aus dieser Chatlink-Session ausloggen solltest, wirst du innerhalb weniger Sekunden sterben. Verstehst du, was ich sage, Wade?«

Ich nickte langsam und versuchte verzweifelt, meine Gedanken wieder in den Griff zu bekommen.

Er bluffte. Er musste einfach bluffen! Und selbst wenn nicht – er hatte keine Ahnung, dass ich mich fast einen Kilometer entfernt in meinem Versteck befand. Sorrento ging davon aus, dass ich einer dieser leuchtenden Umrisse auf dem Bild war.

Falls im Wohnwagen meiner Tante wirklich eine Bombe hochgeht, bin ich hier in meinem Versteck in Sicherheit. Hoffentlich jedenfalls. Außerdem würden sie niemals all die Menschen töten, um an mich heranzukommen.

»Wie …?«, war alles, was ich herausbrachte.

»Wie wir herausgefunden haben, wer du bist? Und wo du wohnst?« Er grinste. »Das war leicht. Du hast einen Riesenfehler begangen, Kleiner. Als du dich beim staatlichen Schulsystem der OASIS angemeldet hast, hast du Namen und Adresse angegeben. Für die Zeugnisse nehme ich an.«

Er hatte recht. Der Name meines Avatars, mein richtiger Name und meine Anschrift waren in meiner Schulakte vermerkt. Doch darauf hatte nur der Direktor Zugriff! Das war ein dummer Fehler gewesen, aber ich hatte mich ein Jahr vor Beginn des Wettbewerbs angemeldet. Bevor ich ein Jäger wurde. Bevor ich lernte, meine wahre Identität zu verbergen.

»Wie haben Sie herausgefunden, dass ich online zur Schule gehe?«, fragte ich. Ich kannte die Antwort bereits, aber ich wollte Zeit schinden.

»In den Jägerforen zirkuliert seit ein paar Tagen das Gerücht, dass du und dein Freund Aech auf Ludus zur Schule geht. Als wir davon hörten, haben wir ein paar Leute in der OPS-Verwaltung geschmiert. Weißt du, was ein solcher Beamter im Jahr verdient, Wade? Ein Skandal, wirklich. Einer der Direktoren war so nett und hat die Datenbanken nach einem Avatar namens Parzival durchsucht.«

Neben dem Live-Videofeed der *Stacks* öffnete sich ein weiteres Fenster. Darin war der Inhalt meiner Schülerakte zu sehen. Mein richtiger Name, der Name meines Avatars, mein Schülername (Wade3), Geburtsdatum, Sozialversicherungsnummer und Anschrift. Kopien meiner Hausarbeiten. Alles, sogar mein Foto aus dem Jahrbuch, das vor fünf Jahren aufgenommen worden war – unmittelbar bevor ich auf eine Schule in der OASIS gewechselt hatte.

»Die Schülerakte deines Freundes Aech haben wir ebenfalls. Er war immerhin so klug, einen falschen Namen und eine falsche Adresse anzugeben, als er sich angemeldet hat. Also wird es etwas länger dauern, ihn zu finden.«

Er hielt inne, um mir Zeit für eine Erwiderung zu geben, doch ich schwieg. Mein Puls raste, und ich musste mich ermahnen, gleichmäßig zu atmen.

»Damit kämen wir zu unserem letzten Angebot.« Sorrento rieb sich aufgeregt die Hände – wie ein kleiner Junge, der ein Geschenk öffnen darf. »Erklär uns, wie wir zum ersten Tor gelangen. Sofort. Oder wir töten dich. Sofort.«

»Sie bluffen«, hörte ich mich sagen. Aber ich war mir alles andere als sicher.

»Nein, Wade. Ich bluffe nicht. Bei dem, was gerade auf der Welt los ist – meinst du, da kümmert es jemanden, wenn irgendein Trailer in einem Ghetto in Oklahoma City in die Luft fliegt? Man wird davon ausgehen, dass es einen Unfall in einem

Drogenlabor gegeben hat. Oder dass ein Terrorist versucht hat, zu Hause eine Bombe zu bauen. So oder so, ein paar hundert menschliche Kakerlaken weniger, die ihre Essensgutscheine abholen und wertvollen Sauerstoff verbrauchen, werden niemanden kümmern. Die Behörden werden nicht mal mit der Wimper zucken.«

Er hatte recht, und ich wusste es. Also musste ich auf Zeit spielen, bis mir etwas Besseres einfiel. »Sie würden mich töten?«, fragte ich. »Um einen Videospielwettbewerb zu gewinnen?«

»Tu nicht so naiv, Wade«, sagte Sorrento. »Es geht hier um Milliarden von Dollar. Um die Kontrolle über eines der profitabelsten Unternehmen der Welt – und über die OASIS! Das ist weit mehr als ein Videospielwettbewerb. Das war es von Anfang an.« Er beugte sich vor. »Aber du kannst immer noch gewinnen, Kleiner. Wenn du uns hilfst, bekommst du fünf Millionen Dollar. Du kannst dich mit achtzehn zur Ruhe setzen und den Rest deines Lebens den Reichtum genießen. Oder du kannst in den nächsten paar Sekunden sterben. Die Entscheidung liegt bei dir. Stell dir nur die eine Frage, Wade – wenn deine Mutter noch am Leben wäre, was würde sie wollen, dass du tust?«

Diese letzte Bemerkung hätte mich wirklich wütend gemacht, wenn ich nicht solche Angst gehabt hätte. »Was hindert Sie daran, mich umzubringen, wenn ich Ihnen gesagt habe, was Sie wissen wollen?«

»Auch wenn du mir vielleicht nicht glaubst: Wir möchten niemanden töten, wenn es nicht unbedingt sein muss. Außerdem warten noch zwei weitere Tore auf uns, richtig?« Er zuckte mit den Schultern. »Vielleicht können wir dabei wieder deine Hilfe gebrauchen. Ich persönlich bezweifle das ja. Aber meine Vorgesetzten sehen das anders. Außerdem bleibt dir gar nichts anderes übrig, nicht wahr?« Er senkte die Stimme, als wolle er mir ein Geheimnis verraten. »Wir werden jetzt folgendermaßen vorgehen. Du erklärst mir Schritt für Schritt, wie du an den Kupferschlüssel gelangt bist und das erste Tor überwunden hast. Und du wirst so lange in dieser Chatlink-Session eingeloggt bleiben, bis wir alles verifiziert haben. Solltest du dich ausloggen, bevor ich es dir erlaube, wird es einen kleinen Knall geben. Hast du mich verstanden? Also, fangen wir an.«

Fast hätte ich ihnen verraten, was sie wissen wollten. Wirklich. Aber ich dachte gründlich darüber nach, und mir fiel kein einziger guter Grund ein, warum sie mich am Leben lassen sollten, selbst wenn ich ihnen half, das erste Tor zu überwinden. Und sie würden mir ganz bestimmt keine fünf Millionen Dollar geben und zuschauen, wie ich den Medien erzählte, dass IOI mich erpresst hatte. Vor allem dann nicht, wenn im Wohnwagen von Tante Alice wirklich eine Bombe lag, die als Beweis dienen konnte.

Meines Erachtens gab es nur zwei Möglichkeiten: Entweder sie bluffen, oder sie würden mich töten, ob ich ihnen nun half oder nicht. Also nahm ich meinen ganzen Mut zusammen und fällte eine Entscheidung.

»Sorrento«, sagte ich und versuchte verzweifelt, mir meine Angst nicht anmerken zu lassen. »Ich möchte, dass Sie und Ihre Bosse eines begreifen: Sie werden Hallidays Ei niemals finden. Und wissen Sie auch, warum? Weil er klüger war als Sie alle zusammen. Es spielt keine Rolle, wie viel Geld Sie haben oder wen Sie erpressen. *Sie werden verlieren!*«

Ich klickte auf mein Log-out-Icon, und mein Avatar begann, sich aufzulösen. Sorrento wirkte nicht weiter überrascht. Er sah mich nur traurig an und schüttelte den Kopf. »Das war dumm, Kleiner«, sagte er, bevor mein Gesichtsfeld schwarz wurde.

Eine volle Minute lang saß ich in meinem Versteck, biss die Zähne zusammen und wartete auf die Detonation. Nichts geschah.

Ich nahm die Videobrille ab und zog mit zitternden Fingern meine Handschuhe aus. Während sich meine Augen allmählich an die Dunkelheit gewöhnten, stieß ich einen zaghaften Seufzer aus. Also war es doch ein Bluff gewesen. Sorrento hatte nur versucht, mich unter Druck zu setzen, damit ich ihm half. Fast wäre es ihm gelungen.

Während ich eine Flasche Wasser hinunterkippte, fiel mir ein, dass ich mich wieder einloggen und Aech und Art3mis warnen musste. Die Sechser würden es als Nächstes bei ihnen probieren.

Ich zog gerade meine Handschuhe an, als ich die Explosion hörte.

Nur den Bruchteil einer Sekunde später spürte ich die Schockwelle und ließ mich sofort auf den Boden meines Verstecks fallen, die Arme schützend über dem Kopf. In der Ferne hörte ich das Geräusch berstenden Metalls – mehrere Trailerstapel fielen in sich zusammen, rissen sich von ihrem Gerüst los und krachten wie Dominosteine ineinander. Der entsetzliche Lärm schien kein Ende zu nehmen. Erst nach einer Ewigkeit herrschte wieder Stille.

Schließlich überwand ich meine Lähmung und öffnete die Hecktür des Transporters. Völlig benommen und wie in einem Albtraum gefangen, schob ich mich zwischen den Autowracks hindurch, bis ich den Rand des Schrottplatzes erreicht hatte. Von hier aus konnte ich eine riesige Rauchsäule sehen; Flammen loderten am anderen Ende der *Stacks* himmelwärts.

Ich folgte dem Strom von Menschen, die bereits in Richtung der Explosion rannten. Der Stapel mit dem Trailer meiner Tante war ebenso in sich zusammengefallen wie die Aufbauten direkt daneben. Nur noch qualmende Trümmer waren von ihnen übrig – ein Haufen aus verbogenem, glühendem Metall.

Ich blieb ein Stück entfernt stehen, doch vor mir, direkt in der Nähe des Brandherds, hatte sich bereits eine größere Menschenmenge gebildet. Niemand machte sich die Mühe, in den Trümmern nach Überlebenden zu suchen. Es war offensichtlich, dass es keine geben würde.

Eine uralte Propangasflasche, die an einem der zerdrückten Trailer festgeschraubt war, explodierte. Die Menge stob auseinander und suchte Deckung. Kurz hintereinander explodierten weitere Gasflaschen. Daraufhin blieben die Schaulustigen etwas auf Abstand.

Die Bewohner der umliegenden Stapel wussten, dass die Gefahr bestand, dass sich das Feuer ausbreitete. Von überall eilten Leute herbei und versuchten, die Flammen zu löschen, sei es mit Gartenschläuchen, Eimern, großen Schüsseln oder was eben zur Hand war. Binnen kurzem war der Brand unter Kontrolle, und das Feuer ging nach und nach aus.

Während ich schweigend zusah, hörte ich die Menschen um mich herum murmeln, dass es sich wahrscheinlich um einen Unfall in einem Methlabor handelte oder dass irgendein Idiot versucht hatte, eine Bombe zu bauen. Genau wie Sorrento vorausgesehen hatte.

Bei dem Gedanken erwachte ich aus meiner Starre. Was war bloß los mit mir? Die Sechser hatten gerade versucht, mich umzubringen. Wahrscheinlich hielten sich ihre Leute noch in den *Stacks* auf, um sich zu vergewissern, dass ich auch wirklich tot war. Und ich Idiot lief hier kopflos in der Gegend herum!

Ich wandte mich um und eilte zurück zu meinem Versteck, wobei ich darauf achtete, nicht zu rennen. Allerdings konnte ich mir nicht verkneifen, mich immer wieder nach eventuellen Verfolgern umzuschauen. Schließlich kletterte ich in den

Transporter, verriegelte die Tür und rollte mich in einer Ecke zusammen. So blieb ich eine ganze Weile liegen.

Mit der Zeit ließ der Schock ein wenig nach, und mir wurde bewusst, was gerade geschehen war. Meine Tante Alice und ihr Freund Rick waren tot, genauso wie alle anderen, die in unserem Trailer lebten und in den Trailern darunter und darum herum. Die nette alte Mrs Gilmore eingeschlossen. Wenn ich zu Hause gewesen wäre, hätte es mich ebenfalls erwischt.

Ich war völlig high auf Adrenalin und wusste nicht, was ich als Nächstes tun sollte. Angst und Zorn rangen in mir um die Oberhand. Ich zog in Erwägung, mich einzuloggen und die Polizei anzurufen, wusste aber nur zu gut, wie sie reagieren würde: Sie würden mich für einen Wahnsinnigen halten, der sich wichtigmachte. Die Medien würden mich ebenso wenig ernst nehmen. Niemand würde mir glauben. Es sei denn, ich enthüllte, dass ich Parzival war, und vielleicht nicht einmal dann. Ich hatte nicht den geringsten Beweis für meine Anschuldigungen. Alle Spuren der Bombe waren wahrscheinlich längst verbrannt.

Der Öffentlichkeit meine Identität zu enthüllen, um einen der mächtigsten Konzerne der Welt der Erpressung und des Mordes zu bezichtigen, war vielleicht keine so gute Idee. Ich konnte es selbst kaum glauben. IOI hatte tatsächlich versucht, mich umzubringen. Um mich daran zu hindern, einen Videospielwettbewerb zu gewinnen. Das war doch völlig verrückt!

Für den Augenblick schien ich in meinem Versteck sicher zu sein, aber in den *Stacks* durfte ich nicht bleiben. Sobald die Sechser herausfanden, dass ich noch am Leben war, würden sie hier nach mir suchen. Ich musste zusehen, dass ich Land gewann. Aber dafür brauchte ich Geld, und die ersten Zahlungen für die Werbeverträge würden erst in ein oder zwei Tagen eintreffen. Bis dahin musste ich also den Kopf einziehen und abwarten. Und vor allem musste ich mit Aech reden und ihn warnen, dass er als Nächstes auf der Abschussliste der Sechser stand.

Ich sehnte mich verzweifelt danach, ein freundliches Gesicht zu sehen.

OOI5

ICH SCHNAPPTE MIR meine OASIS-Konsole, fuhr sie hoch, setzte die Videobrille auf und zog die Handschuhe an. Nachdem ich mich eingeloggt hatte, nahm mein Avatar wieder auf Ludus Gestalt an, und zwar auf dem Hügel, wo ich vor meiner Chatlink-Session mit Sorrento gesessen hatte. Sobald die Audiofunktion einsetzte, hörte ich direkt über mir das ohrenbetäubende Dröhnen von Motoren. Ich trat unter den Bäumen hervor und schaute zum Himmel hinauf. Ein Geschwader von Kampfschiffen der Sechser raste im Tiefflug Richtung Süden – wahrscheinlich scannten sie die Oberfläche des Planeten.

Ich wollte mich schon unter das Blätterdach des Baumes zurückziehen, als mir einfiel, dass Ludus keine PvP-Zone war. Hier konnten sie mir nichts anhaben. Trotzdem war ich höllisch nervös. Ich suchte den Himmel ab und entdeckte am östlichen Horizont weitere Kampfschiffe. Kurz darauf traten im Norden und Westen ein Geschwader nach dem anderen in die Atmosphäre ein. Das Ganze sah aus wie eine Alieninvasion.

Auf meinem Display blinkte ein Icon. Ich hatte eine neue Textnachricht von Aech erhalten: *Wo zum Teufel steckst du? Ruf mich an!*

Ich klickte seinen Namen auf der Adressliste an, und er nahm nach dem ersten Klingeln ab. Das Gesicht seines Avatars erschien im Vidfeed-Fenster. Er musterte mich ernst.

»Hast du schon gehört?«, fragte er.

»Was denn?«

»Die Sechser sind auf Ludus. Tausende von ihnen. Und es werden immer mehr. Sie suchen nach der Gruft.«

»Yeah. Ich bin im Moment auf Ludus. Hier wimmelt es nur so von Kampfschiffen.«

Aech machte ein finsteres Gesicht. »Wenn ich I-r0k erwische, bring ich ihn um. Und zwar ganz langsam. Und wenn er sich einen neuen Avatar zulegt, werde ich den ebenfalls jagen und töten. Wenn der Idiot das Maul gehalten hätte, wären die Sechser nie auf die Idee gekommen, hier zu suchen.«

»Yeah. Seine Postings in den Foren haben sie erst darauf gebracht. Sorrento hat das selbst gesagt.«

»Sorrento? *Nolan Sorrento?*«

Ich erzählte ihm alles, was in den letzten Stunden geschehen war.

»*Sie haben dein Haus in die Luft gesprengt?*«

»Na ja, es war eher ein Trailer«, sagte ich. »In einem Trailerpark. Dabei sind eine ganze Menge Leute umgekommen. Wahrscheinlich sind die Newsfeeds voll davon.« Ich atmete tief durch. »Ich hab echt Schiss.«

»Kann ich gut verstehen. Gott sei Dank warst du nicht zu Hause, als das passiert ist.«

Ich nickte. »Ich logge mich fast nie von zu Hause aus ein. Zum Glück wussten die Sechser das nicht.«

»Was ist mit deiner Familie?«

»Ich hab bei meiner Tante gewohnt. Sie ist tot. Wir ... wir standen uns nicht sehr nahe.« Das war natürlich eine heftige Untertreibung. Meine Tante war nie besonders nett zu mir gewesen, aber trotzdem hatte sie es nicht verdient zu sterben. Die größten Gewissensbisse hatte ich wegen Mrs Gilmore – sie war wegen mir umgebracht worden! Dabei war sie einer der freundlichsten Menschen gewesen, den ich je getroffen habe.

Als mir bewusstwurde, dass ich schluchzte, drehte ich mein

Mikrofon herunter und holte mehrmals tief Luft, bis ich die Fassung wiedergewonnen hatte.

»Ich fass es nicht!«, knurrte Aech. »Diese verdammten Scheißkerle. Dafür werden sie bezahlen, Z. Verlass dich drauf. *Wir werden sie dafür bezahlen lassen.*«

Mir war nicht klar, wie wir das bewerkstelligen sollten, aber ich widersprach ihm nicht. Ich wusste, dass er mir nur Mut machen wollte.

»Wo bist du jetzt?«, fragte Aech. »Brauchst du Hilfe? Einen Unterschlupf oder so? Ich kann dir Geld rüberschieben, wenn du welches brauchst.«

»Nein, ich komm schon klar«, erwiderte ich. »Aber danke für das Angebot, Alter. Ich weiß das wirklich zu schätzen.«

»*De nada*, Amigo.«

»Sag mal, haben dir die Sechser dieselbe E-Mail geschickt wie mir?«

»Yeah. Tausendmal. Aber ich dachte mir, das ignorierst du mal lieber.«

Ich runzelte die Stirn. »Hätte ich auch tun sollen.«

»Mann, du konntest doch nicht ahnen, dass sie versuchen würden, dich umzubringen! Außerdem wussten sie längst, wo du wohnst. Wenn du ihre E-Mails ignoriert hättest, hätten sie die Bombe wahrscheinlich trotzdem gezündet.«

»Hör mal, Aech … Sorrento hat gesagt, dass in deiner Schülerakte eine falsche Anschrift steht und dass sie nicht wissen, wo du steckst. Aber vielleicht hat er gelogen. Besser, du gehst von zu Hause weg. Irgendwohin, wo du sicher bist. Und zwar so bald wie möglich.«

»Mach dir um mich keine Sorgen, Z. Ich bin eh immer unterwegs. Die finden mich nie.«

»Wenn du das sagst«, erwiderte ich. Was er damit wohl meinte? »Aber ich muss noch Art3mis warnen. Und Daito und

Shoto, wenn ich sie irgendwie erreichen kann. Die Sechser versuchen bestimmt alles, um an ihre Identität zu kommen.«

»Da fällt mir was ein«, sagte Aech. »Warum laden wir die drei nicht zu einem Treffen ein, heute Abend im *Basement*. Sagen wir um Mitternacht? Eine private Chatroom-Session. Nur wir fünf.«

Bei der Vorstellung, dass ich Art3mis bald wiedersehen würde, besserte sich meine Laune sofort. »Meinst du, die kommen auch?«

»Klar, wenn wir ihnen sagen, dass ihr Leben davon abhängt.« Aech grinste. »Außerdem, die fünf weltbesten Jäger in einem Chatroom – wer würde sich das schon entgehen lassen?«

Ich schickte Art3mis eine kurze Nachricht und bat sie, um Mitternacht in Aechs privatem Chatroom zu sein. Nur wenige Minuten später sagte sie zu. Aech teilte mir mit, dass er Daito und Shoto erreicht hatte, und auch sie hatten erklärt, dass sie kommen würden. So weit, so gut.

Ich wollte nicht länger alleine bleiben, also loggte ich mich etwa eine Stunde früher ins *Basement* ein. Aech war bereits dort – er surfte auf dem alten RCA-Fernsehapparat durch die Newsfeeds. Ohne ein Wort zu sagen, stand er auf und umarmte mich kurz. Obwohl ich es nicht spüren konnte, tat es gut. Dann setzten wir uns und schauten zusammen Nachrichten, während wir auf die anderen warteten.

Die Sender zeigten ausnahmslos Horden von Soldaten, die auf Ludus landeten. Und da nicht besonders schwer zu erraten war, was sie dort wollten, waren ihnen Tausende von Jägern gefolgt. In den Transportterminals auf Ludus war die Hölle los.

»Tja, die Gruft wird wohl nicht mehr lange unser Geheimnis bleiben«, sagte ich und schüttelte den Kopf.

»Das wär sowieso irgendwann durchgesickert«, sagte Aech

und schaltete den Fernseher aus. »Allerdings hätte ich nicht erwartet, dass es so schnell geht.«

Ein Klingeln kündigte die Ankunft eines neuen Avatars an, und Art3mis nahm am oberen Ende der Treppe Gestalt an. Sie trug dasselbe Outfit wie in der Nacht, in der wir uns das erste Mal begegnet waren. Während sie die Treppe herunterkam, winkte sie mir kurz zu. Ich erwiderte ihren Gruß und stellte die beiden einander vor.

»Aech, das ist Art3mis. Art3mis, das ist mein bester Freund Aech.«

»Freut mich, dich kennenzulernen«, sagte Art3mis und reichte Aech die Hand.

Aech schüttelte sie. »Ganz meinerseits.« Er ließ sein breites Grinsen aufblitzen. »Danke, dass du gekommen bist.«

»Machst du Witze? Wie hätte ich das erste Treffen der ›High Five‹ verpassen können?«

»Der ›High Five‹?«, fragte ich.

»Yeah«, erwiderte Aech. »So nennen sie uns jetzt überall in den Internetforen. Wir stehen auf den ersten fünf Plätzen des Scoreboards. Also sind wir die High Five.«

»Na ja«, sagte ich. »Jedenfalls vorerst.«

Art3mis schenkte mir ein Lächeln, wandte sich dann um, schlenderte durch das *Basement* und bewunderte die 80er-Jahre-Kulisse. »Aech, das ist der mit Abstand coolste Chatroom, den ich je gesehen habe.«

»Vielen Dank.« Er verbeugte sich. »Nett, dass du das sagst.«

Sie blieb vor dem Regal mit den Rollenspielregelwerken stehen und schaute sie durch. »Du hast den Keller der Morrows bis ins kleinste Detail nachgebaut. Am liebsten würde ich hier einziehen!«

»Du hast einen festen Platz auf der Gästeliste. Log dich ein und schau vorbei, wann immer du Lust dazu hast.«

»Wirklich?«, sagte sie, und ihre Freude wirkte echt. »Danke! Das werde ich. Du bist wirklich cool, Aech.«

»Ja«, sagte er mit einem Lächeln. »Das bin ich.«

Sie schienen sich prächtig zu verstehen, und das machte mich wahnsinnig eifersüchtig. Ich wollte nicht, dass Art3mis Aech mochte und umgekehrt. Ich wollte Art3mis für mich allein haben.

Kurz darauf loggten sich Daito und Shoto ein – sie erschienen gleichzeitig am oberen Ende der Treppe. Daito war der Größere von beiden und schien siebzehn oder achtzehn Jahre alt zu sein. Shoto war dreißig Zentimeter kleiner und sah deutlich jünger aus. Vielleicht wie dreizehn. Beide schienen japanischer Abstammung zu sein, und sie sahen sich auffallend ähnlich, wie Momentaufnahmen von ein und derselben Person im Abstand von fünf Jahren. Sie trugen beide traditionelle Samurairüstungen, und an ihrem Gürtel hingen jeweils ein kurzes Wakizashi und ein längeres Katana.

»Seid gegrüßt«, sagte der ältere Samurai. »Ich heiße Daito. Das ist mein kleiner Bruder Shoto. Vielen Dank für die Einladung. Es ist uns eine Ehre, euch kennenzulernen.«

Sie verneigten sich gemeinsam. Aech und Art3mis erwiderten die Verbeugung, und ich folgte ihrem Beispiel. Als wir uns vorstellten, verneigten sich Daito und Shoto erneut, und wir erwiderten die Geste.

»Also gut«, sagte Aech schließlich. »Dann mal los. Ihr habt bestimmt alle die Nachrichten gesehen. Auf Ludus wimmelt es nur so von Sechsern. Tausende von ihnen. Sie suchen systematisch die ganze Oberfläche des Planeten ab. Obwohl sie nicht genau wissen, was sie suchen, wird es nicht lange dauern, bis sie den Eingang zur Gruft …«

»Genau genommen«, fiel ihm Art3mis ins Wort, »haben sie ihn bereits gefunden. Vor etwa einer halben Stunde.«

Überrascht sahen wir sie an.

»In den Newsfeeds wurde darüber noch nichts berichtet«, sagte Daito. »Bist du sicher?«

Sie nickte. »Ich fürchte, ja. Als ich heute Morgen hörte, dass die Sechser auf Ludus aufmarschieren, habe ich in einem Wäldchen in der Nähe der Gruft eine Kamera versteckt, um die Gegend im Auge zu behalten.« Sie öffnete ein Vidfeed-Fenster und drehte es um 180 Grad, damit wir es alle betrachten konnten. Es zeigte den flachen Hügel und die Lichtung darum herum, und zwar von weit oben; offenbar befand sich die Kamera auf einem der Bäume. Aus diesem Blickwinkel war leicht zu erkennen, dass die großen schwarzen Steine auf dem Hügel einen menschlichen Schädel bildeten. Dort wimmelte es nur so von Sechsern, und es trafen ständig neue ein.

Weitaus bestürzender war jedoch die große, durchsichtige Energiekuppel, die den ganzen Hügel bedeckte.

»Heilige Scheiße«, sagte Aech. »Ist das wirklich …«

Art3mis nickte. »Ein Kraftfeld. Die Sechser haben es installiert, sofort nachdem sie gelandet waren. Was bedeutet …«

»Was bedeutet«, sagte Daito, »dass keiner der Jäger, die die Gruft jetzt noch aufspüren, eine Chance hat hineinzugelangen. Es sei denn, es gelingt ihnen irgendwie, das Kraftfeld zu überwinden.«

»Genau genommen haben sie *zwei* Kraftfelder errichtet«, sagte Art3mis. »Ein kleineres mit einem größeren darüber. Sie schalten sie nacheinander aus, wenn weitere Sechser eintreffen. Wie bei einer Luftschleuse.« Sie deutete auf das Fenster. »Schaut – jetzt zum Beispiel.«

Eine Kompanie Sechser marschierte die Laderampe eines Kampfschiffs hinunter. Sie alle trugen schwere Tornister auf dem Rücken. Als sie sich dem äußeren Kraftfeld näherten, verschwand es, und darunter kam ein kleineres Kraftfeld zum

Vorschein. Sobald die ersten Sechser die Wand des inneren Kraftfelds erreicht hatten, wurde das äußere wieder eingeschaltet. Kurz darauf verschwand das innere Kraftfeld, so dass die Sechser die Gruft betreten konnten.

Während wir über diese neue Entwicklung nachdachten, herrschte betretenes Schweigen.

»Es könnte noch schlimmer sein«, sagte Aech schließlich. »Wenn die Gruft in einer PvP-Zone läge, hätten diese Arschlöcher längst überall Laserkanonen und ferngesteuerte Drohnen stationiert, um jeden unter Beschuss zu nehmen, der sich auch nur in die Nähe der Gruft wagt.«

Er hatte recht. Da Ludus eine Sicherheitszone war, konnten die Sechser anderen Jägern nichts anhaben. Aber sie konnten ein Kraftfeld errichten. Also hatten sie genau das getan.

»Die Sechser haben sich offenbar schon eine ganze Weile auf diesen Augenblick vorbereitet«, sagte Art3mis und schloss ihr Vidfeed-Fenster.

»Auf Dauer werden sie allerdings nicht jeden fernhalten können«, sagte Aech. »Wenn die Clans das mitbekommen, wird es Krieg geben. Tausende von Jägern werden die Kraftfelder mit allem angreifen, was sie haben. Granatwerfern. Feuerkugeln. Streubomben. Atomsprengköpfen. Das wird eine hässliche Angelegenheit. Von dem Wald wird nicht viel übrig bleiben.«

»Yeah, aber bis dahin werden die Sechser den Kupferschlüssel farmen und in Scharen durch das erste Tor marschieren.«

»*Aber wie können sie so etwas machen?*«, fragte Shoto; seine Kinderstimme zitterte vor Wut. Er warf seinem Bruder einen fragenden Blick zu. »Das ist nicht fair. Sie halten sich nicht an die Spielregeln.«

»In der OASIS gibt es keine Gesetze, kleiner Bruder«, sagte Daito. »Die Sechser können tun und lassen, was sie wollen.

Und sie werden erst dann aufhören, wenn jemand ihnen das Handwerk legt.«

»Die Sechser haben keine Ehre«, sagte Shoto finster.

»Ihr habt ja keine Ahnung«, sagte Aech. »Deshalb hat Parzival euch hergebeten.« Er wandte sich zu mir um. »Z, willst du ihnen erzählen, was passiert ist?«

Ich nickte und ließ meinen Blick in die Runde schweifen. Als Erstes berichtete ich ihnen von der E-Mail, die ich von IOI bekommen hatte. Sie hatten die gleiche Einladung erhalten, sie jedoch klugerweise ignoriert. Dann schilderte ich die Chatlink-Session mit Sorrento, wobei ich mich bemühte, nichts auszulassen. Und schließlich erzählte ich von der Bombe im Trailer. Die anderen starrten mich völlig fassungslos an.

»Mein Gott«, flüsterte Art3mis. »Kein Witz? Die haben wirklich versucht, dich umzubringen?«

»Yeah. Und es wäre ihnen auch gelungen, wenn ich zu Hause gewesen wäre. Ich hatte einfach Glück.«

»Wir wissen jetzt, wie weit die Sechser zu gehen bereit sind«, sagte Aech. »Wenn sie einen von uns aufspüren, ist er erledigt.«

Ich nickte. »Ihr solltet also Vorkehrungen treffen, um eure Identität zu schützen«, sagte ich. »Sofern ihr das nicht bereits getan habt.«

Alle nickten. Wieder herrschte betretenes Schweigen.

»Da gibt es immer noch eine Sache, die ich nicht verstehe«, sagte Art3mis nach einer Weile. »Woher wissen die Sechser, dass sie auf Ludus nach der Gruft suchen müssen? Hat ihnen jemand einen Tipp gegeben?« Sie sah in die Runde, aber ihre Stimme klang nicht im mindesten vorwurfsvoll.

»Wahrscheinlich haben sie von den Gerüchten über Parzival und Aech erfahren, die in den Jägerforen kursieren«, sagte Shoto. »So sind wir jedenfalls darauf gekommen.«

Daito zuckte zusammen und boxte seinem kleinen Bruder gegen die Schulter. »Hab ich dir nicht gesagt, du sollst die Klappe halten?«, fauchte er. Shoto senkte den Blick und verstummte.

»Was für Gerüchte?«, fragte Art3mis. »Wovon redet ihr? Ich hatte schon seit Tagen keine Zeit mehr, die Foren zu besuchen.«

»Einige Jäger haben behauptet, sie würden Parzival und Aech kennen und beide würden auf Ludus zur Schule gehen.« Daito drehte sich zu Aech und mir um. »Mein Bruder und ich suchen schon seit zwei Jahren nach der Gruft des Grauens. Wir haben Dutzende von Welten durchkämmt. Aber auf Ludus sind wir erst gekommen, als wir hörten, dass ihr dort zur Schule geht.«

»Ich wäre nie auf den Gedanken gekommen, dass ich das geheim halten müsste«, sagte ich.

»Yeah, und davon haben wir profitiert«, sagte Aech. An die anderen gewandt fuhr er fort: »Mir hat Parzival auch unabsichtlich verraten, wo sich die Gruft befindet. Bevor sein Name auf dem Scoreboard auftauchte, wäre ich genauso wenig auf die Idee gekommen, auf Ludus zu suchen.«

Daito stupste seinen jüngeren Bruder an, und sie verneigten sich beide vor mir. »Du hast die Gruft als Erster gefunden. Wir schulden dir Dank dafür, dass du uns den Weg gewiesen hast.«

Ich erwiderte die Verbeugung. »Vielen Dank! Aber eigentlich war Art3mis die Erste. Sie hat die Gruft ganz alleine aufgespürt. Schon einen Monat vor mir.«

»Yeah, und was hat mir das gebracht? Wochenlang hab ich versucht, den Magierkönig beim *Joust* zu besiegen. Und dann taucht dieser Freak auf und schafft es im ersten Anlauf!« Sie erzählte, wie wir uns getroffen hatten und wie es ihr schließlich gelungen war, Acererak am nächsten Tag zu schlagen, unmittelbar nachdem der Server zurückgesetzt worden war.

»Das habe ich allein Aech zu verdanken«, sagte ich. »Wir haben hier im *Basement* wochenlang nichts anderes als *Joust* gespielt. Sonst hätte ich den König niemals beim ersten Versuch besiegt.«

»Dito«, sagte Aech. Er streckte die Hand aus, und wir stießen die Fäuste gegeneinander.

Daito und Shoto lächelten beide. »Bei uns war es genauso«, sagte Daito. »Mein Bruder und ich spielen seit Jahren *Joust* gegeneinander, weil es in *Anoraks Almanach* erwähnt wird.«

»Großartig!« Art3mis warf die Hände in die Luft. »Wie gut ihr alle vorbereitet wart, wirklich beeindruckend. Bravo!« Sie klatschte in Zeitlupe Beifall, worüber wir alle lachen mussten. »Aber können wir jetzt bitte aufhören, einander zu erzählen, wie toll wir sind, und wieder zur Sache kommen?«

»Klar«, sagte Aech mit einem Lächeln. »Wo waren wir noch mal?«

»Bei den Sechsern?«, erwiderte Art3mis.

»Ach ja! Natürlich!« Aech rieb sich den Nacken und biss sich auf die Unterlippe – ein sicheres Zeichen, dass er versuchte, sich zu konzentrieren. »Du hast gesagt, sie hätten die Gruft vor weniger als einer Stunde gefunden, richtig? Also dürften sie inzwischen den Thronsaal erreicht haben und dem Magierkönig gegenüberstehen. Was meint ihr – was passiert, wenn mehrere Avatare gleichzeitig die Grabkammer betreten?«

Ich wandte mich an Daito und Shoto. »Eure Namen sind fast gleichzeitig auf dem Scoreboard aufgetaucht. Also habt ihr den Thronsaal gemeinsam betreten, richtig?«

Daito nickte. »Ja«, sagte er. »Auf dem Podest haben zwei Kopien des Königs Gestalt angenommen, so dass wir beide einen Gegner hatten.«

»Phantastisch«, sagte Art3mis. »Also können Hunderte von Sechsern gleichzeitig um den Kupferschlüssel spielen. Wenn nicht sogar Tausende.«

»Möglich«, sagte Shoto. »Aber um an den Schlüssel ranzukommen, muss jeder Sechser den König schlagen, und wie wir wissen, ist das gar nicht so einfach.«

»Die Sechser verwenden umgerüstete Immersionsanzüge«, sagte ich. »Sorrento hat sich damit gebrüstet. Mit ihnen kann ein Nutzer auf verschiedene Avatare zugreifen. Also müssen sie nur dafür sorgen, dass ihr bester *Joust*-Spieler alle Avatare steuert, die gegen Acererak antreten. Einen nach dem anderen.«

»Diese verdammten Betrüger!«, sagte Aech.

»Die Sechser haben keine Ehre«, sagte Daito und schüttelte den Kopf.

»Yeah«, sagte Art3mis und verdrehte die Augen. »Das hatten wir bereits.«

»Es kommt noch schlimmer«, sagte ich. »Die Sechser werden von einem Team von Halliday-Experten, Videospielern und Kryptologen beraten. Die *WarGames*-Simulation durchzuspielen dürfte für sie ein Kinderspiel sein. Jemand wird ihnen einfach alles vorsagen.«

»So eine Scheiße«, murmelte Aech. »Wie sollen wir da mithalten?«

»Gar nicht«, erwiderte Art3mis. »Sobald sie den Kupferschlüssel haben, werden sie das erste Tor genauso schnell ausfindig machen wie wir. Und dann werden sie sich daranmachen, das Rätsel um den Jadeschlüssel zu knacken.«

»Sollten sie das Versteck des Schlüssels vor uns finden, werden sie auch das verbarrikadieren«, sagte ich. »Und uns genauso abhängen wie den Rest der Jäger.«

Art3mis nickte. Aech trat wütend gegen den Couchtisch.

»Das ist so was von unfair«, sagte er. »Die Sechser haben uns gegenüber einen Riesenvorteil. Sie haben endlos viel Geld, Waffen, Fahrzeuge und Avatare. Es gibt Tausende von ihnen, und sie arbeiten alle zusammen.«

»Genau«, sagte ich. »Jeder von uns ist auf sich allein gestellt. Na ja, mit Ausnahme von euch beiden.« Ich nickte Daito und Shoto zu. »Aber ihr wisst, was ich meine. Sie sind uns zahlenmäßig und auch in jeder anderen Hinsicht überlegen. Und das wird sich in absehbarer Zeit nicht ändern.«

»Was schlägst du vor?«, fragte Daito. Offenbar gefiel ihm die Richtung nicht, in die sich diese Unterhaltung bewegte.

»Ich schlage überhaupt nichts vor«, sagte ich. »Ich sage nur, wie es ist.«

»Gut«, erwiderte Daito. »Denn es klang fast so, als wolltest du vorschlagen, dass wir uns zusammentun.«

Aech musterte ihn eingehend. »Und? Wäre das eine so schlechte Idee?«

»Ja, das wäre es«, sagte Daito barsch. »Mein Bruder und ich jagen allein. Wir wollen und brauchen eure Hilfe nicht.«

»Ach, wirklich?«, sagte Aech. »Gerade habt ihr noch zugegeben, dass ihr die Gruft ohne Parzival nicht gefunden hättet.«

Daitos Augen wurden schmal. »Wir wären schon irgendwann darauf gestoßen.«

»Klar doch«, sagte Aech. »In fünf Jahren vielleicht.«

»Hör auf, Aech«, ging ich dazwischen. »Das bringt uns nicht weiter.«

Aech und Daito funkelten einander schweigend an, während Shoto unsicher zu seinem Bruder hochblickte. Art3mis war einen Schritt zurückgewichen – fast wirkte sie ein wenig belustigt.

»Wir sind nicht hierhergekommen, um uns beleidigen zu lassen«, sagte Daito schließlich. »Wir gehen besser.«

»Moment mal, Daito«, sagte ich. »Lass uns doch erst mal darüber reden. Wir sollten nicht als Feinde auseinandergehen. Wir sind alle auf derselben Seite.«

»Nein«, sagte Daito. »Das sind wir nicht. Wir kennen keinen von euch. Jeder von euch könnte ein Spion der Sechser sein.«

Art3mis lachte laut auf und hielt sich dann die Hand vor den Mund. Daito schenkte ihr keine Beachtung. »Das ist zwecklos«, sagte er. »Nur einer kann das Ei als Erster finden und den Wettbewerb gewinnen. Und das bin entweder ich oder mein Bruder.«

Und damit loggten sich Daito und Shoto kurzerhand aus.

»Das lief ja großartig«, sagte Art3mis, nachdem die Avatare der beiden verschwunden waren.

»Ja, echt smooth, Alter. Aech, du bist wirklich der geborene Diplomat!«

»Was denn?«, sagte er. »Daito hat sich wie das letzte Arschloch benommen. Außerdem haben wir ihn ja nicht gebeten, sich uns anzuschließen. Ich bin ein erklärter Einzelgänger und du genauso. Und Art3mis hier scheint mir auch eher der Typ einsamer Wolf zu sein.«

»Schuldig im Sinne der Anklage«, sagte sie mit einem Grinsen. »Trotzdem spricht einiges dafür, sich gegen die Sechser zusammenzuschließen.«

»Vielleicht«, sagte Aech. »Aber denk doch mal darüber nach. Wenn du den Jadeschlüssel vor uns beiden findest, würdest du uns das Versteck verraten?«

»Natürlich nicht«, sagte Art3mis spöttisch.

»Ich genauso wenig«, sagte Aech. »Also ist es unsinnig, über ein Bündnis zu sprechen.«

Art3mis zuckte mit den Achseln. »Dann ist dieses Treffen wohl vorbei, bevor es richtig begonnen hat. Ich mach mich mal besser auf die Socken.« Sie zwinkerte mir zu. »Die Uhr läuft, Jungs.«

»Ticktack«, sagte ich.

»Viel Glück euch beiden.« Sie hob zum Abschied die Hand. »Wir sehen uns.«

»Wir sehen uns«, erwiderten wir im Chor.

Ich schaute zu, wie sich ihr Avatar langsam auflöste, und wandte mich dann zu Aech um. Er stand da und grinste breit. »Was denn?«, fauchte ich.

»Du bist ganz schön in sie verknallt, oder?«

»Ich? In Art3mis? Nie im …«

»Streit's nicht ab, Z. Wie du sie die ganze Zeit über angestarrt hast.« Er drückte sich beide Hände an die Brust und klimperte mit den Wimpern wie ein Stummfilmstar. »Ich hab alles aufgenommen. Soll ich es dir vorspielen, damit du siehst, wie albern du ausgesehen hast?«

»Hör auf, dich wie ein Arschloch aufzuführen.«

»Ich versteh dich ja, Alter«, sagte er. »Sie ist wirklich Zucker.«

»Und, bist du mit dem neuen Rätsel weitergekommen?«, fragte ich, um das Thema zu wechseln. »Dem Quartett über den Jadeschlüssel?«

»Quartett?«

»»Ein Gedicht oder eine Strophe mit vier Zeilen und alternierendem Reimschema««, zitierte ich. »Ein Quartett eben.«

Aech verdrehte die Augen. »Dir ist echt nicht zu helfen, Alter.«

»Was denn? So heißt das nun mal, du Knallkopf!«

»Es ist nur ein Rätsel. Und nein. Bisher hab ich's noch nicht gelöst.«

»Ich auch nicht«, sagte ich. »Also sollten wir wohl nicht hier rumstehen und uns gegenseitig anpampen, sondern unsere Spürnasen in den Wind halten.«

»Yeah«, sagte er. »Aber …«

In dem Moment rutschte ein Stapel Comics von einem Bei-stelltischchen am anderen Ende des Raumes und krachte auf den Boden – als hätte ihn jemand umgeschmissen. Aech und ich zuckten beide zusammen und sahen einander fragend an.

»Verdammte Scheiße, was war das denn?«

»Keine Ahnung.« Aech ging hinüber und sah die verstreuten Hefte lange an. »Vielleicht ein Softwarefehler?«, sagte er schließlich.

»In einem Chatroom?« Ich schaute mich argwöhnisch um. »Vielleicht ist außer uns noch jemand hier. Ein unsichtbarer Avatar, der uns belauscht.«

Aech verdrehte die Augen. »Unmöglich, Z«, sagte er. »Du leidest unter Verfolgungswahn. Ich hab alles mehrfach ver-schlüsselt. Ohne meine Erlaubnis kommt hier niemand rein. Das weißt du.«

»Okay«, sagte ich. Der Schreck saß mir noch immer in den Knochen.

»Entspann dich. War nur ein Glitch.« Er legte mir eine Hand auf die Schulter. »Hör mal. Du sagst mir, falls du doch Kohle brauchst, ja? Oder einen Unterschlupf.«

»Ich komm schon klar«, erwiderte ich. »Trotzdem danke, Amigo.«

Wir stießen erneut die Fäuste gegeneinander, wie die Won-der Twins, wenn sie ihre Superkräfte aktivierten.

»Bis später dann. Viel Glück, Z.«

»Dir auch, Aech.«

0016

EINIGE STUNDEN SPÄTER wurden die übrigen Plätze auf dem Scoreboard belegt, und zwar einer nach dem anderen, in rascher Folge. Nicht mit Avatarnamen, sondern mit Mitarbeiternummern von IOI. Hinter jeder standen 5000 Punkte (inzwischen offenbar der feste Wert des Kupferschlüssels); ein paar Stunden später, nachdem der jeweilige Sechser das erste Tor überwunden hatte, erhöhte sich die Punktzahl dann noch mal um 100 000. Am Ende des Tages sah das Scoreboard folgendermaßen aus:

Highscores

1.	Parzival	110 000	♯
2.	Art3mis	109 000	♯
3.	Aech	108 000	♯
4.	Daito	107 000	♯
5.	Shoto	107 000	♯
6.	IOI-655321	105 000	♯
7.	IOI-643187	105 000	♯
8.	IOI-621671	105 000	♯
9.	IOI-678324	105 000	♯
10.	IOI-637330	105 000	♯

Die erste Mitarbeiternummer war mir natürlich bekannt, denn ich hatte sie auf Sorrentos Uniform gesehen. Wahrscheinlich hatte er darauf bestanden, dass sein Avatar der erste war, der das Tor hinter sich ließ. Allerdings bezweifelte ich, dass er das alleine geschafft hatte. Er war bestimmt kein guter *Joust*-Spieler. Und *WarGames* kannte er schon gar nicht auswendig. Aber das war auch nicht nötig. Sobald er auf eine Herausforderung stieß, mit der er nicht fertigwurde, gab er die Steuerung seines Avatars an einen seiner Untergebenen weiter. Und während der *WarGames*-Runde hatte ihm wahrscheinlich einfach jemand den Dialog souffliert.

Alsbald verlängerte sich das Scoreboard und zeigte schließlich die ersten zwanzig Platzierungen an. Dann die ersten drei-ßig. Innerhalb der nächsten vierundzwanzig Stunden überwanden mehr als sechzig Sechser das erste Tor.

Währenddessen wurde Ludus das beliebteste Reiseziel in der OASIS. Transportterminals auf dem ganzen Planeten spien einen steten Strom von Jägern aus, die überallhin ausschwärmten, für allgemeines Chaos sorgten und in den Schulen den Unterricht störten. Die Schulbehörde begriff recht bald, was die Stunde geschlagen hatte, und beschloss, Ludus zu evakuieren. Im selben Sektor wurde eine identische Kopie des Planeten mit Namen Ludus II geschaffen, nicht weit entfernt vom Original. Alle Schüler bekamen einen Tag frei, während eine Sicherungskopie des ursprünglichen Quellcodes nach Ludus II kopiert wurde (allerdings ohne den Code für die Gruft des Grauens, den Halliday dem Planeten irgendwann heimlich eingefügt hatte). Am nächsten Tag ging der Unterricht weiter, und auf Ludus konnten Sechser und Jäger fortan ungestört übereinander herfallen.

Die Nachricht, dass die Sechser um einen kleinen Hügel mitten in einem abgelegenen Wald ihr Lager aufgeschlagen hatten, verbreitete sich rasend schnell. Der genaue Standort der Gruft kursierte noch am selben Abend in den Foren, zusammen mit Screenshots des Kraftfeldes, das die Sechser errichtet hatten. Auf diesen Screenshots war auch der steinerne

Totenschädel auf dem Hügel gut zu erkennen. Innerhalb weniger Stunden wurde in sämtlichen Jägerforen über den Zusammenhang mit dem *D&D*-Abenteuer *Gruft des Grauens* gesprochen. Und schließlich ging es auch über die Newsfeeds.

Alle größeren Jägerclans schlossen sich umgehend zusammen, um einen Großangriff auf das Kraftfeld zu starten. Die Sechser setzten Störsender ein, die es unmöglich machten, mit technologischen Mitteln durch die Kraftfelder zu teleportieren. Außerdem hatten sie um die Gruft herum ein Team mächtiger Zauberer stationiert. Diese Magier verwandelten das ganze Areal vorübergehend in eine magiefreie Zone. Damit war es auch unmöglich, die Kraftfelder auf magischem Wege zu überwinden.

Zuerst bombardierten die Clans das äußere Kraftfeld mit Raketen, Bomben, Atomsprengköpfen und Schimpfworten. Die ganze Nacht hindurch belagerten sie die Gruft, doch am darauffolgenden Morgen waren beide Kraftfelder noch immer unversehrt.

In ihrer Verzweiflung beschlossen die Clans, noch schwerere Geschütze aufzufahren. Sie legten zusammen und erwarben auf eBay zwei äußerst teure, äußerst wirkungsmächtige Antimateriebomben. Diese zündeten sie im Abstand von wenigen Sekunden. Die erste Bombe schaltete das äußere Kraftfeld aus und die zweite das innere. Kaum war das zweite Kraftfeld verschwunden, schwärmten Tausende von Jägern (alle unverletzt, schließlich war Ludus keine PvP-Zone) in die Gruft und verstopften das ganze Labyrinth. Bald hatten sich Tausende von Jägern (und Sechsern) in den Thronsaal gequetscht, um den Magierkönig zum *Joust* herauszufordern. Immer mehr Kopien von Acererak erschienen, eine für jeden Avatar, der den Fuß auf das Podium setzte. Neunundfünfzig Prozent der Jäger, die gegen ihn antraten, verloren und wurden getötet.

Aber einige Jäger schlugen ihn, und am Ende des Scoreboards, unter den High Five und den Mitarbeiternummern von IOI, tauchten weitere Avatarnamen auf. Nach nur wenigen Tagen war die Liste der Avatare auf dem Scoreboard auf über hundert Namen angeschwollen.

Da es jetzt in der ganzen Gegend nur so von Jägern wimmelte, gelang es den Sechsern nicht mehr, ihr Kraftfeld wiederzuerrichten. Die Jäger fielen über sie her und zerstörten alle Kampfschiffe und Ausrüstungsgegenstände, deren sie habhaft werden konnten. Schließlich gaben die Sechser ihre Barrikade auf, schickten aber weiterhin Avatare in die Gruft des Grauens, um den Kupferschlüssel zu farmen. Daran konnte sie niemand hindern.

Am Tag nach der Explosion in den *Stacks* tauchte in einem der örtlichen Newsfeeds eine kurze Meldung dazu auf. Sie zeigte einen Videoclip von freiwilligen Helfern, die in den Trümmern nach menschlichen Überresten suchten. Was sie fanden, konnte nicht identifiziert werden.

Offenbar hatten die Sechser haufenweise Chemikalien und Equipment darin deponiert, so dass die Cops annehmen mussten, eine Drogenküche sei explodiert. Jedenfalls stellten sie keine weiteren Nachforschungen an und machten sich nicht einmal die Mühe, die verkohlten und zerquetschten Trailer zu beseitigen. Die Wohnstapel standen so dicht aneinander, dass es zu gefährlich gewesen wäre, sie mit Hilfe eines der alten Baukräne zu beseitigen. Also ließen sie alles so, wie es war – der Rost und das Unkraut würden sich der Trümmer annehmen.

Von der ersten Zahlung aus einem der Werbeverträge kaufte ich mir einen Busfahrschein nach Columbus, Ohio. Abfahrt war am nächsten Morgen um acht Uhr. Ich leistete mir ein Erste-Klasse-Ticket; damit saß ich bequemer und hatte einen schnellen Internetanschluss. Ich wollte den größten Teil der extrem langen Fahrt in der OASIS verbringen.

Nachdem das erledigt war, machte ich in meinem Versteck Inventur und packte alles, was ich mitnehmen wollte, in einen alten Rucksack. Meine von der Schule ausgegebene OASIS-Konsole, Videobrille und Handschuhe. Meinen eselsohrigen Ausdruck von *Anoraks Almanach*. Mein Gralstagebuch. Ein paar Klamotten. Meinen Laptop. Den Rest ließ ich zurück.

Als es dunkel wurde, stieg ich aus dem Transporter, schloss ihn ab und warf die Schlüssel in hohem Bogen zwischen die Autowracks. Dann schulterte ich meinen Rucksack und verließ die *Stacks*. Ich drehte mich nicht um.

Ich blieb auf den belebten Straßen und gelangte zum Busbahnhof, ohne ausgeraubt zu werden. Direkt neben dem Eingang stand ein ramponierter Fahrkartenautomat, und nachdem er mein Netzhautmuster gescannt hatte, spie er meinen Fahrschein aus. Danach setzte ich mich auf eine Bank und las im *Almanach*, bis es Zeit war einzusteigen.

Ich fuhr mit einem Doppeldecker mit gepanzerter Karosserie, kugelsicheren Scheiben und Sonnenkollektoren auf dem Dach. Eine rollende Festung. Ich hatte einen Fensterplatz zwei Reihen hinter dem Fahrer, der in einer kugelsicheren Plexiglasbox saß. Auf dem Oberdeck fuhr ein Team schwer bewaffneter Wachleute mit, die das Fahrzeug und seine Passagiere beschützen sollten, falls es von Wegelagerern überfallen wurde – was durchaus im Rahmen des Möglichen war, schließlich würden wir uns in die gesetzlosen Einöden außerhalb der Großstädte hinauswagen.

Alle Sitzplätze waren belegt. Die meisten Passagiere setzten ihre Videobrille auf, kaum hatten sie ihren Platz gefunden. Ich wartete damit jedoch noch eine Weile, denn ich wollte sehen, wie die Stadt, in der ich geboren worden war, hinter uns zu-

rückblieb, während wir durch das Meer aus Windrädern roll-
ten, das sie umgab.

Der Elektromotor des Busses brachte es auf rund vierzig
Stundenkilometer. Aufgrund des desolaten Zustands der
Highways und der zahllosen Aufenthalte an den Ladestatio-
nen dauerte es mehrere Tage, bis ich mein Ziel erreichte. Ich
blieb fast die ganze Zeit hindurch in der OASIS eingeloggt und
bereitete mich darauf vor, ein neues Leben zu beginnen.

Als Erstes musste ich mir eine neue Identität erschaffen. Da
ich jetzt etwas Geld hatte, war das gar nicht so schwer. In der
OASIS konnte man fast jede Information kaufen, wenn man
wusste, wo man suchen und wen man fragen musste – und
wenn es einem nichts ausmachte, gegen das Gesetz zu verstoßen. Bei der Regierung (und bei jedem größeren Konzern)
arbeiteten genügend verzweifelte und korrupte Menschen, die
auf dem Schwarzmarkt der OASIS Informationen feilboten.

Mein neuer Status als weltberühmter Jäger sorgte dafür,
dass ich in der Unterwelt mit offenen Armen empfangen
wurde, und damit hatte ich Zugang zu einer äußerst exklusiven illegalen Datenauktionsseite mit dem Namen »L33 t
Hax0rz Warezhaus«. Für überraschend wenig Geld konnte ich
dort die Zugangsdaten und Passwörter für die Datenbank der
USCR (die Meldebehörde der USA) erwerben. Ich loggte mich
dort ein und rief mein Bürgerprofil auf, das angelegt worden
war, als ich mich in der Schule angemeldet hatte. Ich löschte
meine Fingerabdrücke und mein Netzhautmuster und er-
setzte sie durch die eines Toten (meines Vaters). Dann kopierte
ich meine Fingerabdrücke und mein Netzhautmuster in ein
neues Identitätsprofil mit dem Namen Bryce Lynch. Ich ließ
Bryce zweiundzwanzig Jahre alt sein und versah ihn mit einer
brandneuen Sozialversicherungsnummer, einer makellosen
Bonitätseinstufung und einem Bachelor in Informatik. Sollte

ich irgendwann wieder meine alte Identität annehmen wollen, musste ich lediglich das Lynch-Profil löschen und meine Fingerabdrücke und mein Netzhautmuster in die ursprüngliche Datei zurückkopieren.

Nachdem ich mir eine neue Identität verpasst hatte, suchte ich in den Kleinanzeigen von Columbus nach einer passenden Wohnung und fand ein vergleichsweise günstiges Zimmer in einem alten Hochhaushotel, einem Relikt aus jenen Tagen, als die Menschen noch körperlich von einem Ort zum anderen gereist waren, sei es geschäftlich oder zum Vergnügen. Die Räume waren alle in Einzimmerwohnungen umgebaut worden, und jede dieser Wohneinheiten war so eingerichtet, dass sie den Bedürfnissen eines Vollzeitjägers gerecht wurde. Es gab alles, was ich brauchte. Niedrige Miete, modernste Sicherheitssysteme und einen stabilen, verlässlichen Zugriff auf so viel Elektrizität, wie ich mir leisten konnte. Und was am wichtigsten war – ich hatte eine direkte Glasfaserverbindung zum Servergewölbe der OASIS, das nur wenige Kilometer entfernt war. Eine schnellere und sicherere Internetverbindung gab es nicht, und da sie nicht von IOI oder einer ihrer Tochtergesellschaften bereitgestellt wurde, musste ich auch nicht befürchten, dass die Sechser meinen Anschluss überwachten. Ich befand mich in Sicherheit.

Manchmal, spätnachts, während der Bus langsam die verfallenen Highways entlangbrummte, nahm ich die Videobrille ab und starrte zum Fenster hinaus. Bisher hatte ich Oklahoma City noch nie verlassen, und ich war neugierig auf die Welt, die sich nun vor mir auftat. Doch die Welt da draußen blieb einförmig trostlos, und eine Stadt sah aus wie die andere.

Schließlich, nachdem wir eine Ewigkeit über die Interstate gekrochen waren, tauchte die Skyline von Columbus am Horizont auf. Sie leuchtete wie die Smaragdstadt am Ende der gelben Ziegelsteinstraße. Wir trafen bei Sonnenuntergang ein, und schon jetzt brannten mehr elektrische Lampen, als ich jemals auf einmal gesehen hatte. Ich hatte gelesen, dass in der ganzen Stadt riesige Solaranlagen installiert worden waren, die von zwei Solarturmkraftwerken in den Randgebieten unterstützt wurden. Den ganzen Tag über nahmen die Anlagen Sonnenenergie auf, speicherten sie und speisten sie nachts ins Stromnetz ein.

Als wir in den Busbahnhof von Columbus einbogen, wurde meine OASIS-Verbindung unterbrochen. Ich nahm die Videobrille ab und stieg zusammen mit den anderen Passagieren aus. In diesem Moment wurde mir zum ersten Mal bewusst, in was für einer Lage ich mich befand. Ich war ein Flüchtling, der unter falschem Namen lebte. Mächtige Menschen suchten nach mir. Menschen, die mich umbringen wollten.

Als ich den Fuß auf den Asphalt setzte, hatte ich plötzlich das Gefühl, ein gewaltiges Gewicht würde auf meiner Brust lasten. Das Atmen fiel mir schwer. Eine Art Panikattacke. Um mich zu beruhigen, bemühte ich mich, langsam Luft zu holen. Ich musste nur in meine neue Wohnung gehen, meine Ausrüstung aufbauen und mich wieder in die OASIS einloggen. Dann würde alles gut sein. Ich würde mich wieder in vertrauter Umgebung befinden. Und in Sicherheit.

Ich rief ein Taxi und gab auf dem Touchscreen meine neue Adresse ein. Der Computer teilte mir mit, dass die Fahrtzeit bei den momentanen Verkehrsverhältnissen zweiunddreißig Minuten betragen würde. Unterwegs starrte ich durchs Fenster auf die dunklen Straßen der Stadt hinaus. Nervös und ängstlich warf ich immer wieder einen Blick auf das Taxameter, weil ich wissen wollte, wie weit es noch war. Schließlich hielt das Taxi vor meinem neuen Zuhause, einem schiefergrauen Monolithen am Rande des *Twin-Rivers*-Ghettos. Auf der Fassade waren noch die Umrisse des Hilton-Logos zu sehen.

Ich bezahlte mit einem Daumenabdruck und stieg aus. Dann schaute ich mich ein letztes Mal um, sog die frische Abendluft ein und betrat das Foyer. Im Überwachungskäfig wurden meine Fingerabdrücke und mein Netzhautmuster gescannt, und auf dem Monitor erschien mein Name. Ein grünes Licht leuchtete auf, und die hintere Käfigtür glitt beiseite, so dass ich meinen Weg zum Aufzug fortsetzen konnte.

Mein Apartment befand sich im zweiundvierzigsten Stock und hatte die Nummer 4211. Das Sicherheitsschloss an der Tür scannte meine Netzhaut ein weiteres Mal. Dann glitt die Tür auf, und die Innenbeleuchtung schaltete sich an. In dem würfelförmigen Zimmer gab es keine Möbel und nur ein Fenster. Ich ging hinein, schloss die Tür hinter mir und verriegelte sie. Dann schwor ich mir, dass ich diesen Raum erst wieder verlassen würde, wenn ich meine Suche erfolgreich beendet hatte. Ich würde der Realität den Rücken kehren, bis ich das Ei gefunden hatte.

LEVEL 2

Ich mag die Wirklichkeit nicht,
aber sie ist immer noch
der einzige Ort, wo es etwas
Vernünftiges zu essen gibt.

GROUCHO MARX

0017

> › ART3MIS: Bist Du da?
> › PARZIVAL: Ja! Hey! Ich fass es nicht – hast Du endlich
>   mal auf eine meiner Einladungen reagiert …
> › ART3MIS: Nur, weil ich Dich bitten möchte, damit
>   aufzuhören. Es ist keine gute Idee, dass
>   wir miteinander chatten.
> › PARZIVAL: Warum nicht? Ich dachte, wir wären
>   Freunde.
> › ART3MIS: Ich finde Dich echt nett. Aber wir sind
>   Konkurrenten. Jäger, die gegeneinander
>   antreten. Erzrivalen.
> › PARZIVAL: Wir müssen nicht über irgendwas reden,
>   das mit der Jagd zu tun hat.
> › ART3MIS: Alles hat mit der Jagd zu tun.
> › PARZIVAL: Komm schon. Versuch's wenigstens mal.
>   Lass uns noch mal von vorne anfangen.
>   Hallo, Art3mis. Wie geht es Dir?
> › ART3MIS: Gut. Danke der Nachfrage. Und Dir?
> › PARZIVAL: Großartig. Hör mal, warum verwendest Du
>   dieses uralte Text-Interface? Ich kann einen
>   privaten Chatroom für uns hosten.
> › ART3MIS: Mir ist das lieber so.
> › PARZIVAL: Warum?
> › ART3MIS: Wie Du Dich vielleicht erinnerst, neige ich in
>   Echtzeit dazu herumzuschwafeln. Wenn ich
>   alles, was ich sagen möchte, tippen muss,

komme ich nicht ganz so rüber wie eine Quasselstrippe.

> PARZIVAL: Ich finde nicht, dass Du eine Quasselstrippe bist. Du bist bezaubernd.

> ART3MIS: Hast Du gerade das Wort »bezaubernd« benutzt?

> PARZIVAL: Steht doch da, oder?

> ART3MIS: Das ist wirklich süß. Und kompletter Quatsch.

> PARZIVAL: Ich meine das völlig ernst.

> ART3MIS: Und, wie geht's Dir so da oben an der Spitze des Scoreboards? Hast Du es schon satt, berühmt zu sein?

> PARZIVAL: Ich komm mir nicht berühmt vor.

> ART3MIS: Machst Du Witze? Die ganze Welt brennt darauf herauszufinden, wer Du wirklich bist. Du bist ein Rockstar!

> PARZIVAL: Du bist genauso berühmt wie ich. Und wenn ich so ein Rockstar bin – warum beschreiben mich die Medien dann immer als ungewaschenen Nerd, der nie einen Schritt vor die Tür geht?

> ART3MIS: Offenbar hast Du die Show auf SNL über uns gesehen.

> PARZIVAL: Ja. Warum gehen alle davon aus, dass ich ein asozialer Spinner bin?

> ART3MIS: Bist Du das nicht?

> PARZIVAL: Nein! Vielleicht. Okay, ja. Aber ich wasche mich regelmäßig.

> ART3MIS: Wenigstens haben sie kein Mädchen aus Dir gemacht. Von mir glauben alle, ich sei in Wirklichkeit ein Mann.

> PARZIVAL: Weil die meisten Jäger Männer sind und
nicht akzeptieren wollen, dass eine Frau
stärker / klüger ist als sie.
> ART3MIS: Ich weiß. Neandertaler.
> PARZIVAL: Also bist Du wirklich eine Frau? IRL?
> ART3MIS: Das hättest Du auch alleine rauskriegen
können, Clouseau.
> PARZIVAL: Habe ich auch. Echt. .
> ART3MIS: Is wahr?
> PARZIVAL: Ja. Nachdem ich alle verfügbaren
Informationen analysiert habe, bin ich zu
dem Schluss gekommen, dass Du eine Frau
sein musst.
> ART3MIS: Warum »sein musst«?
> PARZIVAL: Weil ich keinen Bock habe, in einen
übergewichtigen Kerl verknallt zu sein, der
Chuck heißt und in irgendeinem Vorort von
Detroit bei seiner Mutter im Keller wohnt.
> ART3MIS: Du bist in mich verknallt?
> PARZIVAL: Das hättest Du auch alleine rauskriegen
können, Clouseau.
> ART3MIS: Was ist, wenn ich ein übergewichtiges
Mädchen bin, das Charlene heißt und in
irgendeinem Vorort von Detroit bei ihrer
Mutter im Keller wohnt? Wärst Du dann immer
noch in mich verknallt?
> PARZIVAL: Keine Ahnung. Wohnst Du bei Deiner Mutter
im Keller?
> ART3MIS: Nein.
> PARZIVAL: Dann ja. Wahrscheinlich schon.
> ART3MIS: Ich soll Dir also abnehmen, dass Du einer
dieser legendären Typen bist, die sich nur

für die Persönlichkeit einer Frau interessieren
und nicht dafür, wie sie aussieht?

> PARZIVAL: Wie kommst Du darauf, dass ich ein Mann
bin?

> ART3MIS: Bitte! Das ist doch offensichtlich. Deine
männlichen Vibes sind ja so was von
eindeutig.

> PARZIVAL: Männliche Vibes? Was meinst Du damit –
meine männliche Syntax?

> ART3MIS: Lenk jetzt nicht ab! Du hast gerade gesagt,
dass Du in mich verknallt bist.

> PARZIVAL: Ja, schon lange. Seit ich Deinen Blog gelesen
hab. Ich bin Dein virtueller Stalker, und das
seit Jahren.

> ART3MIS: Trotzdem weißt Du eigentlich nichts über
mich. Oder über meine Persönlichkeit.

> PARZIVAL: Wir sind hier in der OASIS. Hier gibt es nur
Deine Persönlichkeit.

> ART3MIS: Da bin ich anderer Ansicht. Wir spielen doch
nur eine Rolle, und dabei legen wir vorher
genau fest, wie unsere Avatare aussehen
und klingen. In der OASIS kann jeder sein,
was er will. Deshalb sind auch alle süchtig
danach.

> PARZIVAL: Also bist Du IRL überhaupt nicht so wie die
Person, die ich in jener Nacht in der Gruft
kennengelernt habe?

> ART3MIS: Das war nur eine Seite von mir. Die Seite, die
ich zeigen wollte.

> PARZIVAL: Mir hat diese Seite gefallen. Und ich wette,
mir würden auch Deine anderen Seiten
gefallen.

> ART3MIS: Das sagst Du jetzt so. Aber ich weiß, wie das abläuft. Früher oder später wirst Du von mir verlangen, dass ich Dir ein echtes Bild von mir schicke.
> PARZIVAL: Ich bin nicht der Typ, der irgendwas verlangt. Außerdem werde ich Dir ganz bestimmt kein Foto von mir zeigen.
> ART3MIS: Warum? Bist Du hässlich?
> PARZIVAL: Du bist ja so was von scheinheilig!
> ART3MIS: Na und? Beantworte meine Frage. Bist Du hässlich?
> PARZIVAL: Muss wohl.
> ART3MIS: Warum?
> PARZIVAL: Bisher haben mich alle Mädchen abstoßend gefunden.
> ART3MIS: Ich finde Dich nicht abstoßend.
> PARZIVAL: Natürlich nicht. Du bist ja auch ein fetter Kerl namens Chuck, der gerne mit hässlichen Jungs chattet.
> ART3MIS: Du bist also noch jung?
> PARZIVAL: Vergleichsweise.
> ART3MIS: Im Vergleich mit was?
> PARZIVAL: Mit einem dreiundfünfzig Jahre alten Kerl wie Dir, Chuck. Lässt Dich Deine Mama wenigstens mietfrei in ihrem Keller wohnen?
> ART3MIS: So stellst Du Dir mich wirklich vor?
> PARZIVAL: Nein. Sonst würde ich jetzt nicht mit Dir chatten.
> ART3MIS: Wie sehe ich denn Deiner Meinung nach aus?
> PARZIVAL: Wie Dein Avatar. Ohne die Rüstung, die Knarre und das Schwert natürlich.

> ART3MIS: Das meinst Du nicht ernst, oder? Du kennst doch die erste Regel jeder Online-Romanze: Niemand sieht seinem Avatar auch nur im Geringsten ähnlich.

> PARZIVAL: Ach, eine Romanze ist das jetzt? ‹drückt die Daumen›

> ART3MIS: Keine Chance, Kumpel. Tut mir leid.

> PARZIVAL: Warum nicht?

> ART3MIS: Für so was hab ich keine Zeit, Dr. Jones. Meine ganze Freizeit geht für Cyberpornos drauf, und ansonsten suche ich nach dem Jadeschlüssel. Was ich jetzt eigentlich auch tun sollte.

> PARZIVAL: Yeah. Ich auch. Aber es macht mehr Spaß, mit Dir zu reden.

> ART3MIS: Und Du?

> PARZIVAL: Was ich?

> ART3MIS: Hast Du Zeit für eine Online-Romanze?

> PARZIVAL: Ich habe Zeit für Dich.

> ART3MIS: Hör auf! Ich fall gleich vom Stuhl.

> PARZIVAL: Ich hab noch gar nicht richtig angefangen.

> ART3MIS: Hast Du einen Job? Oder gehst Du noch auf die Highschool?

> PARZIVAL: Highschool. Ich mach nächste Woche meinen Abschluss.

> ART3MIS: So was solltest Du nicht ausplaudern! Ich könnte ein Spion der Sechser sein.

> PARZIVAL: Die Sechser wissen bereits, wer ich bin. Erinnerst Du Dich — sie haben mein Haus in die Luft gesprengt. Nun ja, meinen Trailer.

> ART3MIS: Ich weiß. Superkrass. Ich kann nur ahnen, wie Du Dich fühlst.

> PARZIVAL: Rache ist ein Gericht, das man am besten kalt serviert.

> ART3MIS: Bon appétit. Was machst Du, wenn Du nicht auf der Jagd bist?

> PARZIVAL: Ich weigere mich, noch irgendwelche Fragen zu beantworten. Jetzt bist Du an der Reihe.

> ART3MIS: Okay. Quid pro quo, Dr. Lecter. Dann wechseln wir uns eben ab. Schieß los!

> PARZIVAL: Arbeitest Du oder gehst Du zur Schule?

> ART3MIS: College.

> PARZIVAL: Welche Fächer?

> ART3MIS: Ich bin dran. Was machst Du, wenn Du nicht auf der Jagd bist?

> PARZIVAL: Nichts. Ich bin immer auf der Jagd. Auch jetzt. Ich bin multitaskingfähig.

> ART3MIS: Ich auch.

> PARZIVAL: Wirklich? Da behalte ich mal lieber das Scoreboard im Auge. Nur für den Fall.

> ART3MIS: Besser ist das.

> PARZIVAL: Was studierst Du denn?

> ART3MIS: Lyrik und kreatives Schreiben.

> PARZIVAL: Das passt. Schreiben kannst Du wirklich gut.

> ART3MIS: Danke für das Kompliment. Wie alt bist Du?

> PARZIVAL: Ich bin gerade 18 geworden. Und Du?

> ART3MIS: Meinst Du nicht, das wird allmählich ein bisschen zu persönlich?

> PARZIVAL: Nicht im Entferntesten.

> ART3MIS: 19.

> PARZIVAL: Ah. Eine ältere Frau. Scharf.

> ART3MIS: Wenn ich denn eine Frau bin …

> PARZIVAL: Bist Du eine Frau?

> ART3MIS: Du bist nicht dran.

> PARZIVAL: Okay.
> ART3MIS: Wie gut kennst Du Aech?
> PARZIVAL: Wir sind seit fünf Jahren miteinander
befreundet. Jetzt sag schon. Bist Du
eine Frau? Und damit meine ich ein
weibliches Wesen, das noch keine
Geschlechtsumwandlung vorgenommen hat.
> ART3MIS: Das ist ziemlich intim, findest Du nicht auch?
> PARZIVAL: Beantworte die Frage, Claire.
> ART3MIS: Ich bin und war schon immer eine Frau. Hast
Du Aech jemals IRL getroffen?
> PARZIVAL: Nein. Hast Du irgendwelche Geschwister?
> ART3MIS: Nein. Du?
> PARZIVAL: Nein. Eltern?
> ART3MIS: Sind gestorben. An der Grippe. Ich bin bei
meinen Großeltern aufgewachsen. Und Du?
> PARZIVAL: Nein. Meine sind auch tot.
> ART3MIS: Ziemlich scheiße, was? So ganz ohne Eltern.
> PARZIVAL: Yeah. Aber vielen Leuten geht's noch
schlimmer.
> ART3MIS: Das versuche ich, mir auch immer einzureden.
Also … arbeitest Du mit Aech zusammen?
> PARZIVAL: Aha, darauf läuft's hinaus …
> ART3MIS: Und? Sag schon!
> PARZIVAL: Nein. Er hat mich das Gleiche über Dich
gefragt. Weil Du kurz nach mir das erste Tor
überwunden hast.
> ART3MIS: Da fällt mir ein – warum hast Du mir den Tipp
gegeben? Dass ich beim Joust die Seiten
wechseln soll?
> PARZIVAL: Ich wollte Dir helfen.
> ART3MIS: Nun, den Fehler solltest Du nicht noch mal

machen. Denn ich werde gewinnen. Das ist
Dir doch klar, oder?

› PARZIVAL: Ja, ja. Wir werden sehen.

› ART3MIS: Was ist mit unserem Frage-und-Antwort-
Spiel? Du bist mindestens fünf Fragen im
Rückstand.

› PARZIVAL: Okay. Was für eine Haarfarbe hast Du? IRL?

› ART3MIS: Braun.

› PARZIVAL: Augen?

› ART3MIS: Braun.

› PARZIVAL: Genau wie Dein Avatar, was? Siehst Du auch
sonst so aus?

› ART3MIS: Das überlasse ich Deiner Phantasie.

› PARZIVAL: Okay. Was ist Dein Lieblingsfilm?

› ART3MIS: Das ändert sich. Im Moment? Highlander
vielleicht.

› PARZIVAL: Du hast Geschmack, Lady.

› ART3MIS: Ich weiß. Ich steh auf glatzköpfige Fieslinge.
Dieser Kurgan ist wirklich sexy.

› PARZIVAL: Ich werd mir sofort den Kopf rasieren. Und nur
noch Leder tragen.

› ART3MIS: Schick mir Fotos. Hör zu, ich brauch 'ne
Mütze voll Schlaf. Noch eine Frage, okay?

› PARZIVAL: Wann können wir wieder chatten?

› ART3MIS: Nachdem einer von uns das Ei gefunden
hat.

› PARZIVAL: Das kann Jahre dauern.

› ART3MIS: So sei es.

› PARZIVAL: Kann ich Dir wenigstens weiter E-Mails
schicken?

› ART3MIS: Keine gute Idee.

› PARZIVAL: Daran kannst Du mich nicht hindern.

> ART3MIS: Genau genommen schon. Ich kann Deine
>   Adresse blockieren.
> PARZIVAL: Aber das würdest Du nicht tun, oder?
> ART3MIS: Nur wenn Du mich dazu zwingst.
> PARZIVAL: Sei nicht so gemein zu mir.
> ART3MIS: Gute Nacht, Parzival.
> PARZIVAL: Lebewohl, Art3mis. Träum süß.

Chatlog endet. 2.27.2045 – 05:51:38 OSZ

Natürlich schickte ich ihr E-Mails. Anfangs hielt ich mich zurück und schrieb ihr nur einmal die Woche. Zu meiner Überraschung antwortete sie mir jedes Mal. Für gewöhnlich mit nur einem Satz – dass sie zu beschäftigt sei, um mir zu antworten. Mit der Zeit wurden ihre Mails jedoch länger, und wir schrieben uns regelmäßig. Zunächst zwei-, dreimal die Woche. Dann wurden unsere Mails immer länger und persönlicher, bis wir uns mindestens einmal am Tag schrieben. Manchmal öfter. Wann immer eine Mail von ihr in meinem Posteingang landete, ließ ich alles stehen und liegen und las sie sofort.

Irgendwann trafen wir uns täglich zu privaten Chatroom-Sessions. Wir spielten klassische Brettspiele, schauten uns Filme an und hörten Musik. Wir redeten. Lange und ausgiebig über alles und jeden. Mit ihr zusammen zu sein war berauschend. Wir schienen wie füreinander geschaffen zu sein. Wir teilten dieselben Interessen und verfolgten dasselbe Ziel. Sie kapierte alle meine Witze. Sie brachte mich zum Lachen. Und zum Nachdenken. Sie veränderte meine Weltsicht. Noch nie habe ich mich mit einem anderen Menschen so gut verstanden. Nicht einmal mit Aech.

Inzwischen war es mir gleichgültig, dass wir Rivalen waren, und ihr offenbar auch. Wir besprachen immer mehr Einzelheiten, die den Wettbewerb betrafen. Wir erzählten einander, welchen Film wir gerade schauten oder welches Buch wir gerade lasen. Wir tauschten uns sogar über Theorien aus und diskutierten über bestimmte Passagen von *Anoraks Almanach*. In ihrer Gegenwart war es mir vollkommen unmöglich, vorsichtig zu sein. Eine leise Stimme in meinem Kopf erinnerte mich immer wieder daran, dass alles, was sie mir sagte, möglicherweise gelogen war, und dass sie mich vielleicht zum Narren hielt. Aber das glaubte ich nicht. Ich vertraute ihr, obwohl ich allen Grund hatte, misstrauisch zu sein.

Anfang Juni machte ich meinen Highschoolabschluss. An den Feierlichkeiten nahm ich nicht teil. Seit ich aus den *Stacks* geflohen war, hatte ich den Unterricht nicht mehr besucht. Soweit ich wusste, hielten die Sechser mich für tot, und ich wollte mich nicht verraten, indem ich während meiner letzten Schulwochen zum Unterricht erschien. Selbst an den Prüfungen musste ich nicht teilnehmen, weil ich bereits mehr als genug Punkte gesammelt hatte, um mein Abschlusszeugnis zu bekommen. Die Schule mailte mir eine Kopie. Die eigentliche Urkunde schickten sie auf dem Postweg an meine Adresse in den *Stacks*, die es nicht mehr gab – weiß der Teufel, wo sie gelandet ist.

Ich war jetzt Vollzeitjäger – und wollte doch eigentlich nur eins: mit Art3mis zusammen sein.

Wenn ich nicht gerade mit meiner virtuellen Pseudofreundin abhing, war ich damit beschäftigt, meinen Avatar hochzuleveln. Jäger nannten das »auf die 99 gehen«, denn die 99. Stufe war die höchste, die ein Avatar erreichen konnte. Art3mis und Aech war das vor kurzem gelungen, und ich wollte unbedingt mit ihnen gleichziehen. Allzu lange brauchte ich dafür nicht, schließlich hatte ich jetzt jede Menge Zeit und das nötige Kleingeld, um die OASIS in vollem Umfang zu erforschen. Also begann ich, jede Quest durchzuspielen, die ich finden konnte, was bedeutete, dass ich an manchen Tagen fünf oder sechs Stufen aufstieg. Bisher war ich lediglich ein Krieger gewesen, jetzt eignete ich mir noch die Fähigkeiten eines Magiers an. Meine Schwertkampf- und Zauberskills verbesserten sich zusehends, und ich sammelte zahlreiche mächtige Waffen, magische Gegenstände und Fahrzeuge an.

Für eine Quest taten Art3mis und ich uns sogar zusammen. Wir starteten dem Planeten Goondocks einen Besuch ab und spielten die Schatzsuche der Goonies durch. Arty schlüpfte in die Rolle der Stef, Martha Plimptons Figur, während ich Mikey spielte, Sean Astins Figur. Ein grandioser Spaß!

Aber ich verbrachte nicht meine ganze Zeit damit herumzublödeln. Schließlich war ich ein Jäger. Wenigstens einmal täglich rief ich mir das Quartett ins Gedächtnis.

In einem Haus, ganz öd und leer,
der Captain den Schlüssel aus Jade versteckt.
Doch in die Pfeife bläst nur der,
der die Trophäen hat entdeckt.

Eine Weile lang dachte ich, die Pfeife in der dritten Zeile könnte eine Anspielung auf *The Space Giants* sein, eine japanische Fernsehserie aus den späten 60er Jahren, die synchronisiert in den 70ern und 80ern in den USA lief. In *The Space Giants* (das in Japan *Maguma Taishi* hieß) ging es um eine Familie von Robotern, die in einem Vulkan lebten, ihre Gestalt verändern konnten und gegen einen außerirdischen Bösewicht namens Rodak kämpften. Halliday erwähnte diese Serie in *Anoraks Almanach* mehrmals und bezeichnete sie als eine der Lieblingsserien aus seiner Kindheit. Eine der Hauptfiguren war ein Junge namens Miko, der in eine spezielle Pfeife blies, um die

Roboter zu Hilfe zu rufen. Ich schaute mir alle zweiundfünfzig unglaublich kitschigen Folgen hintereinander an, stopfte Tortillachips in mich hinein und machte mir Notizen. Allerdings brachte mich dieser Serienmarathon keinen Schritt weiter. Wieder war ich in einer Sackgasse gelandet. Offenbar hatte Halliday eine andere Pfeife gemeint.

An einem Sonntagmorgen gelang mir schließlich ein kleiner Durchbruch. Während ich mir ein paar Frühstücksflocken-Werbespots aus den 80ern ansah, fragte ich mich irgendwann, warum die Hersteller heutzutage keine Spielsachen mehr in die Schachteln taten. Ganz ohne Zweifel ein weiteres Anzeichen dafür, dass unsere Zivilisation den Bach runterging! Darüber grübelte ich noch nach, als ein Werbespot für *Cap'n Crunch* über den Bildschirm flimmerte – und da wurde mir klar, welcher Zusammenhang zwischen der zweiten und der dritten Zeile bestand: ... *der Captain den Schlüssel aus Jade versteckt./Doch in die Pfeife bläst nur der ...*

Das war eine Anspielung auf einen berüchtigten Hacker aus den 70ern namens John Draper, besser bekannt als »Captain Crunch«. Draper war einer der ersten Telefonphreaks gewesen, der berühmt wurde, weil er herausfand, dass man mit Hilfe der Spielzeugpfeifen aus den *Cap'n-Crunch*-Packungen kostenlos Ferngespräche führen konnte. Sie erzeugten einen Ton mit einer Frequenz von exakt 2600 Hertz, mit dem man das alte, analoge Telefonsystem überlisten konnte.

... *der Captain den Schlüssel aus Jade versteckt.*

Das musste es sein! Der »Captain« war Cap'n Crunch und die »Pfeife« eine der legendären Spielzeugpfeifen der Telefonphreaks.

Vielleicht war der Jadeschlüssel als eine dieser Pfeifen getarnt und in einer Packung *Cap'n-Crunch*-Frühstücksflocken versteckt ... Aber wo befand sich dann die Packung?

In einem Haus, ganz öd und leer.

Ich hatte noch immer keine Ahnung, um welches Haus es sich handelte oder wo ich danach suchen sollte. Also stattete ich jedem öden, leeren Haus, das mir einfiel, einen Besuch ab. Nachbauten des Hauses der *Addams Family*, die verlassene Hütte aus der *Tanz-der-Teufel*-Trilogie, Tyler Durdens heruntergekommene Villa in *Fight Club* und die Feuchtfarm der Familie Lars auf Tatooine. Aber ich hatte kein Glück – der Schlüssel war nirgendwo zu finden. Eine Sackgasse folgte der nächsten.

**Doch in die Pfeife bläst nur der,
der die Trophäen hat entdeckt.**

Die Bedeutung der letzten Zeile hatte ich ebenfalls noch nicht entschlüsselt. Was für Trophäen musste ich entdecken? Oder war das lediglich eine halbgare Metapher? Es musste einen einfachen Zusammenhang geben, den ich nicht sah, eine hinterhältige Anspielung, die ich nicht begriff.

Nach meinem Einfall mit der Pfeife hatte ich keinerlei Fortschritte mehr gemacht. Dazu kam, dass ich vor lauter Verliebtheit gar nicht mehr richtig arbeiten konnte. Wann immer ich mein Gralstagebuch aufschlug, dauerte es nicht lange, bis ich den überwältigenden Wunsch empfand, Art3mis anzurufen, um sie zu fragen, ob sie sich mit mir treffen wollte. Sie sagte fast immer zu.

Ich redete mir ein, dass es schon in Ordnung war, die Sache etwas langsamer angehen zu lassen, denn auch sonst schien niemand bei der Suche nach dem Jadeschlüssel weiterzukommen. Das Scoreboard blieb unverändert. Alle schienen genauso ratlos zu sein wie ich.

Im Laufe der nächsten Wochen verbrachten Art3mis und ich mehr und mehr Zeit miteinander. Selbst dann, wenn unsere Avatare mit anderen Dingen beschäftigt waren, schickten wir einander E-Mails und Textnachrichten. Wir waren durch einen steten Strom an Wörtern miteinander verbunden.

Mehr als alles andere wünschte ich mir, sie in der realen Welt zu treffen. Ich war mir sicher, dass sie etwas für mich empfand, obwohl sie mich auf Abstand hielt. Ganz gleich, wie viel ich von mir enthüllte – und letztlich erzählte ich ihr alles, sogar meinen richtigen Namen –, sie weigerte sich weiter hartnäckig, mir irgendwelche Einzelheiten über ihr Leben zu offenbaren. Ich wusste nur, dass sie neunzehn war und irgendwo im Nordwesten lebte. Mehr verriet sie mir nicht.

Das Bild, das ich mir von ihr in der Wirklichkeit machte, sah genauso aus wie ihr Avatar. Sie hatte dasselbe Gesicht, dieselben Augen, dieselben Haare, dieselbe Figur. Und das, obwohl sie mir wiederholt erklärte, dass sie ihrem Avatar fast überhaupt nicht ähnlich sehe und bei weitem nicht so attraktiv sei.

Je mehr Zeit ich mit Art3mis verbrachte, umso mehr verlor ich Aech aus den Augen. Wir hingen nicht mehr mehrmals die Woche zusammen ab, sondern chatteten nur noch zwei-, dreimal im Monat miteinander. Aech wusste, dass ich mit Art3mis etwas am Laufen hatte, aber er beschwerte sich nicht darüber; selbst wenn ich ihm kurzfristig absagte, weil ich lieber mit ihr zusammen sein wollte. Dann zuckte er nur mit den Schultern und sagte: »Hoffentlich weißt du, was du tust, Z.«

Natürlich wusste ich das nicht. Meine Beziehung zu Art3mis war unvernünftig, geradezu schwachsinnig. Aber ich konnte nicht anders. Ohne dass ich mir dessen bewusst war, verlor meine obsessive Suche nach Hallidays *Easter Egg* zunehmend an Bedeutung – während Art3mis immer wichtiger für mich wurde.

Schließlich gingen wir sogar zusammen aus, unternahmen Tagesausflüge in exotische Regionen der OASIS oder trafen uns in exklusiven Nachtclubs. Anfangs war Art3mis dagegen, weil sie der Meinung war, dass ich mich bedeckt halten sollte. Denn sobald mein Avatar in der Öffentlichkeit gesehen wurde, stünde ich wieder auf der Abschussliste der Sechser. Ich erklärte ihr jedoch, dass mir das egal sei. Schließlich versteckte ich mich bereits in der realen Welt vor den Sechsern – da wollte ich wenigstens in der OASIS meine Freiheit genießen. Außerdem befand sich mein Avatar inzwischen auf der neunundneunzigsten Stufe. Ich fühlte mich fast unbesiegbar.

Vielleicht versuchte ich auch nur, Art3mis zu beeindrucken, indem ich mich furchtlos gab. Wenn ja, glaube ich, dass es mir gelungen ist.

Trotzdem tarnten wir unsere Avatare, bevor wir ausgingen, denn wir wussten, dass die Boulevardmedien über uns herfallen würden, wenn sich Parzival und Art3mis regelmäßig zusammen in der Öffentlichkeit zeigten. Aber eine Ausnahme machten wir. Eines Abends nahm sie mich zu einer Vorführung der *Rocky Horror Picture Show* mit, die – wie jede Woche – in einem stadiongroßen Kino auf dem Planeten Transsexual stattfand. Nirgendwo sonst lief der Film schon so lange und zog so viele Leute an. Tausende von Avataren saßen auf der Tribüne und machten begeistert mit. Normalerweise war es nur langjährigen Mitgliedern des Rocky-Horror-Fanclubs erlaubt, auf die Bühne zu gehen und vor der riesigen Leinwand mitzutanzen, und das auch erst, nachdem sie vor einem Clubgremium unter Beweis gestellt hatten, dass sie der Ehre würdig waren. Aber Art3mis ließ ihre Beziehungen spielen – manchmal war es von Vorteil, berühmt zu sein –, so dass wir uns an jenem Abend unter die Auserwählten mischen durften. Der ganze Planet befand sich in einer Zone, in der PvP-Konflikte verboten waren, also hatte ich von den Sechsern nichts zu befürchten. Dafür hatte ich, als der Film begann, umso mehr Lampenfieber.

Art3mis spielte die Rolle der Columbia formvollendet, und ich hatte die Ehre, ihren untoten Angebeteten Eddie zu verkörpern. Ich veränderte das Erscheinungsbild meines Avatars, so dass ich genauso aussah wie Meat Loaf, aber meine künstlerische Leistung ließ trotzdem zu wünschen übrig. Zum Glück nahm mir das Publikum das nicht übel, schließlich war ich der weltberühmte Jäger Parzival, der sich offenbar prächtig amüsierte.

So viel Spaß wie an jenem Abend hatte ich mein ganzes bisheriges Leben noch nicht gehabt. Das sagte ich Art3mis hinterher auch, und da beugte sie sich zu mir herüber und küsste mich zum allerersten Mal. Natürlich konnte ich es nicht spüren. Aber mein Herz raste trotzdem.

Alle Warnlichter blinkten: Nie und auf gar keinen Fall durfte man sich in jemanden verlieben, den man nur online kannte, aber ich ignorierte sie. Mir war klargeworden, dass ich mich bereits heillos in Art3mis verliebt hatte, ganz gleich, wer sie in Wirklichkeit war. Ich konnte es spüren, tief in der weichen Karamellfüllung meines Herzens.

Und dann, eines Abends, verriet ich Vollidiot ihr, was ich für sie empfand.

0018

ES WAR FREITAGABEND, und ich verbrachte meine Zeit mal wieder mit Recherchen – ich schaute mir jede einzelne Folge von *Computer Kids* an, einer Fernsehserie über vier jugendliche Hacker, die Kriminalfälle lösten. Ich war gerade bei der Folge »Richie dreht den Gashahn zu« angekommen (einem Crossover mit *Simon & Simon*), als eine E-Mail in meinem Posteingang landete. Sie stammte von Ogden Morrow. Die Betreffzeile lautete: »We can dance if we want to.«

Die E-Mail selbst enthielt keinen Text, sondern lediglich einen Anhang – die Einladung zu einer der exklusivsten Zusammenkünfte in der OASIS: Ogden Morrows Geburtstagsparty. In der realen Welt ließ sich Ogden Morrow so gut wie nie in der Öffentlichkeit sehen, und in der OASIS tauchte er nur einmal im Jahr aus der Versenkung auf, zu ebendiesem Ereignis.

Die Einladung schmückte ein Bild von Morrows berühmtem Avatar, dem »großen und mächtigen Og«. Der graubärtige Zauberer beugte sich, einen Kopfhörer ans Ohr gedrückt, über zwei silberne Plattenspieler, die neben einem Mischpult standen, wobei er offensichtlich im ekstatischen Einklang mit der Musik das Vinyl kreisen ließ. Auf seiner Schallplattenkiste prangte ein DON'T-PANIC-Aufkleber und ein Anti-Sechser-Logo – eine gelbe Sechs, rot durchgestrichen in einem roten Kreis. Darunter stand:

Ogden Morrows 80's Dance Party
zur Feier seines 73. Geburtstages!
Heute Abend um 22 Uhr OSZ im Distracted Globe
GÜLTIG FÜR EINE PERSON

Ich war völlig geplättet. Ogden Morrow hatte mich zu seiner Geburtstagsparty eingeladen! Das war die größte Ehre, die mir jemals widerfahren war.

Ich rief Art3mis an, und wie erwartet hatte sie die gleiche Einladung erhalten. Sie sagte, eine Einladung von Og höchstpersönlich könne sie nicht ausschlagen, trotz der offensichtlichen Risiken. Also verabredeten wir uns in dem Club – schließlich wollte ich nicht als Angsthase dastehen.

Wenn Ogden uns beide eingeladen hatte, so galt das bestimmt auch für die anderen Mitglieder der High Five. Aech würde jedoch höchstwahrscheinlich nicht kommen, denn er trat jeden Freitagabend bei einem Arena-Deathmatch an, das weltweit übertragen wurde. Und Shoto und Daito wagten sich nur dann in eine PvP-Zone, wenn es sich absolut nicht vermeiden ließ.

Das *Distracted Globe* war ein Zero-Gravity-Tanzclub auf dem Planeten Neonoir in Sektor 16. Ogden Morrow hatte ihn vor Jahrzehnten selbst programmiert, und er gehörte immer noch ihm. Fürs Tanzen hatte ich nicht viel übrig, geschweige denn für die Möchtegernjäger und Übernerds, die dort ein und aus gingen. Aber Ogs Geburtstagsparty war ein besonderes Ereignis, und die übliche Klientel hatte heute Abend bestimmt keinen Zutritt. Im *Distracted Globe* würde es von Promis nur so wimmeln – Filmstars, Musiker und mindestens zwei Mitglieder der High Five.

Ich brachte über eine Stunde damit zu, die Haare meines Avatars zu optimieren, und probierte alle möglichen Klamotten an. Schließlich entschied ich mich für den leichten grauen Anzug, den Peter Weller in *Buckaroo Banzai* getragen hatte, mit dazu passender roter Fliege und einem Paar klassischer weißer Hightops von Adidas. Außerdem bestückte ich mein Inventar mit meinem besten Schutzschild und jeder Menge Waffen. Das *Globe* war auch deshalb so angesagt, weil es sich in einer PvP-Zone befand, in der sowohl Magie als auch Technologie funktionierten. Es war äußerst gefährlich, dorthin zu gehen. Vor allem für einen berühmten Jäger wie mich.

In der OASIS gab es Hunderte von Cyberpunk-Welten, aber Neonoir war eine der größten und ältesten. Aus der Umlaufbahn sah sie aus wie eine glänzende Murmel aus Onyx, die mit sich überlappenden Spinnweben aus pulsierendem Licht bedeckt war. Auf Neonoir war immer Nacht, und zwar überall, und die Oberfläche des Planeten war eine einzige Stadtlandschaft – Metropolen, die mit unfassbar hohen Wolkenkratzern gespickt waren und nahtlos ineinander übergingen. Ein steter Strom von Fahrzeugen schwirrte zwischen den Hochhäusern hindurch, und auf den Straßen darunter wimmelte es von in Leder gekleideten NSCs und Avataren mit Spiegelbrillen, die alle mit Hightechwaffen und subkutanen Implantaten ausgerüstet waren und einen Großstadtslang von sich gaben, der direkt aus *Neuromancer* zu stammen schien.

Das *Distracted Globe* befand sich auf der westlichen Halbkugel an der Kreuzung des »Boulevard« und der »Avenue«, zweier extrem belebter Straßen, die auf dem Äquator und dem Nullmeridian um den ganzen Planeten herumführten. Der Club selbst befand sich in einer gewaltigen kobaltblauen Kugel mit einem Durchmesser von fast drei Kilometern, die dreißig Meter über dem Boden schwebte. Über eine Kristalltreppe gelangte man zum einzigen Eingang, einer runden Öffnung an der Unterseite der Kugel.

Mit meinem fliegenden DeLorean, den ich bei einer *Zurück-in-die-Zukunft*-Quest auf dem Planeten Zemeckis erbeutet hatte, erregte ich nicht wenig Aufsehen. Er war mit einem (nicht funktionsfähigen) Fluxkompensator ausgerüstet; allerdings hatte ich ihn darüber hinaus noch ein wenig aufgemotzt. Zum einen hatte ich eine künstliche Intelligenz namens KITT (die ich bei einer Online-Auktion erworben hatte) auf den Bordcomputer im Armaturenbrett installiert, zusammen mit einem dazu passenden roten *Knight-Rider*-Scanner direkt über dem Kühlergrill. Außerdem hatte ich einen Oszillations-Alpha-Laser eingebaut, der es dem Wagen ermöglichte, feste Materie zu durchdringen. Um auch ja kein Superauto aus den 80ern auszulassen, prangte auf beiden Flügeltüren das *Ghost-busters*-Logo. Das Kennzeichen war ECTO-88.

Ich hatte den Wagen erst seit ein paar Wochen, doch der zeitreisende, Materie durchdringende DeLorean mit *Ghost-busters*- und *Knight-Rider*-Appeal war bereits zum Markenzeichen meines Avatars geworden.

Es wäre ein ziemliches Risiko gewesen, einen solchen Wagen in einer PvP-Zone zu parken – irgendein Trottel würde bestimmt versuchen, ihn zu klauen. Allerdings verfügte der DeLorean über mehrere Diebstahlsicherungen, und die Zündung war à la Max Rockatansky mit einer versteckten Sprengladung versehen – sollte irgendein anderer Avatar versuchen, den Wagen anzulassen, würde in der Plutoniumkammer eine kleine thermonukleare Explosion ausgelöst. Hier auf Neonoir war es kein Problem, den Wagen sicher zu verwahren. Sobald ich ausgestiegen war, wirkte ich einen Zauber, mit dem ich den DeLorean auf die Größe eines Matchboxautos schrumpfte. Dann steckte ich ihn in die Tasche. Magiezonen hatten ihre Vorteile.

Tausende von Avataren drängten sich vor einer mit Kraftfeldern verstärkten Samtkordel, die alle, die keine Einladung hatten, auf Abstand hielt. Während ich auf den Eingang zuschlenderte, bombardierte mich die Menge mit einer Mischung aus Beleidigungen, Autogrammwünschen, Todesdrohungen und tränenreichen Liebeserklärungen. Ich hatte meinen Körperschild aktiviert, doch zu meiner Überraschung griff mich niemand an. Ich zeigte dem Cyborgtürsteher meine Einladung und stieg dann die Treppe hinauf, die zum Eingang des Clubs führte.

Das *Distracted Globe* zu betreten war mehr als nur ein bisschen verwirrend. Die riesige Kugel war vollständig hohl, und ihre gekrümmte Innenfläche diente als Bar und Lounge. Sobald man den Eingang passierte, veränderten sich die Gesetze der Schwerkraft. Ganz gleich, in welche Richtung man lief, die Füße des Avatars hafteten stets an der Innenwand der Kugel, so dass man schnurgeradeaus gehen konnte, bis man an der »Decke« des Clubs angelangt war, und dann wieder auf der anderen Seite hinunter zu seinem Ausgangspunkt. Der riesige leere Raum in der Mitte der Kugel diente als »Tanzfläche«. Man gelangte dorthin, indem man einfach in die Höhe sprang wie Superman, wenn er losfliegen wollte, und dann schwamm man durch die Luft in die kugelförmige »Groove-Zone« hinein.

Als ich durch den Eingang trat, blickte ich nach oben – oder jedenfalls in die Richtung, die für mich im Moment »oben« war – und schaute mich in Ruhe um. Der Club war brechend voll. Hunderte von Avataren schlenderten herum wie Ameisen auf der Innenseite eines riesigen Ballons. Andere drehten und wanden sich bereits auf der Tanzfläche im Rhythmus der Musik, die aus den runden, schwebenden Lautsprechern tönte.

Zwischen den Tänzern, genau in der Mitte des Clubs, hing eine große durchsichtige Blase. Dies war die »Kabine«, in der

der DJ stand, umgeben von Plattenspielern, Mischern und Tastaturen. R2-D2, der erste DJ des heutigen Abends, wirbelte dort mit seinen verschiedenen Roboterarmen wild zwischen den Plattenspielern herum. Das Stück, das er gerade aufgelegt hatte, erkannte ich sofort: »Blue Monday« von New Order in einem Remix von 88, mit einer Menge Droidensounds aus *Star Wars* reingesampelt.

Während ich mir einen Weg zur nächsten Bar bahnte, hielten sämtliche Avatare, an denen ich vorbeikam, inne und starrten mich an. Ich achtete nicht weiter auf sie, denn ich war damit beschäftigt, den Club nach Art3mis abzusuchen.

Als ich die Bar schließlich erreichte, bestellte ich bei der klingonischen Barkeeperin einen Pangalaktischen Donnergurgler und kippte ihn zur Hälfte hinunter. Ich musste grinsen, als R2 einen weiteren Klassiker folgen ließ. »Union of the Snake«, murmelte ich aus reiner Gewohnheit vor mich hin. »Duran Duran. Neunzehnhundertdreiundachtzig.«

»Nicht schlecht«, sagte eine mir wohlvertraute Stimme gerade laut genug, damit ich sie hören konnte. Art3mis stand neben mir. Sie trug Abendgarderobe: ein blaugraues Kleid, das aussah, als sei es aufgesprüht. Die dunklen Haare ihres Avatars umrahmten ihr wunderschönes Gesicht in einem Pagenschnitt. Sie sah umwerfend aus.

»Einen Glenmorangie«, rief sie der Barkeeperin zu. »On the rocks.«

Ich lächelte still in mich hinein. Das Lieblingsgetränk von Connor MacLeod. Was für eine Frau!

Sie nahm den Drink entgegen und zwinkerte mir zu. Dann stieß sie mit mir an und kippte den Whiskey hinunter. Das Geplapper der Avatare um uns herum wurde lauter. Die Nachricht, dass Parzival und Art3mis hier waren und miteinander flirteten, war dabei, sich im Club herumzusprechen.

Art3mis warf einen Blick Richtung Tanzfläche und sah mich dann fragend an. »Na, was ist, Percy?«, sagte sie. »Wollen wir das Tanzbein schwingen?«

Ich musterte sie mürrisch. »Nicht wenn du noch mal ›Percy‹ zu mir sagst.«

Sie lachte. In dem Moment war das Lied zu Ende, und im Club wurde es still. Aller Augen wandten sich nach oben zur DJ-Kabine, wo R2 sich gerade in einem Lichtschauer auflöste, als würde er weggebeamt. Dann brandete lauter Jubel auf, denn hinter den Schallplattenspielern nahm ein grauhaariger Avatar Gestalt an. Es war Og.

Hunderte von Vidfeed-Fenstern erschienen überall im Club. Jedes zeigte eine Nahaufnahme von Og in seiner Kabine, so dass alle Anwesenden seinen Avatar deutlich sehen konnten. Der alte Zauberer trug Schlabberjeans, Sandalen und ein ausgebleichtes T-Shirt von *Star Trek: Die nächste Generation*. Er winkte seinen Gästen zu und fuhr dann sein erstes Stück hoch, einen Dance-Remix von Billy Idols »Rebel Yell«.

Auf der Tanzfläche brach ein Beifallssturm los.

»Ich *liebe* diesen Song!«, schrie Art3mis. Ich sah sie unsicher an. »Was'n los?«, fragte sie mit vorgetäuschtem Mitgefühl. »Kann der Kleine etwa nicht tanzen?«

Von einem Moment auf den nächsten begann sie, im Takt der Musik den Kopf zu schütteln und die Hüften zu schwingen. Dann stieß sie sich mit beiden Beinen vom Boden ab und schwebte aufwärts, der Groove-Zone entgegen. Ich starrte ihr nach, holte tief Luft und nahm meinen ganzen Mut zusammen.

»Na gut«, murmelte ich. »Was soll's.«

Ich beugte die Knie und stieß mich ebenfalls ab. Mein Avatar segelte los, und ich holte Art3mis ein. Die anderen Avatare machten uns Platz, so dass sich ein Tunnel bildete, der zur Mitte der Tanzfläche führte. Nicht weit von uns entfernt konnte ich Og in seiner Blase schweben sehen. Er drehte sich wie ein Derwisch im Kreis, mischte den Song aus dem Stegreif neu ab, während er an der Schwerkraftverteilung auf der Tanzfläche schraubte, so dass der Club selbst zu kreisen anfing wie eine uralte Vinylplatte.

Art3mis zwinkerte mir zu, und dann verschmolzen ihre Beine miteinander und wurden zum Schwanz einer Meerjungfrau. Mit einem einzigen Flossenschlag schoss sie davon, wobei sie im Rhythmus des Songs herumwirbelte. Dann wandte sie sich wieder mir zu, blieb in der Luft stehen und streckte die Hand nach mir aus. Ihr Haar bildete einen Heiligenschein um ihren Kopf, ganz so, als befände sie sich unter Wasser.

Als ich sie erreichte, nahm sie meine Hand. Der Meerjungfrauenschwanz verwandelte sich wieder in ein tanzendes Paar Beine.

Da ich mich nicht länger auf mein Gespür verlassen wollte, fuhr ich eine teure Tanzsoftware namens Travolta hoch, die ich heute Nachmittag heruntergeladen und getestet hatte. Das Programm übernahm die Kontrolle über Parzivals Bewegungen und passte sie der Musik an. Meine Arme und Beine verwandelten sich in zuckende Kosinuskurven. Mein Avatar tanzte.

Art3mis' Augen leuchteten überrascht auf, und sie begann, meine Bewegungen nachzuahmen. Wir umkreisten einander wie beschleunigte Elektronen. Dann nahm Art3mis plötzlich eine andere Gestalt an.

Ihr Avatar löste sich auf und wurde zu einem pulsierenden amorphen Klumpen, der im Takt der Musik seine Farbe und Form veränderte. Ich befahl dem Programm, sie zu imitieren. Gliedmaßen und Oberkörper meines Avatars zerflossen wie Karamell und legten sich um Art3mis, während merkwürdige Farbmuster über meine Haut flossen. Ich sah aus wie Plastic

Man, high auf LSD. Nach und nach verwandelten sich auch die übrigen Tänzer in prismatische Lichtkleckse. Bald sah die Mitte des Clubs aus wie eine ganz und gar überirdische Lavalampe.

Als das Lied vorbei war, verbeugte sich Og und legte ein langsameres Stück auf – »Time after Time« von Cindy Lauper. Um uns herum fanden die Paare zueinander.

Ich verneigte mich vor Art3mis und reichte ihr die Hand. Sie lächelte und griff danach. Ich zog sie zu mir heran, und wir schwebten gemeinsam durch die Groove-Zone. Og drehte die Schwerkraft gegen den Uhrzeigersinn, so dass alle Avatare langsam um die unsichtbare Mittelachse des Clubs rotierten wie Staubpartikel in einer Schneekugel.

Und dann, bevor ich wusste, was ich sagte, platzte es aus mir heraus.

»Ich bin in dich verliebt, Art3mis.«

Zuerst reagierte sie gar nicht. Sie sah mich nur an, während unsere Avatare einander weiterhin umkreisten. Dann schaltete sie auf einen abgeschirmten Sprachkanal um, so dass uns niemand belauschen konnte.

»Du bist nicht in mich verliebt, Z«, sagte sie. »Du kennst mich ja nicht mal.«

»Natürlich kenne ich dich«, beharrte ich. »Besser als sonst irgendjemanden.«

»Du weißt doch nur, was ich dir erzähle. Du siehst nur, was ich dir zeige.« Sie legte sich die Hand auf die Brust. »Dies ist nicht mein Körper, Wade. Und dies nicht mein Gesicht.«

»Das ist mir egal! Ich bin in deinen Verstand verliebt – in deine Persönlichkeit. Mich interessiert nicht, wie du aussiehst.«

»Das sagst du nur so«, erwiderte sie. Ihre Stimme zitterte leicht. »Glaub mir. Wenn du mich sehen würdest, wie ich wirklich bin, wärst du völlig angewidert.«

»Warum sagst du so was?«

»Weil ich entstellt bin. Oder querschnittsgelähmt. Oder dreiundsechzig Jahre alt. Such's dir aus.«

»Das ist mir alles vollkommen egal! Sag mir, wo wir uns treffen können, damit ich es dir beweisen kann. Ich nehm den nächsten Flieger und komme zu dir. Du weißt, dass ich das machen würde.«

Sie schüttelte den Kopf. »Du lebst nicht in der Wirklichkeit, Z. Und hast vermutlich noch nie dort gelebt. Du bist wie ich. Du lebst in einer Illusion.« Sie machte eine Handbewegung, die unsere virtuelle Umgebung einschloss. »Woher willst du wissen, was Liebe ist?«

»Sag das nicht!« Ich fing an zu weinen, ohne es vor ihr zu verbergen. »Liegt es daran, weil ich dir erzählt hab, dass ich noch nie eine echte Freundin hatte? Und dass ich Jungfrau bin? Denn …«

»Natürlich nicht«, sagte sie. »Darum geht es nicht. *Überhaupt nicht.*«

»Worum geht es dann? Erklär's mir. Bitte.«

»Um die Jagd. Das weißt du. Wir vernachlässigen unsere Aufgabe. Wir sollten uns darauf konzentrieren, den Jadeschlüssel zu finden. Verlass dich drauf, genau das machen Sorrento und die Sechser. Und alle anderen auch.«

»Der Wettbewerb kann mir gestohlen bleiben! Und das Ei genauso!«, schrie ich. »Hast du nicht gehört, was ich gesagt habe? *Ich bin in dich verliebt! Und ich möchte mit dir zusammen sein. Mehr als irgendetwas anderes.*«

Sie starrte mich verständnislos an. Oder ihr Avatar jedenfalls. Dann sagte sie: »Es tut mir leid, Z. Das ist alles meine Schuld. Ich hätte es nie so weit kommen lassen dürfen. Das muss jetzt aufhören.«

»Was meinst du damit? Was muss aufhören?«

»Ich glaube, wir sollten eine Pause einlegen. Uns nicht mehr so oft sehen.«

Ich hatte das Gefühl, mir hätte jemand einen Schlag in die Magengrube versetzt. »Machst du Schluss mit mir?«

»Nein, Z«, erwiderte sie. »Ich mache *nicht* Schluss mit dir. Das geht auch gar nicht, *weil wir nicht zusammen sind.*« Plötzlich klang ihre Stimme scharf. »Wir sind uns noch nicht einmal begegnet!«

»Also ... hörst du einfach auf ... mit mir zu reden?«

»Ja. Ich denke, das wäre das Beste.«

»Für wie lange?«

»Bis die Jagd vorbei ist.«

»Aber ... das kann Jahre dauern.«

»Das weiß ich. Und es tut mir leid. Aber es muss sein.«

»Also ist es dir wichtiger, das Geld zu gewinnen, als mit mir zusammen zu sein?«

»Es geht nicht ums Geld. Sondern um das, was ich damit machen könnte.«

»Ach ja, stimmt. Du willst die Welt retten. Wie edel von dir!«

»Sei kein Idiot«, sagte sie. »Ich suche seit über fünf Jahren nach dem Ei. Und du genauso. Und wir waren noch nie so dicht dran, es zu finden. Ich kann meine Chance nicht einfach wegwerfen!«

»Das verlange ich auch gar nicht.«

»Doch, das tust du. Du weißt es nur nicht.«

Das Stück von Cindy Lauper ging zu Ende, und Og legte einen weiteren Dancetrack auf – »James Brown Is Dead« von L. A. Style. Im Club brach lauter Jubel aus.

Ich fühlte mich, als sei mir ein Holzpflock durch die Brust getrieben worden.

Art3mis wollte gerade noch etwas sagen – lebe wohl, nehme ich an –, als wir direkt über uns einen lauten Knall hörten. Erst dachte ich, Og hätte sich einen harten Übergang zum nächsten Lied geleistet. Aber dann schaute ich nach oben und sah große Trümmerstücke auf die Tanzfläche herabfallen, während die Avatare auseinanderstoben, um ihnen auszuweichen. In das Dach des Clubs war ein Riesenloch gesprengt worden, durch das jetzt eine kleine Armee von Sechsern mit Jet-Packs auf dem Rücken hereinströmte und wild um sich ballerte.

Völliges Chaos brach aus. Die Hälfte der Avatare im Club stürzte zum Ausgang, während die andere Hälfte ihre Waffen zog, um mit Laserpistolen, Kugeln und Feuerbällen auf die Sechser zu schießen. Es waren mindestens hundert Angreifer, und sie waren bis an die Zähne bewaffnet.

Ich konnte nicht fassen, dass die Sechser es wagten, einen Raum voller High-Level-Avatare anzugreifen, und das auf ihrem ureigensten Territorium? Gut möglich, dass es ihnen gelang, ein paar von uns zu töten, aber dabei würden sie einige von ihren Avataren verlieren, wenn nicht alle. Und für was?

Dann wurde mir klar, dass die Sechser ihr Feuer auf mich und Art3mis konzentrierten. Sie hatten es auf uns beide abgesehen!

Bestimmt hatten die Newsfeeds bereits darüber berichtet, dass Art3mis und ich hier waren. Und als Sorrento erfahren hatte, dass die beiden führenden Jäger in einer ungeschützten PvP-Zone abhingen, wollte er sich die Gelegenheit vermutlich nicht entgehen lassen. Das war seine Chance, auf einen Schlag zwei seiner größten Konkurrenten auszuschalten. Was spielte es da schon für eine Rolle, wenn dabei hundert seiner mächtigsten Avatare draufgingen?

Ich wusste, dass mein eigener Leichtsinn an alldem schuld war. Was war ich doch für ein Narr gewesen! Ich zog meine Blaster und nahm eine Gruppe von Sechsern unter Beschuss, die mir gefährlich nahe gekommen waren, während ich versuchte, ihren Schüssen auszuweichen. Aus den Augenwinkeln sah ich, wie Art3mis innerhalb von fünf Sekunden ein Dutzend Sechser abfackelte – sie schleuderte blaue Plasmabälle, während der stete Strom von Laserstrahlen und magischen Geschossen an ihrem durchsichtigen Schutzschild abprallte. Auch mein eigenes Schutzschild hielt stand, aber wie lange noch? Über mein Display zuckten bereits Warnungen, und meine Lebensenergie schwand rapide dahin.

Innerhalb von Sekunden eskalierte die Situation zur heftigsten Konfrontation, die ich je erlebt hatte. Und es zeichnete sich bereits ab, dass Art3mis und ich zu den Verlierern gehören würden.

Mir wurde bewusst, dass die Musik noch immer spielte.

Ich schaute nach oben, und in dem Moment barst die DJ-Kabine auseinander, und der große und mächtige Og schoss daraus hervor. Er sah stinksauer aus.

»Ihr Wichser glaubt, ihr könntet hier einfach so meine Party sprengen?«, brüllte er. Sein Avatar trug noch immer ein Mikrofon, so dass seine Worte aus den Lautsprechern dröhnten und wie die Stimme Gottes durch den Club hallten. Die Kämpfenden schienen für den Bruchteil einer Sekunde zu erstarren, und aller Augen richteten sich auf Og, der jetzt in der Mitte der Tanzfläche schwebte. Er streckte die Arme aus, und von seinen Fingerspitzen lösten sich ein Dutzend roter Blitze und zuckten in alle Richtungen durch den Raum. Jeder Blitz traf einen Sechser-Avatar in die Brust.

Innerhalb des Bruchteils einer Sekunde waren sämtliche Sechser im Club ausgelöscht. Ihre Avatare leuchteten einen Moment lang rot auf und verschwanden dann.

Ich erstarrte vor Ehrfurcht. Noch nie hatte ich erlebt, dass ein Avatar solche Macht zur Schau stellte.

»Niemand betritt uneingeladen meinen Club!«, brüllte Og, und seine Stimme wurde von der gewölbten Wand zurückgeworfen. Die übrigen Avatare (die nicht geflohen oder in dem kurzen Kampf getötet worden waren) stimmten ein Triumphgeheul an. Og flog in seine DJ-Kabine zurück, die sich wieder wie ein durchsichtiger Kokon um ihn herum schloss. »Dann wollen wir denen doch mal zeigen, was eine Party ist!«, rief er und ließ die Nadel auf einen Techno-Remix des Blondie-Songs »Atomic« fallen. Es dauerte einen Moment, bis die Gäste ihren Schock überwunden hatten, aber dann fingen sie wieder an zu tanzen.

Ich sah mich nach Art3mis um, doch sie schien verschwunden zu sein. Schließlich entdeckte ich ihren Avatar, der gerade durch das Loch hinausflog, das die Sechser in die Decke gesprengt hatten. Einen Moment lang zögerte sie und schaute sich nach mir um. Dann war sie fort.

OO19

MEIN COMPUTER weckte mich kurz vor Sonnenuntergang, und ich begann mit meinem täglichen Ritual.

»Ich bin wach!«, rief ich in die Dunkelheit. Seit Art3mis mir vor ein paar Wochen den Laufpass gegeben hatte, fiel es mir schwer, morgens aus dem Bett zu kommen. Deshalb hatte ich die Schlummerfunktion ausgeschaltet und meinen Computer stattdessen darauf programmiert, in voller Lautstärke den Song »Wake Me Up Before You Go-Go« von Wham! zu spielen. Das Stück war absolut furchtbar, und ich konnte den Computer nur zum Schweigen bringen, indem ich aufstand. Es war nicht die angenehmste Art, den Tag zu beginnen, aber es funktionierte.

Die Musik verstummte, und der haptische Stuhl, auf dem ich geschlafen hatte, brachte mich aus der horizontalen in eine aufrechte Position. Der Computer fuhr langsam das Licht hoch, so dass meine Augen Zeit hatten, sich an die Helligkeit zu gewöhnen. In mein Apartment drang niemals Tageslicht. Das einzige Fenster, von dem aus man die Skyline von Columbus sehen konnte, hatte ich kurz nach meinem Einzug mit schwarzer Farbe zugesprüht. Die Welt dort draußen würde mich nur von meiner Aufgabe ablenken, also durfte ich meine Zeit nicht damit verschwenden hinauszuschauen. Hören wollte ich von der Außenwelt eigentlich auch nichts, aber die Schalldämmung des Apartments hatte ich nicht verbessern können. Mit den gedämpften Geräuschen von Wind und Regen, Straßen- und Luftverkehr musste ich einfach leben, obwohl auch sie eine Ablenkung darstellten. Manchmal geriet ich in eine Art Trance, wenn ich mit geschlossenen Augen dasaß, der Welt außerhalb meines Zimmers lauschte und darüber die Zeit vergaß.

Aus Gründen der Sicherheit und Bequemlichkeit hatte ich noch einige weitere Änderungen an meinem Apartment vorgenommen. Als Erstes hatte ich die dünne Zimmertür durch eine neue Hightechpanzertür mit Luftschleuse ersetzt. Wenn ich etwas brauchte – Essen, Toilettenpapier, technisches Equipment –, bestellte ich es online, und jemand lieferte es mir direkt an die Apartmenttür. Die Übergabe lief dann folgendermaßen ab: Zunächst überprüfte der Scanner draußen im Flur die Identität des Lieferanten, die mein Computer verifizierte. Dann entriegelte sich die äußere Tür und glitt auf, worauf eine stahlverstärkte Luftschleuse von der Größe einer Duschkabine zum Vorschein kam. Der Lieferant legte das Päckchen, die Pizza oder was auch immer in die Luftschleuse und trat einen Schritt zurück. Die Außentür schloss sich mit einem Zischen und wurde wieder verriegelt. Dann wurde das Päckchen gescannt, mit Röntgenstrahlen durchleuchtet und auf alle möglichen Weisen analysiert. Der Inhalt wurde überprüft und eine Lieferbestätigung versendet. Danach entriegelte ich die innere Tür und nahm die Lieferung entgegen. Auf diese Weise konnte ich alles kaufen, ohne jemals persönlich einem anderen Menschen zu begegnen. Es war perfekt.

Das Zimmer selbst war eher schlicht, was mich nicht weiter kümmerte, weil ich es sowieso nur selten zu Gesicht bekam. Grob gesagt handelte es sich um einen Würfel von etwa fünf Metern Seitenlänge. In einer Wand befand sich eine Dusch- und Toiletteneinheit und gegenüber eine kleine, ergonomisch eingerichtete Küchenzeile. Gekocht hatte ich hier noch nie – allenfalls ein paar Brownies in die Mikrowelle gesteckt. Meine

Mahlzeiten stammten entweder aus dem Froster oder wurden fertig zubereitet geliefert.

Ansonsten wurde das Zimmer von meiner OASIS-Immersionsausrüstung beherrscht, in die ich jeden überschüssigen Cent investiert hatte. Ständig kamen neue, schnellere und vielseitigere Komponenten auf den Markt, so dass ich einen großen Teil meines mageren Einkommens für Upgrades ausgab.

Das Wertvollste an meiner Anlage war natürlich meine maßgefertigte OASIS-Konsole – der Computer, der meine Welt betrieb. Ich hatte ihn Stück für Stück selbst zusammengebaut, im Inneren eines glänzend schwarzen Odinware-Gehäuses. Er besaß einen neuen übertakteten Prozessor, der so schnell war, dass seine Rechenzeit schon an Hellseherei grenzte. Und die interne Festplatte verfügte über so viel Speicherplatz, dass man darauf sämtliche geistigen Errungenschaften der Menschheit in dreifacher Ausführung hätte abspeichern können.

Die meiste Zeit verbrachte ich in meinem HC5000 von Shaptic Technologies, einem rundum anpassbaren haptischen Stuhl. Er hing an zwei gelenkigen Roboterarmen, die mit den Wänden und der Decke meines Apartments verschraubt waren. Diese Arme konnten den Stuhl auf allen vier Achsen bewegen. Wenn ich daran festgeschnallt war, konnte er meinen Körper auf den Kopf stellen, im Kreis drehen oder durchschütteln, um die Illusion zu erschaffen, ich würde fallen, fliegen oder am Steuer eines atombetriebenen Raketenschlittens sitzen, der auf dem vierten Mond von Altair VI mit Mach 2 durch eine Schlucht rast.

Der Stuhl war mit meinem *Shaptic Bootsuit* verbunden, einem haptischen Ganzkörper-Feedbackanzug. Er hüllte vom Hals abwärts meinen gesamten Körper ein und besaß diskrete Öffnungen, so dass ich mich erleichtern konnte, ohne das ganze Ding ausziehen zu müssen. Außen war ein kompliziertes Exoskelett angebracht, ein Geflecht aus künstlichen Sehnen und Gelenken, das meine Bewegungen registrieren und blockieren konnte. Die Innenseite war mit einem Netz aus winzigen Kontakten überzogen, die in kleinen oder größeren Gruppen aktiviert werden konnten, um Tastempfindungen zu simulieren – um meine Haut Dinge spüren zu lassen, die eigentlich nicht da waren. Sie konnten auf überzeugende Weise das Gefühl erzeugen, jemand würde einem auf die Schulter tippen, gegen das Schienbein treten oder in die Brust schießen. (Eine eingebaute Sicherheitssoftware verhinderte, dass meine Anlage mir tatsächlich körperlichen Schaden zufügte; ein simulierter Schuss fühlte sich also eher an wie ein schwacher Schlag.) In der MoshWash-Reinigungseinheit in einer Ecke meines Zimmers hing ein identischer Backup-Anzug. Diese beiden haptischen Anzüge bildeten meine gesamte Garderobe. Meine alten Straßenklamotten verstaubten irgendwo im Kleiderschrank.

An den Händen trug ich ein Paar hochmoderner haptischer IdleHands-Datenhandschuhe von Okagami. Beide Handflächen waren mit taktilen Feedback-Polstern bedeckt, mit deren Hilfe die Handschuhe die Illusion schufen, dass ich Gegenstände oder Oberflächen berührte, die in Wirklichkeit nicht existierten.

Als Videobrille benutzte ich eine RLR-7800 WreckSpex von Dinatro, die über ein topmodernes virtuelles Netzhautdisplay verfügte. Die Videobrille zeichnete die OASIS direkt auf meine Netzhaut, mit der höchsten Bildfrequenz und Auflösung, die für das menschliche Auge wahrnehmbar war. Im Vergleich dazu wirkte die echte Welt blass und unscharf. Die RLR-7800 war ein Prototyp, der noch gar nicht auf dem Markt war. Ich hatte es meinem Sponsoringvertrag mit Dinatro zu verdanken, dass sie mir gelegentlich kostenlose und brandneue Ausrüstungsgegenstände schickten (die über eine Reihe von Re-mail-Diensten zu mir gelangten, die ich benutzte, um meine Anonymität zu wahren).

Mein AboundSound-Audiosystem bestand aus einer Reihe ultradünner Lautsprecher, die an den Wänden, dem Boden und der Decke meines Apartments befestigt waren und ein glasklares dreidimensionales Klangerlebnis lieferten. Der Subwoofer von Mjolnur hatte genug Power, um meine Backen-zähne vibrieren zu lassen.

Der Olfatrix-Geruchsturm in einer Ecke meines Zimmers war in der Lage, über zweitausend verschiedene Gerüche zu erzeugen. Einen Rosengarten, eine salzige Meeresbrise, bren-nendes Schießpulver. Gleichzeitig diente der Turm als hochef-fiziente Klimaanlage und Lufterfrischer, wofür ich ihn in ers-ter Linie benutzte. Es gab immer wieder Witzbolde, die richtig eklige Gerüche in ihre Simulationen einbauten, nur um Leute zu ärgern, die Geruchstürme besaßen. Deshalb ließ ich den Geruchsgenerator für gewöhnlich ausgeschaltet, es sei denn, ich befand mich in einem Teil der OASIS, wo es von Vorteil sein konnte, meine Umgebung zu riechen.

Am Boden, direkt unter meinem haptischen Stuhl, befand sich mein Runaround-Laufband von Okagami. (Der Werbe-slogan des Herstellers lautete: »Egal, wohin Sie gehen, Sie sind immer schon da.«) Das Laufband besaß einen Durchmesser von zwei Metern und war sechs Zentimeter hoch. Wenn es ein-geschaltet war, konnte ich in jede beliebige Richtung rennen und erreichte trotzdem nie den Rand. Das Laufband reagierte flexibel auf jede Richtungsänderung, so dass mein Körper im-mer ungefähr in der Mitte der Plattform blieb. Dieses Modell war außerdem mit einer eingebauten Hebevorrichtung und einer amorphen Oberfläche ausgestattet und konnte deshalb auch Anhöhen und Treppen simulieren.

Darüber hinaus konnte man sich eine AKHP (anatomisch korrekte haptische Puppe) zulegen, wenn man innerhalb der OASIS »intimere« Kontakte pflegen wollte. Es gab sie in männlicher, weiblicher und Zwitter-Ausführung, mit einer breiten Palette von Wahlmöglichkeiten. Realistische Latexhaut. Servomotorbetriebene Endoskelette. Simulierte Muskulatur. Und alle Körperfortsätze und -öffnungen, die man sich nur vorstellen kann.

Getrieben von Einsamkeit, Neugier und meinen überschießenden Teenager-Hormonen hatte ich mir ein paar Wochen, nachdem Art3mis mit mir Schluss gemacht hatte, eine AKHP der mittleren Preisklasse gekauft, die ÜberBetty von Shaptic. Ich verbrachte mehrere äußerst unproduktive Tage in einer eigenständigen Bordell-Simulation namens *Pleasuredome* und schaffte die Puppe dann aus Scham und purem Selbsterhaltungstrieb wieder ab. Ich hatte Tausende von Credits verschleudert, eine komplette Arbeitswoche verloren und stand kurz davor, meine Suche nach dem Ei völlig aufzugeben, als ich zu der traurigen Erkenntnis gelangte, dass virtueller Sex – egal, wie realistisch – doch nichts anderes als computergestützte Masturbation war. Am Ende war ich immer noch Jungfrau und trieb es ganz allein in einem dunklen Raum mit einem gleitmittelgeschmierten Roboter. Also trennte ich mich von der AKHP und holte mir künftig wieder auf herkömmliche Weise einen runter.

Wegen des Masturbierens an sich schämte ich mich nicht. Dank *Anoraks Almanach* vertrat ich den Standpunkt, dass es sich dabei um eine ganz normale Körperfunktion handelte, ebenso notwendig und natürlich wie Schlafen oder Essen.

AA 241:87 – Meiner Ansicht nach stellt die Masturbation eine wichtige Errungenschaft des Menschen dar. Sie ist der

Grundstein unserer technologischen Zivilisation. Unsere feinmotorischen Fähigkeiten haben sich weiterentwickelt, damit wir Werkzeuge benutzen – und Hand an uns legen können. Denker, Erfinder und Wissenschaftler sind meistens Nerds, die in der Regel weniger Sex haben als andere Leute. Ohne die Möglichkeit, mit Hilfe von Masturbation den sexuellen Druck abzulassen, hätten die ersten Menschen vielleicht nie das Feuer beherrschen gelernt oder das Rad erfunden. Und ich würde wetten, dass Galileo, Newton und Einstein niemals ihre Entdeckungen gemacht hätten, wenn sie nicht vorher ein bisschen abgewichst (oder »ein paar Protonen vom guten alten Wasserstoffatom abgespalten«) hätten, um einen klaren Kopf zu bekommen. Das Gleiche gilt für Marie Curie. Ihr könnt sicher sein, dass sie noch vor dem Radium den kleinen Mann im Kanu entdeckt hat.

Diese Theorie Hallidays stieß allgemein auf wenig Zuspruch, aber mir gefiel sie.

Während ich zur Toilette schlurfte, schaltete sich ein großer Flachbildschirm an der Wand ein, und das lächelnde Gesicht von Max, meiner Systemagentensoftware, erschien. Ich hatte Max so programmiert, dass er sich erst startete, wenn schon eine Weile das Licht brannte, damit ich Zeit hatte, wach zu werden, bevor er mir ein Ohr abzukauen begann.

»G-g-guten Morgen, Wade!«, stotterte Max fröhlich. »A-a-aufgewacht!«

Eine Systemagentensoftware war im Prinzip ein virtueller persönlicher Assistent, der als Voice-User-Interface zum Computer diente. Systemagentensoftware ließ sich beliebig konfigurieren. Man hatte die Wahl zwischen Hunderten voreingestellten Persönlichkeiten. Meine hatte ich so programmiert, dass sie Max Headroom glich, einer (vorgeblich) computer-generierten Figur, die in den späten 80ern in einer Talkshow, einer bahnbrechenden Cyberpunk-Fernsehserie und einer Reihe von Werbespots für Coca-Cola zu sehen gewesen war.

»Guten Morgen, Max«, erwiderte ich verschlafen.

»Du meinst wohl: ›Guten Abend‹, Rumpelstilzchen. Es ist 19:18 Uhr, OASIS Sta-sta-standardzeit, Mittwoch, dreißigster Dezember.« Max war darauf programmiert, mit einem leichten elektronischen Stottern zu sprechen. Als die Figur des Max Headroom Mitte der 80er Jahre geschaffen wurde, waren die Computer eigentlich noch nicht in der Lage, eine fotorealistische menschliche Gestalt zu generieren. Max wurde deshalb von dem brillanten Matt Frewer dargestellt, einem Schauspieler, der eine Kautschukmaske trug, um den Eindruck zu erwecken, er sei computergeneriert. Die Version von Max, die mir nun vom Bildschirm entgegenlächelte, war dagegen reine Software, mit den besten KI-Simulations- und Stimmerkennungsunterprogrammen, die man für Geld kaufen konnte.

Diese meinen Wünschen angepasste Version von MaxHeadroom v3.4.1 lief bei mir jetzt seit einigen Wochen. Davor hatte meine Systemagentensoftware die Gestalt der Schauspielerin Erin Gray gehabt (die in *Buck Rogers* und *Silver Spoons* mitspielte). Aber sie hatte mich zu sehr abgelenkt, deshalb war ich zu Max übergegangen. Manchmal nervte er zwar ein bisschen, aber er brachte mich auch oft zum Lachen. Mit ihm fühlte ich mich weniger einsam.

Während ich in mein Badezimmer stolperte und meine Blase entleerte, redete Max auf einem kleinen Bildschirm über dem Spiegel weiter. »Oh-oh! Du scheinst da ein Leck zu haben!«, sagte er.

»Denk dir mal 'nen anderen Witz aus«, sagte ich. »Irgendwelche Neuigkeiten, von denen ich wissen sollte?«

»Nur das Übliche. Kriege, Aufstände, Hungersnöte. Nichts, was dich interessieren würde.«

»Mails?«

Er rollte mit den Augen. »Ein paar. Aber um deine eigentliche Frage zu beantworten: nein. Art3mis hat immer noch nicht angerufen oder zurückgeschrieben, Loverboy.«

»Ich hab dir schon mal gesagt, dass du mich nicht so nennen sollst, Max. Sonst bist du ratzfatz gelöscht.«

»Jetzt sei doch nicht so überempfindlich. Also wirklich, Wade. Seit wann bist du denn so s-s-sensibel?«

»Ich tilg dich von der Festplatte, Max. Ich schwör's. Wenn du so weitermachst, wechsle ich wieder zurück zu Wilma Deering. Oder ich probier's mal mit der Stimme von Majel Barrett.«

Max zog ein beleidigtes Gesicht und wandte sich ab, um die digitale Tapete hinter sich zu betrachten, die gegenwärtig aus einem Muster vielfarbiger Vektorlinien bestand. Max war immer so. Mich zu piesacken war Teil seiner vorprogrammierten Persönlichkeit. Mir gefiel das eigentlich ganz gut, weil es mich an meine Zeit mit Aech erinnerte. Und mit Aech herumzuhängen vermisste ich sehr.

Mein Blick fiel auf den Badezimmerspiegel, aber mein eigener Anblick deprimierte mich dermaßen, dass ich lieber die Augen schloss, bis ich mit Pinkeln fertig war. Nicht zum ersten Mal fragte ich mich, warum ich nicht auch gleich noch den Spiegel mit schwarzer Farbe zugesprüht hatte.

Die Stunde direkt nach dem Aufwachen war mir am meisten zuwider, weil ich sie in der realen Welt verbrachte. In dieser Zeit widmete ich mich der nervtötenden Aufgabe, meinen echten Körper zu waschen und in Form zu halten. Das stand in krassem Gegensatz zu meinem übrigen Leben. Meinem wahren Leben in der OASIS, meine ich. Der Anblick meines winzigen Einzimmerapartments, meiner Immersionsausrüstung oder meines Spiegelbilds – all das war eine unangenehme Erinnerung daran, dass die Welt, in der ich einen Großteil meiner Zeit verbrachte, nicht real war.

»Stuhl einziehen«, sagte ich, als ich aus dem Badezimmer trat. Der haptische Stuhl wurde augenblicklich zusammengeklappt und an die Wand gefahren, so dass in der Mitte des Zimmers eine große freie Fläche entstand. Ich setzte meine Videobrille auf und startete das *Gym*-Programm.

Ich stand nun in einem großen modernen Fitnesscenter voller teurer Kraftmaschinen, die von meinem haptischen Anzug perfekt simuliert werden konnten, und begann mit meinem täglichen Work-out. Sit-ups, Liegestütze, ein wenig Aerobic, Krafttraining. Hin und wieder feuerte Max mich an: »Beine hoch, du Sch-sch-schlappschwanz! B-b-beiß die Zähne zusammen!«

Wenn ich in der OASIS eingeloggt war, bekam ich zwar auch ein bisschen Bewegung, beim Kämpfen etwa oder wenn ich auf dem Laufband virtuelle Landschaften durchstreifte. Aber die meiste Zeit verbrachte ich reglos in meinem haptischen Stuhl. Außerdem hatte ich die Gewohnheit, zu viel zu essen, wenn ich deprimiert oder frustriert war – also meistens. Deshalb hatte ich mit der Zeit ein paar Kilo zugenommen. Und weil ich von Anfang an nicht besonders gut in Form gewesen war, wurden mir mein haptischer Stuhl und mein XL-Ganzkörperanzug schon bald ein bisschen zu eng. Ich lief Gefahr, mir eine neue Anlage mit Komponenten der Husky-Baureihe zulegen zu müssen.

Ich wusste, dass ich mein Gewicht unter Kontrolle bringen musste, wenn ich nicht an Überfettung sterben wollte, bevor ich das Ei gefunden hatte. Deshalb aktivierte ich kurz entschlossen die freiwillige OASIS-Fitness-Sperrsoftware an meiner Anlage. Und bereute diese Entscheidung auf der Stelle.

Von da an überwachte der Computer meine Vitalparame-
ter und zählte die Kalorien, die ich am Tag verbrannte. Wenn
ich meine täglichen Fitnessübungen nicht absolvierte, entzog
mir das System die Zugangsberechtigung zu meinem OASIS-
Account. Und das bedeutete, dass ich nicht zur Arbeit gehen,
meine Suche fortsetzen oder überhaupt etwas Sinnvolles tun
konnte. War die Software erst einmal aktiviert, konnte man
sie zwei Monate lang nicht mehr ausschalten. Und da sie
mit meinem OASIS-Account verknüpft war, konnte ich auch
nicht einfach einen neuen Computer kaufen oder in irgendeinem öffentlichen OASIS-Salon eine Kabine mieten. Wenn
ich mich einloggen wollte, blieb mir keine andere Wahl, als
zuerst meine Übungen zu machen. Eine andere Motivation
brauchte ich nicht.

Die Sperrsoftware überwachte auch, was ich am Tag zu mir
nahm. Ich durfte aus einem vorgegebenen Menü gesunder, ka-
lorienarmer Mahlzeiten wählen. Die Software bestellte diese
dann für mich online und ließ sie an meine Tür liefern. Da ich
mein Apartment nie verließ, bereitete es dem Programm keine
Schwierigkeiten, alles festzuhalten, was ich aß. Jeder Snack,
den ich mir liefern ließ, führte unweigerlich dazu, dass die
Menge an sportlichen Übungen erhöht wurde, die ich am Tag
absolvieren musste, um die überschüssigen Kalorien wieder
loszuwerden. Der reine Sadismus, in Bits und Bytes gegossen!

Aber es funktionierte. Die Pfunde begannen dahinzuschmel-
zen, und nach ein paar Wochen war ich in Bestform. Zum ersten Mal in meinem Leben besaß ich einen flachen Bauch und
Muskeln. Ich hatte auch doppelt so viel Energie und wurde sel-
tener krank. Als ich nach Ablauf der zwei Monate endlich die
Möglichkeit erhielt, die Fitnesssperre auszuschalten, behielt
ich sie deshalb freiwillig bei. Die sportlichen Übungen waren
inzwischen ein Teil meines täglichen Rituals geworden.

Nachdem ich das Krafttraining beendet hatte, stieg ich aufs Laufband. »Beginne Morgenlauf«, sagte ich zu Max. »Die Bifrost-Strecke.«

Der virtuelle Fitnessraum verschwand. Ich stand auf einer halbtransparenten Laufstrecke, ein verschlungenes, kurvenreiches Band, das inmitten eines Sternennebels hing. Riesige Ringplaneten und mehrfarbige Monde schwebten überall um mich herum im Raum. Vor mir erstreckte sich ein Parcours, der anstieg, wieder abfiel und hin und wieder eine spiralförmige Helix bildete. Eine unsichtbare Barriere verhinderte, dass ich versehentlich über den Rand der Strecke hinausllief und in die sternenerfüllte Unendlichkeit stürzte. Die Bifrost-Strecke war eine weitere eigenständige Simulation, eine von mehreren hundert, die auf der Festplatte meiner Konsole gespeichert waren.

Als ich mich in Bewegung setzte, startete Max meine Playlist. Bereits nach den ersten Tönen des Songs ratterte ich Titel, Künstler, Album und Erscheinungsdatum aus dem Gedächtnis herunter: »›A Million Miles Away‹, die Plimsouls, *Everywhere at Once*, 1983.« Dann begann ich mitzusingen, um den Songtext zu üben. Den korrekten Text eines 80er-Jahre-Songs im Kopf zu haben konnte meinem Avatar womöglich eines Tages das Leben retten.

Nachdem ich meine Runden gedreht hatte, zog ich die Videobrille ab und schälte mich aus meinem haptischen Anzug. Das musste langsam geschehen, um die Komponenten des Anzugs nicht zu beschädigen. Während ich ihn vorsichtig auszog, lösten sich mit einem leisen Ploppen die Kontaktplättchen von meiner Haut und hinterließen winzige runde Druckstellen am ganzen Körper. Schließlich steckte ich den Anzug in die Reinigungseinheit und breitete den sauberen vor mir auf dem Boden aus.

Max hatte bereits die Dusche für mich aufgedreht und das Wasser auf die richtige Temperatur eingestellt. Als ich in die dampfgefüllte Kabine schlüpfte, schaltete Max meine Dusch-Playlist ein. Ich erkannte die Eröffnungsriffe des John-Waite-Stücks »Change«. Erschienen auf dem *Crazy-for-You*-Soundtrack, Geffen Records, 1985.

Die Dusche funktionierte ein wenig wie eine alte Autowaschanlage. Ich stand einfach nur da, während sie mich von allen Seiten mit Seifenwasser einsprühte und es dann wieder abspülte. Ich besaß keine Haare mehr, die ich extra hätte waschen müssen, weil die Dusche auch eine ungiftige Haarentfernerlösung absonderte. Der Vorteil war, dass ich mir weder die Haare schneiden noch mich rasieren musste, was mir jede Menge Zeit und Ärger ersparte. Auf der glatten Haut lag zudem mein haptischer Anzug besser an. Ohne Augenbrauen sah man zwar ein bisschen gruselig aus, aber man gewöhnte sich daran.

Nachdem die Dusche mich fertig gewaschen hatte, schalteten sich die Trockner ein und bliesen mir innerhalb weniger Sekunden die Feuchtigkeit von der Haut. Ich ging in die Küche und holte mir eine Dose »Sludge«, einen proteinreichen, Vitamin-D-haltigen Frühstücksdrink, der meinen Mangel an Sonnenlicht ausgleichen sollte. Während ich ihn trank, scannten die Sensoren meines Computers den Barcode der Dose und fügten die Kalorien meinem täglichen Soll hinzu. Das Frühstück war damit erledigt, und ich zog meinen sauberen haptischen Anzug an. Das war zwar weniger kompliziert als das Ausziehen, dauerte aber ebenfalls seine Zeit.

Als ich den Anzug anhatte, gab ich dem haptischen Stuhl den Befehl, sich wieder auszuklappen. Dann hielt ich einen Moment inne und betrachtete meine Immersionsausrüstung. Als ich die ganze Hightechhardware ursprünglich gekauft hatte, war ich wahnsinnig stolz darauf gewesen. Aber im Laufe der letzten Monate hatte ich die Anlage zunehmend als das gesehen, was sie in Wirklichkeit war: eine komplizierte Vorrichtung, die meine Sinne täuschte und mit deren Hilfe ich in einer Welt leben konnte, die eigentlich nicht existierte. Jede einzelne Komponente meiner Anlage war Teil der Zelle, in die ich mich freiwillig eingesperrt hatte.

Im grellen Schein der Neonlampen meines winzigen Einzimmerapartments ließ es sich nicht länger leugnen: Im wirklichen Leben war ich nichts als ein menschenscheuer Einsiedler. Ein Eremit. Ein bleicher, popkulturbesessener Nerd. Ein Stubenhocker, der unter Agoraphobie litt, keine richtigen Freunde hatte, keine Familie oder andere menschliche Kontakte. Ich war eine traurige, einsame, verlorene Seele, die ihr Leben an ein besseres Videospiel verschwendete.

In der OASIS war das anders. Dort war ich der große Parzival. Ein weltbekannter Jäger und eine internationale Berühmtheit. Dort bat man mich um Autogramme. Ich hatte einen eigenen Fanclub. Mehrere sogar. Ich wurde überall erkannt (aber nur, wenn ich das wollte). Man bezahlte mich dafür, Werbung für bestimmte Produkte zu machen. Die Menschen bewunderten mich und schauten zu mir auf. Ich wurde zu den exklusivsten Partys eingeladen, ging in die angesagtesten Clubs und musste niemals irgendwo anstehen. Ich war eine Ikone der Popkultur, ein VR-Rockstar. Und in Jägerkreisen war ich eine Legende. Ach was, ein Gott!

Ich nahm Platz, zog meine Handschuhe an und setzte die Videobrille auf. Nachdem meine Identität verifiziert worden war, erschien vor mir das Logo von Gregarious Simulation Systems, und ich wurde aufgefordert, mich einzuloggen.

Ich räusperte mich und kam der Aufforderung nach. Die einzelnen Wörter erschienen auf dem Display, während ich sie aussprach: »No one in the world ever gets what they want and that is beautiful.«

Es folgte eine kurze Pause, und dann stieß ich unwillkürlich ein erleichtertes Seufzen aus, als um mich herum die OASIS Gestalt annahm.

0020

MEIN AVATAR materialisierte sich langsam vor der Steuerkonsole in der Kommandozentrale meiner Festung. Dort hatte
ich letzte Nacht gesessen und wie üblich auf das Quartett ge-
starrt, bis ich darüber eingeschlafen war und das System mich
ausgeloggt hatte. Ich grübelte nun schon seit fast sechs Monaten über dem verdammten Ding und hatte es immer noch
nicht geschafft, es zu entschlüsseln. Bisher war das niemandem gelungen. Natürlich hatten alle irgendwelche Theorien,
aber der Jadeschlüssel war noch nicht entdeckt worden, und
die obersten Ränge des Scoreboards waren unverändert geblieben.

Meine Kommandozentrale befand sich unter einer Panzer-
kuppel, die in die felsige Oberfläche meines privaten Asteroiden eingelassen war. Von hier aus hatte ich eine freie Rundum-
sicht auf die von Kratern überzogene Landschaft, die sich in
alle Richtungen bis zum Horizont erstreckte. Der Rest meiner
Festung befand sich unter Tage in einem gewaltigen unterirdischen Komplex, der bis zum Kern des Asteroiden hinabreichte.
Ich hatte das gesamte Ding kurz nach meinem Umzug nach
Columbus selbst programmiert. Mein Avatar brauchte eine
Festung, und ich wollte keine Nachbarn, deshalb hatte ich den
billigsten Planetoiden gekauft, den ich finden konnte – einen
winzigen, kahlen Asteroiden in Sektor 14. Seine eigentliche Bezeichnung lautete S14A316, aber ich hatte ihn in »Falco« umge-
tauft, nach dem österreichischen Rapstar. (Nicht dass ich ein
großer Falco-Fan gewesen wäre. Aber der Name klang cool.)

Falco besaß zwar nur ein paar Quadratkilometer Oberfläche, aber er hatte trotzdem eine ordentliche Stange Geld gekostet. Dennoch war er es wert gewesen. Wenn man seine eigene Welt besaß, konnte man darauf bauen, was immer man wollte. Und sie konnte nur von Avataren besucht werden, denen ich Zutritt gewährte – was ich bisher noch nie getan hatte. Meine Festung war meine Heimat innerhalb der OASIS. Die Zufluchtsstätte meines Avatars. Der einzige Ort in der gesamten Simulation, an dem ich wirklich sicher war. Nach dem Log-in wurde ich darüber informiert, dass Wahltag war. Weil ich inzwischen achtzehn war, durfte ich an den Wahlen teilnehmen, sowohl an denen innerhalb der OASIS als auch an denen für die US-Regierung. Letztere interessierte mich nicht, weil sie meines Erachtens eine völlig sinnfreie Veranstaltung war. Das ehemals mächtige Land, in das ich hineingeboren worden war, war nur noch ein Schatten seiner selbst. Es spielte keine Rolle, wer das Sagen hatte. Die Politiker steuerten ein sinkendes Schiff, und alle wussten es. Und weil die Leute ihre Stimme inzwischen über die OASIS von zu Hause aus abgeben konnten, standen ohnehin nur noch Filmstars, Reality-TV-Promis oder radikale Fernsehprediger zur Wahl.

An der OASIS-Wahl nahm ich dagegen teil, weil sie mich unmittelbar betraf. Die Stimmabgabe dauerte bloß ein paar Minuten; mit den Themen, die GSS zur Abstimmung gestellt hatte, war ich schon vertraut. Außerdem war es an der Zeit, den Präsidenten und Vizepräsidenten des Nutzerrats der OASIS neu zu wählen, aber da war meine Entscheidung sonnenklar. Wie die meisten Jäger stimmte ich für die Wiederwahl von Cory Doctorow und Wil Wheaton. Für diese Ämter gab es keine Zeitbeschränkung, und die beiden alten Knacker hatten sich seit über zehn Jahren erfolgreich für den Schutz der Nutzerrechte ins Zeug gelegt.

Nachdem ich gewählt hatte, verstellte ich meinen haptischen Stuhl und musterte die Steuerkonsole vor mir – ein Sammelsurium aus Schaltern, Knöpfen, Tastaturen, Joysticks und Anzeigetafeln. Eine Batterie von Überwachungsbildschirmen zu meiner Linken war mit virtuellen Kameras innerhalb und außerhalb meiner Festung verbunden. Zu meiner Rechten befanden sich weitere Bildschirme, auf denen die Nachrichten- und Unterhaltungssender zu sehen waren, die ich mir am liebsten anschaute. Darunter befand sich auch mein eigener Kanal: *Parzival TV – Obskurer eklektischer Quatsch, rund um die Uhr.*

Vor ein paar Monaten hatte GSS der OASIS ein neues Feature hinzugefügt: den POV-Kanal (persönlicher OASIS-Vidkanal). Für einen bestimmten monatlichen Betrag konnte man seinen eigenen Fernsehstream senden. Jeder, der in die Simulation eingeloggt war, konnte sich von überall auf der Welt die POV-Kanäle anderer Nutzer ansehen. Was man auf seinem Kanal zeigte und wen man als Zuschauer zuließ, war einem komplett selbst überlassen. Die meisten Nutzer machten sich selbst zum Star ihrer eigenen Realityshow und richteten einen »Voyeur-Kanal« ein, der rund um die Uhr lief. Schwebende virtuelle Kameras folgten ihren Avataren durch die OASIS, während sie ihren täglichen Aktivitäten nachgingen. Man konnte den Zugang zu seinem Kanal beschränken, so dass nur Freunde ihn schauen konnten, oder man konnte von den Zuschauern stundenweise Geld verlangen. Viele B-Promis und Pornographen machten davon Gebrauch – sie verkauften ihr virtuelles Dasein zum Minutenpreis.

Manche Leute nutzten ihren POV, um Livevideos von ihrem Leben in der realen Welt, von ihren Hunden oder Kindern zu zeigen. Andere ließen nichts als alte Zeichentrickfilme laufen. Die Möglichkeiten waren endlos, und die Bandbreite dessen, was man sich anschauen konnte, wuchs von Tag zu Tag. Nonstop Fußfetischvideos aus Osteuropa. Amateurpornos mit sexhungrigen Hausfrauen in der Hauptrolle. Nichts wurde ausgelassen. Sämtliche Verschrobenheiten der menschlichen Psyche wurden auf Film gebannt und online gezeigt. Das gewaltige Ödland der Fernsehprogramme hatte endlich seine maximale Ausdehnung erreicht, und der Durchschnittsbürger war nicht länger auf seine fünfzehn Minuten Berühmtheit beschränkt. Jetzt konnte jeder jeden Tag im Fernsehen sein – ob nun jemand zusah oder nicht.

Parzival-TV war kein Voyeur-Kanal. Das Gesicht meines Avatars war dort noch nie zu sehen gewesen. Stattdessen hatte ich eine Auswahl klassischer Fernsehserien, alter Werbespots, Zeichentrickfilme, Musikvideos und Kinofilme aus den 80ern im Programm. Vor allem Kinofilme. An den Wochenenden zeigte ich alte japanische Monsterstreifen und klassische Animes. Worauf ich gerade Lust hatte. Es spielte keine Rolle, was ich sendete. Mein Avatar gehörte immer noch zu den High Five, weshalb mein Vidkanal jeden Tag Millionen Zuschauer anzog. Und das bedeutete, dass ich meinen verschiedenen Sponsoren eine Menge Werbezeit verkaufen konnte.

Die meisten Zuschauer von Parzival TV waren Jäger, die meinen Kanal in der Hoffnung im Auge behielten, dass ich versehentlich irgendeine wichtige Information über den Jadeschlüssel oder das Ei selbst verriet. Natürlich tat ich das nie. Im Moment endete auf meinem Kanal gerade ein zweitägiger Nonstop-Marathon von *Kikaider*, einer japanischen Actionserie aus den späten 70ern über einen rotblauen Androiden, der sich in jeder Folge mit Monstern in Gummianzügen prügelt. Ich hatte eine Schwäche für klassische *Kaiju* und *Tokusatsu*, Serien wie *Spectreman*, *The Space Giants* und *Supaidaman*.

Ich rief das Menü auf und nahm ein paar Änderungen am

Abendprogramm vor. Die Folgen von *Trio mit vier Fäusten* und *Die Spezialisten unterwegs,* die ich programmiert hatte, löschte ich und fügte stattdessen einige Filme ein, in denen Gamera die Hauptrolle spielte, eine fliegende Riesenschildkröte, die ich sehr gerne mochte. Das würde meinen Zuschauern bestimmt gefallen. Zum Abschluss nahm ich noch ein paar Folgen von *Silver Spoons* ins Programm auf.

Art3mis hatte ebenfalls ihren eigenen Vidkanal, Art3mivision, und einer meiner Bildschirme zeigte ständig ihren Sender. Im Augenblick brachte sie ihr übliches Mittwochabendprogramm: eine Folge *Square Pegs,* danach *Electra Woman and DynaGirl* und einige Folgen *Isis* und *Wonder Woman.* Ihr Programm hatte sich schon seit Ewigkeiten nicht mehr geändert, aber das spielte keine Rolle. Sie hatte trotzdem phantastische Einschaltquoten. Vor kurzem hatte sie unter dem Namen Art3Miss außerdem eine unglaublich erfolgreiche Modelinie für vollschlanke weibliche Avatare auf den Markt gebracht. Ihr ging es wirklich blendend.

Nach jener Nacht im *Distracted Globe* hatte Art3mis jeden Kontakt zu mir abgebrochen. Sie hatte sämtliche E-Mails, Anrufe und Chatanfragen von mir blockiert. Auch auf ihrem Blog hatte sie seither keine weiteren Einträge mehr gemacht.

Ich ließ nichts unversucht, um an sie heranzukommen. Ich schickte ihrem Avatar Blumen und reiste mehrmals zu ihrer Festung – einem gepanzerten Palast auf Benatar, dem kleinen Mond, der ihr gehörte. Von der Luft aus warf ich selbst zusammengestellte Musikkassetten und Nachrichten über ihrem Palast ab wie die Bomben eines Liebeskranken. In einem Akt äußerster Verzweiflung stand ich einmal sogar ganze zwei Stunden mit einem Ghettoblaster vor ihren Palasttoren, aus dem in voller Lautstärke »In Your Eyes« von Peter Gabriel dröhnte.

Aber sie kam nicht heraus. Ich weiß nicht einmal, ob sie überhaupt zu Hause war.

Ich lebte jetzt schon seit über fünf Monaten in Columbus, und es war acht lange, qualvolle Wochen her, dass ich das letzte Mal mit Art3mis gesprochen hatte. Aber ich hatte die Zeit nicht damit verbracht, Trübsal zu blasen und mich selbst zu bemitleiden. Jedenfalls nicht ausschließlich. Stattdessen habe ich mich bemüht, mein »neues Leben« als weltberühmter Jäger, der die OASIS auf der Suche nach Abenteuern durchstreift, zu genießen. Wenngleich ich meinen Avatar längst auf die höchste Stufe gebracht hatte, absolvierte ich immer noch so viele Quests wie möglich, um meine beeindruckende Sammlung von Waffen, magischen Gegenständen und Fahrzeugen, die in einem Gewölbe tief im Inneren meiner Festung aufbewahrt wurden, weiter zu vergrößern. Die Quests gaben mir etwas zu tun und lenkten mich von meiner wachsenden Einsamkeit und Isolation ab.

Nachdem Art3mis mich verlassen hatte, hatte ich versucht, wieder Kontakt zu Aech aufzunehmen, aber es war nicht mehr wie früher. Wir hatten uns auseinandergelebt, und ich wusste, dass es meine Schuld war. Unsere Gespräche fühlten sich jetzt gestelzt und distanziert an, als hätten wir beide Angst, irgendeine wichtige Information zu verraten, die der andere gebrauchen könnte. Ich merkte einfach, dass er mir nicht mehr vertraute. Und während ich mich in meine Beziehung zu Art3mis hineingesteigert hatte, war Aech zunehmend von dem Gedanken besessen, der erste Jäger sein zu wollen, der den Jadeschlüssel fand. Aber inzwischen war ein halbes Jahr vergangen, seit wir das erste Tor überwunden hatten, und das Versteck des Jadeschlüssels war immer noch nicht entdeckt worden.

Ich hatte schon seit fast einem Monat nicht mehr mit Aech

gesprochen. Meine letzte Unterhaltung mit ihm war in einen schlimmen Streit ausgeufert. Am Ende hatte ich Aech daran erinnert, dass er »den Kupferschlüssel niemals gefunden hätte«, wenn ich ihm nicht den entscheidenden Hinweis geliefert hätte. Er hatte mich einen Moment lang wütend angestarrt und sich dann aus dem Chatroom ausgeloggt. Mein Stolz hatte mich davon abgehalten, ihn direkt danach anzurufen und mich zu entschuldigen, und jetzt hatte ich das Gefühl, es sei zu viel Zeit verstrichen.

Ja. Ich steckte ganz schön in der Scheiße. In weniger als sechs Monaten hatte ich es geschafft, meine beiden engsten Freunde zu vergraulen.

Ich schaltete auf Aechs Kanal um, den er H-Feed nannte. Im Augenblick zeigte er einen WWF-Kampf aus den späten 80ern mit Hulk Hogan und Andre the Giant. Ich machte mir gar nicht erst die Mühe, auf Daitos und Shotos Kanal, der Daishow, nachzusehen, weil ich wusste, dass dort bestimmt wieder ein alter Samuraifilm lief. Etwas anderes brachten die Jungs nicht.

Ein paar Monate nach unserem missglückten ersten Treffen in Aechs Keller war es mir gelungen, eine vorsichtige Freundschaft mit Daito und Shoto anzuknüpfen, als wir drei uns zusammengetan hatten, um eine umfangreiche Quest in Sektor 22 durchzuspielen. Es war meine Idee gewesen. Weil es mir leidtat, wie unsere erste Begegnung geendet hatte, hatte ich auf eine Gelegenheit gewartet, mit den beiden Samurai Frieden zu schließen. Kurz darauf entdeckte ich auf dem Planeten Tokusatsu eine verborgene Quest mit hohem Schwierigkeitsgrad, die die Bezeichnung Shodai Urutoraman trug. Dem Kolophon der Quest zufolge war sie neueren Datums, konnte also nicht mit dem Wettbewerb in Zusammenhang stehen. Die Quest war von der in Hokkaido ansässigen Zweigstelle von GSS entwickelt worden und in japanischer Sprache verfasst. Ich hätte versuchen können, sie mit Hilfe der Mandarax-Echtzeitübersetzungssoftware, über die alle OASIS-Accounts verfügten, auf eigene Faust durchzuspielen, aber das wäre riskant gewesen. Das Programm war dafür berüchtigt, dass es Anweisungen und Hinweise des Öfteren entstellte oder falsch übersetzte, und das konnte einen teuer zu stehen kommen.

Daito und Shoto lebten in Japan (sie waren dort Nationalhelden), und ich wusste, dass sie beide fließend Japanisch und Englisch sprachen. Deshalb setzte ich mich mit ihnen in Verbindung und fragte sie, ob sie sich für diese eine Quest mit mir zusammentun wollten. Anfangs waren sie skeptisch, aber nachdem ich ihnen die einzigartige Natur der Quest und die mögliche Belohnung beschrieben hatte, willigten sie schließlich ein. Wir trafen uns vor dem Tor der Quest auf Tokusatsu und gingen alle drei gemeinsam hindurch.

Die Quest war eine Neuschöpfung aller neununddreißig Folgen der ursprünglichen *Ultraman*-Fernsehserie, die von 1966 bis 1967 im japanischen Fernsehen lief. In der Serie ging es um einen Mann namens Hayata, der der Science Patrol angehörte, einer Organisation, die Horden von riesigen godzillaähnlichen Monstern bekämpfte, die unablässig die Erde angriffen und die Menschheit bedrohten. Wenn sich die Science Patrol einer Gefahr gegenübersah, der sie nichts entgegenzusetzen hatte, brachte Hayata ein außerirdisches Gerät zum Einsatz, die sogenannte Betakapsel, um sich in ein extraterrestrisches Überwesen namens Ultraman zu verwandeln. Dann brachte er das Monster der Woche mit allen möglichen Kung-Fu-Moves und Energieangriffen zur Strecke.

Wäre ich allein durch das Questtor getreten, hätte ich die gesamte Geschichte der Serie automatisch als Hayata durchgespielt. Aber weil Shoto, Daito und ich die Quest zu dritt begonnen hatten, durfte sich jeder von uns ein Mitglied des Science-Patrol-Teams aussuchen. Am Anfang eines jeden neuen Levels oder einer »Folge« konnten wir unsere Charaktere untereinander austauschen oder einen neuen wählen. Wir spielten abwechselnd Hayata und seine Teamkollegen Hoshino und Arashi. Wie bei den meisten Quests in der OASIS war es als Team leichter, die verschiedenen Gegner zu besiegen und die Level erfolgreich zu beenden.

Trotzdem brauchten wir eine ganze Woche, in der wir oft mehr als sechzehn Stunden am Tag spielten, bis wir endlich alle neununddreißig Folgen hinter uns gebracht hatten. Als wir durch das Questtor hinaustraten, erhielten unsere Avatare eine riesige Menge Erfahrungspunkte und mehrere Tausend Credits. Aber die wahre Belohnung für die Vollendung der Quest war ein unglaublich seltenes Artefakt: Hayatas Betakapsel. Mit Hilfe des kleinen Metallzylinders konnte sich ein Avatar einmal am Tag für bis zu drei Minuten in Ultraman verwandeln.

Da wir zu dritt waren, mussten wir uns entscheiden, wer von uns das Artefakt behalten sollte. »Parzival sollte es bekommen«, sagte Shoto zu seinem älteren Bruder. »Er hat diese Quest gefunden. Ohne ihn hätten wir nicht einmal davon gewusst.«

Natürlich war Daito anderer Meinung. »Und ohne unsere Hilfe hätte er die Quest nicht durchspielen können!« Daito schlug vor, dass wir die Betakapsel versteigern und uns den Gewinn teilen sollten. Aber das konnte ich nicht zulassen. Das Artefakt war viel zu wertvoll, um es zu verkaufen. Außerdem wusste ich, dass es sonst nur den Sechsern in die Hände fallen würde, die sich nahezu alle wertvollen Artefakte unter den Nagel rissen, die versteigert wurden. Zudem bot sich mir hier die Gelegenheit, mich mit Daito gut zu stellen.

»Ihr beide solltet die Betakapsel behalten«, sagte ich. »*Uru-toraman* ist Japans größter Superheld. Seine Kräfte gehören in japanische Hand.«

Beide waren von meiner großzügigen Geste überrascht und fühlten sich einigermaßen gebauchpinselt. Besonders Daito. »Danke, Parzival-san«, sagte er mit einer tiefen Verbeugung. »Du bist ein echter Ehrenmann!«

Danach waren wir in Freundschaft auseinandergegangen, wenn auch nicht als Verbündete, und das war mir Lohn genug für meine Bemühungen.

Ein Signalton erklang, und ich sah auf die Zeitanzeige. Es war fast acht Uhr. Zeit, zur Arbeit zu gehen.

Ich war immer knapp bei Kasse, egal, wie sparsam ich lebte. Jeden Monat musste ich einige größere Rechnungen bezahlen, sowohl in der realen Welt als auch in der OASIS. Meine Ausgaben in der realen Welt bestanden aus den üblichen Dingen: Miete, Strom, Essen, Wasser. Hardwarereparaturen und Upgrades. Die Ausgaben meines Avatars waren dagegen wesentlich exotischer: Raumschiffinstandsetzung. Teleportationsgebühren. Brennstoffzellen. Munition. Ich kaufte meine Munition in Großpackungen, aber sie war trotzdem nicht billig. Und meine monatlichen Teleportationskosten konnten astronomische Höhen erreichen. Auf der Suche nach dem Ei war ich viel unterwegs, und GSS hob andauernd die Teleportationspreise an.

Die Kohle aus den Werbeverträgen war längst aufgebraucht. Das meiste davon hatte ich in die Anschaffung meiner Immersionsausrüstung und den Kauf meines Asteroiden gesteckt. Ich verdiente nicht schlecht damit, Werbezeit auf meinem POV-Kanal zu verkaufen und magische Gegenstände, Rüstungen oder Waffen, die ich während meiner Quests erbeutete und selbst nicht gebrauchen konnte, zu versteigern. Meine Haupteinnahmequelle war jedoch mein Vollzeitjob bei der technischen Kundenbetreuung der OASIS.

Bei der Erschaffung meiner neuen Identität als Bryce Lynch hatte ich mir auch einen Collegeabschluss, mehrere Zertifikate als Techniker und eine lange, erstklassige Berufslaufbahn als OASIS-Programmierer und App-Entwickler zugelegt. Doch trotz dieses eindrucksvollen gefälschten Lebenslaufs hatte ich lediglich einen Job als Telefonberater bei Helpful Helpdesk Inc. bekommen können, eines der Subunternehmen, die GSS damit beauftragte, die Kundenbetreuung zu übernehmen. Jetzt war ich vierzig Stunden die Woche damit beschäftigt, irgendwelchen Idioten dabei zu helfen, ihre OASIS-Konsolen neu zu starten und die Treiber für ihre haptischen Handschuhe auf den neuesten Stand zu bringen. Kein angenehmer Job, aber die Miete musste bezahlt werden.

Ich loggte mich aus meinem eigenen OASIS-Account aus und meldete mich bei meinem Arbeitskonto an. Nach dem Log-in übernahm ich die Steuerung eines Happy-Helpdesk-Avatars, der aussah wie Ken und in dessen Gestalt ich Kundenanrufe entgegennahm. Der Avatar befand sich in einem riesigen virtuellen Call-Center im Inneren eines virtuellen Bürowürfels, saß an einem virtuellen Schreibtisch, vor einem virtuellen Computer und hatte ein virtuelles Headset auf dem Kopf.

Dieser Ort war die virtuelle Hölle!

Helpful Helpdesk Inc. nahm jeden Tag Millionen Anrufe aus aller Welt entgegen. Und das rund um die Uhr, das ganze Jahr über. Ein wütender, grenzdebiler Schwachkopf nach dem anderen. Zwischen den einzelnen Anrufen gab es keine Pause, weil sich ständig mehrere hundert weiterer Idioten in der Warteschleife befanden. Die meisten von ihnen verbrachten Stunden am Telefon, nur damit ein Kundendienstmitarbeiter sie an die Hand nahm und ihr Problem löste. Wozu sich die Mühe machen, selbst online nach einer Lösung zu suchen? Warum sich den Kopf zerbrechen, wenn jemand anders einem das Denken abnahm?

Wie immer verging meine Zehnstundenschicht quälend langsam. Kundendienstavatare konnten ihre Bürowürfel nicht verlassen, aber ich hatte andere Wege gefunden, um mir die Zeit zu vertreiben. Mein Arbeitskonto war eigentlich so eingestellt, dass ich nicht auf Websites von außerhalb zugreifen konnte; ich hatte jedoch meine Videobrille gehackt, so dass ich Musik hören oder Filme von meiner Festplatte schauen konnte, während ich die Anrufe entgegennahm.

Nachdem meine Schicht zu Ende war, meldete ich mich sofort wieder bei meinem eigenen OASIS-Account an. Tausende neue E-Mails erwarteten mich dort, und allein an den Betreffzeilen konnte ich erkennen, was während meiner Schicht geschehen war:

Art3mis hatte den Jadeschlüssel gefunden.

OO2I

WIE VIELE ANDERE JÄGER überall auf der Welt hatte ich mich vor der nächsten Veränderung auf dem Scoreboard gefürchtet, weil ich wusste, dass die Sechser dadurch einen unfairen Vorteil erlangen würden.

Ein paar Monate nachdem wir alle durch das erste Tor getreten waren, hatte ein anonymer Avatar ein megamächtiges Artefakt zur Versteigerung angeboten. Es hieß Fyndoros Suchtafel und besaß einzigartige Kräfte, die seinem Besitzer bei der Jagd nach Hallidays *Easter Egg* einen Riesenvorteil verschafften.

Die meisten virtuellen Gegenstände in der OASIS wurden vom System per Zufallsprinzip erzeugt, und man erhielt sie, indem man einen NSC tötete oder eine Quest vollendete. Die seltensten davon waren sogenannte Artefakte, wahnsinnig mächtige magische Gegenstände, die ihrem Besitzer unglaubliche Fähigkeiten verliehen. In der ganzen OASIS gab es nur ein paar hundert solcher Artefakte, die fast alle in der Frühzeit der Simulation geschaffen worden waren, als es sich im Wesentlichen noch um ein MMO-Spiel gehandelt hatte. Sämtliche Artefakte waren einzigartig, es gab sie also in der gesamten Simulation nur einmal. Normalerweise erwarb man ein Artefakt, indem man am Ende einer schwierigen Quest irgendeinen gottähnlichen Endgegner besiegte. Man konnte Artefakte aber auch erwerben, indem man einen Avatar umbrachte, der eines besaß, oder indem man sie in einer Online-Versteigerung kaufte.

Da Artefakte so selten waren, sprach es sich immer schnell herum, wenn eines versteigert wurde. Manche wurden für Hunderttausende von Credits gehandelt, je nachdem, wie mächtig sie waren. Die absolut höchste Summe hatte vor drei Jahren ein Artefakt namens »Der Kataklyst« erzielt. Dabei handelte es sich um eine magische Bombe, die nur ein einziges Mal benutzt werden konnte. Wenn sie detonierte, tötete sie jeden einzelnen Avatar und NSC im gesamten Sektor, den Besitzer eingeschlossen. Es gab keine Rettung. Hatte man das Pech, sich im selben Sektor zu befinden, wenn das Ding hochging, war man geliefert, egal, wie mächtig oder gut geschützt man war.

Der Kataklyst war für etwas mehr als eine Million Credits an einen anonymen Bieter gegangen. Bisher war das Artefakt noch nicht eingesetzt worden. Sein neuer Besitzer hatte es also noch irgendwo gebunkert und wartete auf den richtigen Augenblick, um es zu benutzen. Inzwischen war es schon ein Running Gag geworden. Wenn sich ein Jäger von Avataren umringt sah, die ihm an den Kragen wollten, behauptete er, den Kataklysten in seinem Inventar zu haben, und drohte damit, ihn zu zünden. Die meisten Leute vermuteten allerdings, dass das Artefakt in Wahrheit den Sechsern in die Hände gefallen war, so wie zahllose andere mächtige Gegenstände auch.

Fyndoros Suchtafel erzielte sogar einen noch höheren Preis als der Kataklyst. Der Beschreibung zufolge handelte es sich dabei um einen flachen, kreisrunden schwarzen Stein, der über eine einzige Fähigkeit verfügte: Einmal am Tag konnte sein Besitzer den Namen eines Avatars auf seine Oberfläche schreiben, und die Tafel würde dessen Aufenthaltsort anzeigen. Allerdings war die Reichweite der Tafel beschränkt. Befand man sich in einem anderen Sektor als der gesuchte Avatar, würde die Tafel nur den entsprechenden Sektor anzeigen, in dem sich dieser befand. War man bereits in demselben Sektor, teilte einem die Tafel mit, auf welchem Planeten sich der Gesuchte aufhielt (oder welcher Planet in seiner Nähe war, wenn er gerade durch den Weltraum flog). Befand man sich auf demselben Planeten, zeigte einem die Tafel die genauen Koordinaten auf einer Karte an.

Der Verkäufer des Artefakts hatte in der Beschreibung natürlich noch einmal darauf hingewiesen, dass man die Tafel in Verbindung mit dem Scoreboard einsetzen konnte, was sie vermutlich zum wertvollsten Artefakt in der gesamten OASIS machte. Man musste nur die obersten Ränge auf dem Scoreboard im Auge behalten und abwarten, bis sich bei einem Avatar der Punktestand erhöhte. Sobald das geschah, konnte man den Namen desjenigen auf die Tafel schreiben, und diese würde einem mitteilen, wo sich der Avatar im Moment befand, und damit das Versteck eines Schlüssels oder Tors offenbaren. Wegen der begrenzten Reichweite des Artefakts konnte es zwei oder drei Versuche dauern, bis man die genauen Koordinaten in Erfahrung gebracht hatte. Aber trotzdem waren das Informationen, für die manche Leute über Leichen gehen würden.

Als Fyndoros Suchtafel zur Versteigerung angeboten wurde, entspann sich ein gewaltiger Bietkampf zwischen mehreren großen Jägerclans. Am Ende ging die Tafel jedoch für fast zwei Millionen Credits an die Sechser. Sorrento persönlich benutzte sein IOI-Konto, um auf die Tafel zu bieten. Er wartete bis zum letzten Moment, um dann alle zu überbieten. Natürlich hätte er anonym auftreten können, aber offensichtlich wollte er, dass die ganze Welt erfuhr, wer nun im Besitz des Artefakts war. Und damit ließ er gleichzeitig die High Five wissen, dass die Sechser uns von dem Moment an verfolgen würden, wenn einer von uns einen Schlüssel fand oder durch ein Tor trat. Und es gab nichts, was wir dagegen tun konnten.

Anfangs hatte ich befürchtet, die Sechser würden die Tafel benutzen, um unsere Avatare zu jagen und einen nach dem anderen zur Strecke zu bringen. Aber den Standort unserer Avatare zu ermitteln würde ihnen nichts nützen, wenn wir uns nicht gerade in einer PvP-Zone befänden und dumm genug wären dortzubleiben, bis die Sechser uns erreicht hätten. Und da man die Tafel nur einmal am Tag benutzen konnte, liefen sie außerdem Gefahr, im Ernstfall ihr Zeitfenster zu verpassen. Dieses Risiko wollten sie nicht eingehen. Deshalb behielten sie das Artefakt in Reserve und warteten auf den richtigen Moment, um es einzusetzen.

Weniger als eine halbe Stunde nachdem Art3mis' Punktestand gestiegen war, steuerte die gesamte Flotte der Sechser Sektor 7 an. Offensichtlich hatten die Sechser Fyndoros Suchtafel benutzt, um Art3mis' genauen Aufenthaltsort zu ermitteln, nachdem sich ihr Eintrag auf dem Scoreboard verändert hatte. Zum Glück hatte sich der Avatar, der die Tafel in seinem Besitz hatte (vermutlich Sorrento persönlich), in einem anderen Sektor als Art3mis befunden. Die Tafel hatte ihm also nicht verraten, auf welchem Planeten sie sich aufhielt. Die gesamte Sechserflotte war jedoch sofort zum Sektor 7 aufgebrochen.

Dank ihres Mangels an Raffinesse wusste nun die ganze Welt, dass der Jadeschlüssel irgendwo in diesem Sektor versteckt sein musste. Natürlich hatten sich auch Tausende von Jägern bereits auf den Weg dorthin gemacht. Die Sechser hatten das Suchgebiet für alle eingegrenzt. Glücklicherweise enthielt Sektor 7 Hunderte Planeten, Monde und andere Welten, und der Jadeschlüssel konnte überall versteckt sein.

Den Rest des Tages verbrachte ich in einem Schockzustand und versuchte, die Neuigkeit zu verdauen, dass ich vom Thron gestoßen wurde. Und genau so lauteten auch die Schlagzei-

len der Newsfeeds: PARZIVAL ENTTHRONT! ART3MIS NEUE
NUMMER 1! SECHSER NEHMEN DIE VERFOLGUNG AUF!

Als ich mich endlich wieder berappelt hatte, rief ich das
Scoreboard auf und zwang mich, ganze dreißig Minuten dar-
aufzustarren, während ich mich innerlich verfluchte.

Highscores

1.	Art3mis	129 000	♯
2.	Parzival	110 000	♯
3.	Aech	108 000	♯
4.	Daito	107 000	♯
5.	Shoto	106 000	♯
6.	101-655321	105 000	♯
7.	101-643187	105 000	♯
8.	101-621671	105 000	♯
9.	101-678324	105 000	♯
10.	101-637330	105 000	♯

Du bist selbst schuld, sagte ich mir. *Du hast dir den Erfolg zu
Kopf steigen lassen. Hast deine Recherchen vernachlässigt.
Warst du etwa der Meinung, du könntest zweimal so ein Wahn-
sinnsglück haben? Dachtest du, du würdest irgendwann per
Zufall auf den entscheidenden Hinweis stoßen, der dich zum
Jadeschlüssel führen würde? Dass du die ganze Zeit auf Platz
eins warst, hat dir ein falsches Gefühl von Sicherheit vermittelt.
Aber dieses Problem hast du ja jetzt nicht mehr, du Arschgesicht,
oder? Nein, weil du dir den Rang hast ablaufen lassen, anstatt
die Ärmel hochzukrempeln und dich auf die Suche zu konzentrieren. Fast ein halbes Jahr hast du verschwendet und ein Mädchen angeschmachtet, dem du noch nie persönlich begegnet
bist. Und das dich dann fallengelassen hat. Dasselbe Mädchen,
das dich am Ende besiegen wird.*

Also komm endlich in die Puschen, Alter! Und finde den verdammten Schlüssel.

Plötzlich war ich noch versessener darauf, den Wettbewerb zu gewinnen. Nicht nur wegen des Geldes. Ich wollte mich Art3mis gegenüber beweisen. Und ich wollte, dass die Jagd vorbei war, damit sie wieder mit mir redete. Damit ich sie endlich persönlich treffen und ihr wahres Gesicht sehen konnte, um mit meinen Gefühlen für sie ins Reine zu kommen.

Ich schloss das Scoreboard und öffnete mein Gralstagebuch, das inzwischen zu einem riesigen Datenberg angewachsen war und jeden Informationsschnipsel enthielt, den ich seit Beginn des Wettbewerbs gesammelt hatte. Es bestand aus einem Durcheinander von sich überlappenden Fenstern, die vor mir in der Luft schwebten und Text, Karten, Fotos, Audio- und Videodateien enthielten. Allesamt mit Inhaltsverzeichnissen und Querverweisen versehen.

Das Quartett befand sich in einem Fenster ganz oben. Vier Zeilen Text. 26 Wörter. 35 Silben. Ich hatte sie schon so oft und so lange angestarrt, dass sie beinahe jede Bedeutung verloren hatten. Als ich sie jetzt betrachtete, kämpfte ich gegen den Drang an, vor Wut und Frustration laut aufzuschreien.

In einem Haus, ganz öd und leer,
der Captain den Schlüssel aus Jade versteckt.
Doch in die Pfeife bläst nur der,
der die Trophäen hat entdeckt.

Ich wusste, dass die Antwort direkt vor meiner Nase lag. Art3mis hatte sie schon gefunden.

Ich las noch einmal meine Notizen über John Draper aka Captain Crunch durch und über die Plastikpfeife, mit der er in die Annalen der Hackergeschichte eingegangen war. Ich war immer noch der Überzeugung, dass dies der »Captain« und die »Pfeife« waren, von denen Halliday sprach. Aber die Bedeutung des restlichen Quartetts blieb weiterhin im Dunkeln.

Nun besaß ich jedoch eine neue Information: Der Schlüssel befand sich irgendwo in Sektor 7. Ich öffnete also meinen OASIS-Atlas und begann, nach Planeten zu suchen, deren Name irgendwie mit dem Quartett in Zusammenhang stehen könnte. Ich fand ein paar Welten, die nach berühmten Hackern benannt waren, wie Woz oder Mitnick, aber keine mit dem Namen John Draper. Sektor 7 enthielt außerdem Hunderte Welten, die nach alten Usenet-Newsgroups benannt waren, und auf einer davon, dem Planeten Alt.Phreaking, befand sich eine Statue von Draper mit einem alten Telefon in der einen und einer *Cap'n-Crunch*-Pfeife in der anderen Hand. Die Statue war jedoch drei Jahre nach Hallidays Tod errichtet worden, deshalb wusste ich, dass es sich um eine Sackgasse handelte.

Noch einmal las ich das Quartett, und dieses Mal stachen mir besonders die letzten beiden Zeilen ins Auge:

**Doch in die Pfeife bläst nur der,
der die Trophäen hat entdeckt.**

Trophäen. Irgendwo in Sektor 7. Ich musste eine Trophäensammlung in Sektor 7 finden.

Rasch durchsuchte ich alles, was ich über Halliday zusammengetragen hatte. Soweit ich sehen konnte, waren die einzigen Trophäen, die er jemals besessen hatte, die fünf Preise als Gamedesigner des Jahres, die er um die Jahrhundertwende gewonnen hatte. Die echten Trophäen befanden sich immer noch im GSS-Museum in Columbus, aber im Inneren der OASIS konnten Kopien davon besichtigt werden, nämlich auf einem Planeten namens Archaide.

Und Archaide befand sich in Sektor 7.

Der Zusammenhang erschien mir recht dünn, aber ich wollte ihn trotzdem überprüfen. Zumindest hätte ich dann in den nächsten Stunden das Gefühl, etwas Sinnvolles zu unternehmen.

Ich sah zu Max hinüber, der auf einem der Bildschirme meiner Kommandozentrale Samba tanzte. »Max, bereite bitte die *Vonnegut* zum Start vor. Wenn du nicht zu beschäftigt bist.«

Max hörte auf zu tanzen und grinste mich an. »Aber klar, *El Comanchero*!«

Ich stand auf und ging zum Aufzug meiner Festung, der dem Turbolift in der ursprünglichen *Star-Trek*-Serie glich. Ich fuhr vier Stockwerke nach unten zu meiner Waffenkammer, einem riesigen Gewölbe voller Regale, Vitrinen und Waffenständer. Ich öffnete die Inventaranzeige meines Avatars, auf der er ganz klassisch als »Papierpuppe« zu sehen war, die ich per Drag-and-Drop mit verschiedenen Gegenständen ausrüsten konnte.

Archaide befand sich in einer PvP-Zone, also beschloss ich, meine Ausrüstung zu optimieren und mich im Sonntagsstaat zu zeigen. Ich zog meine funkelnde +10-Hale-Mail-Rüstung an, schnallte mir dann meine Blasterpistolen um und schlang mir eine Pumpgun mit Pistolengriff über den Rücken, zusammen mit einem +5-Vorpal-Bastardschwert. Außerdem packte ich noch einige andere wichtige Dinge ein: ein Paar Antigrav-Stiefel. Einen Magieabwehrring. Ein Schutzamulett. Ein paar Panzerhandschuhe für Megakraft. Ich hasste die Vorstellung, irgendetwas zu brauchen und es nicht bei mir zu haben, weshalb ich für gewöhnlich so viel Ausrüstung mit mir herumschleppte wie drei Jäger. Als am Körper meines Avatars kein Platz mehr war, verstaute ich die restlichen Gegenstände in meinem nimmervollen Rucksack.

Nachdem ich fertig ausgerüstet war, stieg ich wieder in den

Aufzug und erreichte kurz darauf den Eingang meines Hangars, der sich im Untergeschoss meiner Festung befand. Pulsierende blaue Lichter säumten die Rollbahn, die quer durch den Hangar zu einem massiven Panzertor am anderen Ende verlief. Hinter diesem Tor befand sich der Starttunnel, der zu einem identischen Panzertor an der Oberfläche des Asteroiden führte.

Links von der Rollbahn stand mein kampferprobter X-Wing-Jäger und rechts daneben mein DeLorean. Auf der Rollbahn selbst befand sich das Raumschiff, das ich am häufigsten benutzte, die *Vonnegut*. Max hatte bereits den Antrieb hochgefahren, der ein tiefes, gleichmäßiges Dröhnen von sich gab, das den ganzen Hangar ausfüllte. Die *Vonnegut* war ein stark modifiziertes Transportschiff nach dem Vorbild der *Serenity* aus der Fernsehserie *Firefly*. Ursprünglich hatte das Schiff *Kaylee* geheißen, aber ich hatte ihm kurzerhand den Namen eines meiner Lieblingsautoren des 20. Jahrhunderts gegeben. Der neue Name war an der Seite auf den ramponierten grauen Rumpf gesprüht.

Ich hatte die *Vonnegut* von einem Kader Oviraptoren erbeutet, die so unvorsichtig gewesen waren, meinen X-Wing zu überfallen, während ich zwischen einer größeren Gruppe von Welten in Sektor 11 unterwegs gewesen war, die die Bezeichnung »Whedonverse« trug. Die Clanleute waren nur ein paar arme Wichte gewesen, die gar nicht wussten, mit wem sie es zu tun hatten. Hätte ich nicht schon schlechte Laune gehabt, bevor sie das Feuer auf mich eröffnet hatten, wäre ich ihnen wahrscheinlich einfach aus dem Weg gegangen, indem ich auf Lichtgeschwindigkeit beschleunigte. Aber damals beschloss ich, ihren Angriff persönlich zu nehmen.

Mit Schiffen verhielt es sich in der OASIS genauso wie mit den meisten anderen Gegenständen. Jedes von ihnen besaß besondere Eigenschaften, Waffen und Geschwindigkeiten. Mein X-Wing war viel wendiger als das große Transportschiff der Oviraptoren. Mir fiel es deshalb nicht schwer, dem Sperrfeuer ihrer nachgerüsteten Waffen auszuweichen, während ich sie mit Laserstrahlen und Protonentorpedos unter Beschuss nahm. Nachdem ich ihren Antrieb ausgeschaltet hatte, enterte ich das Schiff und tötete jeden einzelnen Avatar an Bord. Der Kapitän versuchte, sich zu entschuldigen, als er mich erkannte, aber ich war nicht in versöhnlicher Stimmung. Nachdem ich die Mannschaft um die Ecke gebracht hatte, parkte ich meinen X-Wing im Frachtraum und flog dann in meinem neuen Schiff nach Hause.

Als ich mich der *Vonnegut* näherte, wurde die Laderampe zum Hangarboden gesenkt. Ich hatte kaum das Cockpit erreicht, da startete das Schiff auch schon. Die Landestützen wurden mit einem lauten Poltern eingeklappt. Ich nahm an der Steuerkonsole Platz.

»Max, verriegel bitte das Haus und nimm Kurs auf Archaide.«

»Aye, C-c-aptain«, stotterte Max auf einem der Cockpitbildschirme. Das Hangartor glitt auf, und die *Vonnegut* raste den Starttunnel hinauf, dem sternenübersäten Himmel entgegen. Nachdem das Schiff die Oberfläche des Asteroiden hinter sich gelassen hatte, schlug das gepanzerte Tunneltor wieder zu.

Ich entdeckte mehrere Schiffe, die im Orbit über Falco hingen. Die üblichen Verdächtigen: verrückte Fans, Möchtegernschüler und ehrgeizige Kopfgeldjäger. Ein paar davon wendeten, um mir zu folgen – sensationsgeile Geier, die sich an die Fersen prominenter Jäger hefteten. Diese Idioten wurde ich meist ganz leicht los, indem ich auf Lichtgeschwindigkeit beschleunigte. Was ihr Glück war. Wenn ich einen Verfolger nicht abschütteln konnte, blieb mir in der Regel nichts anderes übrig, als abzubremsen und ihn zu töten.

Als die *Vonnegut* zur Lichtgeschwindigkeit überging, verwandelten sich die Planeten auf meinem Sichtschirm in lange Streifen. »Li-li-lichtgeschwindigkeit erreicht, Captain«, meldete Max. »Voraussichtliche Flugzeit bis nach Archaide dreiundfünfzig Minuten. Fünfzehn, wenn du das nächste Sternentor benutzen willst.«

Sternentore waren strategisch günstig in allen Sektoren verteilt. Eigentlich handelte es sich dabei nur um riesige Teleporter für Sternenschiffe. Weil die Gebühren jedoch nach der Masse des Schiffes berechnet wurden und nach der Entfernung, die man zurücklegen wollte, wurden sie normalerweise bloß von Firmen und extrem reichen Avataren benutzt, die ein paar Credits zu verbrennen hatten. Ich war weder das eine noch das andere. Aber angesichts der Umstände war ich bereit, ein bisschen tiefer in die Tasche zu greifen.

»Lass uns das Sternentor nehmen, Max. Wir haben es eilig.«

OO22

DIE *VONNEGUT* stürzte aus dem Hyperraum, und plötzlich füllte Archaide den Sichtschirm des Cockpits aus. Der Planet unterschied sich von den anderen in seinem Sektor, weil er nicht darauf programmiert war, realistisch auszusehen. Während die übrigen Planeten perfekt gerendert waren, mit Wolken, Kontinenten oder Einschlagkratern auf der gewölbten Oberfläche, besaß Archaide nichts dergleichen. Dafür beherbergte der Planet das größte Museum für klassische Videospiele in der OASIS. Sein Aussehen war deshalb eine Hommage an die Vektorgraphikspiele der späten 70er und frühen 80er. Die Oberfläche des Planeten bestand lediglich aus einem Netz leuchtender grüner Punkte, die an die Landelichter auf der Rollbahn eines Flugplatzes erinnerten. Sie waren gleichmäßig über den gesamten Planeten verteilt und bildeten ein perfektes Gitter, so dass Archaide vom Orbit aus betrachtet der Vektorgraphik des Todessterns aus dem *Star-Wars*-Automatenspiel von Atari glich, das 1983 auf den Markt gekommen war.

Während die *Vonnegut* zum Landeanflug überging, bereitete ich mich auf einen möglichen Kampf vor, indem ich meine Rüstung hochfuhr und meinen Avatar vorsorglich mit zahlreichen Zaubertränken und Nanopacks ausstattete. Archaide war sowohl PvP- als auch Chaoszone, was bedeutete, dass hier Magie und Technologie funktionierten. Ich lud also alle Makros hoch, die ich im Falle eines Kampfes brauchen würde.

Die perfekt gerenderte stählerne Laderampe der *Vonnegut*

senkte sich herab und bildete einen starken Kontrast zur digitalen Schwärze der Planetenoberfläche. Als ich die Rampe hinuntergelaufen war, drückte ich einen Knopf auf einem kleinen Keypad an meinem rechten Handgelenk. Die Rampe wurde eingezogen, und ein durchdringendes Summen war zu hören, als das Sicherheitssystem des Schiffes aktiviert wurde. Ein durchsichtiges blaues Schild legte sich über die Außenhülle der *Vonnegut.*

Ich ließ den Blick über den Horizont schweifen, der lediglich aus einer gezackten grünen Vektorlinie bestand, die bergiges Gelände darstellen sollte. Auf der Oberfläche sah Archaide aus wie der Hintergrund des Spiels *Battlezone* von 1981, ein weiterer Vektorgraphik-Klassiker von Atari. In der Ferne spuckte ein dreieckiger Vulkan grüne Lavapixel aus. Man konnte tagelang auf diesen Vulkan zurennen und würde ihn dennoch nie erreichen. Er blieb stets am Horizont. Wie in einem alten Videospiel änderte sich die Landschaft auf Archaide nicht, selbst wenn man den kompletten Planeten umrundete.

Auf meine Anweisungen hin hatte Max die *Vonnegut* auf einem Landeplatz nahe des Äquators in der östlichen Hemisphäre aufgesetzt. Der Landeplatz war leer, und die Umgebung wirkte verlassen. Ich ging auf den nächstgelegenen grünen Punkt zu. Als ich näher kam, konnte ich sehen, dass es sich in Wahrheit um einen Tunneleingang handelte, einen neongrünen Kreis mit zehn Metern Durchmesser, der ins Planeteninnere führte. Archaide war nämlich innen hohl, und die Museumsausstellung befand sich unter der Oberfläche.

Als ich mich dem Tunneleingang näherte, hörte ich von unten laute Musik heraufhallen. Ich erkannte den Song »Pour Some Sugar on Me« von Def Leppard, der auf ihrem *Hysteria-*Album (Epic Records, 1987) erschienen war. Am Rand des leuchtenden grünen Ringes angekommen, sprang ich hindurch. Mein Avatar landete direkt im Museum. Die grüne Vektorgraphik verschwand und machte einer hochaufgelösten, vollfarbigen Umgebung Platz. Alles um mich herum sah wieder absolut real aus.

Unter der Oberfläche beherbergte Archaide die Nachbildungen zahlloser Videospielarkaden, die irgendwann einmal in der wirklichen Welt existiert hatten. Seit der Frühzeit der OASIS waren Tausende älterer Nutzer hierhergekommen und hatten mit großer Liebe zum Detail virtuelle Kopien von Videospielarkaden programmiert, an die sie sich aus ihrer Kindheit erinnerten, und diese waren dann zu einem Teil des Museums geworden. Die Wände der simulierten Spielhallen, Bowlingbahnen und Pizzalokale waren von klassischen Automatenspielen gesäumt. Hier unten gab es mindestens ein Exemplar sämtlicher Videospielautomaten, die jemals gebaut wurden. Die ROMs der Originalspiele waren alle Teil des OASIS-Codes des Planeten, und die Holzgehäuse der Automaten sahen absolut authentisch aus. Über das gesamte Museum verteilt fanden sich außerdem Hunderte von Ausstellungsvitrinen, sogenannte Schreine, die verschiedenen Gamedesignern und Firmen gewidmet waren.

Die einzelnen Stockwerke des Museums waren durch ein Netz aus unterirdischen Straßen, Tunneln, Treppen, Aufzügen, Rolltreppen, Leitern, Gleitflächen, Falltüren und Geheimgängen miteinander verbunden. Das Ganze glich einem gewaltigen unterirdischen Labyrinth. Man konnte sich darin leicht verirren, weshalb ich eine dreidimensionale holographische Karte auf meinem Display aufgerufen hatte. Der gegenwärtige Standort meines Avatars wurde durch einen blinkenden blauen Punkt angezeigt. Ich hatte das Museum in der Nähe einer alten Spielhalle namens *Aladdin's Castle* betreten, die sich direkt unter der Oberfläche des Planeten befand. Auf der

Karte markierte ich einen Punkt in der Nähe des Planetenkerns, und die Software zeigte mir den kürzesten Weg dorthin. Ich setzte mich in Bewegung.

Das Museum war in verschiedene Ebenen aufgeteilt. Hier, nahe der Planetenhülle, befanden sich die letzten Videospielautomaten, die jemals hergestellt wurden, aus den ersten Jahrzehnten des 21. Jahrhunderts. Dabei handelte es sich meistens um Simulationskabinen mit primitiver haptischer Ausrüstung – vibrierende Stühle und kippbare hydraulische Plattformen. Jede Menge vernetzte Rennwagensimulatoren, mit denen die Leute um die Wette fahren konnten. Es waren die Letzten ihrer Art. Damals hatten Videospielkonsolen für zu Hause bereits die meisten Münzautomaten verdrängt. Und nachdem die OASIS online gegangen war, wurden gar keine neuen Automaten mehr hergestellt.

Je tiefer man in das Museum vordrang, desto älter und archaischer wurden die Spiele. Münzautomaten aus der Zeit um die Jahrhundertwende. Jede Menge Prügelspiele mit eckigen, grob gerenderten Figuren, die sich auf großen Flachbildschirmen gegenseitig die Köpfe einschlugen. Ballerspiele, die mit klobigen Lightguns bedient wurden. Tanzspiele. Im Stockwerk darunter begannen sich die Automaten zu ähneln: Es waren stets große, rechteckige Holzgehäuse, die eine Kathodenstrahlröhre und ein paar einfache Controller enthielten. Zum Spielen brauchte man lediglich Hände und Augen (und manchmal auch die Füße). Haptische Eingabegeräte gab es nicht. Diese Spiele erzeugten auch keine Empfindungen. Und je tiefer ich hinabstieg, desto plumper wurde die Graphik.

Das unterste Stockwerk des Museums im Planetenkern bestand aus einem kugelförmigen Hohlraum, in dem sich ein Schrein für das allererste Videospiel überhaupt befand: *Tennis for Two*, 1958 von William Higinbotham erfunden. Das Spiel lief auf einem alten Analogcomputer und wurde auf dem winzigen Bildschirm eines Oszilloskops mit einem Durchmesser von ca. 12,5 cm gespielt. Daneben war eine Replik eines PDP-1 Computers zu sehen, auf dem *Spacewar!* lief, das zweite Videospiel der Welt, das 1962 von Studenten des MIT entwickelt worden war.

Wie die meisten Jäger hatte ich Archaide schon einige Male besucht. Ich war im Planetenkern gewesen und hatte so lange *Tennis for Two* und *Spacewar!* gespielt, bis ich beide Spiele annähernd perfekt beherrschte. Dann war ich durch die zahlreichen Stockwerke des Museums geschlendert, hatte verschiedene Spiele ausprobiert und nach Hinweisen gesucht, die Halliday hinterlassen haben könnte. Ich hatte jedoch nie irgendetwas gefunden.

Nun wanderte ich immer tiefer hinab, bis ich das Museum von Gregarious Simulation Systems gefunden hatte, das sich nur wenige Stockwerke über dem Planetenkern befand. Auch hier war ich schon einmal gewesen, ich kannte mich also aus. Ausgestellt wurden die beliebtesten Spiele von GSS, darunter auch einige Automatenvarianten von Titeln, die eigentlich für Heimcomputer und Konsolen entwickelt worden waren. Es dauerte nicht lange, bis ich Hallidays fünf *Gamedesigner-des-Jahres*-Trophäen gefunden hatte, die neben einer Bronzestatue von Halliday selbst standen.

Ich begriff bald, dass ich hier meine Zeit verschwendete. Die Exponate im GSS-Museum waren so programmiert, dass man sie nicht mitnehmen konnte. Es war also unmöglich, die Trophäen einzusammeln. Nachdem ich eine Weile lang erfolglos versucht hatte, eine davon mit einem Laserschweißbrenner von ihrem Podest zu lösen, gab ich schließlich auf.

Eine weitere Sackgasse. Die ganze Reise war umsonst gewesen. Ich sah mich noch einmal um, steuerte dann auf den

Ausgang zu und versuchte, mich nicht von meiner Frustration überwältigen zu lassen.

Ich beschloss, auf dem Rückweg eine andere Route zu nehmen, durch einen Teil des Museums, den ich bisher noch nicht ausreichend erkundet hatte. Ich lief durch eine Reihe von Tunneln, die mich in eine riesige höhlenartige Kammer führten. Darin befand sich eine unterirdische Stadt, die nur aus Pizzalokalen, Bowlingbahnen, kleinen Läden und natürlich Videospielarkaden bestand. Ich wanderte durch das Labyrinth aus leeren Straßen und bog dann in eine gewundene Seitengasse ein, die an der Eingangstür eines kleinen Pizzarestaurants endete.

Als ich den Namen des Restaurants sah, blieb ich wie angewurzelt stehen.

Es hieß Happytime Pizza und war die Nachbildung eines kleinen, familiengeführten Pizzalokals, das es in der Mitte der 80er Jahre in Hallidays Heimatort gegeben hatte. Halliday schien den Code von Happytime Pizza aus seiner Middletown-Simulation herauskopiert und ein Duplikat davon hier im Museum von Archaide versteckt zu haben.

Was zum Teufel machte dieses Restaurant hier? In den Foren der Jäger hatte ich nie irgendetwas darüber gelesen. War es möglich, dass es bislang unentdeckt geblieben war?

Happytime Pizza wird mehrfach in Hallidays *Almanach* erwähnt, deshalb wusste ich, dass er mit diesem Restaurant angenehme Erinnerungen verband. Er hatte nach der Schule oft dort herumgehangen, um nicht nach Hause gehen zu müssen.

Das Innere des Restaurants war eine liebevoll programmierte Mischung aus einem klassischen Pizzalokal und einer Spielhalle. Mehrere NSC-Angestellte standen hinter der Theke, warfen Teig in die Luft und schnitten Pizzen. (Ich schaltete meinen Olfatrix-Turm ein und stellte fest, dass ich sogar die Tomatensoße riechen konnte.) Das Restaurant war in zwei Bereiche unterteilt: den Spieleraum und den Gastraum. Im Gastraum befanden sich jedoch ebenfalls eine Reihe von Videospielen – sämtliche Glastische waren in Wahrheit sogenannte »Cocktail-Cabinets«, Tische mit eingebauten Automatenspielen. An ihnen konnte man zum Beispiel eine Runde *Donkey Kong* zocken, während man seine Pizza aß.

Hätte ich Hunger gehabt, hätte ich an der Theke ein echtes Stück Pizza bestellen können. Die Bestellung wäre zu einem Pizzaverkäufer in der Nähe meines Apartmentkomplexes weitergeleitet worden, den ich in den Einstellungen meines OASIS-Accounts unter der Rubrik »Restaurantvorlieben« gespeichert hatte. Innerhalb weniger Minuten wäre die Pizza an meine Tür geliefert worden, und die Kosten (einschließlich Trinkgeld) wären von meinem OASIS-Konto abgebucht worden.

Im Spieleraum dröhnte ein Bryan-Adams-Song aus den Lautsprechern, die an den tapezierten Wänden hingen. *Kids wanna rock*. Ich drückte mit dem Daumen auf einen Knopf an einem Geldwechsler und kaufte einen Vierteldollar. Ich nahm ihn aus der Edelstahlschale und ging zum anderen Ende des Spieleraumes, nicht ohne mich über die vielen kleinen Details der Simulation zu freuen. Am Gehäuse eines *Defender*-Automaten entdeckte ich eine handgeschriebene Notiz: BRICH DEN REKORD DES INHABERS UND GEWINNE EINE GROSSE PIZZA!

An einem *Robotron*-Automaten war gerade die Highscore-Liste zu sehen. Bei diesem Spiel konnten die besten Spieler neben ihrem Punktestand nicht nur ihren Namen, sondern eine ganze Textzeile eingeben, und die Nummer eins hatte das genutzt, um zu verkünden: *Vizerektor Rundberg ist ein Vollidiot!*

Ich drang tiefer in die dunkle elektronische Höhle vor und entdeckte am Ende des Raumes, zwischen einem *Galaga*- und einem *Dig-Dug*-Spiel, einen *Pac-Man*-Automaten. Das schwarzgelbe Gehäuse war voller Kratzer, und die grelle Farbe an den Seiten begann bereits abzublättern.

Der Bildschirm des Automaten war dunkel, und ein AUSSER-BETRIEB-Schild hing daran. Warum sollte Halliday ein kaputtes Spiel in die Simulation einbauen? Handelte es sich nur um ein weiteres atmosphärisches Detail? Meine Neugierde war geweckt, und ich beschloss, mir den Automaten genauer anzusehen.

Ich zog ihn von der Wand weg und sah, dass sich der Stecker nicht in der Steckdose befand. Ich steckte ihn hinein und wartete, bis das Spiel hochgefahren war. Es schien zu funktionieren.

Als ich den Automaten wieder an die Wand zurückschob, fiel mir noch etwas auf: Oben auf dem Gehäuse, über dem Glasschild mit dem Namen des Spiels, lag ein einzelner Vierteldollar. Die Münze war von 1981 – dem Jahr, als *Pac-Man* auf den Markt kam.

In den 80ern war es üblich, einen Vierteldollar oben auf das Gehäuse eines Spiels zu legen, wenn man den Automaten als Nächster benutzen wollte. Aber als ich die Münze herunternehmen wollte, musste ich feststellen, dass sie sich nicht von der Stelle bewegen ließ, als wäre sie mit dem Gehäuse verschweißt.

Merkwürdig.

Ich klebte das AUSSER-BETRIEB-Schildchen an den *Galaga*-Automaten neben mir und betrachtete den Startbildschirm von *Pac-Man*, auf dem die Namen der bösen Geister des Spiels zu lesen waren: Inky, Blinky, Pinky und Clyde. Der Highscore betrug 3 333 350 Punkte.

Das war äußerst seltsam. In der Wirklichkeit speicherten *Pac-Man*-Automaten den Highscore nicht, wenn man sie vom Netz nahm. Auf diesem Automaten wurde jedoch ein Highscore von 3 333 350 Punkten angezeigt – das waren nur zehn Punkte weniger als der höchste Punktestand, der bei *Pac-Man* möglich war.

Diesen Highscore konnte man nur knacken, indem man ein perfektes Spiel ablieferte.

Ich spürte, wie sich mein Puls beschleunigte.

Ich war hier eindeutig auf etwas Wichtiges gestoßen. In diesem alten Münzautomaten verbarg sich eindeutig ein *Easter Egg*. Es war zwar nicht *das Easter Egg*, aber auf jeden Fall war es eines. Eine Herausforderung, ein Rätsel – und eines, das mit großer Wahrscheinlichkeit von Halliday selbst stammte. Ich wusste nicht, ob es irgendwie mit dem Jadeschlüssel zusammenhing. Möglicherweise stand es überhaupt nicht mit dem Ei in Verbindung. Aber es gab nur einen Weg, das herauszufinden.

Ich würde ein perfektes *Pac-Man*-Spiel abliefern müssen.

Das war nicht ganz einfach. Man musste sämtliche 256 Level bis zum »geteilten Bildschirm« fehlerlos durchspielen und dabei alle Punkte, Kraftpillen, Früchte und Geister fressen, ohne auch nur ein einziges Leben zu verlieren. In der sechzigjährigen Geschichte des Spiels waren bisher höchstens zwanzig perfekte Spiele dokumentiert worden. Eines davon – das schnellste Spiel, das jemals gespielt wurde – von James Halliday in knapp vier Stunden. Er hatte einen original *Pac-Man*-Automaten im Pausenraum von Gregarious Games benutzt.

Weil ich wusste, dass Halliday das Spiel sehr mochte, hatte ich einige Recherchen über *Pac-Man* angestellt. Aber es war mir noch nie gelungen, ein perfektes Spiel zu spielen. Allerdings hatte ich es auch nie ernsthaft versucht. Bis jetzt hatte ich noch keinen Grund dazu gehabt.

Ich öffnete mein Gralstagebuch und rief alle Informationen über *Pac-Man* auf, die ich bisher gesammelt hatte. Den ursprünglichen Programmcode. Die ungekürzte Biographie seines Designers Toru Iwatani. Sämtliche Strategieratgeber, die zu dem Spiel jemals erschienen waren. Alle Folgen der *Pac-Man*-Zeichentrickserie. Die Zusammensetzung der *Pac-Man*-Frühstücksflocken. Und natürlich Muster. *Pac-Man*-Musterdarstellungen besaß ich bis zum Abwinken. Und dazu noch Hunderte von Stunden archivierten Videomaterials über die besten *Pac-Man*-Spieler aller Zeiten. Vieles davon hatte ich bereits durchgeackert, aber ich überflog jetzt alles noch einmal, um mein Gedächtnis aufzufrischen. Dann schloss ich mein Gralstagebuch und musterte den *Pac-Man*-Automaten wie ein Revolverheld, der seinen Gegner taxiert.

Ich dehnte meine Arme, rollte den Kopf, lockerte Nacken und Schultern und ließ meine Fingerknöchel knacken.

Als ich meinen Vierteldollar in den linken Münzschlitz einwarf, gab der Automat ein vertrautes, elektronisches *Bii-wup!* von sich. Ich drückte auf den *Player-One*-Knopf, und das erste Labyrinth erschien auf dem Bildschirm.

Ich umfasste den Joystick mit der rechten Hand und begann, meinen pizzaförmigen Protagonisten durch ein Labyrinth nach dem anderen zu steuern. *Wakka-wakka-wakka-wakka.*

Meine künstliche Umgebung trat in den Hintergrund, während ich mich auf das Spiel konzentrierte und ganz in seiner uralten zweidimensionalen Realität aufging. Wie bei *Dungeons of Daggorath* spielte ich eine Simulation innerhalb der Simulation. Ein Spiel innerhalb des Spiels.

Ich brauchte mehrere Anläufe. Eine Stunde oder zwei ging alles gut, doch dann machte ich einen winzigen Fehler und musste den Automaten neu hochfahren, um noch einmal von vorn zu beginnen. Inzwischen war ich bei meinem achten Versuch und spielte bereits volle sechs Stunden. Diesmal hatte ich den Bogen raus. Bisher war das Spiel zu einhundert Prozent perfekt. Zweihundertfünfundfünfzig Level, und ich hatte noch nicht einen einzigen Fehler gemacht. Mit jeder einzelnen Kraftpille hatte ich alle vier Geister erwischt (bis zum achtzehnten Level, wo sie nicht mehr blau werden), und ich hatte sämtliche Bonusfrüchte, Vögel, Glocken und Schlüssel eingesammelt, die auf dem Bildschirm aufgetaucht waren, ohne auch nur einmal draufzugehen.

Ich spielte das beste Spiel meines Lebens. Diesmal würde es klappen. Ich konnte es spüren. Alles ergab sich wie von selbst. Ich war im Spielfieber.

In jedem Labyrinth gab es eine Stelle, direkt über der Startposition, wo man Pac-Man bis zu fünfzehn Minuten lang vor den Geistern »verstecken« konnte. Mit Hilfe dieses Tricks hatte ich im Laufe der letzten sechs Stunden zwei kurze Pausen gemacht, um etwas zu essen und auf die Toilette zu gehen.

Während ich mich durch den 255. Level fraß, begann der Song »Pac-Man Fever« aus den Lautsprechern des Spieleraumes zu dröhnen. Unwillkürlich musste ich lächeln. Ich wusste, das war eine kleine Geste des Respekts von Halliday.

Ein letztes Mal meinem bewährten Muster folgend, drückte ich den Joystick nach rechts, glitt durch die Geheimtür und an der anderen Seite wieder hinaus und dann direkt nach unten, um die verbliebenen Punkte zu fressen. Als die Umrisse des blauen Labyrinths weiß zu pulsieren begannen, holte ich tief Luft. Und dann sah ich ihn vor mir: den legendären geteilten Bildschirm. Das Ende des Spiels.

Kurz darauf tauchte – zum denkbar schlechtesten Zeitpunkt, als ich gerade den letzten Level begonnen hatte – eine Scoreboardwarnung auf meinem Display auf.

Ein kurzer Blick genügte mir, um zu erkennen, dass Aech als Zweiter den Jadeschlüssel gefunden hatte. Sein Punktestand war um 19 000 Punkte angestiegen. Damit stand er nun auf dem zweiten Platz.

Wie durch ein Wunder gelang es mir, Ruhe zu bewahren und mich weiter auf das *Pac-Man*-Spiel zu konzentrieren.

Ich packte den Joystick fester. Ich hatte es fast geschafft! Ich musste nur noch die letzten 6760 möglichen Punkte aus dem verkorksten Labyrinth herausholen, dann hätte ich endlich den Highscore.

Mein Herz hämmerte im Takt der Musik, während ich die unversehrte linke Hälfte des Labyrinths leerfraß. Dann wagte ich mich in die verzerrte rechte Hälfte vor und steuerte Pac-Man durch die pixeligen Überreste des Spiels. Unter all den Ziffern und der entstellten Graphik waren noch neun weitere Pünktchen versteckt. Zwar konnte ich sie nicht sehen, aber ich wusste, wo sie sich befanden. Ich entdeckte sie ziemlich schnell und fraß sie, wodurch ich noch einmal 90 Punkte erhielt. Dann machte ich kehrt und lief dem nächsten Geist – Clyde – direkt in die Arme. Mein Pac-Man beging Selbstmord und starb damit zum ersten Mal. Die Figur erstarrte auf dem Bildschirm und verschwand mit einem langgezogenen *Bii-wup*.

Wenn Pac-Man im letzten Labyrinth starb, tauchten die neun versteckten Punkte auf der deformierten rechten Hälfte des Bildschirms jedes Mal wieder neu auf. Um den höchstmöglichen Punktestand des Spiels zu erreichen, musste ich diese Punkte also noch fünf weitere Male finden und fressen, mit jedem meiner fünf verbliebenen Leben.

Ich gab mir die größte Mühe, nicht an Aech zu denken, der in diesem Moment den Jadeschlüssel in der Hand hielt. Wahrscheinlich las er gerade die Hinweise, die auf seiner Oberfläche eingeritzt waren.

Ich zog den Joystick nach rechts und schlängelte mich ein letztes Mal durch das digitale Trümmerfeld. Inzwischen hätte ich es schon blind machen können. Ich schlug einen Haken um Pinky herum und sammelte die beiden Punkte am unteren Spielfeldrand ein, dann drei weitere in der Mitte und die letzten vier am oberen Rand.

Geschafft! Ich hatte einen neuen Highscore aufgestellt: 3 333 360 Punkte. Ein perfektes Spiel.

Ich ließ den Joystick los und sah zu, wie sich alle vier Geister auf Pac-Man stürzten. GAME OVER blinkte in der Mitte des Labyrinths.

Ich wartete. Nichts passierte. Nach ein paar Sekunden leuchtete das Lockbild des Spiels mit den vier Geistern, ihren Namen und Spitznamen wieder auf.

Mein Blick fiel auf den Vierteldollar oben auf dem Gehäuse des Automaten. Zuvor hatte er sich nicht von der Stelle bewegen lassen. Doch jetzt fiel er herab und landete direkt in der Handfläche meines Avatars. Dann verschwand er, und eine Nachricht tauchte auf meinem Display auf, dass der Vierteldollar automatisch in mein Inventar aufgenommen wurde. Als ich versuchte, ihn wieder herauszunehmen, um ihn anzuschauen, musste ich feststellen, dass das nicht möglich war. Das Icon des Vierteldollars blieb in meinem Inventar. Ich konnte ihn weder herausnehmen noch ihn wieder ablegen.

Wenn der Vierteldollar irgendwelche magischen Eigenschaften hatte, wurden sie in der Gegenstandsbeschreibung, die vollkommen leer war, zumindest nicht enthüllt. Um mehr über den Vierteldollar zu erfahren, müsste ich ihm mit einer Reihe von Deutungszaubern zu Leibe rücken. Das würde mehrere Tage in Anspruch nehmen und mich einige teure Komponenten kosten, und selbst dann gab es keine Garantie dafür, dass ich durch die Zauber irgendetwas herausfinden würde.

Im Moment war das Geheimnis des Vierteldollars für mich aber eher zweitrangig. Ich konnte nur noch daran denken, dass Aech und Art3mis inzwischen beide den Jadeschlüssel gefunden hatten. Und den Highscore des *Pac-Man*-Spiels auf Archaide zu knacken hatte mich seinem Versteck offensichtlich kein Stück näher gebracht. Ich hatte hier tatsächlich nur meine Zeit verschwendet.

Ich kehrte zur Planetenoberfläche zurück. Gerade als ich wieder im Cockpit der *Vonnegut* Platz nahm, tauchte eine Nachricht von Aech in meiner Inbox auf. Ich spürte, wie sich mein Puls beschleunigte, als ich den Betreff sah: OFFENE RECHNUNGEN.

Mit angehaltenem Atem öffnete ich die Nachricht und las sie:

> Lieber Parzival,
> Du und ich, wir sind jetzt offiziell quitt, okay? Ich betrachte meine Schuld Dir gegenüber hiermit als beglichen.
> Aber beeil Dich. Die Sechser sind bestimmt schon unterwegs.
> Viel Glück,
> Aech

Unter seiner Signatur befand sich eine angehängte Bilddatei. Es war der hochaufgelöste Scan des Titelbildes eines Anleitungsheftes für das Textadventure *Zork* – die Version des Spiels, die 1980 von Personal Software für den TRS-80 Model III auf den Markt gebracht worden war.

Ich hatte *Zork* vor langer Zeit, noch während des ersten Jahrs der Jagd, einmal durchgespielt und gelöst. Aber damals hatte ich auch Hunderte anderer Textadventures gespielt, darunter sämtliche Fortsetzungen von *Zork*, weshalb ich mich kaum noch an Einzelheiten aus dem Spiel erinnern konnte. Die meisten alten Textadventures waren ziemlich selbsterklärend, ich hatte mir deshalb nie die Mühe gemacht, das Anleitungsheft zu *Zork* zu lesen. Ein Riesenfehler.

Auf dem Cover des Heftes befand sich ein Bild, das eine Szene aus dem Spiel darstellte. Ein verwegener Abenteurer mit Rüstung und einem geflügelten Helm hatte ein blau glühendes Schwert über den Kopf erhoben, um einen Troll niederzustrecken, der vor ihm kauerte. In der anderen Hand hielt der Abenteurer mehrere Schätze, und zu seinen Füßen lagen inmitten von Menschenknochen weitere verstreut. Hinter dem Helden lauerte eine dunkle, finster dreinblickende Kreatur mit Reißzähnen.

All das befand sich im Vordergrund des Bildes, aber mein Blick fiel sofort auf das, was im Hintergrund zu sehen war: ein großes, weißes Haus, dessen Eingangstür und Fenster mit Brettern vernagelt waren.

In einem Haus, ganz öd und leer.

Einen Moment lang starrte ich nur das Bild an und verfluchte mich dafür, dass ich den Zusammenhang nicht schon vor Monaten selbst hergestellt hatte. Dann startete ich den Antrieb der *Vonnegut* und steuerte einen anderen Planeten in Sektor 7 an, der nicht weit von Archaide entfernt war. Es war eine kleine Welt namens Frobozz, die eine detaillierte Nachbildung des Spieles *Zork* beherbergte.

Und wie ich nun wusste, war dort auch der Jadeschlüssel versteckt.

OO23

FROBOZZ WAR TEIL EINER GRUPPE von mehreren hundert Welten, die als XYZZY-Cluster bekannt waren und nur selten besucht wurden. Sie waren allesamt in der Frühzeit der OASIS entstanden und stellten Nachbildungen klassischer Textadventures oder MUDs (Multi-User-Dungeons) dar. Jede dieser Welten war eine Art Schrein – eine interaktive Hommage an die frühesten Vorfahren der OASIS.

In Textadventures (von Wissenschaftlern oft als »interaktive Fiktion« bezeichnet) wurde mit Hilfe von Text für den Spieler eine virtuelle Umgebung geschaffen. Das Programm lieferte eine einfache schriftliche Beschreibung der Szenerie und fragte den Spieler dann, was er als Nächstes tun wollte. Durch einfache Textbefehle konnte sich der Spieler bewegen und mit seiner virtuellen Umgebung interagieren. Diese Befehle mussten schlicht gehalten sein und bestanden in der Regel nur aus zwei oder drei Wörtern, wie GO SOUTH oder TAKE SWORD. War ein Befehl zu kompliziert, konnte der Parser des Spiels ihn nicht interpretieren. Indem man also Text las und eingab, steuerte man seinen Charakter durch eine virtuelle Welt, sammelte Schätze, kämpfte gegen Monster, entschärfte Fallen und löste Rätsel, bis man schließlich das Ende des Spiels erreicht hatte.

Das erste Textadventure, das ich je gespielt hatte, nannte sich *Colossal Cave*, und anfangs war mir das textbasierte Interface unglaublich simpel und plump vorgekommen. Nach einer Weile hatte mich die von den Worten auf dem Bildschirm geschaffene Realität aber in ihren Bann geschlagen. Irgendwie gelang es den aus zwei einfachen Sätzen bestehenden Beschreibungen der Räume, in meinem Geist lebendige Bilder zu erzeugen.

Zork war eines der frühesten und bekanntesten Textadventures. Meinem Gralstagebuch zufolge hatte ich das Spiel vor über vier Jahren an nur einem Tag durchgespielt. Seither hatte ich – in einem Anfall unverzeihlicher Nachlässigkeit – zwei äußerst wichtige Details vergessen:

1. *Zork* begann damit, dass die Figur des Spielers vor einem vernagelten weißen Haus stand.
2. Im Wohnzimmer des weißen Hauses befand sich ein Trophäenschrank.

Um das Spiel durchzuspielen, musste man sämtliche Schätze, die man fand, in das Wohnzimmer bringen und dort in den Trophäenschrank stellen.

Nun endlich ergab auch der Rest des Quartetts einen Sinn:

> **In einem Haus, ganz öd und leer,**
> **der Captain den Schlüssel aus Jade versteckt.**
> **Doch in die Pfeife bläst nur der,**
> **der die Trophäen hat entdeckt.**

Vor einigen Jahrzehnten waren *Zork* und die Fortsetzungen des Spiels als atemberaubende dreidimensionale Simulationen in der OASIS nachgebildet worden. Diese Neuschöpfungen befanden sich auf dem Planeten Frobozz, der nach einer Figur aus dem *Zork*-Universum benannt war. Das *Haus, ganz öd und leer* – das ich nun schon seit sechs Monaten suchte –, hatte sich die ganze Zeit für jedermann sichtbar auf Frobozz befunden.

Ich warf einen Blick auf den Navigationscomputer. Bei Lichtgeschwindigkeit würde es etwas mehr als fünfzehn Minuten dauern, bis ich Frobozz erreicht hatte. Es bestand also die Möglichkeit, dass die Sechser vor mir dort ankommen würden. Dann würde wahrscheinlich schon eine kleine Armada von Kampfschiffen im Orbit des Planeten auf mich warten. Die würde ich überwinden müssen, um zur Oberfläche zu gelangen, und sie dann entweder abhängen oder versuchen, den Jadeschlüssel zu finden, während sie mir auf den Fersen waren. Keine guten Aussichten.

Zum Glück hatte ich noch einen Trumpf im Ärmel. Meinen Teleportationsring. Er war einer der wertvollsten magischen Gegenstände in meinem Inventar und stammte aus dem Hort eines roten Drachen, den ich auf Gygax erschlagen hatte. Mit Hilfe des Rings konnte mein Avatar einmal im Monat an irgendeinen beliebigen Ort innerhalb der OASIS teleportieren. Ich benutzte ihn nur in absoluten Notfällen als letzte Fluchtmöglichkeit oder wenn ich sehr schnell irgendwohin gelangen musste. So wie jetzt.

Ich programmierte den Bordcomputer der *Vonnegut* rasch darauf, das Schiff per Autopilot nach Frobozz zu fliegen. Ich gab ihm den Befehl, sofort die Tarnvorrichtung einzuschalten, sobald das Schiff den Hyperraum verließ, dann meinen Avatar auf der Planetenoberfläche ausfindig zu machen und irgendwo in der Nähe zu landen. Wenn ich Glück hatte, würden die Sechser mein Schiff nicht entdecken und abschießen, bevor es mich erreicht hatte. Sonst wäre ich auf Frobozz gestrandet, während mich die gesamte Armee der Sechser einkesselte.

Ich schaltete den Autopiloten der *Vonnegut* ein und aktivierte dann meinen Teleportationsring, indem ich das Codewort »Brundell« aussprach. Als der Ring zu leuchten begann, nannte ich den Namen des Planeten, zu dem ich teleportiert werden wollte. Eine Karte von Frobozz tauchte auf meinem Display auf. Es war eine große Welt, und wie auf Middletown war die gesamte Oberfläche mit Hunderten identischer Kopien derselben Simulation bedeckt – nur dass es hier Nachbildungen des Spieles *Zork* waren. Insgesamt gab es 512 Kopien, das heißt, auf der Oberfläche des Planeten befanden sich in gleichmäßigen Abständen verteilt 512 weiße Häuser. Der Jadeschlüssel war vermutlich in allen zu finden, deshalb wählte ich einfach per Zufallsprinzip eines davon auf der Karte aus. Ein greller Lichtblitz flammte auf, und eine Sekunde später befand sich mein Avatar auf Frobozz.

Ich öffnete mein Gralstagebuch und suchte den Lösungsweg von *Zork* heraus. Dann rief ich eine Karte der Umgebung auf und zog sie in eine Ecke meines Blickfeldes.

Am Himmel war nichts von den Sechsern zu sehen, aber das bedeutete nicht, dass sie den Planeten noch nicht erreicht hatten. Sorrento und seine Untergebenen hatten sich wahrscheinlich einfach zu einem der anderen Häuser teleportiert. Es war allgemein bekannt, dass sich die Sechser in Sektor 7 versammelt hatten und auf ebendiesen Moment warteten. Sobald sie gesehen hatten, dass Aechs Punktestand gestiegen war, hatten sie sicher Fyndoros Suchtafel benutzt und erfahren, dass er sich auf Frobozz aufhielt. Die gesamte Armada der Sechser war wahrscheinlich längst auf dem Weg hierher. Deshalb musste ich den Schlüssel so schnell wie möglich finden und mich wieder aus dem Staub machen.

Ich schaute mich um. Meine Umgebung wirkte auf unheimliche Weise vertraut.

Die Anfangsbeschreibung des Spieles *Zork* lautete folgendermaßen:

Mein Avatar stand jetzt auf dieser Wiese westlich des weißen Hauses. Die Eingangstür der alten viktorianischen Villa war vernagelt, und ein paar Meter von mir entfernt, am Anfang des Weges, der zum Haus führte, befand sich ein Briefkasten. Das Haus war von einem dichten Wald umgeben, und in der Ferne ragten einige gezackte Berggipfel auf. Zur Linken entdeckte ich einen Pfad, der nach Norden führte – genau dort, wo er sein sollte.

Ich ging zur Rückseite des Hauses. Dort entdeckte ich ein kleines Fenster, das einen Spaltbreit offen stand. Ich drückte es auf und kletterte hinein. Wie erwartet, fand ich mich in der Küche wieder. In der Mitte des Raumes stand ein Holztisch, und darauf lag neben einer Wasserflasche ein großer brauner Sack. In der Nähe befanden sich ein Kamin und eine Treppe, die zum Dachboden hinaufführte. Eine Diele zu meiner Linken endete im Wohnzimmer. Genau wie im Spiel.

Doch in der Küche gab es auch ein paar Gegenstände, die in der ursprünglichen Beschreibung dieses Raumes nicht erwähnt wurden: ein Herd, ein Kühlschrank, mehrere Holzstühle, eine Spüle und ein paar Schränke. Ich öffnete den Kühlschrank. Er war voller Junkfood: steinalte Pizza, Puddingbecher, kalter Aufschnitt und eine Reihe von Ketchupflaschen. Als Nächstes sah ich in den Schränken nach. Sie waren mit Dosen und Trockennahrungsmitteln gefüllt. Reis, Nudeln, Suppe.

Und Frühstücksflocken.

Ein ganzer Schrank war vollgestopft mit Packungen alter

Frühstücksflocken, von denen die meisten bei meiner Geburt längst nicht mehr auf dem Markt gewesen waren. *Fruit Loops, Honeycombs, Lucky Charms, Count Chocula, Quisp, Frosted Flakes.* Und weit hinten fand sich auch eine einzelne Packung *Cap'n Crunch.* Vorne drauf stand der Satz: JETZT MIT KOSTENLOSER SPIELZEUGPFEIFE!

Der Captain den Schlüssel aus Jade versteckt.

Ich schüttete den Inhalt der Packung auf die Küchentheke, und die goldenen Frühstücksflocken verteilten sich im ganzen Raum. Dann entdeckte ich sie – eine kleine Plastikpfeife in einer durchsichtigen Zellophanhülle. Ich riss das Zellophan auf und hielt die Pfeife in der Hand. Sie war gelb, und auf einer Seite war das Cartoongesicht von Cap'n Crunch zu sehen, während sich auf der anderen ein kleiner Hund befand. Auf beiden Seiten standen die Worte CAP'N CRUNCHS BOOTSMANNPFEIFE.

Ich hob die Pfeife an die Lippen und blies hinein. Sie gab jedoch keinen Ton von sich, und nichts geschah.

Doch in die Pfeife bläst nur der, der die Trophäen hat entdeckt.

Ich steckte die Pfeife ein und öffnete den Sack auf dem Küchentisch. Darin befand sich eine Knoblauchzehe, die ich ebenfalls meinem Inventar hinzufügte. Dann ging ich nach Westen ins Wohnzimmer. Auf dem Boden lag ein großer orientalischer Teppich. Antike Möbel, wie ich sie in Filmen aus den 1940ern gesehen hatte, standen überall im Raum verteilt. In der Westwand befand sich eine Holztür, in deren Oberfläche merkwürdige Symbole geritzt waren. Und an der gegenüberliegenden Wand stand ein schöner Glastrophäenschrank. Der Schrank war leer. Obendrauf stand eine batteriebetriebene Laterne, und direkt darüber hing ein glänzendes Schwert an der Wand.

Ich nahm Schwert und Laterne und rollte dann den orientalischen Teppich zusammen, um die Falltür zu enthüllen, die sich – wie ich wusste – darunter befand. Ich öffnete sie, und eine Treppe kam zum Vorschein, die in einen dunklen Keller hinabführte.

Ich schaltete die Lampe an. Während ich die Treppe hinabstieg, begann mein Schwert zu leuchten.

Ich schaute immer wieder in meinem Gralstagebuch nach, um mir zu vergegenwärtigen, wie ich damals das Labyrinth aus Räumen und Korridoren überwunden und die Rätsel gelöst hatte. Unterwegs sammelte ich alle neunzehn Schätze ein, die im Spiel versteckt waren, und kehrte immer wieder ins Wohnzimmer des weißen Hauses zurück, um sie in den Trophäenschrank zu stellen. Währenddessen musste ich gegen mehrere NSCs kämpfen: einen Troll, einen Zyklopen und einen wirklich nervigen Dieb. Den legendären Grue hingegen, der in der Dunkelheit lauerte und sich an meinem Fleisch laben wollte, umging ich einfach.

Abgesehen von der *Cap'n-Crunch*-Pfeife in der Küche gab es keine weiteren Überraschungen oder Abweichungen vom ursprünglichen Spiel. Um diese dreidimensionale Version von *Zork* zu lösen, musste ich lediglich dem Lösungsweg des ursprünglichen Adventures folgen. Ich lief, so schnell ich konnte, machte keine Pause, sah mich nicht um, hinterfragte auch keine meiner Entscheidungen und schaffte es so, das Spiel in zweiundzwanzig Minuten durchzuspielen.

Kurz nachdem ich den letzten der neunzehn Schätze des Spiels, eine kleine Messingkugel, eingesammelt hatte, tauchte die Nachricht auf meinem Display auf, dass die *Vonnegut* den Planeten erreicht hatte. Der Autopilot hatte das Schiff auf der Wiese westlich des weißen Hauses gelandet. Die Tarnvorrichtung war eingeschaltet, und der Schild oben. Wenn sich die Sechser bereits im Orbit um den Planeten befanden, hoffte ich, dass sie mein Schiff nicht bemerkt hatten.

Ich lief ins Wohnzimmer des weißen Hauses zurück und stellte den letzten Schatz in den Trophäenschrank. Wie im ursprünglichen Spiel tauchte daraufhin im Schrank eine Karte auf, die den Weg zu einem verborgenen Hügel wies, wo das Spiel endete. Doch um die Karte ging es hier nicht. Die »Trophäen« waren jetzt alle »entdeckt«, deshalb nahm ich die *Cap'n-Crunch*-Pfeife heraus. An der Vorderseite befanden sich drei Löcher, und ich hielt das dritte davon zu, um den 2600-Hertz-Ton zu erzeugen, der diese Pfeife in die Annalen der Hackergeschichte hatte eingehen lassen. Dann blies ich hinein, und ein klarer, schriller Ton war zu hören.

Die Pfeife verwandelte sich in einen kleinen Schlüssel, und mein Punktestand auf dem Scoreboard stieg um 18 000 Punkte an.

Ich befand mich wieder auf dem zweiten Platz, nur 1000 Punkte vor Aech.

Kurz darauf wurde die *Zork*-Simulation zurückgesetzt. Die neunzehn Gegenstände im Trophäenschrank verschwanden und kehrten an ihre ursprünglichen Standorte zurück, und das Haus wurde wieder in den Zustand verwandelt, in dem ich es vorgefunden hatte.

Während ich den Schlüssel in meiner Handfläche betrachtete, verspürte ich einen kurzen Anfall von Panik. Er war silberfarben, nicht milchiggrün wie Jade. Aber als ich ihn umdrehte und genauer in Augenschein nahm, stellte ich fest, dass er offenbar in Silberfolie eingewickelt war, wie ein Kaugummistreifen oder Schokoriegel. Vorsichtig zog ich die Folie ab, und ein Schlüssel aus poliertem grünem Stein kam darunter zum Vorschein.

Der Jadeschlüssel.

Und wie beim Kupferschlüssel war auch hier eine Botschaft in die Oberfläche geritzt:

Bestehe den Test und fahre fort mit der Quest.

Ich las den Satz mehrere Male, hatte jedoch spontan keine Eingebung, was er bedeuten könnte. Deshalb legte ich den Schlüssel in mein Inventar und betrachtete stattdessen die Folie. Auf der einen Seite bestand sie aus Silber und auf der anderen aus weißem Papier. Es waren keinerlei Markierungen darauf.

In diesem Moment hörte ich das gedämpfte Dröhnen näher kommender Raumfahrzeuge. Das mussten die Sechser sein! Und der Lautstärke nach zu urteilen waren es viele.

Ich steckte die Silberfolie ein und lief aus dem Haus. Tausende Kampfschiffe füllten den Himmel über mir wie ein Schwarm wütender Metallwespen. Kleine Geschwader flogen in verschiedene Richtungen davon, als wollten sie die gesamte Oberfläche des Planeten besetzen.

Ich konnte mir nicht vorstellen, dass die Sechser versuchen würden, sämtliche 512 Kopien des weißen Hauses zu blockieren. Auf Ludus hatte diese Strategie zwar funktioniert, aber nur für wenige Stunden, und dort hatten sie lediglich einen einzigen Ort verbarrikadieren müssen. Der gesamte Planet Frobozz befand sich in einer PvP-Zone, in der sowohl Magie als auch Technologie angewendet werden konnte. Alles war möglich. Schon bald würden Horden bis an die Zähne bewaffneter Jäger auf dem Planeten eintreffen, und wenn die Sechser sich ihnen in den Weg stellten, würde es einen Krieg von einer Größenordnung geben, wie ihn die OASIS bis dahin noch nicht gesehen hatte.

Als ich über die Wiese rannte und die Rampe meines Schiffes hinauflief, entdeckte ich eine große Schwadron Kampfschiffe, die im Sinkflug direkt auf mich zuhielten.

Max hatte den Antrieb der *Vonnegut* bereits hochgefahren. Ich rief ihm deshalb zu, dass er sofort starten sollte. Als ich die Steuerkonsole im Cockpit erreicht hatte, beschleunigte ich auf maximale Geschwindigkeit, und der Schwarm von Kampfschiffen der Sechser drehte hart bei, um mir zu folgen. Während mein Schiff in den Himmel hinaufjagte, wurde ich von allen Seiten unter Beschuss genommen. Aber ich hatte Glück. Die *Vonnegut* war schnell, und ihre Schilde waren stark. Sie hielten lange genug, dass ich den Orbit erreichen konnte. Kurz darauf brachen sie allerdings in sich zusammen, und in den wenigen Sekunden, die ich brauchte, um zur Lichtgeschwindigkeit überzugehen, trug die Hülle des Schiffes beträchtliche Schäden davon.

Das war knapp. Beinahe hätten mich die Schweinehunde erwischt.

Mein Schiff befand sich in schlechtem Zustand. Anstatt direkt zu meiner Festung zurückzukehren, raste ich deshalb zu *Joe's Garage*, einer orbitalen Raumschiffreparaturwerkstatt in Sektor 10. *Joe's* war ein ehrlicher, von NSCs geführter Laden mit annehmbaren Preisen und blitzschnellem Service. Dort flog ich immer hin, wenn die *Vonnegut* repariert oder technisch aufgerüstet werden musste.

Während Joe und seine Jungs an meinem Schiff arbeiteten, schickte ich Aech eine kurze Mail, um mich zu bedanken. Ich sagte ihm, dass ich jegliche Schuld, die er mir gegenüber empfunden haben mochte, jetzt als abgegolten betrachtete. Außerdem gab ich zu, ein unglaublich taktloses, selbstsüchtiges Arschloch gewesen zu sein, und bat ihn, mir zu verzeihen.

Nach der Reparatur flog ich zu meiner Festung zurück und verfolgte den Rest des Tages die Newsfeeds. Das Versteck des Jadeschlüssels hatte sich inzwischen herumgesprochen, und jeder Jäger, der über die nötigen Mittel verfügte, war nach Frobozz teleportiert. Tausende weitere trafen unablässig mit Raumschiffen ein, um gegen die Sechser zu kämpfen und sich den Jadeschlüssel zu sichern.

Die Newsfeeds berichteten live über Hunderte von Kämpfen, die auf Frobozz ausgebrochen waren. Die großen Jägerclans hatten sich erneut zusammengetan, um einen koordinierten Angriff auf die Armee der Sechser durchzuführen. Es war der Anfang der sogenannten Schlacht um Frobozz, und auf beiden Seiten waren bereits zahlreiche Opfer zu beklagen.

Auch das Scoreboard behielt ich im Auge und wartete auf Anzeichen dafür, dass die Sechser den Jadeschlüssel gefunden hatten, während ihre Truppen die Konkurrenz in Schach hielten. Wie ich befürchtet hatte, war der nächste Punktestand, der anstieg, der neben Sorrentos IOI-Mitarbeiternummer. Mit zusätzlichen 17 000 Punkten setzte sich Sorrento auf den vierten Platz.

Da die Sechser inzwischen wussten, wo und wie man den Jadeschlüssel bekommen konnte, erwartete ich eigentlich, dass ihre anderen Avatare nachziehen würden. Zu meiner Überraschung holte sich jedoch Shoto als Nächster den Jadeschlüssel. Weniger als zwanzig Minuten nach Sorrento.

Irgendwie musste es Shoto gelungen sein, die Horden von Sechsern, die den gesamten Planeten besetzt hatten, zu umgehen, eine Kopie des weißen Hauses zu betreten, alle neunzehn Schätze zu sammeln und sich den Schlüssel zu sichern.

Ich beobachtete das Scoreboard weiter und wartete darauf, dass auch der Punktestand von Shotos Bruder Daito anstieg. Doch das geschah nicht.

Stattdessen verschwand Daitos Name nur wenige Sekunden, nachdem Shoto den Schlüssel gefunden hatte, vom Scoreboard. Dafür gab es nur eine mögliche Erklärung: Daito war gerade getötet worden.

0024

WÄHREND DER NÄCHSTEN ZWÖLF STUNDEN regierte das Chaos auf Frobozz. Sämtliche Jäger in der ganzen OASIS stürzten sich begeistert in die Schlacht.

Die Sechser hatten ihre Truppen über die gesamte Oberfläche verteilt, in einem gewagten Versuch, alle 512 Kopien der *Zork*-Simulation zu blockieren. Aber so gewaltig und gut ausgerüstet ihre Armee auch war, dieses Mal musste sie eine zu große Fläche abdecken. Nur sieben weiteren Avataren der Sechser gelang es an diesem Tag, den Jadeschlüssel in ihren Besitz zu bringen. Und als die Jägerclans ihren koordinierten Angriff begannen, musste die Armee der Sechser schwere Verluste einstecken und war bald gezwungen, sich zurückzuziehen.

Nach wenigen Stunden änderte das Oberkommando die Strategie. Ihnen war schnell klargeworden, dass sie nicht in der Lage sein würden, über 500 verschiedene Orte gegen den stetigen Strom der eintreffenden Jäger dauerhaft zu verteidigen. Deshalb brachten sie ihre gesamte Armee um zehn nebeneinanderliegende Kopien der *Zork*-Simulation am Südpol des Planeten in Stellung. Über jeder errichteten sie mächtige Schilde und stationierten gepanzerte Bataillone außerhalb der Schildbegrenzung.

Diese neue Strategie ging auf, ihren Truppen gelang es, die zehn Stellungen zu halten. (Allerdings gab es auch kaum einen Grund für die anderen Jäger, die Stellungen anzugreifen. Schließlich existierten auf dem Planeten noch über 500 weitere

Kopien von *Zork*, die jetzt vollkommen ungeschützt waren.) Nachdem die Sechser nun ungestört waren, schleusten sie ihre Avatare reihenweise durch die Simulation. Die Punktestände zahlreicher IOI-Mitarbeiter auf dem Scoreboard stiegen um jeweils 15 000 Punkte an.

Zur selben Zeit erhöhten sich aber auch bei Hunderten von Jägern die Punktestände. Da der Standort des Jadeschlüssels nun bekannt war, stellte auch der Rest des Rätsels niemanden mehr vor Probleme. Jeder, der das erste Tor überwunden hatte, konnte sich den Jadeschlüssel einfach holen.

Gegen Ende der Schlacht von Frobozz sah das Scoreboard folgendermaßen aus:

Highscores

1.	Art3mis	129 000	🌴
2.	Parzival	128 000	🌴
3.	Aech	127 000	🌴
4.	IOI-655321	122 000	🌴
5.	Shoto	122 000	🌴
6.	IOI-643187	120 000	🌴
7.	IOI-621671	120 000	🌴
8.	IOI-678324	120 000	🌴
9.	IOI-637330	120 000	🌴
10.	IOI-699423	120 000	🌴

Obwohl Shoto mit 122 000 Punkten denselben Punktestand hatte wie Sorrento, befand dieser sich auf einem höheren Platz, vermutlich weil er den Jadeschlüssel vor ihm gefunden hatte. Die relativ kleine Menge von Bonuspunkten, die Art3mis, Aech, Shoto und ich erhalten hatten, weil wir die Ersten gewesen waren, die Kupfer- und Jadeschlüssel gefunden hatten, sorgte dafür, dass unsere Namen auf den geheiligten Plätzen der »High Five« blieben. Doch nun hatte auch Sorrento einen Bonus erhalten. Seine IOI-Mitarbeiternummer über Shotos Namen zu sehen jagte mir einen ordentlichen Schreck ein.

Ich scrollte weiter nach unten und stellte fest, dass das Scoreboard inzwischen mehr als fünftausend Namen enthielt. Und stündlich kamen neue hinzu, weil es weiteren Avataren gelungen war, Acererak beim *Joust* zu besiegen und den Kupferschlüssel in ihren Besitz zu bringen.

In den Foren gab es offenbar niemanden, der wusste, was mit Daito passiert war, aber es hieß, dass er in der Schlacht von Frobozz getötet worden sei. Es waren jede Menge Gerüchte über seinen Tod im Umlauf, aber niemand hatte ihn mit eigenen Augen sterben sehen. Außer vielleicht Shoto, und der war verschwunden. Ich schickte ihm ein paar Chatanfragen, erhielt jedoch keine Antwort. Vermutlich richtete er – genau wie ich – gerade all seine Energien darauf, das zweite Tor zu finden, bevor es die Sechser entdeckten.

Ich saß in meiner Festung, starrte den Jadeschlüssel an und wiederholte die Worte, die in seinen Hals geritzt waren, wie ein verrücktes Mantra:

> **Bestehe den Test und fahre fort mit der Quest.**
> **Bestehe den Test und fahre fort mit der Quest.**
> **Bestehe den Test und fahre fort mit der Quest.**

Ja, nur welchen Test? Was für einen Test sollte ich bestehen? Den Kobayashi Maru? Den Pepsi-Geschmackstest? Konnte der Hinweis noch vager gehalten sein?

Ich griff unter meine Videobrille und rieb mir frustriert die Augen. Ich kam zu dem Schluss, dass ich eine Pause brauchte und etwas schlafen sollte. Ich rief das Inventar meines Avatars auf und legte den Jadeschlüssel wieder hinein. Dabei fiel mein Blick auf die Silberfolie auf dem benachbarten Inventarplatz – die Folie, in die der Schlüssel eingewickelt gewesen war, als er in meiner Hand aufgetaucht war.

Ich wusste, die Lösung des Rätsels musste irgendetwas mit der Folie zu tun haben, aber ich konnte mir nicht erklären, was. Ich überlegte, ob es sich vielleicht um eine Anspielung auf den Film *Charlie und die Schokoladenfabrik* handelte, verwarf den Gedanken aber wieder. Im Inneren der Folie war keine goldene Eintrittskarte versteckt gewesen. Sie musste eine andere Funktion oder Bedeutung haben.

Irgendwann fielen mir die Augen zu. Ich loggte mich aus und ging schlafen.

Ein paar Stunden später, um 6:12 Uhr OSZ, wurde ich vom durchdringenden Geräusch meines Scoreboard-Alarms geweckt, der mich darauf hinwies, dass sich auf den obersten Rängen erneut etwas verändert hatte.

Mit einem unguten Gefühl im Magen loggte ich mich ein und rief das Scoreboard auf, unsicher, was mich dort erwarten würde. Hatte Art3mis womöglich das zweite Tor überwunden? Oder war Aech oder Shoto diese Ehre zugefallen?

Doch ihre Punktestände waren unverändert geblieben. Zu meinem Entsetzen sah ich, dass Sorrentos Punktzahl um 200 000 Punkte angestiegen war. Und daneben waren nun zwei Torsymbole zu sehen.

Sorrento hatte also gerade als Erster das zweite Tor gefunden und gemeistert. Sein Avatar stand auf dem Scoreboard jetzt an erster Stelle.

Wie versteinert saß ich da und starrte auf Sorrentos Angestelltennummer, während ich mir klarzumachen versuchte, was das bedeutete.

Als Sorrento durch das Tor getreten war, hatte er mit Sicherheit einen Hinweis auf das Versteck des Kristallschlüssels erhalten. Der Schlüssel, der das dritte und letzte Tor öffnen würde. Die Sechser waren nun also die Einzigen, die diesen Hinweis besaßen. Und das hieß, dass sie Hallidays *Easter Egg* jetzt näher waren als jemals zuvor.

Übelkeit überkam mich, und ich konnte plötzlich kaum noch atmen. Ich erlitt eine Panikattacke. Einen kompletten Aussetzer. Eine geistige Kernschmelze. Egal, wie man es nennen will. Ich verlor fast den Verstand.

Ich versuchte, Aech anzurufen, aber er nahm nicht ab. Entweder war er immer noch wütend auf mich, oder er war gerade mit wichtigeren Dingen beschäftigt. Gerade wollte ich Shoto anrufen, da fiel mir wieder ein, dass der Avatar seines Bruders vor kurzem getötet worden war. Vermutlich war er momentan nicht zu Gesprächen aufgelegt.

Ich spielte mit dem Gedanken, nach Benatar zu fliegen und Art3mis dazu zu bringen, mit mir zu reden, aber dann kam ich wieder zur Vernunft. Sie hatte den Jadeschlüssel bereits seit anderthalb Tagen in ihrem Besitz und war bisher nicht in der Lage gewesen, das zweite Tor zu finden. Zu erfahren, dass es den Sechsern in weniger als vierundzwanzig Stunden gelungen war, hatte sie wahrscheinlich irrsinnig wütend gemacht. Oder in eine katatonische Starre fallen lassen. Vermutlich hatte sie im Moment keine Lust, mit irgendjemandem zu reden, schon gar nicht mit mir.

Ich versuchte trotzdem, sie anzurufen. Wie üblich ging sie nicht ran.

Ich sehnte mich so sehr danach, eine vertraute Stimme zu hören, dass ich mich schließlich sogar mit Max unterhielt. In meinem gegenwärtigen Zustand hatte selbst seine glatte, computergenerierte Stimme etwas Tröstliches. Natürlich dauerte es nicht lange, bis Max die vorprogrammierten Antworten ausgingen. Und als er anfing, sich zu wiederholen, brach die Illusion, ich würde mit einem anderen Menschen reden, zusammen, und ich fühlte mich noch einsamer als vorher. Dass man sein Leben gründlich an die Wand gefahren hat, erkennt man daran, dass alles den Bach runtergeht und man sich nur noch mit seiner Systemagentensoftware unterhalten kann.

Ich konnte nicht mehr einschlafen, deshalb blieb ich wach, verfolgte die Nachrichten und behielt die Foren der Jäger im Auge. Die Armada der Sechser blieb auf Frobozz, und ihre Avatare sammelten immer noch Jadeschlüssel.

Sorrento hatte offenbar aus seinem früheren Fehler gelernt. Da die Sechser nun die Einzigen waren, die den Standort des zweiten Tores kannten, waren sie nicht so dumm, ihn dem Rest der Welt zu verraten, indem sie versuchten, ihn mit ihrer Armada zu blockieren. Aber sie nutzten die Situation trotzdem zu ihrem Vorteil. Im Laufe des Tages überwanden noch mehr Sechser das zweite Tor. Und in den folgenden vierundzwanzig Stunden folgten ihnen zehn weitere. Während sich die Sechser an die Spitze setzten, fielen Art3mis, Aech, Shoto und ich immer weiter zurück, bis wir nicht mehr länger unter den Top Ten waren und die Hauptseite des Scoreboards nur noch die Nummern von IOI-Angestellten zeigte.

Jetzt waren die Sechser am Drücker.

Und dann, als ich schon glaubte, es könnte nicht mehr schlimmer kommen, wurde die Lage noch düsterer. Zwei Tage nachdem Sorrento das zweite Tor überwunden hatte, stieg sein Punktestand um weitere 30000 Punkte an – ein Zeichen dafür, dass er gerade den Kristallschlüssel gefunden hatte.

Wie betäubt saß ich in meiner Festung und starrte mit wachsendem Grauen auf die Bildschirme. Es ließ sich nicht länger leugnen: Das Ende des Wettbewerbs stand kurz bevor. Und er würde nicht so ausgehen, wie ich vermutet hatte, nämlich mit dem Sieg eines edlen, würdigen Jägers. Ich hatte mir während der letzten fünfeinhalb Jahre etwas vorgemacht. So wie wir alle. Die Geschichte würde kein glückliches Ende nehmen. Die Bösen würden gewinnen.

Die nächsten vierundzwanzig Stunden hatte ich eine Mordsangst und sah zwanghaft alle fünf Sekunden auf dem Scoreboard nach. Ich rechnete ständig damit, das Ende könnte gekommen sein.

Sorrento oder einer seiner vielen »Halliday-Experten« war offensichtlich in der Lage gewesen, das Rätsel zu lösen und den Standort des zweiten Tors zu ermitteln. Trotzdem konnte ich kaum glauben, was ich sah. Bis jetzt hatten die Sechser immer nur dann Fortschritte gemacht, wenn sie Art3mis, Aech oder mir gefolgt waren. Wie war es diesen ahnungslosen Flachwichsern gelungen, alleine das zweite Tor zu finden? Vielleicht hatten sie einfach Glück gehabt. Oder sie hatten irgendeinen neuen Cheat entdeckt. Wie sonst hätten sie ein Rätsel lösen können, das nicht einmal Art3mis mit mehreren Tagen Vorsprung knacken konnte?

Mein Gehirn fühlte sich an wie plattgewalzte Knete. Der Hinweis auf dem Jadeschlüssel wollte sich mir einfach nicht erschließen. Ich hatte keine Ideen mehr. Nicht einmal eine lahme. Ich wusste nicht, was ich als Nächstes tun oder wo ich suchen sollte.

Im Laufe der Nacht brachten die Sechser weitere Kristallschlüssel in ihren Besitz. Jedes Mal, wenn sich ihre Punktestände erhöhten, verspürte ich einen Stich im Herzen. Trotzdem sah ich mir Tag für Tag das Scoreboard an. Ich war wie hypnotisiert.

Völlige Hoffnungslosigkeit drohte mich zu überwältigen. Meine Bemühungen in den letzten fünf Jahren waren umsonst gewesen. Ich hatte Sorrento und die Sechser unterschätzt. Und nun würde ich den Preis für meine Überheblichkeit zahlen müssen. Diese seelenlosen Firmenlakaien standen kurz davor, das Ei zu finden. Ich spürte es mit jeder Faser meines Körpers.

Art3mis hatte ich bereits verloren, und nun würde ich auch noch den Wettbewerb verlieren.

Ich hatte mir schon überlegt, was ich dann tun würde. Als Erstes würde ich eines der Kids in meinem offiziellen Fanclub auswählen, jemanden, der kein Geld und einen absoluten Anfängeravatar hatte, und ihm oder ihr sämtliche Gegenstände in meinem Besitz überlassen. Dann würde ich die Selbstzerstörungssequenz in meiner Festung aktivieren und in meiner Kommandozentrale sitzen bleiben, während der gesamte Komplex von einer gewaltigen thermonuklearen Explosion ausgelöscht wurde. Mein Avatar würde sterben, und die Worte GAME OVER würden auf meinem Display auftauchen. Dann würde ich mir die Videobrille abnehmen und zum ersten Mal seit sechs Monaten meine Wohnung verlassen. Ich würde mit dem Fahrstuhl zum Dach hinauffahren. Oder vielleicht die Treppe nehmen. Ein bisschen Bewegung konnte mir nicht schaden.

Auf dem Dach meines Apartmentgebäudes gab es einen Baumgarten. Ich hatte ihn zwar bisher nie besucht, aber ich hatte Fotos gesehen und über eine Webcam die Aussicht genossen. Eine durchsichtige Plexiglasbarriere am Rand des Daches sollte verhindern, dass sich jemand hinunterstürzte, aber die war ein Witz. Seit ich hier eingezogen war, war es mindestens drei Personen gelungen, sie zu überwinden.

Eine Weile lang würde ich dort oben sitzen, die ungefilterte Stadtluft einatmen und den Wind auf der Haut spüren. Dann würde ich über die Barriere klettern und mich vom Dach stürzen.

Das war mein Plan.

Gerade überlegte ich, welche Melodie ich pfeifen sollte, während ich in die Tiefe sprang, als mein Telefon klingelte. Es war Shoto. Ich war nicht in der Stimmung zu reden, deshalb ließ ich die Vidmail rangehen und sah zu, wie er eine Nachricht aufzeichnete. Sie war kurz. Er sagte, dass er mich in meiner Festung besuchen wolle, um mir etwas zu geben. Etwas, das Daito mir in seinem Testament hinterlassen hatte.

Als ich ihn zurückrief, um das Treffen zu vereinbaren, bemerkte ich gleich, dass Shoto völlig am Ende war. Seine ruhige Stimme war schmerzerfüllt, und das Ausmaß seiner Verzweiflung war dem Gesicht seines Avatars deutlich anzusehen. Er wirkte furchtbar niedergeschlagen, in noch schlimmerer Verfassung als ich.

Ich fragte Shoto, warum sein Bruder sich die Mühe gemacht hatte, ein »Testament« für seinen Avatar aufzusetzen, anstatt seinen Besitz einfach ihm zu überlassen. Dann hätte sich Daito einen neuen Avatar schaffen und sich die Gegenstände zurückholen können. Aber Shoto sagte, dass sein Bruder keinen neuen Avatar mehr schaffen würde. Weder jetzt noch sonst irgendwann. Als ich ihn nach dem Grund dafür fragte, versprach er, mir bei unserem persönlichen Treffen alles zu erklären.

OO25

MAX GAB MIR BESCHEID, als Shoto etwa eine Stunde später eintraf. Ich erteilte seinem Schiff die Erlaubnis, Falco anzufliegen, und sagte ihm, dass er es in meinem Hangar abstellen sollte.

Shoto flog einen großen interplanetaren Schlepper mit Namen *Kurosawa*, der einem Schiff aus der klassischen Anime-Serie *Cowboy Bebop* ähnelte. Solange wir uns kannten, hatten Daito und Shoto den Schlepper als mobile Basis benutzt. Das Schiff war so groß, dass es kaum durch meine Hangartore passte.

Ich stand auf der Landebahn, um Shoto zu begrüßen, als er aus der *Kurosawa* stieg. Er trug schwarze Trauerkleider, und auf seinem Gesicht lag derselbe untröstliche Ausdruck wie bei unserem Telefongespräch.

»Parzival-san«, sagte er und verbeugte sich tief.

»Shoto-san.« Ich erwiderte respektvoll seine Verbeugung und hielt ihm dann meine Hand hin, eine Geste aus der Zeit, als wir zusammen die Quest gemeistert hatten. Mit einem Grinsen klatschte er mich ab. Aber dann kehrte sein finsterer Gesichtsausdruck augenblicklich wieder zurück. Es war das erste Mal, dass ich Shoto seit unserer gemeinsamen Quest auf Tokusatsu wiedersah (die *Daisho-Energy-Drink*-Werbespots, in denen er und sein Bruder auftraten, nicht mit eingerechnet), und sein Avatar schien ein paar Zentimeter größer zu sein, als ich ihn in Erinnerung hatte.

Ich führte ihn in eines der »Wohnzimmer« meiner Festung,

die ich nur selten benutzte. Die Einrichtung war der Serie *Familienbande* nachempfunden. Shoto erkannte das Dekor und nickte anerkennend. Dann nahm er statt auf einem der Möbel im *Seiza*-Stil auf dem Fußboden Platz. Ich tat es ihm nach und setzte mich so, dass unsere Avatare einander ansahen. Eine Weile lang saßen wir schweigend da. Als Shoto schließlich das Wort ergriff, hielt er den Blick zu Boden gerichtet.

»Die Sechser haben gestern Abend meinen Bruder umgebracht«, sagte er beinahe im Flüsterton.

Anfangs war ich zu verdattert, um zu antworten. »Du meinst, sie haben seinen Avatar umgebracht?«, fragte ich, obwohl ich schon ahnte, dass er etwas anderes meinte.

Shoto schüttelte den Kopf. »Nein. Sie sind in sein Apartment eingebrochen, haben ihn aus seinem haptischen Stuhl gezerrt und ihn von seinem Balkon geworfen. Er hat im dreiundvierzigsten Stock gewohnt.«

Shoto öffnete in der Luft neben uns ein Browserfenster. Darin war eine japanische Nachrichtenmeldung zu sehen. Ich tippte mit dem Zeigefinger darauf, und die Mandarax-Software übersetzte den Text ins Englische. Die Überschrift lautete: EIN WEITERER OTAKU-SELBSTMORD. In dem kurzen Artikel darunter hieß es, ein junger Mann namens Toshiro Yoshiaki, zweiundzwanzig Jahre alt, hätte sich aus seinem Apartment im dreiundvierzigsten Stock eines umgebauten Hotels in Shinjuku, Tokio, in den Tod gestürzt. Neben dem Artikel war ein Schulfoto von Toshiro abgebildet. Es zeigte einen jungen Japaner mit langem, ungepflegtem Haar und Pickeln. Seinem OASIS-Avatar ähnelte das Bild nicht im Geringsten.

Als Shoto sah, dass ich den Artikel durchgelesen hatte, schloss er das Fenster. Ich zögerte einen Moment, bevor ich fragte: »Bist du sicher, dass er nicht tatsächlich Selbstmord begangen hat? Weil sein Avatar getötet wurde?«

»Nein«, sagte Shoto. »Daito hat nicht *Seppuku* begangen. Dessen bin ich mir sicher. Die Sechser sind in sein Apartment eingebrochen, während wir auf Frobozz gegen sie gekämpft haben. So konnten sie seinen Avatar besiegen. Indem sie ihn in der wirklichen Welt umbrachten.«

»Es tut mir leid, Shoto.« Ich wusste nicht, was ich sonst sagen sollte. Mir war klar, dass er die Wahrheit sprach.

»Mein echter Name ist Akihide«, sagte er. »Ich möchte, dass du ihn kennst.«

Lächelnd verbeugte ich mich und berührte kurz mit der Stirn den Boden. »Ich fühle mich geehrt, dass du mir deinen wahren Namen anvertraust«, sagte ich. »Meiner ist Wade.« Es hatte keinen Zweck mehr, weiter Geheimnisse voreinander zu bewahren.

»Ich danke dir, Wade«, sagte Shoto und verneigte sich ebenfalls.

»Gern geschehen, Akihide.«

Einen Moment lang schwieg er, dann räusperte er sich und begann, von Daito zu erzählen. Die Worte sprudelten nur so aus ihm heraus. Es war klar, dass er mit jemandem über das Geschehene reden musste. Über das, was er verloren hatte.

»Daitos wahrer Name war Toshiro Yoshiaki. Ich habe es gestern Abend erst erfahren, als ich die Meldung gelesen habe.«

»Aber … ich dachte, er war dein Bruder?« Ich hatte immer angenommen, Daito und Shoto würden zusammenwohnen. Dass sie sich ein Apartment teilten oder etwas in der Art.

»Meine Beziehung zu Daito ist schwer zu erklären.« Er hielt inne und räusperte sich. »Wir waren keine Brüder. Jedenfalls nicht im realen Leben. Nur in der OASIS. Verstehst du? Wir kannten einander nur online. Ich bin ihm nie wirklich begegnet.« Er hob langsam den Blick, um mir in die Augen zu sehen und festzustellen, ob ich ihn deswegen verurteilte.

Ich legte ihm eine Hand auf die Schulter. »Glaub mir, Shoto. Ich verstehe dich. Aech und Art3mis sind meine beiden besten Freunde, obwohl ich sie in der Wirklichkeit noch nie getroffen habe. Und du bist ebenfalls einer meiner engsten Freunde.«

Er neigte den Kopf. »Danke.« Seiner Stimme war anzumerken, dass er weinte.

»Wir sind Jäger«, sagte ich, um die unangenehme Stille zu füllen. »Wir leben hier, in der OASIS. Für uns ist das die einzige Realität, die zählt.«

Akihide nickte. Einen Moment später redete er weiter.

Er erzählte mir, wie er und Toshiro sich vor sechs Jahren das erste Mal begegnet waren, in einer OASIS-Selbsthilfegruppe für *Hikikomori*, junge Menschen, die sich von der Gesellschaft zurückgezogen hatten und in völliger Isolation lebten. *Hikikomori* schlossen sich in ihren Zimmern ein, lasen Mangas und verbrachten den ganzen Tag in der OASIS, während sie sich darauf verließen, dass ihre Familien sie vor dem Verhungern bewahrten. Auch vor der Jahrhundertwende hatte es in Japan schon *Hikikomori* gegeben, aber nachdem die Jagd auf Hallidays *Easter Egg* begonnen hatte, war ihre Zahl dramatisch in die Höhe geschossen. Millionen junger Männer und Frauen überall im Land hatten sich von der Welt abgeschottet. Diese Kinder wurden manchmal auch die »verlorenen Millionen« genannt.

Akihide und Toshiro wurden beste Freunde und verbrachten beinahe jeden Tag zusammen in der OASIS. Als die Jagd auf Hallidays *Easter Egg* begann, beschlossen sie augenblicklich, sich zusammenzutun und gemeinsam danach zu suchen. Sie bildeten ein perfektes Team, weil Toshiro ein begnadeter Videospieler war und der deutlich jüngere Akihide sich gut mit US-amerikanischer Popkultur auskannte. Akihides Großmutter war in den Vereinigten Staaten zur Schule gegangen, und seine Eltern waren beide dort geboren worden, weshalb er mit US-amerikanischen Kinofilmen und Fernsehserien aufgewachsen war und in seiner Kindheit gleichermaßen gut Englisch und Japanisch gelernt hatte.

Akihides und Toshiros Begeisterung für Samuraifilme diente ihnen als Inspiration für die Namen und das Aussehen ihrer Avatare. Shoto und Daito kannten einander inzwischen so gut, dass sie wie Brüder waren. Als sie ihre neuen Identitäten als Jäger schufen, beschlossen sie deshalb, dass sie in der OASIS von nun an tatsächlich Brüder sein wollten.

Nachdem Shoto und Daito das erste Tor überwunden hatten und weltweit bekanntgeworden waren, hatten sie den Medien mehrere Interviews gegeben. Zwar hielten sie ihre wahren Identitäten weiter geheim, aber sie verrieten immerhin, dass sie beide Japaner waren, was sie in ihrem Heimatland augenblicklich zu Berühmtheiten machte. Sie begannen, für japanische Produkte zu werben, und ihre Heldentaten wurden in einer Zeichentrickserie und einer Live-Action-Fernsehserie verewigt. Auf dem Gipfel ihrer Berühmtheit hatte Shoto Daito einmal vorgeschlagen, sich persönlich kennenzulernen. Daito war furchtbar wütend geworden und hatte mehrere Tage lang nicht mit ihm gesprochen. Danach hatte Shoto das Thema nie mehr angeschnitten.

Schließlich war Shoto so weit, mir zu erzählen, wie Daitos Avatar gestorben war. Die beiden waren auf der *Kurosawa* gewesen und zwischen den Planeten in Sektor 7 umhergeflogen, als sie vom Scoreboard erfahren hatten, dass Aech den Jadeschlüssel gefunden hatte. Sie wussten, dass die Sechser noch im selben Moment Fyndoros Suchtafel benutzen würden, um Aechs genauen Aufenthaltsort in Erfahrung zu bringen, und dass ihre Schiffe schon bald dorthin aufbrechen würden.

Als Vorbereitung darauf hatten Daito und Shoto in den vergangenen Wochen mikroskopisch kleine Peilsender an den Hüllen sämtlicher Kampfschiffe der Sechser angebracht, die ihnen begegnet waren. Mit Hilfe der Sender gelang es ihnen, den Kampfschiffen zu folgen, als diese alle abrupt den Kurs änderten und nach Frobozz flogen.

Nachdem ihnen das Ziel der Sechser bekannt war, konnten sie die Bedeutung des Quartetts problemlos entschlüsseln. Und als sie den Planeten wenige Minuten später erreicht hatten, wussten sie bereits, was sie tun mussten, um den Jadeschlüssel in ihren Besitz zu bringen.

Sie landeten die *Kurosawa* neben einem der weißen Häuser, die noch frei waren. Shoto lief hinein, um die neunzehn Schätze zu sammeln und den Schlüssel zu holen, während Daito draußen Wache hielt. Shoto kam schnell voran, und es waren nur noch zwei Schätze übrig, als Daito ihm über Funk mitteilte, dass sich zehn Kampfschiffe der Sechser auf dem Weg zu ihnen befanden. Er drängte seinen Bruder, sich zu beeilen, und versprach ihm, die Gegner aufzuhalten, bis Shoto den Jadeschlüssel gefunden hatte. Sie wussten nicht, ob sie noch einmal eine Chance erhalten würden, sich den Schlüssel zu holen.

Während Shoto durch das Haus lief, um die letzten beiden Schätze einzusammeln und in den Trophäenschrank zu stellen, aktivierte er per Fernsteuerung eine der externen Kameras der *Kurosawa* und filmte damit Daitos Kampf gegen die heranrückenden Sechser. Jetzt öffnete er ein Fenster und zeigte mir den kurzen Film. Er selbst wandte jedoch den Blick ab, bis es vorbei war. Offensichtlich wollte er ihn sich nicht noch einmal anschauen.

In der Aufnahme sah ich Daito allein auf der Wiese neben dem weißen Haus stehen. Eine kleine Flotte von Kampfschiffen der Sechser kam vom Himmel herabgeflogen und eröffnete das Feuer aus ihren Laserkanonen, sobald sie in Reichweite waren. Ein Hagelsturm aus roten Feuerblitzen begann um Daito herum niederzugehen. Hinter ihm in der Ferne sah ich weitere Kampfschiffe der Sechser landen, die ein Bataillon stark gepanzerter Bodentruppen ausluden. Daito war umzingelt.

Offenbar hatten die Sechser die *Kurosawa* während ihres Anflugs auf den Planeten entdeckt und waren jetzt entschlossen, die beiden Samurai zu töten.

Daito zögerte nicht, seinen einzigen Trumpf auszuspielen. Er holte die Betakapsel hervor, hielt sie mit der rechten Hand in die Höhe und aktivierte sie. Sein Avatar verwandelte sich augenblicklich in Ultraman, einen außerirdischen, knapp zweihundert Meter großen Superhelden in einem rotsilbernen Anzug.

Die heranrückenden Bodentruppen blieben wie angewurzelt stehen und blickten voller Entsetzen und Ehrfurcht zu ihm hoch, während Ultraman Daito mit der Hand zwei Kampfschiffe vom Himmel holte und sie gegeneinanderschlug, wie ein riesiges Kind, das mit winzigen Metallspielzeugen spielt. Er ließ die brennenden Trümmer fallen und begann, nach anderen Kampfschiffen der Sechser zu schlagen, als seien es lästige Fliegen. Die Schiffe, die seinem tödlichen Griff entkamen, drehten bei und deckten ihn mit Laserstrahlen und Maschinengewehrsalven ein, die von seiner gepanzerten Alienhaut jedoch wirkungslos abprallten. Daito ließ ein dröhnendes Lachen hören, das weit über die Landschaft hallte. Dann kreuzte er die Arme an den Handgelenken. Ein leuchtender Energiestrahl schoss aus seinen Händen hervor und verdampfte ein halbes Dutzend Kampfschiffe. Daito drehte sich um und ließ den Strahl über die Bodentruppen der Sechser hinwegstreichen, die darin geröstet wurden wie Ameisen unter einem Vergrößerungsglas.

Daito schien sich köstlich zu amüsieren. Sogar so sehr, dass er nicht auf das Warnlicht achtete, das sich auf seiner Brust befand und nun rot zu blinken begann. Das war das Zeichen, dass seine drei Minuten als Ultraman fast vorbei und seine Kräfte beinahe erschöpft waren. Diese Zeitbegrenzung war Ultramans größte Schwäche. Wenn Daito nicht innerhalb der drei Minuten die Betakapsel wieder deaktivierte und zu seiner menschlichen Gestalt zurückkehrte, würde sein Avatar sterben. Allerdings war klar, dass er ohnehin sofort getötet werden würde, wenn er sich inmitten des massiven Ansturms der Sechser in einen Menschen zurückverwandelte. Und Shoto würde in diesem Fall das Schiff nie erreichen.

Ich sah, wie die Truppen der Sechser per Funk Verstärkung anforderten, obwohl bereits jetzt schon scharenweise Kampfschiffe eintrafen. Daito holte sie mit gezielten Feuerstößen vom Himmel. Und mit jeder Salve, die er abfeuerte, blinkte das Warnlicht auf seiner Brust schneller.

In diesem Moment trat Shoto aus dem weißen Haus und teilte seinem Bruder per Funk mit, dass er den Jadeschlüssel gefunden hatte. Als die Bodentruppen Shoto entdeckten, witterten sie in ihm ein leichtes Ziel und begannen, seinen Avatar unter Beschuss zu nehmen.

Shoto rannte auf die *Kurosawa* zu. Als er seine Siebenmeilenstiefel aktivierte, verwandelte sich sein Avatar in einen kaum sichtbaren Schemen, der über die offene Wiese raste. Währenddessen bot Daito ihm mit seinem Riesenkörper so viel Deckung wie möglich. Mit Hilfe der Energiestrahlen, die er immer noch abfeuerte, gelang es ihm, die Sechser in Schach zu halten.

Dann war Daitos Stimme über die Funkverbindung zu hören. »*Shoto!*«, schrie er. »*Ich glaube, jemand ist hier! Jemand ist in meiner …*«

Seine Stimme brach ab. Im selben Moment blieb sein Avatar stehen, als sei er zu Stein erstarrt, und direkt über seinem Kopf tauchte ein Log-out-Icon auf.

Loggte man sich mitten in einem Kampf aus seinem OASIS-Account aus, war das gleichbedeutend mit Selbstmord. Während der Log-out-Sequenz blieb der Avatar sechzig Sekunden lang an derselben Stelle stehen, und man war feindlichen Angriffen während dieser Zeit vollkommen hilflos ausgeliefert. Damit sollte verhindert werden, dass Avatare die Log-out-Sequenz als einfachen Ausweg aus einem Kampf benutzten. Man musste sich seinem Gegner stellen oder sich an einen sicheren Ort zurückziehen, bevor man sich ausloggen konnte.

Daitos Log-out-Sequenz war im schlimmstmöglichen Augenblick aktiviert worden. Sobald sein Avatar erstarrte, wurde er aus allen Richtungen mit schwerem Laser- und Maschinengewehrfeuer bestrichen. Das rote Warnlicht auf seiner Brust blinkte immer schneller, bis es schließlich dauerhaft rot leuchtete. In diesem Moment brach Daitos riesige Gestalt zusammen und stürzte zu Boden. Im Fallen hätte er noch beinahe Shoto und die *Kurosawa* zerschmettert. Als der Körper seines Avatars auf dem Boden aufschlug, schrumpfte er wieder zu normaler Größe und Gestalt. Dann begann er, sich aufzulösen, und verblasste langsam. Schließlich war Daitos Avatar ganz verschwunden, und nur ein Häufchen Gegenstände blieb auf dem Boden zurück – alles, was er in seinem Inventar mitgeführt hatte, einschließlich der Betakapsel. Er war tot.

In der Aufnahme war eine weitere verschwommene Bewegung zu sehen, als Shoto noch einmal zurückrannte, um Daitos Gegenstände einzusammeln. Dann machte er wieder kehrt und lief an Bord der *Kurosawa*. Unter heftigem Beschuss stieg das Schiff in den Orbit auf. Das Ganze erinnerte mich an meine eigene verzweifelte Flucht von Frobozz. Shoto hatte jedoch das Glück, dass sein Bruder einen Großteil der gegnerischen Kampfschiffe ausgelöscht hatte und noch keine Verstärkung eingetroffen war.

Es gelang ihm, den Weltraum zu erreichen und zur Lichtgeschwindigkeit überzugehen. Er war entkommen – wenn auch nur knapp.

Das Video endete, und Shoto schloss das Fenster.

»Was glaubst du, wie die Sechser herausgefunden haben, wo er wohnt?«, fragte ich.

»Ich weiß es nicht«, sagte Shoto. »Daito war vorsichtig. Er hat keine Spuren hinterlassen.«

»Wenn sie ihn gefunden haben, könnten sie vielleicht auch dich finden«, sagte ich.

»Ich weiß. Ich habe Vorkehrungen getroffen.«

»Gut.«

Shoto nahm die Betakapsel aus seinem Inventar und hielt sie mir hin. »Daito hätte gewollt, dass du sie bekommst.«

Ich hob eine Hand. »Nein, ich glaube, du solltest sie behalten. Du wirst sie vielleicht brauchen.«

Shoto schüttelte den Kopf. »Ich habe seine ganzen anderen Gegenstände«, sagte er. »Ich brauche die Kapsel nicht. Und ich will sie auch nicht.« Nachdrücklich streckte er sie mir entgegen.

Ich nahm das Artefakt und betrachtete es. Es war ein kleiner silberschwarzer Metallzylinder mit einem roten Aktivierungsknopf an der Seite. In Größe und Gestalt erinnerte er mich an die Lichtschwerter, die ich besaß. Aber Lichtschwerter bekam man in der OASIS nachgeworfen. Ich hatte über fünfzig in meiner Sammlung. Die Betakapsel gab es dagegen nur ein Mal, und sie war eine weitaus mächtigere Waffe.

Ich hob die Kapsel mit beiden Händen hoch und verneigte mich. »Ich danke dir, Shoto-san.«

»Und ich danke dir, Parzival«, sagte er und verbeugte sich ebenfalls. »Dafür, dass du mir zugehört hast.« Langsam richtete er sich auf. Seine Körpersprache drückte äußerste Resignation aus.

»Du hast doch nicht etwa aufgegeben, oder?«, fragte ich.

»Natürlich nicht.« Er richtete sich auf und schenkte mir ein finsteres Lächeln. »Aber mein Ziel ist es nicht mehr, das Ei zu finden. Ich habe jetzt eine neue Aufgabe. Eine wesentlich wichtigere.«

»Und die wäre?«

»Rache zu nehmen.«

Ich nickte. Dann ging ich zu einer Wand des Raumes und nahm eines der Samuraischwerter herunter, die dort hingen. Ich reichte es Shoto. »Bitte«, sagte ich. »Nimm dieses Geschenk von mir an. Es soll dir bei deiner neuen Aufgabe helfen.«

Shoto nahm das Schwert entgegen und zog die verzierte Klinge ein Stück weit aus der Scheide. »Ein Masamune?«, fragte er und betrachtete verwundert das Schwert.

Ich nickte. »Ja. Und außerdem ein +5-Vorpal-Schwert.«

Shoto verbeugte sich noch einmal zum Dank. »*Arigato.*«

Schweigend fuhren wir im Aufzug zum Hangar hinunter. Bevor er in sein Schiff stieg, drehte Shoto sich noch einmal zu mir um. »Was meinst du, wie lange es dauern wird, bis die Sechser das dritte Tor überwunden haben?«, fragte er.

»Ich weiß es nicht«, sagte ich. »Hoffentlich lange genug, dass wir sie einholen können.«

»Der Vorhang ist noch nicht gefallen, oder?«

Ich nickte. »Es ist erst vorbei, wenn es vorbei ist. Und das ist es noch lange nicht.«

0026

IN JENER NACHT, ein paar Stunden nachdem Shoto meine Festung verlassen hatte, löste ich das Rätsel.

Ich saß in meiner Kommandozentrale, den Jadeschlüssel in der Hand, und wiederholte immer wieder den Hinweis auf seiner Oberfläche: *Bestehe den Test und fahre fort mit der Quest.*

In der anderen Hand hielt ich das Silberpapier. Mein Blick wanderte ständig zwischen Schlüssel und Papier hin und her, während ich herauszufinden versuchte, was beides verband. So saß ich schon seit Stunden, und mir wollte einfach nichts einfallen.

Mit einem Seufzen legte ich den Schlüssel weg und breitete das Silberpapier auf der Steuerkonsole vor mir aus. Vorsichtig strich ich es glatt. Das Papier war viereckig und maß an den Kanten etwa fünfzehn Zentimeter. Auf der einen Seite bestand es aus Silberfolie, auf der anderen aus weißem Papier.

Ich öffnete eine Bildanalysesoftware und scannte beide Seiten in hoher Auflösung. Dann vergrößerte ich die Bilder auf meinem Display und betrachtete jeden einzelnen Mikrometer. Ich konnte jedoch nirgendwo irgendwelche Markierungen oder Buchstaben entdecken, weder auf der Vorder- noch auf der Rückseite.

Da ich gerade ein paar Maischips aß, bediente ich die Bildanalysesoftware mit meiner Stimme. Ich ließ die Scanbilder zusammenschrumpfen und rückte sie in die Mitte der Anzeige. Dabei musste ich an eine Szene aus *Blade Runner* denken, in der Harrison Fords Filmfigur Deckard einen ähnlichen sprach-gesteuerten Scanner benutzt, um ein Foto zu analysieren.

Ich hob das Silberpapier hoch und betrachtete es noch einmal. Während sich das virtuelle Licht auf der Silberfolie spiegelte, kam mir die Idee, das Papier zu einem Flugzeug zu falten und es durch den Raum segeln zu lassen. Und das brachte mich auf Origami, was mich erneut an *Blade Runner* erinnerte. An eine der Schlussszenen des Films.

Und dann hatte ich die Erleuchtung.

»*Das Einhorn*«, flüsterte ich.

Als ich das Wort »Einhorn« aussprach, begann sich das Silberpapier in meiner Hand plötzlich zu regen. Das viereckige Papier faltete sich von selbst diagonal über Eck, so dass ein silbernes Dreieck entstand. Es bildete immer kleinere Dreiecke und noch kleinere Rauten, bis ich eine winzige Figur mit vier Beinen, einem Schwanz, einem Kopf und einem Horn in der Hand hielt.

Das Silberpapier hatte sich in ein kleines Origami-Einhorn verwandelt. Eines der Schlüsselbilder aus *Blade Runner*.

Ich war bereits mit dem Aufzug zum Hangar unterwegs und rief Max zu, dass er die *Vonnegut* startbereit machen sollte.

Bestehe den Test und fahre fort mit der Quest.

Jetzt wusste ich genau, welcher »Test« gemeint war und wohin ich fliegen musste, um ihn zu bestehen. Das Origami-Einhorn hatte mir den entscheidenden Hinweis geliefert.

Blade Runner wurde in *Anoraks Almanach* nicht weniger als vierzehnmal erwähnt. Er war einer von Hallidays zehn Lieblingsfilmen. Außerdem basierte er auf einem Roman von Philip K. Dick, einem von Hallidays Lieblingsautoren. Deshalb hatte ich *Blade Runner* mehr als vier Dutzend Mal gesehen und kannte jede einzelne Dialogzeile des Films auswendig.

Während die *Vonnegut* durch den Hyperraum jagte, rief ich den Director's Cut von *Blade Runner* in einem Fenster auf meinem Display auf und sah mir zwei bestimmte Szenen noch einmal an.

Der Film war 1982 in die Kinos gekommen und spielt im Los Angeles des Jahres 2019, in einer hypertechnologisierten Zukunft, die niemals eingetreten war. Die Geschichte dreht sich um Rick Deckard, der von Harrison Ford dargestellt wird. Deckard arbeitet als »Blade Runner«, ein besonderer Polizist, der Replikanten – künstlich geschaffene Wesen, die sich von echten Menschen kaum noch unterscheiden – jagt und tötet. Die Replikanten ähneln den echten Menschen sogar so sehr, dass sie nur noch mit einer Art Lügendetektor, dem sogenannten Voight-Kampff-Test, erkannt werden können.

Bestehe den Test und fahre fort mit der Quest.

Voight-Kampff-Maschinen tauchen in zwei Szenen im Film auf. Beide spielen im Tyrell-Gebäude, einer riesigen Doppelpyramide, in der die Tyrell Corporation ihren Sitz hat, die Firma, die die Replikanten herstellt.

Nachahmungen des Tyrell-Gebäudes gehörten zu den am weitesten verbreiteten Gebäudetypen in der OASIS. Kopien davon gab es auf Hunderten verschiedenen Planeten, überall in den siebenundzwanzig Sektoren. Das lag daran, dass der Code für dieses Gebäude Teil der kostenlosen Vorlagen in der OASIS-WorldBuilder-Software war (so wie Hunderte anderer Gebäude aus zahllosen Science-Fiction-Filmen und Fernsehserien). In den vergangenen fünfundzwanzig Jahren hatten also Leute, die die WorldBuilder-Software benutzten, um einen neuen Planeten innerhalb der OASIS zu schaffen, das Tyrell-Gebäude einfach aus einem Drop-down-Menü auswählen können, um eine Kopie davon in ihre Simulation einzufügen und damit die Skyline ihrer futuristischen Städte oder

Landschaften zu füllen. Manche Welten beherbergten deshalb über ein Dutzend Kopien des Tyrell-Gebäudes. Im Augenblick raste ich mit Lichtgeschwindigkeit auf die nächstgelegene dieser Welten zu, einen im Cyberpunk-Stil gestalteten Planeten in Sektor 22 namens Axrenox.

Wenn sich meine Vermutung bestätigte, müsste jedes einzelne Tyrell-Gebäude auf Axrenox durch die Voight-Kampff-Maschinen in seinem Inneren einen verborgenen Zugang zum zweiten Tor enthalten. Wegen der Sechser machte ich mir keine Sorgen, denn sie konnten das zweite Tor unmöglich verbarrikadiert haben. Schließlich gab es Tausende Kopien des Tyrell-Gebäudes auf Hunderten verschiedenen Welten.

Nachdem ich Axrenox erreicht hatte, dauerte es nicht lange, bis ich eine Kopie des Tyrell-Gebäudes gefunden hatte. Es war nur schwer zu übersehen. Da es sich um ein gewaltiges, pyramidenartiges Bauwerk handelte, dessen Grundfläche mehrere Quadratkilometer umfasste, überragte es die meisten Gebäude in seinem Umkreis.

Ich hielt auf das erste Exemplar des Gebäudes zu, das ich zu Gesicht bekam. Die Tarnvorrichtung meines Schiffes war bereits aktiviert, als die *Vonnegut* auf einer der Landeflächen auf dem Dach des Bauwerks aufsetzte. Ich verriegelte das Schiff und schaltete sämtliche Sicherheitssysteme ein, in der Hoffnung, dass sie ausreichen würden, um es vor Diebstahl zu schützen. Magie funktionierte auf dem Planeten nicht, ich konnte das Schiff also nicht einfach zusammenschrumpfen lassen und in die Tasche stecken. Und sein Fahrzeug auf einer Cyberpunk-Welt wie Axrenox unbewacht stehen zu lassen war quasi eine Einladung an Diebe. Für die nächste in Leder gekleidete Boostergang, die vorbeikam, wäre die *Vonnegut* ein gefundenes Fressen.

Ich öffnete eine Karte mit dem Grundriss des Tyrell-Gebäudes und suchte mir einen Aufzug in der Nähe der Landeplattform, der vom Dach ins Gebäudeinnere fuhr. Als ich ihn erreicht hatte, gab ich den voreingestellten Sicherheitscode in den Ziffernblock ein und schickte ein Stoßgebet zum Himmel. Ich hatte Glück. Mit einem Zischen öffneten sich die Fahrstuhltüren. Derjenige, der diesen Teil der Stadtlandschaft von Axrenox geschaffen hatte, hatte sich nicht die Mühe gemacht, die Sicherheitscodes der Vorlage zu verändern. Ich nahm das als gutes Zeichen. Höchstwahrscheinlich war auch alles andere in der Standardeinstellung belassen worden.

Während ich mit dem Fahrstuhl zum 440. Stock hinunterfuhr, powerte ich meine Rüstung hoch und zog meine Waffen. Zwischen dem Fahrstuhl und dem Raum, den ich erreichen musste, befanden sich fünf Sicherheitskontrollen. Wenn die Vorlage nicht verändert worden war, müssten zwischen mir und meinem Ziel fünfzig NSC-Wachmänner stehen, alles Replikanten der Tyrell Corporation.

Das Feuergefecht begann, sobald die Fahrstuhltüren aufglitten. Ich musste sieben Replikanten töten, bevor ich auch nur den Korridor betreten konnte.

Die nächsten zehn Minuten ähnelten dem Höhepunkt eines John-Woo-Films. Einem mit Chow Yun Fat in der Hauptrolle wie *Hard Boiled* oder *Blast Killer*. Ich schaltete beide Waffen auf Automatik und drückte den Abzug durch, während ich von einem Raum zum nächsten ging und sämtliche NSCs niedermähte, die sich mir entgegenstellten. Die Wachmänner schossen zurück, aber ihre Kugeln prallten harmlos von meiner Rüstung ab. Mir ging nie die Munition aus, weil jedes leere Magazin automatisch durch ein volles ersetzt wurde.

Meine Munitionsrechnung diesen Monat würde astronomisch hoch ausfallen.

Als ich schließlich mein Ziel erreicht hatte, gab ich einen weiteren Code ein und verriegelte die Tür hinter mir. Ich wusste, dass mir nicht viel Zeit blieb. Überall im Gebäude heulten die Sirenen, und Tausende von NSC-Wachmännern, die auf den unteren Stockwerken stationiert waren, waren wahrscheinlich schon auf dem Weg nach oben.

Meine Schritte hallten durch den Raum. Er war leer – abgesehen von einer großen Eule, die auf einer goldenen Stange saß. Sie blinzelte stumm in meine Richtung, während ich den riesigen, kathedralenartigen Raum, eine perfekte Nachbildung des Büros von Eldon Tyrell, dem Gründer der Tyrell Corporation, durchquerte. Sämtliche Details waren getreu nachgebildet worden. Der polierte Steinboden. Die gewaltigen Marmorsäulen. Die gesamte Westwand bestand aus einem riesigen Fenster, das einen atemberaubenden Ausblick auf die weitläufige Stadtlandschaft draußen bot.

Neben dem Fenster stand ein langer Konferenztisch. Darauf befand sich eine Voight-Kampff-Maschine. Sie hatte die Größe eines Aktenkoffers und war mit einer Reihe unbeschrifteter Knöpfe und drei kleinen Anzeigen an der Vorderseite versehen.

Als ich vor der Maschine Platz nahm, schaltete sie sich von selbst ein. Ein winziger Roboterarm fuhr aus, an dem ein rundes Gerät befestigt war, das wie ein Netzhautscanner aussah. Es blieb direkt auf der Höhe der Pupille meines rechten Auges stehen. An der Seite der Maschine befand sich ein kleiner Blasebalg, der sich hob und senkte und den Eindruck erweckte, das Gerät würde atmen.

Ich blickte mich um und fragte mich, ob wohl als Nächstes ein NSC von Harrison Ford auftauchen würde, um mir die Fragen zu stellen, die er Sean Young im Film stellt. Sicherheitshalber hatte ich sämtliche ihrer Antworten auswendig gelernt. Aber ich wartete eine Weile, und nichts geschah. Der Blasebalg hob und senkte sich stetig weiter. In der Ferne war das Heulen der Sicherheitssirenen zu hören.

Ich holte den Jadeschlüssel hervor. Im selben Moment öffnete sich auf der Oberfläche der Voight-Kampff-Maschine eine kleine Klappe, hinter der ein Schlüsselloch zum Vorschein kam. Rasch steckte ich den Schlüssel hinein und drehte ihn herum. Die Maschine und der Schlüssel verschwanden, und stattdessen tauchte das zweite Tor vor mir auf – groß wie eine Tür stand das Portal plötzlich auf der Oberfläche des Konferenztisches. Sein Rahmen leuchtete genauso milchiggrün wie der Schlüssel, und wie beim ersten Tor schien sich dahinter eine gewaltige, sternenerfüllte Leere zu befinden.

Ich stieg auf den Tisch und sprang hindurch.

Ich fand mich im Eingangsbereich eines heruntergekommenen Bowlingcenters wieder. Der Teppich wies ein grelles Muster aus grünbraunen Wirbeln auf, und die geschwungenen Plastikstühle hatten einen verblichenen orangenen Farbton. Die Bowlingbahnen selbst waren leer und unbeleuchtet. Das gesamte Gebäude wirkte verlassen. Nicht einmal irgendwelche NSCs waren hinter der Empfangstheke oder an der Snackbar zu sehen. Mir wurde erst klar, wo ich mich befand, als ich den Namen MIDDLETOWN LANES in Großbuchstaben an der Wand über den Bowlingbahnen entdeckte.

Anfangs hörte ich nur das leise Summen der Neonlichter über mir. Aber dann nahm ich ein schwaches elektronisches Zirpen zu meiner Linken wahr. Als ich in die Richtung sah, bemerkte ich neben der Snackbar eine dunkle Nische. Über dem höhlenartigen Eingang befand sich ein Schild. GAME ROOM stand in hellroten Neonbuchstaben darauf.

Dann wurde ich von einem heftigen Windstoß erfasst, der mit der Stärke eines Hurrikans durch das Bowlingcenter fegte.

Meine Füße rutschten über den Teppich, und mir wurde bewusst, dass mein Avatar von dem Spieleraum angezogen wurde, als hätte sich in seinem Inneren ein schwarzes Loch aufgetan.

Mein Avatar wurde in den Spieleraum hinein- und an Dutzenden von Automaten aus den späten 80ern – *Crime Fighters, Heavy Barrel, Vigilante, Smash TV* – vorbei zu einem bestimmten Spiel gezogen, das allein am Ende des Raumes stand.

Black Tiger, Capcom, 1987.

In der Mitte des Automatenbildschirms war ein großer Wirbel entstanden, der Abfälle, Pappbecher und Bowlingschuhe ansaugte – alles, was nicht niet- und nagelfest war. Mich eingeschlossen. Während mein Avatar weiter darauf zuschlitterte, hielt ich mich unwillkürlich am Joystick eines *Time-Pilot*-Automaten fest. Augenblicklich wurden meine Füße durch den starken Sog des Wirbels in die Luft gehoben.

Inzwischen hatte sich ein erwartungsfrohes Grinsen auf meinem Gesicht breitgemacht. Ich war äußerst zufrieden mit mir, denn *Black Tiger* hatte ich schon vor langer Zeit, noch ganz am Anfang der Jagd, durchgespielt.

In den Jahren vor seinem Tod, als Halliday sich von der Welt abgeschottet hatte, war auf seiner Website lediglich eine kurze Trickfilmsequenz zu sehen gewesen, die sich ständig wiederholte. Hallidays Avatar Anorak saß in der Bibliothek seiner Burg, braute verschiedene Zaubertränke zusammen und brütete über staubigen Büchern. Diese Sequenz war mehr als zehn Jahre lang in einer Endlosschleife gelaufen, bis am Morgen von Hallidays Tod das Scoreboard an ihre Stelle getreten war. Und in der Sequenz sah man an der Wand hinter Anorak das große Gemälde eines schwarzen Drachen.

In den Jägerforen war in zahllosen Threads über dieses Gemälde diskutiert worden, darüber, was der schwarze Drache bedeuten sollte oder ob er überhaupt irgendetwas zu bedeuten hatte. Mir war von Anfang an klar gewesen, worauf er sich bezog.

In einem der frühesten Einträge von *Anoraks Almanach* schreibt Halliday, dass er sich in seiner Kindheit, wenn seine Eltern sich gestritten hatten, immer aus dem Haus geschlichen hatte und mit dem Fahrrad zum nächsten Bowlingcenter gefahren war, um *Black Tiger* zu spielen. Dieses Spiel konnte er für einen Vierteldollar durchspielen. *AA* 23,234: »Für einen lumpigen Quarter konnte ich mit *Black Tiger* herrliche drei Stunden lang meinem tristen Dasein entfliehen. Ein unschlagbares Angebot.«

Black Tiger war in Japan ursprünglich unter dem Titel *Burakku Doragon* erschienen. Schwarzer Drache. Für die Veröffentlichung auf dem amerikanischen Markt war das Spiel umbenannt worden. Ich hatte daraus gefolgert, dass das Gemälde des schwarzen Drachen an der Wand von Anoraks Bibliothek ein Hinweis darauf war, dass *Burakku Doragon* in der Jagd eine Schlüsselrolle spielen würde. Deshalb hatte ich das Spiel so lange gespielt, bis ich es – wie Halliday – mit nur einem Credit komplett durchspielen konnte. Danach hatte ich es mir alle paar Monate wieder vorgenommen, damit meine Fähigkeiten nicht einrosteten.

Nun schienen sich meine Voraussicht und Gewissenhaftigkeit auszuzahlen.

Mir gelang es nur kurz, mich an dem *Time-Pilot*-Joystick festzuhalten. Dann verlor ich den Halt, und mein Avatar wurde direkt in den Bildschirm des *Black-Tiger*-Automaten hineingesaugt.

Einen Moment lang wurde es um mich herum schwarz, und kurz darauf fand ich mich in einer surrealen Umgebung wieder.

Ich stand im schmalen Gang eines Verlieses. Zu meiner Linken befand sich eine hohe Mauer aus grauen Feldsteinen, die von einem gigantischen Drachenschädel geziert wurde. Nach oben hin verschwand die Mauer in der Dunkelheit. Eine Decke konnte ich nicht ausmachen. Der Boden des Ganges bestand aus schwebenden runden Plattformen, die in einer langen Reihe in die Finsternis vor mir führten. Zu meiner Rechten, jenseits des Randes der Plattformen, tat sich ein bodenloser, schwarzer Abgrund auf.

Ich drehte mich um, aber hinter mir gab es keinen Ausgang. Nur eine weitere Feldsteinmauer, die in die endlose Schwärze über mir aufragte.

Ich blickte auf den Körper meines Avatars hinab. Ich sah jetzt aus wie der Held von *Black Tiger* – ein muskulöser, halbnackter Barbarenkrieger, der eine lederne Unterhose und einen gehörnten Helm trug. Mein rechter Arm verschwand in einem merkwürdigen Panzerhandschuh, von dem eine lange, ausziehbare Kette mit einem Morgenstern herabhing. Außerdem hielt ich drei Wurfdolche in der rechten Hand. Als ich sie probehalber in die Schwärze zu meiner Rechten schleuderte, erschienen sofort drei neue in meiner Hand. Darüber hinaus stellte ich fest, dass ich problemlos neun Meter in die Höhe springen und mit katzenhafter Eleganz wieder landen konnte.

Da begriff ich. Ich würde tatsächlich *Black Tiger* spielen. Aber nicht das fünfzig Jahre alte, seitwärts scrollende 2-D-Plattformspiel, das ich mehrfach durchgespielt hatte. Ich stand in einer dreidimensionalen Version des Spiels, die Halliday geschaffen hatte.

Mein Wissen über den Aufbau der Level und die Gegner des ursprünglichen Spiels würde sich als nützlich erweisen, aber es würde vollkommen anders zu spielen sein und andere Fähigkeiten erfordern.

Während mich das erste Tor in einen von Hallidays Lieblingsfilmen versetzt hatte, befand ich mich nun in einem seiner Lieblingsvideospiele. Ich dachte gerade über die mögliche Bedeutung dieses Musters nach, als auch schon eine Nachricht auf meinem Display aufblinkte: GO!

Ich blickte mich um. Ein Pfeil, der in die Steinmauer zu meiner Linken geritzt war, deutete nach vorn. Ich streckte Arme und Beine, ließ meine Fingerknöchel knacken und holte tief Luft. Dann hob ich die Waffen und lief los, meinem ersten Gegner entgegen.

Halliday hatte die acht Level von *Black Tiger* äußerst detailgetreu nachgebildet.

Ich legte einen miserablen Start hin und verlor ein Leben, bevor ich auch nur den ersten Boss erledigt hatte. Doch dann begann ich, mich langsam daran zu gewöhnen, dass das Spiel in einer dreidimensionalen Umgebung und aus der Ich-Perspektive gespielt wurde. Und schließlich hatte ich den Dreh raus.

Ich lief vorwärts, sprang von einer Plattform zur nächsten, griff aus der Luft an und wich dem unerbittlichen Ansturm der Blobs, Skelette, Schlangen, Mumien, Minotauren und natürlich Ninjas aus. Jeder Gegner, den ich besiegte, ließ ein Häufchen »Zenny«-Münzen fallen, mit denen ich mir später Rüstung, Waffen und Zaubertränke von einem der bärtigen, alten Weisen kaufen konnte, die es in jedem Level gab. (Diese »Weisen« hielten es offenbar für eine tolle Idee, mitten in einem Verlies voller Monster einen kleinen Verkaufsstand zu betreiben.)

Es gab keine Pausen, und man konnte das Spiel auch nicht anhalten. War man erst einmal durch das Tor getreten, konnte man nicht einfach stehen bleiben und sich ausloggen. Das ließ das System nicht zu. Selbst wenn man die Videobrille abnahm, blieb man weiter eingeloggt. Man konnte das Tor nur verlassen, indem man das Spiel erfolgreich durchspielte. Oder starb.

Mir gelang es in knapp drei Stunden, alle acht Level des Spiels zu meistern. Am brenzligsten wurde es, als ich am Ende gegen den letzten Gegner kämpfte, den schwarzen Drachen – der exakt so aussah wie auf dem Gemälde in Anoraks Bibliothek. Ich verbrauchte alle meine zusätzlichen Leben, und mein Energiebalken ging auf null zu, aber dennoch gelang es mir, die Lebenspunkte des Drachen mit einem stetigen Bombardement von Wurfdolchen zu dezimieren, während ich in Bewegung blieb und seinem feurigen Atem auswich. Als ich ihm schließlich den Todesstoß versetzte, zerfiel der Drache vor mir zu digitalem Staub.

Ich stieß ein langes, erschöpftes Seufzen aus.

Dann fand ich mich plötzlich übergangslos im Spieleraum des Bowlingcenters wieder, vor dem *Black-Tiger*-Automaten. Auf dem Bildschirm nahm mein gepanzerter Barbar eine heroische Pose ein. Und unter ihm erschien der folgende Text:

DU HAST UNSERER NATION FRIEDEN UND
WOHLSTAND ZURÜCKGEBRACHT.
DANKE, BLACK TIGER!
GEPRIESEN SEI DEINE KRAFT UND WEISHEIT!

Dann geschah etwas Merkwürdiges – etwas, das im ursprünglichen Spiel nie passiert war. Einer der »Weisen« aus dem Verlies erschien auf dem Bildschirm, mit einer Sprechblase über dem Kopf, in der stand: »Danke. Ich stehe in Deiner Schuld. Bitte nimm einen Riesenroboter als Belohnung entgegen.«

Eine lange horizontale Reihe von Roboter-Icons tauchte unter dem Weisen auf. Indem ich den Joystick nach links oder rechts bewegte, konnte ich durch eine Auswahl aus über hundert verschiedenen »Riesenrobotern« scrollen. Wenn einer der Roboter markiert war, erschien daneben eine detaillierte Liste seiner Fähigkeiten und Waffen.

Ein paar der Roboter kannte ich nicht, aber die meisten waren mir vertraut. Ich entdeckte Gigantor, Mazinger Z, den Giganten aus dem All, Jet Jaguar, den sphinxköpfigen Giant Robo aus *Johnny Sokko and his Flying Robot*, die gesamte *Shogun-Warriors*-Spielzeugserie und viele der Mechs aus den *Macross*- und *Gundam*-Animeserien. Elf der Icons waren grau unterlegt und mit einem roten »X« gekennzeichnet. Diese Roboter konnten nicht markiert oder ausgewählt werden. Höchstwahrscheinlich waren dies die Roboter, die sich Sorrento und die anderen Sechser ausgesucht hatten, die vor mir durch das Tor getreten waren.

Es war nicht auszuschließen, dass ich eine echte, funktionierende Nachbildung des Roboters erhalten würde, deshalb las ich mir die Beschreibungen sorgfältig durch und suchte nach einem, der möglichst mächtig und gut bewaffnet war. Schließlich blieb ich jedoch bei Leopardon hängen, dem riesigen, wandlungsfähigen Roboter, der in *Supaidaman* – einer Inkarnation von Spider-Man, die in den späten 1970ern im japanischen Fernsehen gelaufen war – zum Einsatz kommt. Auf die Serie war ich im Zuge meiner Recherchen gestoßen und war sofort begeistert gewesen. Mir war deshalb egal, ob Leopardon der mächtigste Roboter war, der zur Wahl stand. Ich musste ihn einfach haben.

Ich markierte das Icon und drückte auf den Feuerknopf. Oben auf dem Gehäuse des *Black-Tiger*-Automaten erschien eine dreißig Zentimeter große Nachbildung von Leopardon. Ich nahm sie und verstaute sie in meinem Inventar. Es gab keine Anleitung dazu, und das Feld mit der Gegenstandsbeschreibung war leer. Ich nahm mir vor, den Roboter genauer zu untersuchen, wenn ich zu meiner Festung zurückgekehrt war.

In der Zwischenzeit lief bereits der Abspann über den Bildschirm des Automaten, auf dem ein Bild des Barbarenhelden zu sehen war, der auf einem Thron saß, mit einer schlanken Prinzessin an seiner Seite. Respektvoll las ich die Namen der Programmierer. Es waren alles Japaner, nur der letzte Eintrag fiel aus der Reihe. Er lautete: OASIS-ADAPTION VON J. D. HALLIDAY.

Nach den Credits wurde der Bildschirm einen Moment lang dunkel. Dann erschien langsam ein Symbol: ein leuchtender roter Kreis mit einem fünfzackigen Stern darin. Die Spitzen des Sterns ragten ein Stück weit über den Kreis hinaus. Einen Moment später erschien ein Bild des Kristallschlüssels, der sich langsam in der Mitte des leuchtenden roten Sterns drehte.

Ich verspürte einen Adrenalinschub, denn ich erkannte das Symbol des roten Sterns sofort und wusste, wohin es mich führen sollte.

Trotzdem machte ich mehrere Screenshots, nur um sicherzugehen. Kurz darauf wurde der Monitor schwarz, und das Gehäuse des *Black-Tiger*-Automaten schmolz zusammen und verwandelte sich in ein Portal mit leuchtender, jadegrüner Umrandung. Der Ausgang.

Mit einem Triumphschrei sprang ich hindurch.

OO27

ALS ICH AUS DEM TOR heraustrat, befand sich mein Avatar wieder in Tyrells Büro. Die Voight-Kampff-Maschine stand erneut an ihrem ursprünglichen Platz. Ich warf einen Blick auf die Uhr. Mehr als drei Stunden waren vergangen, seit ich durch das Tor getreten war. Abgesehen von der Eule war der Raum leer, und die Sicherheitssirenen heulten nicht mehr. Während ich mich im Inneren des Tors befunden hatte, mussten die NSC-Sicherheitsleute den Raum durchkämmt haben, denn offensichtlich suchten sie nicht mehr nach mir. Die Luft war rein.

Ich erreichte den Aufzug und die Landeplattform, ohne auf irgendwelche Schwierigkeiten zu stoßen. Und Crom sei Dank befand sich die *Vonnegut* immer noch an der Stelle, wo ich sie zurückgelassen hatte, die Tarnvorrichtung aktiviert. Ich ging an Bord und verließ Axrenox. Sobald ich den Orbit erreicht hatte, sprang ich in den Hyperraum.

Während die *Vonnegut* mit Lichtgeschwindigkeit zum nächsten Sternentor raste, rief ich einen der Screenshots auf, die ich von dem Symbol mit dem roten Stern gemacht hatte. Dann öffnete ich mein Gralstagebuch und griff auf den Unterordner zu, der der legendären kanadischen Rockband Rush gewidmet war.

Rush war seit Hallidays Jugend seine Lieblingsband gewesen. In einem Interview hatte er einmal gesagt, dass er während der Arbeit an seinen Videospielen (und an der OASIS) ausschließlich Alben von Rush gehört hatte. Die drei Mitglieder der Band – Neil Peart, Alex Lifeson und Geddy Lee – bezeichnete er oft als die »Heilige Dreieinigkeit« oder die »Götter des Nordens«.

In meinem Gralstagebuch hatte ich sämtliche Songs, Alben, Bootlegs und Musikvideos der Band gesammelt. Ich besaß hochauflösende Scans vom Artwork ihrer Alben. Und darüber hinaus alle Aufnahmen, die von ihren Konzerten existierten. Sämtliche Radio- und Fernsehinterviews, die die Band jemals gegeben hatte. Ungekürzte Biographien der Bandmitglieder und Kopien ihrer Nebenprojekte und Solowerke. Ich rief die Diskographie der Band auf und wählte das Album aus, nach dem ich suchte: *2112*, ein klassisches Konzeptalbum mit Science-Fiction-Thema.

Ein hochauflösender Scan des Albumcovers erschien auf meinem Display. Der Bandname und der Titel des Albums waren über eine Weltraumansicht gedruckt, und darunter befand sich, wie ein Spiegelbild auf der unruhigen Oberfläche eines Sees, das Symbol, das ich auf dem Bildschirm des *Black-Tiger*-Automaten gesehen hatte: ein roter, fünfzackiger Stern in einem Kreis.

Als ich das Albumcover mit dem Screenshot verglich, stellte ich fest, dass die beiden Symbole vollkommen identisch waren.

Der Titelsong von *2112* ist ein episches Stück mit sieben Teilen, das über zwanzig Minuten lang ist. Der Song erzählt die Geschichte eines anonymen Rebellen, der im Jahr 2112 lebt – einem Zeitalter, in dem die kreative Selbstentfaltung gesetzlich verboten ist. Der rote Stern auf dem Cover des Albums ist das Symbol der *Solar Federation*, der repressiven interstellaren Organisation, um die sich die Geschichte dreht. Die *Solar Federation* wird von einer Gruppe von »Priestern« geleitet, die im zweiten Teil des Stückes beschrieben werden, der den Titel

»The Temples of Syrinx« trägt. Der Songtext verriet mir genau, wo der Kristallschlüssel verborgen war:

We are the Priests of the Temples of Syrinx.
Our great computers fill the hallowed halls.
We are the Priests of the Temples of Syrinx.
All the gifts of life are held within our walls.

In Sektor 21 gab es einen Planeten namens Syrinx. Dorthin war ich unterwegs.

Im Atlas der OASIS wurde Syrinx als »öde Welt mit felsiger Oberfläche und ohne NSC-Bewohner« beschrieben. Im Kolophon des Planeten wurde sein Schöpfer als »anonym« bezeichnet. Aber ich wusste, dass der Planet höchstwahrscheinlich von Halliday geschaffen worden war, weil sein Design der Welt entsprach, die in *2112* beschrieben wurde.

Das Album war ursprünglich 1976 auf den Markt gekommen, als Musik noch auf 12-Zoll-Vinylschallplatten verkauft wurde. Die Schallplatten steckten in Papphüllen, die mit einem Coverbild und einer Liste der einzelnen Songs bedruckt waren. Manche Plattenhüllen ließen sich wie ein Buch aufklappen, und auf der Innenseite befanden sich weitere Bilder und Liner Notes, zusammen mit Songtexten und Informationen über die Band. Als ich einen Scan der aufgeklappten Schallplattenhülle aufrief, stellte ich fest, dass auch auf der Innenseite das Symbol des roten Sterns zu sehen war. Vor dem Stern kauerte diesmal allerdings ein nackter Mann, die Hände furchtsam erhoben.

Auf der anderen Seite der Hülle war der Songtext aller sieben Teile des Titelstücks abgedruckt. Die einzelnen Teile wurden von einem Prosatext eingeleitet, der die Geschichte ergänzte, die im Song erzählt wurde. Diese kurzen Vignetten wurden aus der Sicht des anonymen Protagonisten des Albums erzählt.

Teil I wurde von folgendem Text eingeleitet:

Ich liege wach und blicke auf die Trostlosigkeit von Megadon hinaus. Stadt und Himmel gehen ineinander über, verschmelzen zu einer Ebene, einer gewaltigen, grauen See. Die Doppelmonde, zwei blasse Kugeln, wandern über den stahlfarbenen Himmel.

Als mein Schiff Syrinx erreichte, entdeckte ich die Doppelmonde By-Tor und Snow Dog, die den Planeten umkreisen. Ihre Namen entstammten einem anderen Klassiker der Band. Und unten auf der trostlosen grauen Oberfläche des Planeten gab es genau 1024 Kopien von Megadon, der Kuppelstadt, die im Begleittext des Albums beschrieben wird. Das waren doppelt so viele wie die Kopien von *Zork* auf Frobozz. Die Sechser konnten unmöglich alle verbarrikadiert haben.

Meine Tarnvorrichtung war noch immer aktiviert. Ich wählte die nächstgelegene Stadt aus und landete die *Vonnegut* direkt außerhalb der Kuppel, wobei ich auf den Radarbildschirmen nach anderen Schiffen Ausschau hielt.

Megadon befand sich auf einer steinigen Ebene am Rand einer gewaltigen Steilwand. Die Stadt wirkte wie eine Ruine. Die riesige durchsichtige Kuppel darüber war von Rissen durchzogen und sah aus, als würde sie jeden Moment einstürzen. Ich gelangte in die Stadt, indem ich mich durch einen der größeren Risse zwängte.

Megadon erinnerte mich an das Cover eines alten Science-Fiction-Taschenbuchs aus den 1950er Jahren, das die zerfallenden Überreste einer einstmals großen, technologisch weit fortgeschrittenen Zivilisation zeigte. Genau in der Mitte der

Stadt fand ich einen hoch aufragenden Tempel mit vom Wind glattgeschliffenen grauen Wänden, der die Gestalt eines Obelisken besaß. Über dem Eingang prangte der riesige rote Stern der *Solar Federation*.

Ich stand vor dem Tempel von Syrinx.

Er wurde weder von einem Kraftfeld eingehüllt noch von einer Abteilung Sechser bewacht. Keine Menschenseele war zu sehen.

Ich zog meine Waffen und ging durch den Eingang.

Das Innere des gewaltigen Tempels war von langen Reihen gigantischer, obeliskenförmiger Supercomputer erfüllt. Ich irrte die Reihen entlang und lauschte dem tiefen Summen der Maschinen, bis ich schließlich die Mitte des Tempels erreicht hatte.

Dort fand ich einen erhöhten Steinaltar, in dessen Oberfläche der fünfzackige Stern geritzt war. Als ich mich dem Altar näherte, wurde das Summen der Computer leiser, und Stille breitete sich in der Kammer aus.

Offenbar sollte ich etwas auf den Altar legen – eine Opfergabe für den Tempel von Syrinx. Aber was für eine Gabe sollte das sein?

Der dreißig Zentimeter große Leopardon-Roboter, den ich nach dem Durchschreiten des zweiten Tors erhalten hatte, erschien mir irgendwie unpassend. Ich versuchte trotzdem, ihn auf den Altar zu legen, doch nichts geschah. Ich verstaute den Roboter wieder in meinem Inventar und überlegte einen Moment. Dann fiel mir ein weiteres Detail aus dem Begleittext zu *2112* ein. Ich rief ihn noch einmal auf und sah genauer nach. Und fand meine Antwort im Einleitungstext zu Teil III, »Discovery«:

Hinter meinem geliebten Wasserfall, in dem winzigen Raum, der sich unter der Höhle verbarg, fand ich es. Ich wischte den Staub der Jahre fort und hob es hoch, hielt es ehrfürchtig in Händen. Ich hatte keine Ahnung, was es sein könnte, aber es war wunderschön. Ich lernte, einen Finger über die Drähte zu legen und an den Knöpfen zu drehen, um den Klang zu verändern. Mit der anderen Hand strich ich über die Drähte und erzeugte so die ersten harmonischen Töne – und schon bald meine eigene Musik!

Ich ging zu dem Wasserfall am Südrand der Stadt, direkt unterhalb der gewölbten Wand der Atmosphärenkuppel. Als ich ihn gefunden hatte, aktivierte ich meine Düsenstiefel und flog über den schäumenden Fluss bis zum Fuß des Wasserfalls und durch ihn hindurch. Mein haptischer Anzug gab sich die größte Mühe, die Empfindung von Wasserströmen auf meinem Körper zu erzeugen, aber es fühlte sich eher so an, als würde jemand mit einem Reisigbündel auf meinen Kopf, meine Schultern und meinen Rücken einschlagen. Als ich den Wasserfall durchquert hatte, fand ich auf der anderen Seite die Öffnung einer Höhle und ging hinein. Die Höhle verengte sich zu einem langen Tunnel, der in einem kleinen Hohlraum endete.

Ich durchsuchte den Raum und stellte fest, dass einer der Stalagmiten, die aus dem Boden ragten, an der Spitze etwas abgenutzt aussah. Ich packte den Stalagmiten und zog daran, aber er rührte sich nicht. Als ich jedoch dagegendrückte, gab er nach, als sei er mit einem verborgenen Scharnier verbunden. Hinter mir hörte ich ein lautes Knirschen, und als ich mich umdrehte, sah ich, dass sich im Boden der Höhle eine Falltür geöffnet hatte. Zugleich hatte sich im Dach der Höhle ein Loch aufgetan, und ein gleißender Lichtstrahl fiel durch die offene Falltür in eine winzige, verborgene Kammer darunter.

Ich benutzte einen Zauberstab aus meinem Inventar, der verborgene Fallen aufspüren konnte, um mich zu vergewissern, dass mich auf dem staubigen Boden der versteckten Kammer keine unliebsamen Überraschungen erwarteten. Es war ein winziger, würfelförmiger Raum, an dessen Nordwand sich ein großer, grob behauener Stein befand. Und in dem Stein steckte, Hals voran, eine elektrische Gitarre. Ich erkannte ihr Design von den Konzertaufnahmen von *2112*, die ich mir auf der Reise hierher noch einmal angeschaut hatte. Es war eine 1974er Gibson Les Paul, genau dieselbe Gitarre, die Alex Lifeson während der *2112*-Tour gespielt hatte.

Angesichts des absurden Anblicks der Gitarre im Stein, ein Bild, das an die Artussage erinnerte, musste ich grinsen. Wie die meisten Jäger hatte ich den Film *Excalibur – Das Schwert des Königs* von John Boorman unzählige Male gesehen. Deshalb war mir völlig klar, was ich als Nächstes tun musste. Mit der rechten Hand packte ich den Hals der Gitarre und zog daran. Mit einem langgezogenen metallischen *Schinggg* löste sich die Gitarre aus dem Stein.

Als ich die Gitarre über den Kopf hielt, ging das metallische Sirren in einen Akkord über, der laut durch die Höhle hallte. Ich wollte schon meine Düsenstiefel aktivieren, um durch die Falltür nach oben und aus der Höhle hinauszufliegen. Doch dann hielt ich inne, als mir eine Idee kam.

James Halliday hatte während seiner Highschoolzeit einige Jahre Gitarrenunterricht genommen. Und ich hatte es ihm nachgetan. Eine richtige Gitarre hatte ich zwar noch nie in der Hand gehalten, aber auf einer virtuellen E-Gitarre konnte ich ganz gut abrocken.

Ich durchforstete mein Inventar nach einem Plektrum.

Dann öffnete ich mein Gralstagebuch und suchte die Noten-
blätter für *2112* heraus, zusammen mit den Gitarrengriffen für
den Song »Discovery«, in dem beschrieben wird, wie der Held
in einem Raum hinter dem Wasserfall die versteckte Gitarre
entdeckt. Als ich den Song zu spielen begann, wurde der Klang
der Gitarre von den Wänden der Kammer zurückgeworfen und
hallte durch die gesamte Höhle, obwohl es weder Elektrizität
noch Verstärker gab.

Nachdem ich die ersten Akkorde von »Discovery« gespielt
hatte, tauchte auf dem Stein, aus dem ich die Gitarre heraus-
gezogen hatte, eine Nachricht auf:

> **Das Erste aus rotem Metall,**
> **das Zweite aus grünem Stein,**
> **das Dritte aus klarem Kristall,**
> **das öffnet man nicht allein.**

Nach wenigen Sekunden verblassten die Worte wieder, während die letzten Töne, die ich auf der Gitarre gespielt hatte,
langsam verklangen. Ich machte rasch einen Screenshot von
dem Rätsel und begann bereits, seine Bedeutung zu entschlüsseln. Natürlich ging es um das dritte Tor, das offenbar nicht
»allein« geöffnet werden konnte.

Hatten die Sechser den Song gespielt und die Nachricht
entdeckt? Das bezweifelte ich ernsthaft. Sicher hatten sie die
Gitarre aus dem Stein gezogen und waren damit sofort zum
Tempel zurückgekehrt.

Wenn dem so war, dann wussten sie wahrscheinlich nicht,
dass sich das dritte Tor nur mit einem bestimmten Trick öffnen ließ. Und das würde erklären, warum sie das Ei noch nicht
erreicht hatten.

Ich kehrte zum Tempel zurück und legte die Gitarre auf den Altar. Im selben Moment brach aus den Computertürmen um mich herum eine Kakophonie von Tönen hervor. Es klang, als würde sich ein großes Orchester einstimmen. Der Lärm schwoll zu einem ohrenbetäubenden Crescendo an, bevor er abrupt abbrach. Dann war ein Lichtblitz zu sehen, und die Gitarre auf dem Altar verwandelte sich in den Kristallschlüssel.

Als ich den Schlüssel an mich nahm, ertönte ein Glockenschlag, und mein Punktestand auf dem Scoreboard erhöhte sich um 25 000 Punkte. Zusammen mit den 200 000, die ich nach dem Durchschreiten des zweiten Tors erhalten hatte, besaß ich nun 353 000 Punkte, tausend mehr als Sorrento. Ich war wieder auf dem ersten Platz.

Aber ich wusste, dass es keinen Grund zum Feiern gab. Ich untersuchte rasch den Kristallschlüssel und hielt ihn ins Licht, um die glitzernde, facettierte Oberfläche zu betrachten. Worte waren keine zu entdecken, aber in den kristallenen Griff des Schlüssels war ein kleines Monogramm geritzt, ein verschnörkeltes »A«, das ich sofort erkannte.

Dasselbe »A« tauchte in dem Kästchen mit dem Charaktersymbol auf James Hallidays erstem *Dungeons-&-Dragons*-Charakterblatt auf. Und ebendieses Monogramm prangte auch auf dem dunklen Umhang seines berühmten OASIS-Avatars, Anorak. Außerdem zierte der symbolhafte Buchstabe das Eingangstor von Burg Anorak, der unbezwingbaren Festung seines Avatars.

Im ersten Jahr der Jagd hatten sich die Jäger wie hungrige Insekten auf jeden Ort in der OASIS gestürzt, an dem sie die drei Schlüssel vermuteten, besonders auf Planeten, die von Halliday selbst programmiert worden waren. Der wichtigste von ihnen war Chthonia, eine detailgetreue Nachbildung der Fantasywelt, die Halliday für die *Dungeons-&-Dragons*-Kam-

pagne in seiner Highschoolzeit geschaffen hatte. In derselben Welt waren auch viele seiner frühen Videospiele angesiedelt. Chthonia war für die Jäger zu einer Art Mekka geworden. Wie alle anderen hatte auch ich es als meine Pflicht erachtet, dorthin zu pilgern und Burg Anorak zu besuchen. Die Burg selbst konnte jedoch nicht betreten werden, und dabei war es geblieben. Kein Avatar außer Anorak war jemals ins Innere gelangt.

Doch jetzt wusste ich, dass es eine Möglichkeit geben musste hineinzukommen. Denn das dritte Tor war irgendwo im Inneren der Burg versteckt.

Als ich zu meinem Schiff zurückgekehrt war, startete ich sofort und nahm Kurs auf Chthonia in Sektor 10. Danach klickte ich mich durch die Newsfeeds, um zu schauen, was für einen Medienrummel meine Rückkehr auf den ersten Platz ausgelöst hatte. Aber mein Punktestand war nicht die wichtigste Meldung. Nein, die große Neuigkeit des Nachmittags lautete, dass das Versteck von Hallidays *Easter Egg* endlich der Welt offenbart wurde. Den Nachrichtensprechern zufolge befand es sich auf dem Planeten Chthonia, im Inneren von Burg Anorak. Die gesamte Armee der Sechser hatte inzwischen um die Burg herum Stellung bezogen.

Sie war vor ein paar Stunden dort eingetroffen, kurz nachdem ich das zweite Tor überwunden hatte.

Das Timing konnte kein Zufall sein. Mit Sicherheit hatten die Sechser ihre heimlichen Versuche, das dritte Tor zu öffnen, aufgegeben und stattdessen beschlossen, es zu belagern, damit weder ich noch jemand anderes ihnen zuvorkommen konnte.

Als ich wenige Minuten später auf Chthonia ankam, flog ich mit aktivierter Tarnvorrichtung an der Burg vorbei, um die

Lage zu erkunden, und es war sogar noch schlimmer, als ich befürchtet hatte.

Die Sechser hatten über Burg Anorak eine Art magischen Schild installiert, eine halbdurchsichtige Kuppel, die die Burg selbst und ihre unmittelbare Umgebung komplett einhüllte. Und innerhalb des Schildes befand sich die gesamte Armee der Sechser. Die Burg war auf allen Seiten von einer gewaltigen Ansammlung von Truppen, Panzern, Waffen und Fahrzeugen umgeben.

Mehrere Jägerclans waren ebenfalls eingetroffen und versuchten bereits, den Schild mit schweren Atombomben auszuschalten. Die einzelnen Detonationen wurden von einer kurzen atomaren Lightshow begleitet, doch die Explosionen selbst konnten dem Schild nichts anhaben.

Die Angriffe auf den Schild setzten sich im Laufe der nächsten Stunden fort, während immer mehr Jäger auf Chthonia eintrafen. Die Clans feuerten sämtliche Waffen auf den Schild ab, die ihnen zur Verfügung standen, doch nichts konnte ihn durchdringen. Weder Atombomben noch Feuerkugeln oder magische Geschosse. Als ein Team Jäger versuchte, einen Tunnel unter der Kuppelwand hindurchzugraben, stellte sich heraus, dass der Schild in Wahrheit eine Kugel war, die die Burg ober- wie unterirdisch umschloss.

Am späten Abend gelang es einigen erfahrenen Zauberern der Jäger, die Burg mit einer Reihe von Enthüllungszaubern zu belegen. Kurz darauf meldeten sie in den Jägerforen, dass der Schild von einem mächtigen Artefakt erzeugt wurde, das die Bezeichnung »Kugel von Osuvox« trug und nur von einem Zauberer im neunundneunzigsten Level benutzt werden konnte. Der Gegenstandsbeschreibung zufolge erzeugte es einen kugelförmigen Schild, der einen Umfang von bis zu einem halben Kilometer besaß. Der Schild war undurchdringlich und unzerstörbar und vernichtete alles, was mit ihm in Berührung kam. Außerdem konnte er auf unbeschränkte Zeit aufrechterhalten werden, solange der Zauberer, der ihn erzeugte, sich nicht von der Stelle rührte und das Artefakt mit beiden Händen festhielt.

In den folgenden Tagen versuchten die Jäger alles Erdenkliche, um den Schild zu durchdringen. Magie. Technologie. Teleportation. Gegenzauber. Andere Artefakte. Nichts half. Es gab keine Möglichkeit, ins Innere zu gelangen.

Eine Stimmung der Hoffnungslosigkeit breitete sich aus. Einzelkämpfer wie Clanleute waren bereit, das Handtuch zu werfen. Die Sechser besaßen den Kristallschlüssel und hatten als Einzige Zugang zum dritten Tor. Alle waren sich einig, dass das Ende der Jagd kurz bevorstand und man eigentlich nur noch seine Toten zählen konnte.

Während all dieser Entwicklungen gelang es mir irgendwie, die Ruhe zu bewahren. Es war durchaus denkbar, dass die Sechser nicht die geringste Ahnung hatten, wie das dritte Tor zu öffnen war. Natürlich hatten sie jetzt jede Menge Zeit. Sie konnten langsam und methodisch vorgehen. Früher oder später würden sie über die Lösung stolpern.

Aber ich weigerte mich aufzugeben. So lange, bis irgendein Avatar Hallidays *Easter Egg* tatsächlich fand, war noch immer alles möglich.

Wie bei einem klassischen Videospiel hatte die Jagd jetzt einfach einen neuen, schwierigeren Level erreicht. Und ein neuer Level erforderte in der Regel eine vollkommen neue Strategie.

Ich begann, mir einen Plan zurechtzulegen. Einen äußerst gewagten Plan. Der erste Schritt war, Art3mis, Aech und Shoto eine E-Mail zu schicken. Darin beschrieb ich ihnen genau, wo sie das zweite Tor fanden und wie sie in den Besitz des Kristallschlüssels gelangten. Nachdem ich mich vergewissert hatte, dass alle drei die Nachricht erhalten hatten, ging ich zur nächsten Phase meines Plans über. Dieser Teil flößte mir am meisten Angst ein, denn es bestand eine gute Chance, dass ich dabei ums Leben kam. Doch inzwischen war mir das egal.

Ich würde das dritte Tor erreichen oder bei dem Versuch sterben.

LEVEL 3

Nach draußen zu gehen wird gemeinhin
überschätzt.

ANORAKS ALMANACH, KAPITEL 17, VERS 32

0028

ALS DIE FIRMENPOLIZEI VON IOI kam, um mich zu verhaften, sah ich mir gerade Joe Dantes *Explorers – Ein phantastisches Abenteuer* von 1985 an. Es geht darin um drei Kids, die sich ein Raumschiff bauen und dann losfliegen, um nach Außerirdischen zu suchen. Möglicherweise einer der besten Kinderfilme, die jemals gedreht wurden. Ich hatte mir angewöhnt, ihn mindestens einmal im Monat zu schauen. Er half mir, einen klaren Kopf zu bewahren.

Am Rand meines Displays befand sich das verkleinerte Bild der externen Sicherheitskamera meines Apartmentgebäudes. Deshalb sah ich den IOI-Transporter, wie er mit heulenden Sirenen und blinkenden Lichtern vorfuhr. Als Nächstes sprangen vier Konzerncops mit Kampfstiefeln und Helmen heraus und rannten ins Gebäude, gefolgt von einem Typen im Anzug. Über die Kamera in der Lobby beobachtete ich, wie sie mit ihren IOI-Ausweisen wedelten, die Sicherheitskontrolle passierten und in den Aufzug stiegen.

Jetzt waren sie zu meinem Stockwerk unterwegs.

»Max«, murmelte ich und bemerkte die Furcht in meiner Stimme. »Führe Sicherheitsmakro Nummer eins aus: *Crom, stark auf seinem Berg.*« Auf diesen Befehl hin begann mein Computer, eine ganze Reihe vorher festgelegter Maßnahmen umzusetzen – online ebenso wie in der realen Welt.

»Alles k-k-klar, Chef!«, erwiderte Max fröhlich, und einen Sekundenbruchteil später schaltete das Sicherheitssystem meines Apartments in den Lockdown-Modus. Meine Titan-

Panzertür schwang von der Decke herab und verstärkte die Sicherheitstür des Apartments.

Durch die Kamera im Flur vor meinem Apartment sah ich die vier Konzernbullen aus dem Aufzug steigen und den Korridor entlang auf meine Tür zurennen. Die beiden Männer, die vorausliefen, trugen Plasmaschweißgeräte. Die anderen zwei hielten VoltJolt-Profi-Betäubungsgewehre in den Händen. Der Typ im Anzug, der die Nachhut bildete, hatte ein digitales Klemmbrett bei sich.

Ihr Auftauchen überraschte mich nicht. Ich wusste, weshalb sie hier waren. Sie würden mein Apartment aufschneiden und mich rausholen wie ein Stück Dosenfleisch.

Als sie meine Tür erreicht hatten, wurden sie von meinem Scanner analysiert, und ihre ID-Daten leuchteten auf meinem Display auf. Die fünf Männer waren Angestellte von IOI, die einen gültigen Haftbefehl für einen gewissen Bryce Lynch besaßen, den Bewohner dieses Apartments, und den Auftrag, ihn in die Zwangsarbeit zu überführen. In Übereinstimmung mit der Gemeindeordnung sowie dem geltenden Landes- und Bundesgesetz öffnete das Sicherheitssystem meines Gebäudes sofort beide Türen meines Apartments, um ihnen Zutritt zu gewähren. Die Panzertür, die kurz zuvor von der Decke herabgeglitten war, hielt sie jedoch weiterhin draußen.

Natürlich hatten die Polizisten damit gerechnet, dass ich über zusätzliche Sicherheitseinrichtungen verfügen würde. Deshalb hatten sie die Plasmaschweißgeräte mitgebracht.

Die IOI-Drohne im Anzug drängte sich an den Polizisten vorbei und drückte vorsichtig mit dem Daumen auf die Wechselsprechanlage meiner Tür. Sein Name und sein Firmentitel tauchten auf meiner Anzeige auf: *Michael Wilson, IOI, Abteilung für Schuldeneintreibung, Angestellter # IOI-481231.*

Wilson blickte in die Linse der Flurkamera und lächelte

freundlich. »Mr Lynch«, sagte er. »Mein Name ist Michael Wilson, und ich arbeite für die Abteilung für Schuldeneintreibung von Innovative Online Industries.« Er warf einen Blick auf sein Klemmbrett. »Ich bin hier, weil Sie die letzten drei Zahlungen mit Ihrer IOI-Visa-Card nicht beglichen haben. Wir haben einen offenen Betrag von über zwanzigtausend Dollar registriert. Unseren Informationen zufolge sind Sie außerdem arbeitslos und wurden daher als zahlungsunfähig eingestuft. Nach dem Landesgesetz sind Sie deshalb zur Zwangsarbeit verpflichtet. Sie werden so lange zur Arbeit herangezogen werden, bis Sie Ihre Schulden unserer Firma gegenüber, einschließlich aller auflaufenden Zinsen, Bearbeitungs- und Säumnisgebühren sowie aller sonstigen Strafen und Geldbußen, die von jetzt an anfallen sollten, vollständig abgezahlt haben.« Wilson deutete auf die Polizisten. »Diese Gentlemen sind hier, um mir bei Ihrer Verhaftung behilflich zu sein und Sie zu Ihrem neuen Arbeitsplatz zu bringen. Wir fordern Sie auf, Ihre Tür zu öffnen und uns Zugang zu Ihrer Wohnung zu gewähren. Ich möchte Sie darauf hinweisen, dass wir ermächtigt sind, sämtliches Eigentum, das Sie in Ihrer Wohnung aufbewahren, zu beschlagnahmen. Der Verkaufswert dieser Gegenstände wird selbstverständlich von Ihrem Schuldenbetrag abgezogen.«

Wilson rasselte den ganzen Sermon herunter, ohne einmal Luft zu holen. Er sprach mit ausdrucksloser, monotoner Stimme, wie jemand, der den ganzen Tag immer dieselben Sätze wiederholen muss.

Nach einer kurzen Pause sagte ich in die Wechselsprechanlage: »Klar, Jungs. Ich brauch nur eine Minute, um mir eine Hose anzuziehen. Dann komme ich sofort raus.«

Wilson runzelte die Stirn. »Mr Lynch, wenn Sie nicht innerhalb von zehn Sekunden die Tür öffnen, sind wir befugt, uns gewaltsam Zutritt zu verschaffen. Die Kosten für sämtliche Schäden, die durch unser Eindringen entstehen, einschließlich aller Schäden am Gebäude und nötiger Reparaturarbeiten, werden Ihrem Schuldenbetrag hinzugefügt. Vielen Dank.«

Wilson trat von der Wechselsprechanlage zurück und nickte den anderen zu. Einer der Polizisten schaltete augenblicklich sein Schweißgerät ein, und als die Spitze orange glühte, fing er an, sich durch die Titanpanzerung meiner Tür zu schneiden. Der Polizist mit dem anderen Schweißgerät trat ein paar Schritte zur Seite und begann dann, sich an der Wand meines Apartments zu schaffen zu machen. Diese Typen hatten Zugang zu den Sicherheitsdaten des Gebäudes, sie wussten deshalb, dass die Wände der Apartments mit Stahlplatten und einer Schicht Beton verstärkt waren, die sie viel schneller durchschneiden konnten als die Titan-Panzertür.

Natürlich hatte ich Wände, Boden und Decke meines Apartments zusätzlich noch mit einem SageCage aus einer Titanlegierung verstärkt, den ich Stück für Stück zusammengesetzt hatte. Wenn sie sich durch die Wand geschnitten hatten, würden sie auch noch den Käfig durchtrennen müssen. Aber das würde mir höchstens fünf oder sechs weitere Minuten verschaffen. Dann wären sie in meinem Apartment.

Ich hatte gehört, dass die Konzerncops einen Spitznamen für dieses Vorgehen hatten – wenn sie einen Zwangsarbeiter aus seiner Wohnung herausschneiden mussten, damit sie ihn verhaften konnten, nannten sie es »einen Kaiserschnitt durchführen«.

Ich nahm zwei Tabletten von dem Anxiolytikum, das ich mir in Vorbereitung auf diesen Tag besorgt hatte, und schluckte sie trocken hinunter. Ich hatte schon am Morgen zwei genommen, aber sie schienen nicht zu wirken.

Ich schloss alle Fenster auf meinem Display und setzte den

Sicherheitslevel meines OASIS-Kontos auf Maximum hoch. Dann rief ich das Scoreboard auf, um mich ein letztes Mal zu vergewissern, dass die Sechser noch immer nicht gewonnen hatten. Auf den ersten zehn Plätzen hatte sich seit ein paar Tagen nichts mehr verändert.

Highscores

1.	Art3mis	354 000	🜨 🜨
2.	Parzival	353 000	🜨 🜨
3.	IOI-655321	352 000	🜨 🜨
4.	Aech	352 000	🜨 🜨
5.	IOI-643187	349 000	🜨 🜨
6.	IOI-621671	348 000	🜨 🜨
7.	IOI-678324	347 000	🜨 🜨
8.	Shoto	347 000	🜨 🜨
9.	IOI-637330	346 000	🜨 🜨
10.	IOI-699423	346 000	🜨 🜨

Art3mis, Aech und Shoto hatten alle innerhalb von achtundvierzig Stunden, nachdem ich ihnen die E-Mail geschickt hatte, das zweite Tor gemeistert und einen Kristallschlüssel in ihren Besitz gebracht. Als Art3mis die 25 000 Punkte für den Kristallschlüssel erhalten hatte, war sie wegen ihrer früheren Punkteboni wieder auf den ersten Platz aufgestiegen.

Die drei hatten seither mehrmals versucht, mich zu erreichen, aber ich hatte auf ihre Anrufe, E-Mails und Chatanfragen nicht reagiert. Ich sah keinen Grund dazu, sie in meinen Plan einzuweihen. Sie konnten mir nicht helfen und würden wahrscheinlich nur versuchen, ihn mir auszureden.

Jetzt gab es sowieso kein Zurück mehr.

Ich schloss das Scoreboard und ließ den Blick noch einmal durch meine Festung wandern, wobei ich mich fragte, ob es womöglich das letzte Mal war. Dann holte ich tief Luft, wie ein Tiefseetaucher, der sich auf den Tauchgang vorbereitet, und klickte das Log-out-Icon auf meinem Display an. Die OASIS verschwand, und mein Avatar befand sich wieder in seinem virtuellen Büro – eine eigenständige Simulation, die auf der Festplatte meiner Konsole gespeichert war. Ich öffnete ein Fenster und gab den Befehl ein, der die Selbstzerstörungssequenz meines Computers aktivierte: MEGASCHEISSE.

Ein Balken erschien, der anzeigte, wie viel von meiner Festplatte bereits gelöscht worden war.

»Mach's gut, Max«, flüsterte ich.

»Adios, Wade«, sagte Max, nur wenige Sekunden bevor es ihn erwischte.

In meinem haptischen Stuhl spürte ich bereits die Hitze vom anderen Ende des Zimmers. Als ich die Videobrille abnahm, sah ich Rauch von den Löchern in der Tür und der Wand aufsteigen. Inzwischen war er so dicht, dass die Klimaanlage meines Apartments nicht mehr damit fertigwurde. Ich musste husten.

Schließlich brach der Polizist an der Tür durch. Der rauchende Metallkreis fiel mit einem schweren Klirren zu Boden, das mich zusammenzucken ließ.

Der Polizist mit dem Schweißgerät trat einen Schritt zurück, während ein anderer mit einer kleinen Spraydose die Ränder des Loches mit Kühlschaum besprühte, damit sie sich beim Durchklettern nicht verbrannten. Denn genau das hatten sie als Nächstes vor.

»Alles sauber!«, rief einer der Polizisten im Flur. »Keine sichtbaren Waffen!«

Ein Mann mit Betäubungsgewehr kletterte als Erster durch das Loch. Er baute sich vor mir auf, die Waffe auf mein Gesicht gerichtet.

»Keine Bewegung!«, schrie er. »Oder du kriegst eine gezappt, klar?«

Ich nickte. Mir wurde bewusst, dass dieser Bulle der erste Besucher war, den ich in meinem Apartment empfing, seit ich hier eingezogen war.

Der zweite Polizist, der hereingeklettert kam, war nicht einmal annähernd so höflich. Ohne ein Wort zu sagen, kam er auf mich zu und schob mir einen Knebel in den Mund. Das gehörte zur Standardprozedur und sollte verhindern, dass ich meinem Computer Stimmbefehle erteilte. Die Mühe hätten sie sich sparen können. In dem Moment, als der erste Polizist meine Wohnung betreten hatte, war ein Brandsatz in meinem Computer hochgegangen. Die Festplatte zerschmolz bereits zu Schlacke.

Nachdem der Polizist mich geknebelt hatte, packte er mich am Exoskelett meines haptischen Anzugs, zerrte mich aus meinem haptischen Stuhl und warf mich auf den Boden. Der andere Bulle öffnete meine Panzertür, und die beiden verbliebenen Polizisten stürmten herein, gefolgt von Wilson, dem Anzugträger.

Ich krümmte mich auf dem Boden zusammen und schloss die Augen. Unwillkürlich begann ich, am ganzen Körper zu zittern. Ich versuchte, mich für das zu wappnen, was als Nächstes geschehen würde.

Sie würden mich nach draußen bringen.

»Mr Lynch«, sagte Wilson mit einem Lächeln. »Hiermit nehme ich Sie im Namen meiner Firma in Gewahrsam.« Er wandte sich an die Cops. »Sagen Sie dem Repoteam Bescheid, dass sie raufkommen und die Wohnung ausräumen können.« Als er sich im Raum umschaute, bemerkte er die dünne Rauchwolke, die von meinem Computer aufstieg. Er sah mich an und schüttelte den Kopf. »Das war dumm von Ihnen. Wir hätten den Computer verkaufen können, um Ihren Schuldenbetrag zu verringern.«

Wegen des Knebels konnte ich nicht antworten, deshalb zuckte ich nur mit den Achseln und zeigte ihm den Mittelfinger.

Sie zogen mir den haptischen Anzug aus und ließen ihn für das Repoteam zurück. Darunter war ich völlig nackt. Man verpasste mir einen schiefergrauen Einwegoverall mit farblich passenden Plastikschuhen. Der Overall fühlte sich wie Sandpapier an, und meine Haut begann augenblicklich zu jucken. Weil sie mir die Hände gefesselt hatten, war es jedoch schwierig, sich zu kratzen.

Dann zerrten sie mich in den Flur hinaus. Die grellen Leuchtstoffröhren sogen aus allem die Farbe. Ich hatte das Gefühl, mich in einem alten Schwarzweißfilm zu befinden. Während wir mit dem Aufzug zur Lobby hinunterfuhren, summte ich so laut wie möglich mit der Fahrstuhlmusik mit, um ihnen zu zeigen, dass ich keine Angst hatte. Als einer der Bullen jedoch sein Gewehr auf mich richtete, hörte ich auf.

In der Lobby zogen sie mir einen Wintermantel mit Kapuze über. Offenbar wollten sie nicht, dass ich mir eine Lungenentzündung holte – nun, da ich Eigentum der Firma war. Eine menschliche Ressource. Sie führten mich nach draußen, und zum ersten Mal seit über einem halben Jahr fiel Tageslicht auf mein Gesicht.

Es schneite, und alles war mit einer grauen Schicht aus Eis und Matsch bedeckt. Ich wusste nicht, wie viel Grad es waren, aber ich konnte mich nicht erinnern, dass ich schon einmal so gefroren hätte. Der Wind war schneidend kalt.

Sie schoben mich in Richtung des Transporters. Zwei frisch rekrutierte Zwangsarbeiter saßen bereits auf Plastiksitzen festgeschnallt im Fond des Wagens. Sie trugen beide Videobrillen.

Offenbar Leute, die vor mir festgenommen worden waren. Die Konzerncops waren wie Müllkutscher, die ihre täglichen Runden drehten.

Der Mann zu meiner Rechten war ein großer, schlaksiger Kerl, wahrscheinlich ein paar Jahre älter als ich. Er sah aus, als würde er unter Mangelernährung leiden. Der andere war dagegen hochgradig übergewichtig. Sein Gesicht wurde von einer schmutzig-blonden Mähne verdeckt, und über Nase und Mund trug er etwas, das wie eine Gasmaske aussah. Ein dicker schwarzer Schlauch führte von der Maske zu einem Ausguss im Boden. Der Zweck der Maske wurde mir erst klar, als er sich unerwartet nach vorn beugte und sich übergab. Ich hörte, wie ein Sauggerät ansprang und die hochgewürgten Schokokekse des Zwangsarbeiters durch den Schlauch in den Boden saugte. Ich fragte mich, ob sie das Erbrochene in einem Tank auffingen oder es einfach auf die Straße entleerten. Wahrscheinlich Ersteres. Vermutlich würde IOI das Erbrochene analysieren und die Ergebnisse in der Akte des Mannes abspeichern.

»Ist dir übel?«, fragte mich einer der Polizisten, als er mir den Knebel abnahm. »Dann sag es gleich, damit ich dir eine Maske aufsetzen kann.«

»Mir geht's gut«, sagte ich wenig überzeugend.

»Okay. Aber wenn ich deine Kotze aufwischen muss, wirst du das bereuen.«

Sie schoben mich in den Wagen und schnallten mich gegenüber von dem mageren Typen fest. Zwei der Bullen stiegen in den Fond mit ein und verstauten ihre Plasmaschweißgeräte in einem Schränkchen. Die anderen beiden schlugen die Hecktüren zu und kletterten ins Fahrerhaus.

Als wir losfuhren, reckte ich den Hals, um durch die getönten Scheiben an der Rückseite des Transporters zu dem Gebäude hinaufzublicken, in dem ich die letzten Monate gelebt hatte. Mein Fenster im zweiundvierzigsten Stock entdeckte ich wegen der schwarzgesprühten Scheibe sofort. Inzwischen war dort wahrscheinlich schon das Repoteam zugange. Meine Ausrüstung würde auseinandergenommen, inventarisiert, beschriftet, verpackt und für die Auktion vorbereitet werden. Nachdem sie mein Apartment ausgeräumt hatten, würden Reinigungsroboter den Raum säubern und desinfizieren. Eine Reparaturmannschaft würde die Schäden an der Flurwand beheben und eine neue Tür einsetzen. Die Rechnung würde an IOI gehen, und die Kosten für die Reparaturen würden dem Betrag hinzugefügt werden, den ich der Firma schuldete.

Am späten Nachmittag würde der Jäger, der als Nächster auf der Warteliste des Gebäudes stand, die Nachricht erhalten, dass eine Einheit frei geworden war. Und am Abend würde der neue Mieter vermutlich bereits eingezogen sein. Bei Sonnenuntergang wären alle Hinweise darauf, dass ich jemals in dem Apartment gelebt hatte, komplett ausgelöscht.

Als der Transporter auf die High Street einbog, hörte ich die Salzkristalle auf dem gefrorenen Asphalt unter den Reifen knirschen. Einer der Bullen beugte sich vor und setzte mir eine Videobrille auf. Ich fand mich an einem weißen Sandstrand wieder, wo ich den Sonnenuntergang beobachten konnte, während die Wellen ans Ufer plätscherten. Diese Simulation sollte anscheinend dazu dienen, die Gefangenen während der Fahrt in die Innenstadt ruhig zu halten.

Mit der gefesselten Hand schob ich die Videobrille auf die Stirn hoch. Die Polizisten schien das nicht weiter zu kümmern, sie schenkten mir keinerlei Beachtung. Ich reckte erneut den Hals, um aus dem Fenster zu schauen. Ich war schon lange nicht mehr draußen in der realen Welt gewesen, und ich wollte wissen, was sich verändert hatte.

OO29

ALLES WIRKTE IMMER NOCH genauso heruntergekommen wie früher – die Straßen, die Gebäude, die Menschen. Selbst der Schnee war schmutzig. Er rieselte in grauen Flocken vom Himmel herab wie Asche nach einem Vulkanausbruch.

Die Zahl der Obdachlosen war offenbar stark angewachsen. Die Straße war gesäumt von Zelten und bewohnten Pappkartons, und die öffentlichen Parks hatten sich in Flüchtlingslager verwandelt. Während der Transporter in die Innenstadt mit ihren vielen Wolkenkratzern hineinfuhr, sah ich an jeder Straßenecke und auf jedem leeren Grundstück Gruppen von Menschen, die sich um brennende Tonnen und tragbare Heizgeräte drängten. Andere standen in Schlangen an den kostenlosen Solarladestationen an. Sie trugen sperrige, altmodische Videobrillen und haptische Handschuhe. Mit den Händen vollführten sie kleine, geisterhafte Gesten, während sie über einen der kostenfreien drahtlosen Zugangspunkte von GSS mit der OASIS interagierten.

Schließlich erreichten wir 101 IOI Plaza, mitten in der Innenstadt.

Von dunkler Vorahnung erfüllt, blickte ich aus dem Fenster, während der Hauptfirmensitz von Innovative Online Industries Inc. in Sicht kam: zwei rechteckige Wolkenkratzer, die einen runden flankierten, mit dem sie zusammen das Firmenlogo von IOI bildeten. Die Wolkenkratzer von IOI waren die drei höchsten Gebäude der Stadt, gewaltige Türme aus Stahl und verspiegeltem Glas, die durch Dutzende Fußgängerbrücken miteinander verbunden waren. Die Spitzen der Türme verschwanden im sauren Dunst der Wolken. Die Gebäude sahen genauso aus wie der Sitz der Firma in der OASIS auf IOI-1, doch in der echten Welt wirkten sie noch weitaus beeindruckender.

Der Transporter rollte in ein Parkhaus am Fuß des runden Turms und fuhr einige Betonrampen hinunter, bis wir eine große freie Fläche erreichten, die an ein Verladedock erinnerte. Auf einem Schild über einer Reihe breiter Tore stand: IOI-AUFNAHMEZENTRUM FÜR ZWANGSVERPFLICHTETE MITARBEITER.

Zusammen mit den beiden anderen Männern wurde ich aus dem Transporter gescheucht und draußen von einer Gruppe mit Betäubungsgewehren bewaffneter Sicherheitskräfte in Empfang genommen. Man nahm uns die Handschellen ab, dann wurden wir von einem der Wächter mit einem kleinen Netzhautscanner überprüft. Mir stockte der Atem, als er mir den Scanner vors Gesicht hielt. Kurz darauf piepte das Gerät, und er las die Informationen auf dem Display ab. »Lynch, Bryce. Zweiundzwanzig Jahre alt. Volle Staatsbürgerschaft. Keine Vorstrafen. Wegen Zahlungsversäumnis zwangsverpflichtet.« Er nickte und tippte ein paarmal auf sein Klemmbrett. Dann wurde ich in einen warmen, hell erleuchteten Raum geführt, in dem sich Hunderte andere frisch rekrutierte Zwangsarbeiter befanden. Sie schlurften durch ein Labyrinth aus Führungsseilen, wie müde, übergroße Kinder in einem albtraumhaften Vergnügungspark. Die Menge schien zu gleichen Teilen aus Männern und Frauen zu bestehen, aber es war schwer zu sagen, wer was war, weil die meisten von ihnen – genau wie ich – furchtbar bleich und haarlos waren. Außerdem trugen wir alle die gleichen grauen Overalls und Plastikschuhe. Wir sahen aus wie Statisten aus dem Film *THX 1138*.

Die Schlange bewegte sich auf eine Reihe von Sicherheits-kontrollschaltern zu. Beim ersten wurden die Zwangsarbei-ter mit einem brandneuen Metadetektor durchleuchtet, um sicherzustellen, dass sie keine elektronischen Geräte in oder an ihrem Körper verbargen. Während ich darauf wartete, dass ich an die Reihe kam, beobachtete ich, wie mehrere Leute aus der Schlange geholt wurden, weil der Scanner einen sub-kutanen Minicomputer oder ein stimmaktiviertes Telefon in Form eines falschen Zahns entdeckt hatte. Sie wurden in einen anderen Raum geführt, wo die Geräte entfernt wur-den. Ein Typ vor mir in der Schlange hatte doch tatsächlich eine ultramoderne OASIS-Miniaturkonsole von Sinatro in einem künstlichen Hoden versteckt. Der Kerl hatte Eier aus Stahl!

Nachdem ich weitere Schalter passiert hatte, wurde ich in den Testbereich gebracht – ein riesiger Raum, in dem sich Hunderte kleiner, schalldichter Bürowürfel befanden. Ich wurde zu einem von ihnen geführt und erhielt eine billige Vi-deobrille und ein noch billigeres Paar haptischer Handschuhe. Die Ausrüstung allein verschaffte mir zwar noch keinen Zu-gang zur OASIS, aber es hatte trotzdem etwas Beruhigendes, sie anzuziehen.

Dann musste ich eine Reihe von Eignungstests mit anstei-gendem Schwierigkeitsgrad absolvieren, die mein Wissen und meine Fähigkeiten in sämtlichen Bereichen ausloten sollten, die für meinen neuen Arbeitgeber von Nutzen sein konnten. Die Tests bezogen sich natürlich auf den gefälschten Lebens-lauf und beruflichen Werdegang, die ich für meine Identität als Bryce Lynch geschaffen hatte.

Ich gab mir Mühe, alle Tests zu bestehen, die sich auf OASIS-Software, -Hardware und -Netztechnologie bezogen, versagte jedoch absichtlich bei denen, die mein Wissen über James

Halliday und das *Easter Egg* ermitteln sollten. Auf keinen Fall wollte ich in der Oologie-Division von IOI landen. Schließlich bestand die Möglichkeit, dass ich dort Sorrento über den Weg lief. Ich konnte mir zwar nicht vorstellen, dass er mich erkennen würde – wir waren einander nie persönlich begegnet, und inzwischen sah ich meinem ID-Foto aus der Schulzeit kaum noch ähnlich –, aber ich wollte es nicht riskieren. Ich forderte das Schicksal ohnehin schon heraus.

Stunden später, als ich endlich die letzte Prüfung hinter mich gebracht hatte, gelangte ich in einen virtuellen Chatroom, wo mich eine Beraterin erwartete. Ihr Name war Nancy, und mit einer hypnotisch wirkenden, monotonen Stimme klärte sie mich darüber auf, dass man mir aufgrund meiner hervorragenden Testergebnisse und meiner beeindruckenden Berufslaufbahn eine Position als technischer Kundenberater der Kategorie II »anbieten« könne. Ich würde ein Gehalt von $ 28 500 im Jahr erhalten, abzüglich der Kosten für meine Unterbringung und Verpflegung, Steuern, medizinische, zahn- und augenärztliche Versorgung sowie Freizeitgestaltung. Diese würden automatisch von meinem Gehalt abgezogen werden. Mein restliches Einkommen (wenn denn noch etwas übrig blieb) würde dazu dienen, meine Schulden gegenüber der Firma zu begleichen. Waren diese vollständig abgezahlt, wäre ich von der Arbeitsverpflichtung befreit. Danach bestand, abhängig von meiner Arbeitsleistung, die Möglichkeit, dass mir eine dauerhafte Stelle bei IOI angeboten werden würde.

Natürlich war das Ganze ein absoluter Witz. Zwangsarbeiter kamen praktisch nie in die glückliche Lage, ihre Schulden abzubezahlen und ihre Freiheit wiederzugewinnen. Nachdem die Firma einen mit all ihren Gehaltsabzügen, Säumnisgebühren und Strafzinsen belegt hatte, schuldete man ihr am Ende jedes Monats mehr statt weniger. War man einmal so dumm gewesen, sich zwangsverpflichten zu lassen, blieb man mit großer Wahrscheinlichkeit für den Rest seines Lebens Konzerneigentum. Vielen Leuten schien das allerdings nichts auszumachen. Sie betrachteten das Ganze als einen sicheren Job. Immerhin würden sie nicht verhungern oder auf der Straße erfrieren.

In einem Fenster auf meinem Display erschien mein »Zwangsarbeitervertrag«. Er enthielt eine lange Liste von Haftungsausschlüssen und Belehrungen über meine Rechte (oder vielmehr den Mangel daran). Nancy forderte mich auf, ihn durchzulesen, zu unterschreiben und mich dann in den Abfertigungsraum zu begeben. Danach loggte sie sich aus dem Chatroom aus. Ich scrollte zum unteren Ende des Vertrags, ohne mir die Mühe zu machen, ihn zu lesen. Er umfasste mehr als sechshundert Seiten. Ich unterschrieb mit dem Namen Bryce Lynch und verifizierte dann meine Unterschrift mit einem Netzhautscan.

Ich fragte mich, ob der Vertrag rechtskräftig war, obwohl ich einen falschen Namen benutzt hatte. Ich war mir nicht ganz sicher, aber eigentlich war es mir auch egal. Ich hatte einen Plan, und das war ein Teil davon.

Ich wurde einen anderen Korridor entlang in den Abfertigungsbereich geführt. Dort musste ich auf ein Förderband steigen, das mich durch eine lange Reihe von Stationen transportierte. Als Erstes wurden mir Overall und Schuhe ausgezogen und anschließend verbrannt. Dann musste ich eine Art Waschanlage durchlaufen – Maschinen seiften mich ein, wuschen und desinfizierten mich. Die Seife wurde abgespült, und ich wurde getrocknet und entlaust. Schließlich erhielt ich einen neuen grauen Overall und ein weiteres Paar Plastikschuhe.

An der nächsten Station wurde ich von einigen Maschinen

ärztlich untersucht. Darüber hinaus wurde eine ganze Batterie von Bluttests durchgeführt. (Zum Glück war es aufgrund des Gesetzes zum Schutz der genetischen Privatsphäre verboten, eine Probe meiner DNA zu nehmen.) Danach wurden mir in einer Anlage mit automatischen Nadelpistolen, die mich in beide Schultern und beide Hinterbacken gleichzeitig stachen, eine Reihe von Impfungen verabreicht.

Während ich auf dem Förderband weiterfuhr, war auf Flachbildschirmen über mir ein zehnminütiger Informationsfilm in Endlosschleife zu sehen: »Zwangsverpflichtet: vom Schuldenberg zum Berufserfolg!« Eine Reihe viertklassiger Fernsehschauspieler erklärten fröhlich lächelnd die Richtlinien für Zwangsarbeiter. Nachdem ich das Filmchen fünfmal gesehen hatte, kannte ich jede einzelne verdammte Zeile. Beim zehnten Mal konnte ich schon mit den Schauspielern mitsprechen.

»Was erwartet mich, wenn ich das Aufnahmeverfahren durchlaufen und meine endgültige Position erhalten habe?«, fragte Johnny, die Hauptfigur des Films.

Dich erwartet ein Leben als Firmensklave, Johnny, dachte ich. Aber ich sah weiter zu, während ein hilfsbereiter Mitarbeiter der Personalabteilung von IOI Johnny mit freundlicher Miene alles über den Tagesablauf eines Zwangsarbeiters erklärte.

Schließlich erreichte ich die letzte Station, wo eine Maschine mir eine Fußfessel anlegte – einen gepolsterten Metallring, der direkt über dem Sprunggelenk mein Bein umschloss. Dem Informationsfilm zufolge überwachte das Gerät meinen Standort und verschaffte mir Zutritt zu bestimmten Bereichen des Bürokomplexes von IOI. Wenn ich versuchte, zu fliehen oder den Ring abzunehmen, oder sonst irgendwelchen Ärger machte, würde er mir eine lähmende elektrische Ladung verpassen oder mir sogar ein starkes Betäubungsmittel direkt in die Blutbahn spritzen.

Nachdem die Fußfessel angelegt war, befestigte eine andere Maschine ein kleines elektronisches Gerät an meinem rechten Ohr, wobei sie zwei Löcher in mein Ohrläppchen stach. Ich zuckte vor Schmerz zusammen und fluchte laut und ausgiebig. Aus dem Informationsfilm wusste ich, dass ich gerade ein ÜKG erhalten hatte, ein »Überwachungs- und Kommunikationsgerät«. Unter Zwangsarbeitern war es als »Eargear« bekannt. Es erinnerte mich an die Peilsender, mit denen Umweltschützer früher gefährdete Tierarten markiert hatten, um die Wege zu verfolgen, die sie in der Wildnis zurücklegten. Das Eargear enthielt ein kleines Funkgerät, mit dessen Hilfe der Computer der Personalabteilung von IOI direkt in meinem Ohr Ansagen machen und Befehle durchgeben konnte. Außerdem war darin eine kleine, nach vorn gerichtete Kamera eingebaut. Zwar waren auch in sämtlichen Räumen des IOI-Komplexes Überwachungskameras angebracht, aber die reichten der Firma offenbar nicht aus. Darüber hinaus musste sie auch noch am Kopf jedes Zwangsarbeiters eine Kamera anbringen.

Kurz nachdem das Eargear befestigt und aktiviert worden war, hörte ich die gelassene, monotone Stimme des Hauptcomputers der Personalabteilung, der Anweisungen und andere Informationen herunterleierte. Anfangs machte mich diese Stimme wahnsinnig, aber nach einer Weile gewöhnte ich mich daran. Mir blieb auch nichts anderes übrig.

Als ich vom Förderband stieg, wies mir der Computer den Weg zur nächstgelegenen Cafeteria, die mich an einen alten Gefängnisfilm erinnerte. Ich erhielt ein neongrünes Tablett mit Essen. Ein geschmacksneutraler Sojaburger, ein Klacks flüssiger Kartoffelbrei und irgendein undefinierbarer Pudding als Dessert. Ich hatte alles in wenigen Minuten hinuntergeschlungen. Der Computer lobte mich für meinen gesunden Appetit. Dann informierte er mich, dass ich nun die Erlaubnis hätte, fünf Minuten lang die Toilette zu benutzen. Als ich wieder herauskam, wurde ich zu einem Aufzug geleitet, der weder Knöpfe noch eine Stockwerksanzeige hatte. Als die Türen aufglitten, sah ich an der Wand die Aufschrift: ZWANGSARB. WOHNBLOCK 05 – MITARB. DER KUNDENBER.

Ich verließ den Aufzug und schlurfte den mit Teppich ausgelegten Flur entlang. Es war ruhig und dunkel. Die einzige Beleuchtung kam von schmalen Lichtleisten am Boden. Ich hatte jedes Zeitgefühl verloren. Mir kam es vor, als seien Tage vergangen, seit sie mich aus meinem Apartment geholt hatten. Ich war völlig erschöpft.

»Ihre erste Schicht in der technischen Kundenberatung beginnt in sieben Stunden«, teilte mir der Computer in meinem Ohr leise mit. »In der Zwischenzeit können Sie schlafen. An der Abzweigung vor Ihnen wenden Sie sich bitte nach links und gehen von dort weiter zu der Ihnen zugewiesenen Wohneinheit 42G.«

Ich folgte den Anweisungen, als hätte ich seit Jahren nichts anderes getan.

Der Wohnblock erinnerte mich an ein Mausoleum. Es handelte sich um ein Labyrinth aus hohen Fluren, die von sargförmigen Schlafkapseln gesäumt wurden. Reihe um Reihe stapelten sie sich jeweils zehnerweise bis zur Decke. Die einzelnen Türme waren nummeriert, und über der Tür jeder Kapsel befand sich ein Buchstabe, von A bis J, wobei sich Einheit A am Fuß des Turms befand.

Schließlich hatte ich meine Einheit erreicht, die sich nahe der Spitze von Turm Nummer 42 befand. Als ich mich dem Turm näherte, öffnete sich die Eingangsluke meiner Einheit mit einem Zischen, und im Inneren ging ein weiches blaues

Licht an. Ich stieg die schmale Zugangsleiter hinauf, die an der Außenseite des Turms angebracht war, bis ich die kleine Plattform unterhalb der Eingangsluke erreicht hatte. Als ich hineingeklettert war, wurde die Plattform wieder eingezogen, und die Luke zu meinen Füßen schloss sich.

Die Wohneinheit war einen Meter hoch, einen Meter breit und zwei Meter lang – ein eierschalenfarbener Plastiksarg. Der Boden war mit einer Gelschaum-Matratze ausgelegt, und es gab ein Kissen. Beides roch nach verbranntem Gummi, war also vermutlich neu.

Über der Eingangsluke befand sich eine weitere Kamera. Die Firma gab sich keine Mühe, sie zu verbergen. Sie wollte, dass die Zwangsarbeiter wussten, dass sie beobachtet wurden.

Die einzige Annehmlichkeit in der Einheit war die Unterhaltungskonsole – ein großer, flacher Touchscreen, der in die Wand eingelassen war. Daneben hing in einer Halterung eine drahtlose Videobrille. Ich berührte den Touchscreen und aktivierte die Konsole. Am unteren Bildschirmrand tauchten meine neue Mitarbeiternummer und Position auf: *Lynch, Bryce T. – Techn. Kundenberatung Kat. II – IOI-Mitarbeiter #338645.*

Darüber erschien ein Menü, auf dem die Unterhaltungsprogramme aufgelistet waren, zu denen ich gegenwärtig Zugang hatte. Meine eingeschränkten Möglichkeiten durchzugehen nahm nur wenige Sekunden in Anspruch. Ich konnte lediglich einen Kanal schauen: IOI-N – den Nachrichtensender der Firma. Er sendete vierundzwanzig Stunden am Tag einen steten Strom von Firmenpropaganda. Darüber hinaus hatte ich Zugriff auf eine Bibliothek aus Filmen und Simulationen, die sich fast ausschließlich um meine neue Position als Mitarbeiter der technischen Kundenberatung drehten.

Als ich eine Bibliothek mit Unterhaltungsfilmen namens

Vintage Movies aufrufen wollte, teilte mir das System mit, dass der Zugang gesperrt wäre, bis ich in drei aufeinanderfolgenden Bewertungen meiner Arbeitsleistung eine überdurchschnittlich gute Note erhielt. Dann fragte mich das System, ob ich noch weitere Informationen zum Unterhaltungsbelohnungsprogramm für zwangsverpflichtete Mitarbeiter erhalten wollte. Ich lehnte dankend ab.

Die einzige Fernsehsendung, auf die ich Zugriff hatte, war eine firmeneigene Sitcom namens *Tommy Queue*. In der Beschreibung hieß es, es handele sich dabei um eine »verrückte Situationskomödie über die Missgeschicke von Tommy, einem frisch rekrutierten Zwangsarbeiter in der technischen Kundenberatung, auf dem Weg zu finanzieller Unabhängigkeit und vorbildlicher Arbeitsleistung!«

Ich wählte die erste Folge der Serie aus und setzte mir die Videobrille auf. Wie zu erwarten, bestand die Serie in Wahrheit aus einer Reihe von Propagandafilmchen mit eingespielten Lachern. Ich hatte nicht das geringste Interesse daran. Eigentlich wollte ich nur schlafen. Aber ich wusste, dass ich beobachtet und jede meiner Regungen dokumentiert wurde. Deshalb blieb ich so lange wach, wie ich konnte, und ließ eine Folge *Tommy Queue* nach der anderen durchlaufen.

Obwohl ich mir die größte Mühe gab, nicht an Art3mis zu denken, schweiften meine Gedanken dennoch zu ihr ab. Auch wenn ich es nicht wahrhaben wollte, war sie der eigentliche Grund, warum ich diesen verrückten Plan in die Tat umgesetzt hatte. Was zum Teufel hatte mich nur geritten? Die Angst beschlich mich, dass ich hier nie mehr rauskommen würde. Eine ganze Lawine von Selbstzweifeln erdrückte mich. Hatte mich meine Fixierung auf das Ei und auf Art3mis schließlich doch in den Wahnsinn getrieben? Weshalb ging ich so ein idiotisches Risiko ein, um jemanden zu beeindrucken, den ich noch nie persönlich kennengelernt hatte? Jemand, der im Moment nicht einmal mit mir reden wollte?

Wo mochte sie wohl gerade sein? Vermisste sie mich?

Auf diese Weise quälte ich mich, bis ich schließlich einschlief.

0030

DAS CALL-CENTER der technischen Kundenberatung von
IOI nahm im östlichen I-förmigen Turm drei komplette Stockwerke ein. Jedes Stockwerk war ein Labyrinth aus Gängen und
nummerierten Büroboxen. Meine befand sich in einer abgelegenen Ecke, weit weg von den Fenstern. Sie war komplett
leer, abgesehen von einem verstellbaren Stuhl, der am Boden
festgeschraubt war. Um mich herum warteten mehrere leer-
stehende Büros auf die Ankunft weiterer Zwangsarbeiter.

Ich durfte mein Büro in keinster Weise ausschmücken, weil
ich mir dieses Privileg noch nicht erarbeitet hatte. Erst wenn
es mir gelang, eine bestimmte Anzahl von »Bonuspunkten«
zu sammeln, die man für eine hohe Arbeitsleistung und gute
Kundenbewertungen erhielt, konnte ich sie unter anderem
für Bürodeko ausgeben – für Zimmerpflanzen oder ein inspi-
rierendes Poster, auf dem ein Kätzchen an einer Wäscheleine
hing.

Als ich mein Büro erreicht hatte, nahm ich die firmeneigene
Videobrille und die Handschuhe aus dem Regal an der nack-
ten Bürowand und legte sie an. Dann ließ ich mich in den Stuhl
fallen. Der Arbeitscomputer war im runden Fuß des Stuhls
eingebaut und aktivierte sich automatisch, sobald ich mich
setzte. Meine Mitarbeiter-ID wurde verifiziert, und ich wurde
in mein Arbeitskonto im IOI-Intranet eingeloggt. Auf die OASIS
hatte ich keinen Zugriff. Ich konnte lediglich E-Mails lesen, die
etwas mit meiner Arbeit zu tun hatten, mir Bedienungsanlei-
tungen und Handbücher ansehen und meine Anruferstatistik

aufrufen. Das war's. Und alles, was ich im Intranet tat, wurde sorgfältig überwacht und dokumentiert.

Ich machte mich bereit, meinen ersten Anruf entgegenzunehmen, und begann meine Zwölfstundenschicht. Obwohl ich erst seit acht Tagen zwangsverpflichtet war, hatte ich das Gefühl, schon Jahre hier eingesperrt zu sein.

Der Avatar des ersten Anrufers tauchte vor mir im Chatroom der Kundenberatung auf. Über ihm in der Luft schwebten sein Name und die Werte seines Charakters. Er nannte sich – traurig genug – »HotCock007«.

Es versprach wieder ein ganz wunderbarer Tag zu werden.

HotCock007 war ein riesiger, kahlköpfiger Barbar mit einer nietenbesetzten schwarzen Lederrüstung und einer Menge Dämonentätowierungen auf Armen und Gesicht. Er hielt ein gigantisches Bastardschwert in der Hand, das beinahe doppelt so lang war wie der Körper seines Avatars.

»Guten Morgen, Mr HotCock007«, leierte ich herunter. »Vielen Dank, dass Sie die technische Kundenberatung angerufen haben. Ich bin Mitarbeiter Nummer 338645. Wie kann ich Ihnen heute Abend helfen?« Die Höflichkeitssoftware filterte meine Stimme und veränderte Tonfall und Stimmhöhe, so dass ich immer fröhlich und optimistisch klang.

»Ähm, ja …«, begann HotCock007. »Ich hab mir grad dieses megageile Schwert gekauft, und jetzt kann ich es nicht benutzen! Ich kann nicht mal wen damit angreifen! Was ist mit dem Scheißteil los? Ist es kaputt?«

»Sir, das einzige Problem ist, dass Sie ein verdammter Vollidiot sind«, sagte ich.

Ich hörte einen mir inzwischen schon wohlvertrauten Warnton, und eine Nachricht blinkte auf meinem Display auf:

IOIs patentierte Höflichkeitssoftware hatte bemerkt, dass meine Antwort unpassend gewesen war, und mich stummgeschaltet, so dass der Kunde meine Worte nicht gehört hatte. Außerdem speicherte sie meine »Höflichkeitsverletzung« ab und informierte Trevor, den Aufseher meiner Abteilung, damit er sie in die nächste Bewertung meiner Arbeitsleistung miteinfließen lassen konnte.

»Sir, haben Sie dieses Schwert in einer Online-Auktion erworben?«

»Ja«, erwiderte HotCock007. »Hat mich 'ne ordentliche Stange Geld gekostet.«

»Einen Moment, Sir. Ich sehe mir den Gegenstand kurz an.« Ich wusste bereits, was sein Problem war, aber ich musste mich noch einmal vergewissern, damit ich keine Strafgebühr aufgebrummt bekam.

Ich berührte das Schwert mit dem Zeigefinger und klickte es an. Ein kleines Fenster ging auf, in dem die Eigenschaften des Gegenstandes angezeigt wurden. Die Antwort befand sich direkt in der ersten Zeile. Dieses spezielle magische Schwert konnte nur von Avataren ab der zehnten Stufe benutzt werden. Mr HotCock007 befand sich erst auf dem siebten. Ich erklärte ihm das in wenigen Worten.

»Was?! Das ist aber nicht fair! Der Typ, der es mir verkauft hat, hat davon nichts gesagt!«

»Sir, bevor Sie einen Gegenstand kaufen, ist es immer ratsam, erst einmal zu prüfen, ob Ihr Avatar ihn auch wirklich benutzen kann.«

»Scheiße nochmal!«, rief er. »Und was soll ich mit dem Ding jetzt machen?«

»Sie könnten es sich in den Arsch schieben und sich als Bratspieß verkleiden.«

HÖFLICHKEITSVERLETZUNG –
ANTWORT STUMMGESCHALTET –
VERSTOSS REGISTRIERT

Ich versuchte es noch einmal. »Sir, Sie könnten den Gegenstand in Ihrem Inventar behalten, bis Ihr Avatar die zehnte Stufe erreicht hat. Oder ihn wieder zum Verkauf stellen und mit dem Erlös eine ähnliche Waffe erwerben. Eine, deren Powerlevel mit dem Level Ihres Avatars korrespondiert.«

»Hä?«, fragte HotCock007. »Wie meinen Sie das?«

»Behalten oder verkaufen.«

»Ach so.«

»Kann ich Ihnen sonst noch behilflich sein, Sir?«

»Nein, ich glaube nicht …«

»Sehr gut. Vielen Dank, dass Sie die technische Kundenberatung angerufen haben. Ich wünsche Ihnen noch einen angenehmen Tag.«

Ich trennte die Verbindung, und HotCock007 verschwand. Anrufzeit: 2 Minuten 7 Sekunden. Als der Avatar des nächsten Kunden erschien – eine rothäutige, vollbusige Außerirdische namens Vartaxxx –, wurde die Bewertung eingeblendet, die HotCock007 mir gerade gegeben hatte. Ich hatte 6 von 10 möglichen Punkten erhalten. Das System war so nett, mich daran zu erinnern, dass ich einen Durchschnittswert von über 8,5 Punkten halten musste, wenn ich nach der nächsten Bewertung eine Lohnerhöhung bekommen wollte.

Die Arbeit hier war ganz anders als von zu Hause aus. Ich

konnte keine Filme schauen, nicht spielen oder Musik hören, während ich den endlosen Strom alberner Anrufe entgegennahm. Die einzige Ablenkung war die Uhr auf meinem Display. (Und der IOI-Börsenticker, der stets am oberen Displayrand zu sehen war und den man nicht wegschalten konnte.)

Während einer Schicht durfte ich dreimal für fünf Minuten auf die Toilette gehen. Außerdem waren dreißig Minuten für das Mittagessen vorgesehen. Normalerweise aß ich in meiner Bürobox statt in der Cafeteria, weil ich keine Lust hatte mitzukriegen, wie die anderen Kundenberater über ihre Anrufer herzogen oder damit prahlten, wie viele Bonuspunkte sie bekommen hatten. Meine Kollegen waren mir inzwischen fast genauso zuwider wie die Kunden.

Während der Schicht schlief ich fünfmal ein. Wenn das System feststellte, dass ich eingedöst war, ertönte in meinem Ohr ein Warnsignal, das mich wieder weckte. Außerdem wurde der Regelverstoß in meiner Mitarbeiterakte gespeichert. Meine Schlafsucht war in der ersten Woche ein so drastisches Problem geworden, dass ich inzwischen jeden Tag zwei kleine rote Pillen bekam, die mir helfen sollten, wach zu bleiben. Ich nahm sie sogar. Aber erst nach der Arbeit.

Als meine Schicht endlich vorbei war, riss ich mir Headset und Videobrille vom Kopf und kehrte so schnell wie möglich zu meiner Wohneinheit zurück. Das war das einzige Mal am Tag, dass ich mich bei etwas wirklich beeilte. Ich kroch in meinen winzigen Plastiksarg und ließ mich mit dem Gesicht voran auf die Matratze fallen, genau wie in der Nacht zuvor. Und der Nacht davor. Eine Weile lang lag ich so da und beobachtete aus den Augenwinkeln die Zeitanzeige an meiner Unterhaltungskonsole. Um 19:07 Uhr rollte ich mich herum und setzte mich auf.

»Licht«, sagte ich leise. Das war in der vergangenen Woche

zu meinem Lieblingswort geworden. Für mich war es gleichbedeutend mit Freiheit.

Die Lampen in meiner Wohneinheit wurden ausgeschaltet, und der winzige Raum war nun in vollkommene Dunkelheit getaucht. Falls sich jemand in diesem Moment die Bilder meiner beiden Kameras ansah, hätte er ein kurzes Aufblitzen bemerkt, als die Kameras auf Nachtsicht umgeschaltet hatten. Dann wäre ich wieder klar und deutlich im Bild gewesen. Aber dank eines Sabotageakts, den ich vor ein paar Tagen vorgenommen hatte, erfüllten die Kameras in meiner Wohneinheit und meinem Eargear nicht länger ihre Aufgaben. Zum ersten Mal an diesem Tag war ich unbeobachtet.

Es war Zeit loszulegen.

Ich berührte den Touchscreen der Unterhaltungskonsole. Er leuchtete auf und bot mir dieselbe Auswahl wie an meinem ersten Abend: eine Handvoll Informationsfilme und Simulationen und sämtliche Folgen von *Tommy Queue*.

Wenn sich jemand die Aufzeichnungen der Unterhaltungskonsole anschaute, würde es so aussehen, als hätte ich jeden Abend bis zum Einschlafen *Tommy Queue* geguckt. Dort würde außerdem stehen, dass ich immer ungefähr zur selben Zeit eingeschlafen war (aber nicht *genau* zur selben Zeit) und dass ich bis zum Klingeln des Weckers am nächsten Morgen geschlafen hatte wie ein Stein.

Natürlich hatte ich mir nicht jeden Abend die lahme Scheißserie der Firma angesehen. Und ich hatte auch nicht geschlafen. In Wahrheit war ich in der vergangenen Woche mit etwa zwei Stunden Schlaf pro Nacht ausgekommen, und das forderte allmählich seinen Tribut.

Als die Lichter in meiner Wohneinheit ausgingen, fühlte ich mich trotzdem hellwach und voller Energie. Meine Erschöpfung fiel von mir ab, während ich mich durch die Menüs der

Unterhaltungskonsole klickte. Die Finger meiner rechten Hand tanzten flink über den Touchscreen.

Vor etwa sieben Monaten hatte ich beim L33 t Hax0rz Warez-haus – derselben Auktionsseite für Schwarzmarktdaten, wo ich auch die Informationen gekauft hatte, mit deren Hilfe ich mir meine neue Identität geschaffen hatte – eine Reihe von IOI-Intranet-Passwörtern erworben. Den Datenschwarzmarkt behielt ich ständig im Auge – man wusste schließlich nie, was dort Interessantes auftauchen konnte. Exploits für den OASIS-Server. Gehackte EC-Karten. Sexvideos von berühmten Filmstars. Was man sich nur vorstellen konnte. In der Auktionsliste des L33 t Hax0rz Warezhaus hatte ich damals folgendes Angebot entdeckt: *Zugangspasswörter für das IOI-Intranet, Hintertüren und Systemexploits.* Der Anbieter behauptete, streng geheime, urheberrechtlich geschützte Informationen über die Architektur des Intranets von IOI zu verkaufen. Und darüber hinaus eine Reihe von Zugangscodes und Systemexploits, die »dem Benutzer innerhalb des Firmennetzwerks eine *Carte blanche* verschaffen«.

Ich hätte die Daten als Fälschung abgetan, wären sie nicht auf einer so seriösen Seite angeboten worden. Der anonyme Verkäufer behauptete, als freier Programmierer für IOI gearbeitet und das Intranet der Firma mitentwickelt zu haben. Vermutlich war er ein Turncoat – ein Programmierer, der in ein von ihm geschaffenes System absichtlich Hintertüren und Sicherheitslücken einbaute, damit er sie später auf dem Schwarzmarkt verkaufen konnte. Dadurch wurde er für denselben Job zweimal bezahlt und konnte gleichzeitig seine Schuldgefühle darüber besänftigen, dass er für einen Dreckskonzern wie IOI gearbeitet hatte.

Das offensichtliche Problem – auf das der Verkäufer in seinem Angebot aber natürlich nicht hinwies – war die Tatsache, dass man mit den Codes nur dann etwas anfangen konnte, wenn man Zugang zum Intranet der Firma hatte. Und das Intranet von IOI war ein hochgradig gesichertes, eigenständiges Netzwerk, das keine direkte Verbindung zur OASIS besaß. Zugang zu diesem Netzwerk erhielt man nur, wenn man ein offizieller Mitarbeiter der Firma wurde (ein äußerst schwieriges und zeitaufwendiges Unterfangen). Oder man schloss sich den ständig wachsenden Reihen der Zwangsarbeiter an.

Ich hatte damals trotzdem auf die Zugangscodes geboten, auf die unwahrscheinliche Möglichkeit hin, dass sie sich eines Tages als nützlich erweisen könnten. Da sich die Echtheit der Daten nicht überprüfen ließ, blieben die Gebote niedrig, und ich gewann die Auktion für ein paar tausend Credits. Wenige Minuten nach ihrem Ende trafen die Codes in meiner Inbox ein. Nachdem ich die Daten entschlüsselt hatte, überprüfte ich sie sorgfältig. Sie sahen echt aus, deshalb speicherte ich die Information einfach ab und dachte nicht mehr darüber nach – bis ich sechs Monate später die Barrikade sah, die die Sechser um Burg Anorak errichtet hatten. Da fielen mir die Zugangscodes zum Intranet von IOI wieder ein. Die Rädchen in meinem Kopf begannen, sich zu drehen, und mein alberner Plan nahm Gestalt an.

Ich würde den Finanzstatus meiner gefälschten Identität Bryce Lynch verändern und mich von IOI als Zwangsarbeiter verpflichten lassen. Wenn ich das Gebäude infiltriert hatte und hinter die Firewall der Firma gelangt war, würde ich die Intranetpasswörter benutzen, um mich in die Datenbank der Sechser einzuhacken – um von dort aus den Schild, den sie um Burg Anorak gelegt hatten, auszuschalten.

Ich konnte mir nicht vorstellen, dass irgendjemand diesen Schachzug voraussehen würde, weil er so offensichtlich verrückt war.

Ich testete die IOI-Passwörter erst in der zweiten Nacht. Natürlich hatte ich ein bisschen Angst davor, denn wenn sich herausstellen sollte, dass ich gefälschte Daten gekauft hatte und die Passwörter alle nicht funktionierten, hätte ich mich für nichts in die Scheiße geritten.

Ich hielt die Kamera des Eargears nach vorn gerichtet, weg vom Bildschirm der Unterhaltungskonsole, und rief das Menü auf, mit dem ich Bildanzeige und Tonqualität verändern konnte: Lautstärke und Klangbild, Helligkeit und Farbe. Ich fuhr sämtliche Skalen auf Maximum hoch und drückte dreimal auf den »Annehmen«-Knopf am unteren Bildschirmrand. Dann stellte ich Lautstärke und Helligkeit auf die niedrigste Stufe und drückte erneut auf »Annehmen«. Auf dem Bildschirm erschien ein kleines Fenster und forderte mich auf, meine ID-Nummer als Wartungstechniker und mein Passwort einzugeben. Rasch tippte ich die ID-Nummer und das lange alphanumerische Passwort ein, die ich auswendig gelernt hatte. Aus den Augenwinkeln überprüfte ich beide auf Tippfehler und drückte dann auf o. k. Lange Zeit geschah nichts. Dann tauchte zu meiner großen Erleichterung die folgende Nachricht auf dem Bildschirm auf:

WARTUNGSBEDIENFELD — ZUGANG ERLAUBT

Damit hatte ich Zugriff auf ein Wartungsservicekonto, mit dem die Techniker die verschiedenen Komponenten der Unterhaltungskonsole testen und Programmfehler bereinigen konnten. Zwar war ich jetzt als Techniker eingeloggt, mein Zugang zum Intranet der Firma war aber immer noch relativ eingeschränkt. Doch damit hatte ich erst einmal die Ellbogenfreiheit, die ich brauchte. Mit Hilfe eines Exploits, das einer der Programmierer hinterlassen hatte, konnte ich mir ein gefälschtes Admin-

Konto einrichten. Nachdem das erledigt war, hatte ich auf beinahe alles Zugriff.

Als Allererstes wollte ich mir etwas mehr Privatsphäre verschaffen.

Ich klickte mich rasch durch mehrere Dutzend Untermenüs, bis ich das Zwangsarbeiter-Überwachungssystem gefunden hatte. Als ich meine Mitarbeiternummer eingab, erschien mein Profil auf dem Display, zusammen mit einem Foto, das während der Abfertigungsprozedur von mir geschossen worden war. In dem Profil waren mein aktueller Kontostand, meine Gehaltsstufe, meine Blutgruppe und die letzte Bewertung meiner Arbeitsleistung abgespeichert – sämtliche Daten, die die Firma über mich hatte. Oben rechts waren zwei Vidfeed-Fenster zu sehen; eines zeigte das Bild der Kamera in meinem Eargear, das andere war mit der Kamera meiner Wohneinheit verbunden. Die Kamera meines Eargears war gegenwärtig auf die leere Wand gerichtet. Die der Wohneinheit zeigte meinen Hinterkopf, den ich so hielt, dass der Bildschirm der Unterhaltungskonsole davon verdeckt wurde.

Ich rief die Konfigurationseinstellungen der beiden Kameras auf. Mit Hilfe eines weiteren Exploits hackte ich beide Kameras, so dass sie statt einer Live-Übertragung das archivierte Video meiner ersten Nacht in der Firma zeigten. Wenn jemand jetzt einen Blick auf die Kamerabilder warf, würde er sehen, dass ich in meiner Wohneinheit lag und schlief. Während ich in Wahrheit die ganze Nacht wach war und mich wie ein Wahnsinniger durch das Intranet der Firma hackte. Dann programmierte ich die Kameras so, dass sie auf das archivierte Video umschalteten, sobald ich das Licht in meiner Wohneinheit löschte. Der kurze Schnitt in der Übertragung würde von der Bildverzerrung überdeckt werden, wenn die Kameras auf Nachtsicht umschalteten.

Ich rechnete ständig damit, dass man mir auf die Spur kommen und mich aus dem System aussperren würde, aber das geschah nicht. Die Passwörter funktionierten weiterhin. In den vergangenen sechs Nächten hatte ich mich immer tiefer ins IOI-Netzwerk hineingegraben. Ich fühlte mich wie ein Häftling in einem alten Gefängnisfilm, der jeden Abend mit einem Teelöffel einen Tunnel unter der Wand seiner Zelle hindurchgrub.

In der vergangenen Nacht, kurz bevor mich die Erschöpfung überwältigt hatte, war es mir endlich gelungen, durch das Labyrinth der Firewalls bis zum Hauptdatenspeicher der Oologie-Division vorzudringen. Eine Goldgrube! Die Datensammlung der Sechser. Und heute Nacht würde ich mich endlich darin umsehen können.

Um einige der Daten mitnehmen zu können, hatte ich vor ein paar Tagen mit meinem Admin-Konto ein gefälschtes Hardwareanforderungsformular ausgefüllt. Damit hatte ich einem nichtexistenten Mitarbeiter (»Sam Lowery«) einen Zehn-Zettabyte-Datenstick in ein leeres Büro in der Nähe meines eigenen liefern lassen. Ich hatte mich in das Büro geschlichen – wobei ich darauf geachtet hatte, die Eargear-Kamera in die andere Richtung zu halten –, hatte den kleinen Datenstick in die Tasche gesteckt und ihn in meine Wohneinheit geschmuggelt. Nachdem ich in dieser Nacht das Licht ausgeschaltet und die Sicherheitskameras außer Gefecht gesetzt hatte, öffnete ich das Wartungspanel meiner Unterhaltungskonsole und steckte den Datenstick in eine Buchse, die für Firmware-Upgrades gedacht war. Jetzt konnte ich Daten aus dem Intranet direkt auf den Stick laden.

Ich setzte die Videobrille auf und zog die Handschuhe an. Dann machte ich es mir auf der Matratze bequem. Die Videobrille zeigte eine dreidimensionale Ansicht der Datenbank der Sechser. Dutzende sich überlappende Fenster hingen vor mir in der Luft. Mit Hilfe der Handschuhe klickte ich die Fenster an und arbeitete mich durch die Struktur der Datenbank. Der größte Datenbereich schien Halliday gewidmet zu sein. Die Menge der Informationen, die die Sechser über ihn besaßen, war atemberaubend. Dagegen nahm sich mein Gralstagebuch wie ein Notizzettel aus. Sie verfügten über Dinge, die ich noch nie gesehen hatte. Dinge, von denen ich noch nicht einmal gewusst hatte, dass sie existierten. Hallidays Grundschulzeugnisse, Kindheitsfilme, E-Mails, die er an seine Fans geschrieben hatte. Ich hatte keine Zeit, alles zu lesen, deshalb kopierte ich mir die wirklich interessanten Sachen auf den Stick, damit ich sie mir (hoffentlich) später in Ruhe anschauen konnte.

Ich konzentrierte mich vor allem darauf, Informationen über Burg Anorak und die Truppen zu finden, die die Sechser in ihrem Umkreis stationiert hatten. Ich kopierte sämtliche Angaben über Waffen, Fahrzeuge, Kampfschiffe und Truppenstärke. Außerdem stahl ich alle Daten, die mit der Kugel von Osuvox in Zusammenhang standen, das Artefakt, das sie benutzten, um den Schild zu erzeugen. Ich fand heraus, wo genau es aufbewahrt wurde und wie die Mitarbeiternummer des Zauberers lautete, der die Kugel benutzte.

Und dann stieß ich auf den Hauptgewinn – einen Ordner mit Hunderten von Stunden OASIS-SimCap-Material, auf dem zu sehen war, wie die Sechser das dritte Tor fanden und versuchten, es zu öffnen. Wie bereits vermutet, befand sich das Tor im Inneren von Burg Anorak. Nur Avatare, die im Besitz des Kristallschlüssels waren, konnten die Burg durch den Vordereingang betreten. Zu meinem Entsetzen war Sorrento der erste Avatar gewesen, der seit Hallidays Tod Burg Anorak betreten hatte.

Durch das Portal der Burg gelangte man in eine riesige Vorhalle, deren Wände, Boden und Decke aus Gold bestanden. Am Nordende der Halle befand sich eine große Kristalltür, in deren Mitte ein kleines Schlüsselloch zu sehen war.

Ich wusste sofort, dass dies das dritte Tor war.

Ich spulte mich durch einige weitere Dateien mit jüngeren Aufnahmen. Soweit ich sehen konnte, hatten die Sechser noch nicht herausgefunden, wie das Tor zu öffnen war. Offenbar reichte es nicht, den Kristallschlüssel in das Schlüsselloch zu stecken. Ihr gesamtes Team versuchte schon seit mehreren Tagen herauszufinden, woran das lag, aber bisher hatten sie noch keine Fortschritte gemacht.

Während Informationen und Videos über das dritte Tor auf meinem Datenstick gespeichert wurden, drang ich noch tiefer in die Datenbank der Sechser vor. Schließlich entdeckte ich einen gesperrten Bereich, der die Bezeichnung *Star Chamber* trug. Es war der einzige Teil der Datenbank, auf den ich keinen Zugriff hatte. Ich benutzte deshalb meine Admin-ID, um ein neues »Testkonto« einzurichten, und verlieh diesem allumfassende Zugriffsrechte und volle administrative Privilegien. Es funktionierte: Ich erhielt Zugang. Die Informationen in diesem gesperrten Bereich waren in zwei Ordnern abgelegt: *Einsatzstatus* und *Gefahrenbewertung*. Als Erstes öffnete ich den Ordner *Gefahrenbewertung*, und als ich sah, was er enthielt, wich mir das Blut aus dem Gesicht. Es gab darin fünf Unterordner mit den Namen *Parzival*, *Art3mis*, *Aech*, *Shoto* und *Daito*. Über Daitos Ordner befand sich ein großes rotes »X«.

Zuallererst öffnete ich den Parzival-Ordner. Ein detailliertes Dossier erschien, das sämtliche Informationen enthielt, die die Sechser im Laufe der Monate über mich gesammelt hatten. Meine Geburtsurkunde. Abschriften von meinen Schulzeugnissen. Ganz unten gab es einen Link zu einer SimCap-Aufzeichnung meiner gesamten Chatlink-Unterhaltung mit Sorrento, die damit endete, dass im Wohnwagen meiner Tante eine Bombe explodierte. Nachdem ich untergetaucht war, hatten sie meine Spur verloren. Im vergangenen Jahr hatten sie Tausende von Screenshots und Vidcaps meines Avatars gesammelt und jede Menge Informationen über meine Festung auf Falco, aber sie wussten nicht, wo ich mich in der realen Welt aufhielt. Mein gegenwärtiger Standort war als »unbekannt« aufgeführt.

Ich schloss das Fenster, holte tief Luft und öffnete dann den Ordner über Art3mis.

Ganz oben befand sich ein Schulfoto von einem jungen Mädchen mit einem recht traurigen Lächeln. Zu meiner Überraschung sah sie beinahe genauso aus wie ihr Avatar. Dasselbe dunkle Haar, die haselnussbraunen Augen, das hübsche Gesicht, das ich so gut kannte – mit einem kleinen Unterschied. Ihre linke Gesichtshälfte war von einem großen violettroten Muttermal überzogen. Später fand ich heraus, dass solche Muttermale auch als »Feuermal« bezeichnet wurden. Auf dem Foto trug sie ihr dunkles Haar so, dass es einen Großteil des Mals verdeckte.

Art3mis hatte durchblicken lassen, dass sie in Wahrheit irgendwie unansehnlich sei, aber jetzt stellte ich fest, dass das nicht stimmte. In meinen Augen tat das Muttermal ihrer Schönheit keinen Abbruch. Das Gesicht auf dem Foto erschien mir sogar noch schöner als das ihres Avatars, weil ich wusste, dass es echt war.

Unter dem Foto stand, dass sie mit wahrem Namen Samantha Evelyn Cook hieß, zwanzig Jahre alt war und in Kanada lebte. Sie war ein Meter achtundsechzig groß und wog vierundachtzig Kilo. Ihre Akte enthielt auch ihre Anschrift – 2206 Greenleaf Lane, Vancouver, British Columbia – und darüber hinaus eine Menge anderer Informationen, einschließlich ihrer Blutgruppe und ihrer Schulzeugnisse bis zurück zum Kindergartenalter.

Am Ende ihres Dossiers fand ich einen unbeschrifteten Videolink, und als ich ihn anklickte, erschien ein Live-Vidfeed von einem kleinen Vorstadthaus auf meinem Display. Es dauerte einen Moment, bis mir klarwurde, dass ich das Haus sah, in dem Art3mis lebte.

Als ich mich weiter durch ihre Akte grub, erfuhr ich, dass IOI sie schon seit fünf Monaten unter Beobachtung hielt. In ihrem Haus mussten ebenfalls Wanzen versteckt sein, denn ich fand mehrere hundert Stunden von Audioaufzeichnungen, die gemacht wurden, während sie in die OASIS eingeloggt war. Die Sechser besaßen komplette Niederschriften jedes Wortes, das sie beim Überwinden der ersten beiden Tore gesprochen hatte.

Als Nächstes öffnete ich Shotos Akte. Sie kannten seinen wahren Namen, Akihide Karatsu, und sie schienen auch seine Anschrift zu besitzen, ein Apartmentgebäude in Osaka, Japan. Außerdem enthielt sein Dossier ein Schulfoto, auf dem ein magerer Junge mit rasiertem Kopf zu sehen war. Genau wie Daito sah er seinem Avatar nicht im Geringsten ähnlich.

Über Aech wussten sie offenbar am wenigsten. Seine Akte enthielt kaum Informationen und kein Foto – nur einen Screenshot seines Avatars. Sein wahrer Name war als »Henry Swanson« aufgeführt, aber das war ein Deckname, den Jack Burton in *Big Trouble in Little China* benutzte, deshalb wusste ich, dass er nicht stimmen konnte. Seine Adresse wurde als »nicht ortsgebunden« angegeben, und darunter befand sich ein Link mit der Bezeichnung »Letzte Zugangspunkte«. Er führte zu einer Liste drahtloser Netzverbindungen, die Aech vor kurzem benutzt hatte, um auf sein OASIS-Konto zuzugreifen. Sie befanden sich in allen möglichen Städten: Boston,

Washington, D.C., New York City, Philadelphia und als Letztes Pittsburgh.

Nun wurde mir klar, wie es den Sechsern gelungen war, Art3mis und Shoto aufzuspüren. IOI gehörten Hunderte regionale Telecomunternehmen, was die Firma zum größten Internetserviceanbieter der Welt machte. Man konnte kaum online gehen, ohne ein Netzwerk zu benutzen, das IOI gehörte. Offenbar hatte die Firma illegalerweise einen Großteil des weltweiten Internetverkehrs abgehört, um die Handvoll Jäger ausfindig zu machen und zu identifizieren, die sie als Bedrohung einstuften. Mich hatten sie nur aus dem Grund nicht aufspüren können, weil ich in einem Anflug von Paranoia von meinem Apartmentkomplex aus eine direkte Glasfaserverbindung zur OASIS gemietet hatte.

Ich schloss Aechs Akte und öffnete dann das Dossier mit der Bezeichnung *Daito*. Ich fürchtete mich schon vor dem, was ich dort finden würde. Wie bei den anderen kannten die Sechser seinen echten Namen, Toshiro Yoshiaki, und seine Anschrift. Am Ende seiner Akte gab es zwei Links auf Zeitungsartikel über seinen »Selbstmord«. Darüber hinaus fand sich dort ein unbeschrifteter Videoclip, der von dem Tag stammte, an dem er gestorben war. Ich klickte ihn an. Es war die Aufnahme einer Handkamera, auf der zu sehen war, wie drei große Männer mit schwarzen Skimasken (von denen einer die Kamera hielt) schweigend in einem Flur warteten. Dann schienen sie über Funk einen Befehl zu erhalten und benutzten eine Key Card, um die Tür zu einem kleinen Einzimmerapartment zu öffnen. Es war Daitos Wohnung. Voller Grauen sah ich, wie sie in das Apartment stürmten, ihn aus seinem haptischen Stuhl rissen und vom Balkon warfen.

Die Schweinehunde filmten sogar noch, wie er zu Tode stürzte. Vermutlich auf Sorrentos Anweisung hin.

Eine Welle der Übelkeit durchströmte mich. Als ich mich wieder einigermaßen gefasst hatte, kopierte ich den Inhalt aller fünf Dossiers auf meinen Datenstick und öffnete dann den Ordner *Einsatzstatus*. Er schien ein Archiv der Statusberichte der Oologie-Division zu enthalten, die für die obersten Bosse der Sechser gedacht waren. Die Berichte waren nach Datum geordnet, wobei der neueste als Erstes gelistet war. Als ich ihn öffnete, stellte ich fest, dass es eine Kurzmitteilung von Nolan Sorrento an den Vorstand von IOI war. Darin schlug Sorrento vor, Art3mis und Shoto zu entführen und sie zu zwingen, IOI dabei zu helfen, das dritte Tor zu öffnen. Wenn die Sechser das Ei gefunden und den Wettbewerb gewonnen hatten, würden Art3mis und Shoto »aus dem Weg geräumt« werden.

Wie gelähmt saß ich da. Ich las die Mitteilung noch einmal und spürte Wut und Panik in mir aufsteigen.

Dem Zeitstempel zufolge hatte Sorrento die Nachricht kurz nach 20 Uhr abgeschickt, vor weniger als fünf Stunden. Seine Vorgesetzten hatten sie also wahrscheinlich noch nicht gelesen. Und wenn das geschah, würden sie wahrscheinlich noch über Sorrentos Vorschlag beraten wollen. Sie würden ihre Agenten also frühestens irgendwann im Laufe des Tages losschicken, um Art3mis und Shoto zu kidnappen.

Mir blieb immer noch Zeit, sie zu warnen. Doch dafür müsste ich meinen Fluchtplan erheblich ändern.

Vor meiner Verhaftung hatte ich es so eingerichtet, dass zu einem bestimmten Zeitpunkt eine Überweisung auf meinem IOI-Kreditkonto eingehen würde, die meine gesamten Schulden beglich. IOI bliebe dann nichts weiter übrig, als mich wieder in die Freiheit zu entlassen. Aber diese Überweisung würde erst in fünf Tagen eintreffen. Bis dahin hätten die Sechser Art3mis und Shoto wahrscheinlich längst irgendwo in einen Raum ohne Fenster gesperrt.

Ich konnte also nicht den Rest der Woche damit verbringen, die Datenbank der Sechser zu durchforsten, wie ich es geplant hatte. Ich musste so viele Daten wie möglich sammeln und mich dann sofort aus dem Staub machen.

Ich gab mir Zeit bis zum Morgengrauen.

0031

WÄHREND DER NÄCHSTEN VIER STUNDEN arbeitete
ich wie ein Besessener. Die meiste Zeit verbrachte ich damit,
Informationen aus der Datenbank der Sechser auf meinen
Stick zu kopieren. Nachdem das geschafft war, schickte ich ein
Formular zur Anforderung von Ausrüstung für die Oologie-
Division ab. Das war ein Online-Formular, mit dem die Be-
fehlshaber der Sechser Waffen oder Ausrüstung innerhalb der
OASIS bestellten. Ich wählte einen ganz bestimmten Gegen-
stand aus und legte fest, dass er in zwei Tagen zur Mittagszeit
geliefert werden sollte.

Als ich endlich fertig war, war es bereits halb sieben. Der
nächste Schichtwechsel in der technischen Kundenberatung
würde in neunzig Minuten stattfinden, und meine Nachbarn
in den angrenzenden Wohneinheiten würden bald aufwachen.
Meine Zeit war abgelaufen.

Ich rief mein Zwangsarbeiterprofil auf, klickte auf das Feld
mit dem Schuldenbetrag und löschte die noch ausstehende
Summe – Geld, das ich ohnehin nie wirklich geliehen hatte.
Dann wählte ich das Untermenü für die ÜKGs der Zwangsarbeiter an und tat endlich das, was ich schon die ganze Woche
hatte tun wollen: Ich schaltete den Schließmechanismus meines Eargears und der Fußfessel aus.

Ich spürte einen heftigen Schmerz, als sich die Klammern
des Eargears lösten. Das Gerät fiel mir auf die Schulter und
landete in meinem Schoß. Im selben Moment öffnete sich
mit einem Klicken die Fessel an meinem rechten Fußgelenk.

Darunter kam ein Streifen geröteter, abgeschürfter Haut zum Vorschein.

Jetzt gab es kein Zurück mehr. Die Sicherheitstechniker von IOI waren nicht die Einzigen, die Zugang zum Vidfeed meines Eargear hatten. Auch die Zwangsarbeiterschutzbehörde benutzte es dazu, meine täglichen Aktivitäten zu überwachen, um sicherzustellen, dass ich nicht misshandelt wurde. Nachdem ich das Gerät nun abgelegt hatte, würde es keine digitalen Aufzeichnungen mehr darüber geben, was mit mir von diesem Moment an geschah. Wenn mich die Sicherheitskräfte von IOI dabei erwischten, wie ich versuchte, mit einem gestohlenen Datenstick voller hochgradig belastender Informationen das Gebäude zu verlassen, war ich ein toter Mann. Die Sechser würden mich foltern und umbringen, und niemand würde jemals davon erfahren.

Ich erledigte noch ein paar Dinge, die mit meinem Fluchtplan zusammenhingen, und loggte mich dann zum letzten Mal aus dem IOI-Intranet aus. Nachdem ich die Datenbrille und die Handschuhe abgenommen hatte, öffnete ich das Wartungspanel neben der Unterhaltungskonsole. Unter dem Unterhaltungsmodul, zwischen der Wand meiner und der angrenzenden Wohneinheit befand sich ein kleiner Zwischenraum. Ich holte das dünne, sauber gefaltete Bündel hervor, das ich dort versteckt hatte. Es handelte sich um eine eingeschweißte Wartungstechnikeruniform, komplett mit Mütze und ID-Karte. (Genau wie den Datenstick hatte ich mir diese Dinge besorgt, indem ich sie mir in ein leeres Büro auf meinem Stockwerk hatte liefern lassen.) Ich zog meinen Overall aus und wischte mir damit das Blut an Ohr und Hals ab. Dann holte ich unter meiner Matratze zwei Pflaster hervor und klebte sie über die Löcher in meinem Ohrläppchen. Als ich die Technikeruniform angelegt hatte, zog ich vorsichtig den

Datenstick aus der Buchse und steckte ihn ein. Dann hob ich meinen Eargear und sprach hinein: »Ich muss auf die Toilette.«

Die Luke der Wohneinheit öffnete sich. Der Flur war dunkel und leer. Ich stopfte Eargear und Overall unter die Matratze und steckte die Fußfessel in die Tasche meiner neuen Uniform. Dann holte ich tief Luft, kroch nach draußen und stieg die Leiter hinunter.

Auf dem Weg zum Aufzug begegnete ich ein paar anderen Zwangsarbeitern, aber wie üblich blickte mir keiner von ihnen in die Augen. Das war eine große Erleichterung, denn ich hatte Angst, dass mich jemand erkennen und feststellen könnte, dass ich eigentlich nicht in die Uniform eines Wartungstechnikers gehörte. Als ich vor die Tür des Expressaufzugs trat, hielt ich den Atem an, während das System meine ID-Karte scannte. Nach einer halben Ewigkeit glitten die Türen auf.

»Guten Morgen, Mr Tuttle«, sagte der Aufzug, als ich einstieg. »Welches Stockwerk, bitte?«

»Foyer«, sagte ich mit belegter Stimme, und der Aufzug fuhr nach unten.

Auf meiner ID-Karte stand der Name »Harry Tuttle«. Ich hatte dem fingierten Mr Tuttle uneingeschränkten Zugang zum gesamten Gebäude gegeben und dann seine ID in meine Fußfessel einprogrammiert, so dass sie wie eines der Sicherheitsarmbänder funktionierte, die von den Wartungstechnikern getragen wurden. Wenn die Türen und Aufzüge mich scannten, um festzustellen, ob ich auch die nötige Sicherheitsfreigabe besaß, bestätigte ihnen die Fußfessel in meiner Tasche, dass alles seine Richtigkeit hatte – anstatt ihre eigentliche Aufgabe zu erfüllen, nämlich mir einen Stromstoß von ein paar tausend Volt zu verpassen und mich außer Gefecht zu setzen, bis die Sicherheitskräfte zur Stelle waren.

Schweigend fuhr ich im Aufzug nach unten und gab mir

dabei Mühe, mein Gesicht nicht in die Kamera zu halten, die über der Tür angebracht war. Dann fiel mir ein, dass die Aufzeichnung, die jetzt von mir gemacht wurde, später wahrscheinlich genau untersucht werden würde. Vermutlich würden Sorrento und seine Vorgesetzten sie zu sehen bekommen. Deshalb blickte ich einen Moment lang direkt in die Kamera und kratzte mir lächelnd mit dem Mittelfinger die Nase.

Der Aufzug hielt im Foyer, und die Tür glitt auf. Halb erwartete ich, dass mich eine Armee von Sicherheitskräften empfangen würde, die Waffen auf mein Gesicht gerichtet. Aber vor dem Aufzug wartete lediglich eine Menge gesichtsloser IOI-Angestellter. Ich musterte sie mit betont desinteressiertem Blick und trat aus dem Aufzug. Es war, als hätte ich die Grenze zu einem anderen Land überschritten.

Ein steter Strom koffeingedopter Büroangestellter wälzte sich zwischen den Gebäudeeingängen und den Aufzügen hin und her. Es waren reguläre Angestellte, keine Zwangsarbeiter. Sie durften am Ende ihrer Schicht nach Hause gehen. Sie konnten sogar kündigen, wenn sie wollten. Ich fragte mich, ob es ihnen etwas ausmachte, dass im selben Gebäude, nur ein paar Stockwerke von ihnen entfernt, Tausende von Sklaven lebten und schufteten.

In der Nähe des Empfangstresens entdeckte ich zwei Sicherheitskräfte und machte einen großen Bogen um sie. Ich schlängelte mich durch die dichte Menschenmenge im Foyer zu einer langen Reihe automatischer Glastüren, die nach draußen in die Freiheit führten. Dabei musste ich mich zwingen, nicht zu rennen. *Ich bin nur ein Wartungstechniker, Leute, der nach einer langen Nachtschicht nach Hause geht. Das ist alles. Auf keinen Fall bin ich ein Zwangsarbeiter, der mit zehn Zettabytes gestohlener Firmendaten in der Tasche einen gewagten Fluchtversuch unternimmt. Ganz bestimmt nicht!*

Auf halbem Weg zur Tür bemerkte ich ein seltsames Geräusch und blickte auf meine Füße hinab. Ich trug immer noch die Plastikschuhe der Zwangsarbeiter. Meine Füße erzeugten ein lautes Quietschen auf dem gewachsten Marmorboden, das sich vom gedämpften Klappern der normalen Büroschuhe deutlich abhob. Jeder meiner Schritte schien zu rufen: *Hallo! Schaut her! Hier ist ein Typ mit Plastikschuhen!*

Aber ich ging weiter. Ich hatte die Türen fast erreicht, als mir jemand eine Hand auf die Schulter legte. Ich erstarrte. »Sir?«, hörte ich eine Frauenstimme sagen.

Beinahe wäre ich zur Tür hinausgestürmt, aber etwas am Tonfall der Frau ließ mich innehalten. Ich drehte mich um und sah in die besorgte Miene einer hochgewachsenen Mittvierzigerin. Dunkelblauer Businessdress. Aktenkoffer. »Sir, Ihr Ohr blutet.« Sie deutete darauf und verzog das Gesicht. »Ziemlich stark.«

Ich betastete mein Ohrläppchen, und meine Finger waren rot von Blut. Offenbar waren die Pflaster abgefallen, die ich über die Löcher geklebt hatte.

Einen Moment lang war ich wie gelähmt und wusste nicht, was ich tun sollte. Ich wollte der Frau eine Erklärung geben, aber mir fiel nichts ein. Deshalb nickte ich nur und murmelte: »Danke.« Dann drehte ich mich um und ging so ruhig wie möglich nach draußen.

Der eisige Morgenwind blies so heftig, dass er mich beinahe umgerissen hätte. Als ich das Gleichgewicht wiedergefunden hatte, eilte ich die Treppe hinunter, blieb kurz bei einem Mülleimer stehen und warf die Fußfessel hinein. Sie schlug mit einem befriedigenden Poltern auf dem Boden auf.

Als ich die Straße erreicht hatte, wandte ich mich nach Norden und lief so schnell, wie meine Füße mich trugen. Ich stach ein wenig aus der Menge heraus, weil ich der Einzige war, der keinen Mantel anhatte. Meine Füße wurden rasch taub vor Kälte, weil ich in den Plastikschuhen keine Socken trug.

Als ich endlich das warme Innere der *Mailbox* erreicht hatte, eines Postgebäudes, wo man Schließfächer mieten konnte, das vier Häuserblocks vom IOI-Plaza entfernt war, war ich völlig durchgefroren. In der Woche vor meiner Festnahme hatte ich hier online ein Postschließfach gemietet und eine topmoderne tragbare OASIS-Anlage herschicken lassen. Die *Mailbox* war vollautomatisiert, ich musste mich also nicht mit irgendwelchen Angestellten herumschlagen. Und als ich das Gebäude betrat, befanden sich auch gerade keine anderen Kunden darin. Ich suchte mein Schließfach, gab meinen Code ein und nahm die OASIS-Ausrüstung heraus. Dann setzte ich mich auf den Boden und riss die Verpackung gleich an Ort und Stelle auf. Ich rieb meine gefrorenen Hände aneinander, bis das Gefühl in meine Finger zurückkehrte. Schließlich zog ich die Handschuhe an, setzte die Videobrille auf und benutzte die Anlage, um mich in die OASIS einzuloggen. Der Firmensitz von Gregarious Simulation Systems befand sich nur etwa einen Kilometer entfernt, deshalb konnte ich einen ihrer kostenfreien drahtlosen Zugangspunkte benutzen statt eine der städtischen Verbindungen, die IOI gehörten.

Mein Herz hämmerte mir in der Brust, als ich mich einloggte. Ich war acht Tage am Stück offline gewesen – ein persönlicher Rekord. Als mein Avatar langsam auf der Aussichtsplattform meiner Festung Gestalt annahm, blickte ich an meinem virtuellen Körper hinab und bewunderte ihn wie einen Anzug, den ich sehr mochte, aber lange nicht getragen hatte. Augenblicklich erhielt ich mehrere Nachrichten von Aech und Shoto. Und zu meiner Überraschung gab es sogar Post von Art3mis. Alle drei wollten sie wissen, wo zum Teufel ich steckte und was mit mir passiert war.

Art3mis' E-Mail beantwortete ich als Erstes. Ich schrieb ihr, dass die Sechser wussten, wer sie war und wo sie wohnte und dass sie beobachtet wurde. Außerdem warnte ich sie davor, dass die Sechser sie entführen wollten. Ich machte eine Kopie ihres Dossiers auf dem Datenstick und hängte sie meiner Nachricht als Beweis an. Dann gab ich ihr den Rat, sofort ihr Haus zu verlassen und unterzutauchen.

Verschwende keine Zeit darauf, einen Koffer zu packen, schrieb ich. *Oder Dich von irgendjemandem zu verabschieden. Verschwinde sofort und geh an einen sicheren Ort. Pass auf, dass Dir niemand folgt. Dann such Dir eine Internetverbindung, die nicht IOI gehört, und geh wieder online. Wir treffen uns so bald wie möglich in Aechs Basement. Mach Dir keine Sorgen – es gibt auch gute Neuigkeiten.*

Am Ende der Nachricht fügte ich noch einen kurzen Nachsatz hinzu: *PS: Ich finde, dass Du im echten Leben noch viel hübscher bist.*

Ähnliche E-Mails (natürlich ohne den Nachsatz) schickte ich auch an Shoto und Aech, zusammen mit Kopien ihrer Dossiers. Dann rief ich die Datenbank des Meldeamtes der Vereinigten Staaten auf und versuchte, mich einzuloggen. Zu meiner großen Erleichterung funktionierten die Passwörter, die ich gekauft hatte, noch, und ich konnte auf das Profil meiner gefälschten Identität als Bryce Lynch zugreifen. Es enthielt jetzt das ID-Foto, das während meiner Aufnahme als Zwangsarbeiter bei IOI von mir geschossen wurde, und die Worte POLIZEILICH GESUCHT waren über mein Gesicht gelegt. IOI hatte Mr Lynch also bereits als geflüchteten Zwangsarbeiter gemeldet.

Es nahm nicht allzu viel Zeit in Anspruch, die Identität von Bryce Lynch komplett zu löschen und meine Fingerabdrücke und Netzhautmuster wieder auf mein ursprüngliches Bürgerprofil zu übertragen. Als ich mich wenige Minuten später aus der Datenbank ausloggte, existierte Bryce Lynch nicht mehr. Ich war wieder Wade Watts.

Vor der *Mailbox* rief ich ein automatisches Taxi, wobei ich darauf achtete, ein örtliches Taxiunternehmen zu wählen und nicht SupraCab – eine Tochterfirma von IOI.

Beim Einsteigen hielt ich den Atem an, als ich den Daumen auf den ID-Scanner drückte. Die Anzeige leuchtete grün. Das System identifizierte mich als Wade Watts und nicht als den entflohenen Zwangsarbeiter Bryce Lynch.

»Guten Morgen, Mr Watts«, sagte das Taxi. »Wohin möchten Sie fahren?«

Ich gab dem Taxi die Adresse eines Bekleidungsgeschäfts auf der High Street, in der Nähe des Campus der OSU. Das Geschäft hieß *Thr3ads* und war auf »Hightech-Straßenkleidung« spezialisiert. Ich ging hinein und kaufte ein Paar Jeans und einen Pullover. Beides war sogenannte »Digital Wear«, konnte also für den Besuch in der OASIS genutzt werden. Zwar besaßen Jeans und Pullover keine haptischen Eigenschaften, sie konnten aber eine Verbindung zu meiner tragbaren Immersionsausrüstung herstellen und ihr übermitteln, was ich mit Oberkörper, Armen und Beinen tat. Damit ließ sich mein Avatar besser steuern, als wenn ich lediglich die Handschuhe als Interface benutzt hätte. Darüber hinaus kaufte ich mehrere Packungen Socken und Unterwäsche, eine Kunstlederjacke, ein Paar Stiefel und eine schwarze Wollmütze, um meinen frierenden Stoppelschädel zu bedecken.

Kurz darauf verließ ich, komplett neu eingekleidet, den Laden. Als der eisige Wind mir wieder um die Ohren pfiff, zog ich den Reißverschluss meiner Jacke hoch und setzte die Mütze auf. Schon viel besser! Die Uniform des Wartungstechnikers und die Plastikschuhe warf ich in den nächsten Mülleimer und schlenderte dann die High Street entlang, den Blick auf die Schaufenster gerichtet. Ich hielt den Kopf gesenkt und vermied es, den Strom mürrischer Studenten, die an mir vorbeigingen, anzusehen.

Ein paar Häuserblocks weiter schlüpfte ich in einen *Vend-All*-Laden. Das Innere war mit Reihen von Verkaufsautomaten angefüllt, an denen man alle nur erdenklichen Dinge erwerben konnte. Einer der Automaten trug die Bezeichnung WAFFENAUSSTATTER. Hier konnte man jede Menge Ausrüstung zur Selbstverteidigung kaufen: leichte Körperpanzerung, chemische Abwehrmittel und eine breite Auswahl an Handfeuerwaffen. Ich tippte auf den Bildschirm an der Vorderseite des Automaten und scrollte durch den Katalog. Nach kurzer Überlegung kaufte ich eine Flakweste und eine Glock 47C mit drei Reservemagazinen. Außerdem erwarb ich noch eine kleine Dose Reizgas. Dann bezahlte ich, indem ich meine rechte Handfläche auf einen Scanner legte. Meine Identität wurde verifiziert und mein Strafregister überprüft.

NAME: WADE WATTS
AUSSTEHENDE HAFTBEFEHLE: KEINE
BONITÄT: HERVORRAGEND
KAUFBESCHRÄNKUNGEN: KEINE
TRANSAKTION GENEHMIGT!
VIELEN DANK FÜR IHREN EINKAUF!

Ein schweres metallisches Poltern war zu hören, als meine Einkäufe in die stählerne Ausgabeschale auf Höhe meiner Knie fielen. Das Reizgas steckte ich ein, die Flakweste zog ich unter meinem neuen Shirt an. Dann holte ich die Glock aus der durchsichtigen Plastikverpackung. Es war das erste Mal, dass ich eine echte Pistole in der Hand hielt. Trotzdem kam sie mir vertraut vor, weil ich in der OASIS Tausende virtueller Schusswaffen abgefeuert hatte. Ich drückte auf einen kleinen Knopf am Lauf, und die Pistole gab einen Ton von sich. Ich hielt den Griff ein paar Sekunden lang fest umklammert, erst mit der rechten, dann mit der linken Hand. Die Waffe gab einen zweiten Ton von sich, der anzeigte, dass sie meine Handabdrücke gescannt hatte. Jetzt war ich der Einzige, der die Pistole abfeuern konnte. Die Waffe besaß einen eingebauten Timer, der dafür sorgte, dass sie erst nach Ablauf von zwölf Stunden (der sogenannten »Abkühlzeit«) das erste Mal benutzt werden konnte. Trotzdem war es ein beruhigendes Gefühl, sie bei mir zu haben.

Ich ging zu einem OASIS-Salon ein paar Häuserblocks weiter, eine Kette mit dem Namen *Plug*. Auf dem schäbigen, von hinten beleuchteten Schild war ein lächelndes Glasfaserkabel in Menschengestalt zu sehen, das einem *Rasend schnellen OASIS-Zugang! Preiswerte Mietausrüstung!* und *Private Immersionskabinen! Rund um die Uhr geöffnet, 365 Tage im Jahr!* versprach. Online hatte ich eine Menge Bannerwerbung für *Plug* gesehen. Sie standen in dem Ruf, teuer zu sein und veraltete Hardware zu benutzen, aber ihre Verbindungen galten als schnell, zuverlässig und verzögerungsfrei. Ausschlaggebend für mich war, dass *Plug* eine der wenigen OASIS-Salonketten war, die nicht IOI oder einer Tochterfirma des Unternehmens gehörten.

Der Bewegungsmelder gab ein Biepen von sich, als ich durch die Eingangstür trat. Zu meiner Rechten gab es einen kleinen Wartebereich, der gegenwärtig leer war. Der Teppich war fleckig und abgenutzt, und der gesamte Laden roch nach Desinfektionsmittel. Ein Angestellter mit leerem Blick sah hinter einer kugelsicheren Plexiglasbarriere zu mir hoch. Er war

Anfang zwanzig, hatte einen Irokesenschnitt und jede Menge Gesichtspiercings. Er trug eine spezielle Videobrille, die ihm eine halbtransparente Sicht der OASIS lieferte, während er gleichzeitig seine Umgebung in der realen Welt wahrnehmen konnte. Als er den Mund aufmachte, sah ich, dass seine Zähne spitz zurechtgefeilt waren. »Willkommen bei *Plug*«, sagte er mit monotoner Stimme. »Im Augenblick sind mehrere Kabinen frei, Sie müssen also nicht warten. Unsere Paketpreisangebote sehen Sie hier.« Er deutete auf den Bildschirm an der Theke direkt vor mir. Dann trat wieder ein abwesender Blick in seine Augen, während er seine Aufmerksamkeit erneut der Welt in seiner Videobrille zuwandte.

Ich ging meine Wahlmöglichkeiten durch. Ein Dutzend Immersionsanlagen von unterschiedlicher Qualität und zu unterschiedlichen Preisen war erhältlich. *Economy, Standard, Deluxe*. Ich sah mir zu allen die genauen Einzelheiten an. Man konnte sie minutenweise mieten oder einen festen Stundensatz bezahlen. Eine Videobrille und ein Paar Handschuhe waren im Preis inbegriffen, aber ein haptischer Anzug musste extra bezahlt werden. Der Mietvertrag enthielt eine Menge Kleingedrucktes über zusätzliche Kosten, die auf einen zukamen, wenn man die Ausrüstung beschädigte, und einen Haufen Juristensprech darüber, dass die Salonkette unter keinen Umständen für die Taten ihrer Kunden verantwortlich gemacht werden konnte, vor allem, wenn es sich um illegale Aktivitäten handelte.

»Ich möchte gern eine der Deluxe-Anlagen für zwölf Stunden mieten«, sagte ich.

Der Angestellte schob seine Brille auf die Stirn. »Ihnen ist klar, dass Sie im Voraus bezahlen müssen?«

Ich nickte. »Außerdem hätte ich gerne eine extradicke Kabelverbindung. Ich muss eine Menge Daten hochladen.«

»Hochladen kostet extra. Um wie viel geht's?«

»Zehn Zettabytes.«

»Meine Fresse«, flüsterte er. »Was wollen Sie denn da hochladen? Die Library of Congress?«

Ich ignorierte seine Frage. »Außerdem möchte ich das Mondo-Upgrade-Paket«, sagte ich.

»Aber klar«, erwiderte der Angestellte vorsichtig. »Das macht dann insgesamt elftausend Riesen. Drücken Sie einfach Ihren Daumen auf den Scanner, und Sie bekommen von uns alles, was Sie wollen.«

Er wirkte mehr als nur ein bisschen überrascht, als die Transaktion tatsächlich vollzogen wurde. Dann zuckte er mit den Achseln und händigte mir eine Key Card, eine Videobrille und ein Paar Handschuhe aus. »Kabine vierzehn. Die letzte Tür auf der rechten Seite. Die Toilette ist am Ende des Flurs. Wenn Sie in der Kabine irgendeine Sauerei hinterlassen – Erbrochenes, Urin, Sperma, egal, was –, behalten wir Ihr Pfandgeld. Und ich bin derjenige, der das wieder saubermachen muss, also tun Sie mir den Gefallen und reißen Sie sich zusammen, okay?«

»Klar, kein Problem.«

»Viel Spaß!«

»Danke.«

Kabine vierzehn war ein schalldichter, drei mal drei Meter großer Raum mit einer modernen Immersionsanlage. Ich verriegelte die Tür hinter mir und setzte mich in den haptischen Stuhl. Seine Vinyloberfläche war abgenutzt und von Rissen durchzogen. Ich steckte den Datenstick in einen Schlitz an der Vorderseite der OASIS-Konsole und lächelte, als ein Klicken zu hören war.

»Max?«, sagte ich ins Leere, nachdem ich mich eingeloggt hatte. Damit wurde die Sicherungskopie von Max gestartet, die in meinem OASIS-Konto gespeichert war.

Max' lächelndes Gesicht erschien auf allen Bildschirmen meiner Kommandozentrale. »H-h-hallo, Compadre!«, stotterte er. »W-w-was geht?«

»Die Lage sieht wieder besser aus, Kumpel. Jetzt krempel die Ärmel hoch. Wir haben eine Menge zu tun.«

Ich öffnete den Accountmanager meines OASIS-Kontos und begann, die Daten von meinem Stick hochzuladen. Ich zahlte eine monatliche Gebühr für unbegrenzten Datenspeicherplatz auf meinem Konto an GSS, und nun würde ich ihn zum ersten Mal richtig ausnutzen. Selbst mit der Glasfaserverbindung des *Plug*, die über eine hohe Bandbreite verfügte, würde es schätzungsweise drei Stunden dauern, um zehn Zettabytes Daten hochzuladen. Ich übertrug die Daten, die ich am dringendsten brauchte, als Erstes, damit ich sofort Zugriff darauf hatte und sie an andere Nutzer weiterleiten konnte.

Als Erstes schickte ich eine E-Mail an sämtliche großen Newsfeeds, in der ich beschrieb, wie IOI versucht hatte, mich umzubringen, wie die Firma Daito getötet hatte und wie sie auch Art3mis und Shoto aus dem Weg schaffen wollte. Die Videoaufzeichnung von Daitos Ermordung hänge ich an. Außerdem fügte ich eine Kopie der Mitteilung hinzu, die Sorrento an den Vorstand von IOI geschickt hatte und in der er vorschlug, Art3mis und Shoto zu entführen. Schließlich hänge ich noch die SimCap-Aufzeichnung meiner Chatlink-Unterhaltung mit Sorrento an, blendete jedoch die Stelle aus, an der er meinen echten Namen nannte, und machte mein Schulfoto unkenntlich. Ich war noch nicht bereit, der Welt meine wahre Identität zu enthüllen. Ich beschloss, die unbearbeitete Fassung des Videos später zu veröffentlichen, wenn der Rest meines Plans in die Tat umgesetzt war. Dann würde es keine Rolle mehr spielen.

Etwa fünfzehn Minuten brachte ich damit zu, eine letzte

E-Mail zu verfassen, die an sämtliche OASIS-Nutzer gerichtet war. Als ich mit dem Wortlaut zufrieden war, speicherte ich sie in meinem »Entwürfe«-Ordner ab. Dann loggte ich mich im *Basement* ein.

Als mein Avatar in dem Chatroom Gestalt annahm, sah ich, dass Aech, Art3mis und Shoto bereits auf mich warteten.

0032

»Z!«, RIEF AECH, als mein Avatar auftauchte. »Verdammt, Mann! Wo bist du gewesen? Ich versuch schon seit über einer Woche, dich zu erreichen!«

»Ich auch«, warf Shoto ein. »Wo warst du? Und wie bist du an diese Informationen aus der Datenbank der Sechser gekommen?«

»Lange Geschichte«, sagte ich. »Aber eins nach dem anderen.« Ich wandte mich an Shoto und Art3mis. »Habt ihr beide eure Wohnungen verlassen?«

Sie nickten.

»Und ihr seid von einem sicheren Ort aus eingeloggt?«

»Ja«, sagte Shoto. »Ich bin gerade in einem Manga-Café.«

»Und ich am Flughafen von Vancouver«, sagte Art3mis. Es war das erste Mal seit Monaten, dass ich ihre Stimme hörte. »Ich hocke in einer ranzigen öffentlichen OASIS-Zelle. Mein Haus habe ich mit nichts als meinen Klamotten am Leib verlassen. Ich hoffe wirklich, dass die Daten, die du uns geschickt hast, echt sind.«

»Das sind sie«, sagte ich. »Vertrau mir.«

»Wie kannst du dir da sicher sein?«, fragte Shoto.

»Weil ich mich selbst in die Datenbank der Sechser eingehackt und sie heruntergeladen habe.«

Alle starrten mich schweigend an. Aech hob eine Augenbraue. »Und wie genau hast du das geschafft, Z?«

»Ich habe eine falsche Identität angenommen und mich als Zwangsarbeiter rekrutieren lassen, um das Intranet der Firmenzentrale von IOI zu infiltrieren. Dort war ich die letzten acht Tage. Bin gerade erst getürmt.«

»Heilige Scheiße!«, flüsterte Shoto. »Im Ernst?«

Ich nickte.

»Mann, du hast echt Eier aus purem Adamantium«, sagte Aech. »Respekt!«

»Danke, Alter.«

»Also, mal angenommen, dass du uns hier nicht verarschst«, sagte Art3mis. »Wie kommt ein Zwangsarbeiter an geheime Dossiers und interne Mitteilungen der Sechser?«

Ich drehte mich zu ihr um. »Zwangsarbeiter haben über das Unterhaltungssystem in ihrer Wohneinheit begrenzten Zugang zum Intranet der Firma, hinter der Firewall von IOI. Ich habe ein paar Hintertüren und Exploits benutzt, die die ursprünglichen Programmierer im System hinterlassen haben, um mich durch das Netzwerk und direkt in die Datenbank der Sechser zu graben.«

Shoto sah mich ehrfurchtsvoll an. »Das hast du gemacht? Ganz alleine?«

»Das ist korrekt, Sir.«

»Ein Wunder, dass sie dich nicht erwischt und umgebracht haben«, sagte Art3mis. »Wie kannst du nur so dumm sein, ein solches Risiko einzugehen? Zu welchem Zweck?«

»Was denkst du denn? Um einen Weg zu finden, ihren Schild zu überwinden und zum dritten Tor zu gelangen.« Ich zuckte mit den Achseln. »Es war der einzige Plan, der mir auf die Schnelle eingefallen ist.«

»Z«, sagte Aech mit einem Grinsen. »Du bist ein echt verrückter Hundesohn.« Er kam zu mir herüber und klatschte mich ab. »Aber genau das mag ich so an dir, Mann!«

Art3mis blickte mich finster an. »Und als du festgestellt hast, dass sie geheime Dossiers über uns angelegt haben, konntest du einfach der Versuchung nicht widerstehen hineinzuschauen, was?«

»Ich musste hineinschauen!«, sagte ich. »Um herauszufinden, wie viel sie über jeden von uns wissen! Du hättest dasselbe getan.«

Sie deutete mit dem Finger auf mich. »Nein, hätte ich nicht. Ich respektiere anderer Leute Privatsphäre!«

»Art3mis, jetzt komm mal runter!«, mischte Aech sich ein. »Er hat dir wahrscheinlich das Leben gerettet, weißt du.«

Sie schien darüber nachzudenken. »Also gut«, sagte sie. »Vergiss es.« Aber ich konnte sehen, dass es noch immer in ihr arbeitete.

Ich wusste nicht, was ich sagen sollte, deshalb redete ich einfach weiter.

»Ich schicke gerade jedem von euch eine Kopie sämtlicher Daten, die ich rausgeschmuggelt habe. Zehn Zettabytes. Inzwischen sollten sie angekommen sein.« Ich wartete, während die anderen in ihrer Inbox nachsahen. »Ihr werdet nicht glauben, wie viele Informationen sie über Halliday haben. Sein ganzes Leben ist da. Sie haben Interviews mit sämtlichen Leuten geführt, die Halliday gekannt haben. Es könnte Monate dauern, das alles durchzuschauen.«

Ich wartete einen Moment und beobachtete sie dabei, wie sie den Inhalt des Datenpakets überflogen.

»Wow!«, sagte Shoto. »Das ist echt unglaublich.« Er sah zu mir herüber. »Wie zum Teufel konntest du dich mit dem ganzen Zeug aus dem Staub machen?«

»Hab mich ganz leise rausgeschlichen.«

»Aech hat recht«, sagte Art3mis und schüttelte den Kopf. »Du bist eindeutig plemplem.« Sie zögerte eine Sekunde, dann fügte sie hinzu: »Danke für die Warnung, Z. Ich schulde dir was.«

Ich öffnete den Mund, um »keine Ursache« zu sagen, aber irgendwie wollten mir die Worte nicht über die Lippen kommen.

»Ja«, sagte Shoto. »Ich auch. Danke.«

»Nicht der Rede wert, Leute«, brachte ich schließlich heraus.

»Und?«, fragte Aech. »Jetzt mal raus mit den schlechten Neuigkeiten. Wie dicht davor sind die Sechser, das dritte Tor zu knacken?«

»Haltet euch fest«, sagte ich grinsend. »*Bisher haben sie noch nicht mal rausgefunden, wie man es öffnet.*«

Art3mis und Shoto starrten mich ungläubig an. Aech lächelte breit, dann streckte er die Arme über den Kopf und begann, wie zu einem Rave-Stück zu tanzen. »Oh, yes! Oh, yes!«, sang er.

»Du machst Witze, oder?«, fragte Shoto.

Ich schüttelte den Kopf.

»Du meinst das wirklich ernst?«, fragte Art3mis. »Wie ist das möglich? Sorrento hat den Kristallschlüssel, und er weiß, wo das Tor ist. Er muss das verdammte Ding doch nur öffnen und hindurchtreten, oder?«

»So war es bei den ersten beiden Toren«, erwiderte ich. »Aber das dritte Tor ist anders.« Neben mir in der Luft öffnete ich ein großes Vidfeed-Fenster. »Schaut euch das an. Das ist aus dem Videoarchiv der Sechser. Es ist ein Vidcap ihres ersten Versuchs, das Tor zu öffnen.«

Ich drückte auf Play. Die Aufzeichnung begann mit Sorrentos Avatar vor dem Eingangstor von Burg Anorak. Das Tor, das sich viele Jahre lang nicht mehr geöffnet hatte, schwang auf wie die automatische Tür eines Supermarkts, als Sorrento sich ihm näherte. »Nur Avatare, die den Kristallschlüssel besitzen, können die Burg betreten«, erklärte ich. »Alle anderen müssen draußen bleiben, selbst wenn das Tor offen steht.«

Wir sahen uns den Rest der Aufzeichnung an. Sorrento trat

durch den Eingang und gelangte in die große, goldverkleidete Vorhalle. Über den polierten Boden ging sein Avatar auf das große Kristalltor in der Nordwand des Raumes zu. In der Mitte des Tors befand sich ein Schlüsselloch, und direkt darüber waren drei Worte in die glitzernde, facettierte Oberfläche des Tors geritzt: CHARITY. HOPE. FAITH.

Sorrento trat vor das Tor und holte seinen Kristallschlüssel heraus. Er steckte den Schlüssel ins Loch und drehte ihn herum. Nichts geschah.

Sorrento sah zu den drei Worten hoch, die auf dem Tor prangten. »Charity, Hope, Faith«, las er laut vor. Wieder rührte sich nichts.

Er zog den Schlüssel aus dem Schloss, rezitierte noch einmal die Worte, steckte den Schlüssel dann wieder ins Tor und drehte ihn herum. Immer noch nichts.

Ich beobachtete Aech, Art3mis und Shoto, während sie sich das Video anschauten. Ihre Aufregung und Neugierde war größter Konzentration gewichen, weil sie bereits versuchten, das Rätsel zu lösen. Ich hielt das Video an. »Wenn Sorrento eingeloggt ist, steht ihm ein Team aus Beratern und Experten zur Seite, die jede seiner Bewegungen verfolgen«, sagte ich. »Auf manchen Vidcaps sind ihre Stimmen zu hören, wenn sie ihm über Funk Empfehlungen und Ratschläge geben. Bislang konnten sie ihm nicht weiterhelfen. Schaut selbst …«

Auf dem Video war zu sehen, wie Sorrento einen weiteren Versuch unternahm, das Tor zu öffnen. Diesmal drehte er den Schlüssel allerdings entgegen dem Uhrzeigersinn.

»Sie versuchen die idiotischsten Sachen«, sagte ich. »Sorrento sagt die Worte auf Lateinisch, Elbisch und Klingonisch. Eine Zeitlang haben sie es mit dem 1. Korintherbrief, Kapitel 13, Vers 13 probiert, in dem die Worte ›Glaube, Hoffnung, Liebe‹ vorkommen. Offenbar gibt es auch drei katholische

Märtyrerinnen mit den Namen Fides, Spes und Caritas. Seit ein paar Tagen verfolgen die Sechser auch diese Spur.«

»Schwachköpfe«, sagte Aech. »Halliday war Atheist.«

»Langsam werden sie verzweifelt«, sagte ich. »Sorrento hat schon alles ausprobiert, außer vor dem Tor niederzuknien, einen kleinen Tanz aufzuführen und seinen Zeigefinger ins Schlüsselloch zu stecken.«

»Das hat er vermutlich als Nächstes vor«, sagte Shoto grinsend.

»Charity, Hope, Faith«, rezitierte Art3mis die Worte langsam. Sie wandte sich mir zu. »Woher kenne ich das bloß?«

»Ja«, sagte Aech. »Das kommt mir auch irgendwie bekannt vor.«

»Ich habe eine Weile gebraucht, bis es mir eingefallen ist«, sagte ich.

Alle sahen mich erwartungsvoll an.

»Sagt sie mal in der umgekehrten Reihenfolge«, schlug ich vor. »Oder noch besser: Singt sie.«

Art3mis' Augen verengten sich. »*Faith, Hope, Charity*«, sagte sie. Sie wiederholte die Worte ein paarmal, bis ihr die Erleuchtung kam. Dann sang sie: »Faith *and* hope *and* charity …«

Aech sang die nächste Zeile: »*The heart and the brain and the body …*«

»*Give you three … as a magic number!*«, schloss Shoto triumphierend.

»*Schoolhouse Rock!*«, riefen sie alle drei im Chor.

»Seht ihr?«, sagte ich. »Ich wusste, ihr würdet draufkommen. Ihr seid ein schlauer Haufen.«

»›*Three is a Magic Number*‹, Musik und Text von Bob Dorough«, spulte Art3mis herunter, als würde sie aus einer Enzyklopädie rezitieren. »Geschrieben 1973.«

Ich lächelte sie an. »Meine Theorie ist, dass Halliday uns damit sagen will, wie viele Schlüssel nötig sind, um das dritte Tor zu öffnen.«

Art3mis grinste und sang: »*It takes three.*«

»*No more, no less*«, fuhr Shoto fort.

»*You don't have to guess*«, fügte Aech hinzu.

»*Three*«, schloss ich, »*is the magic number.*« Ich holte meinen Kristallschlüssel hervor und hielt ihn hoch. Die anderen taten es mir nach. »Wir haben vier Schlüssel. Wenn zumindest drei von uns das Tor erreichen, können wir es öffnen.«

»Und was dann?«, fragte Aech. »Treten wir alle gleichzeitig durch?«

»Und was, wenn nun bloß einer von uns durch das Tor treten kann?«, sagte Art3mis.

»Das bezweifle ich«, sagte ich.

»Wer weiß, was Halliday sich dabei gedacht hat?«, sagte Art3mis. »Er hat schon die ganze Zeit mit uns gespielt, und das ist auch wieder ein Trick. Warum sonst bräuchte man drei Schlüssel, um das letzte Tor zu öffnen?«

»Vielleicht möchte er, dass wir zusammenarbeiten?«, gab ich zu bedenken.

»Oder er wollte, dass der Wettbewerb mit einem großen, dramatischen Finale endet«, meinte Aech. »Denkt doch mal drüber nach. Wenn drei Avatare zur selben Zeit durch das dritte Tor treten, beginnt ein Wettrennen darum, wer es als Erster schafft, das Tor zu meistern und sich das Ei zu holen.«

»Halliday war ein verrückter, sadistischer Mistkerl«, murmelte Art3mis.

»Ja«, sagte Aech mit einem Nicken. »Da hast du wohl recht.«

»Man kann die Sache auch anders sehen«, sagte Shoto. »Wenn Halliday nicht dafür gesorgt hätte, dass man drei Schlüssel braucht, um das dritte Tor zu öffnen … dann hätten die Sechser das Ei inzwischen längst gefunden.«

»Aber die Sechser haben ein Dutzend Avatare mit Kristall-schlüsseln«, sagte Aech. »Sie könnten das Tor auf der Stelle öffnen, wenn sie schlau genug wären, das Rätsel zu lösen.«

»Dilettanten«, sagte Art3mis. »Selbst schuld, wenn sie nicht sämtliche Songtexte von *Schoolhouse Rock!* auswendig kennen. Wie sind diese Idioten überhaupt so weit gekommen?«

»Durch Cheaten«, sagte ich. »Erinnerst du dich?«

»Ach ja, richtig. Das vergesse ich immer wieder.« Sie schenkte mir ein Lächeln, und meine Knie wurden weich.

»Dass die Sechser das Tor noch nicht geöffnet haben, heißt nicht, dass sie nicht irgendwann auf die Lösung kommen werden«, sagte Shoto.

Ich nickte. »Shoto hat recht. Früher oder später werden sie die Verbindung zu *Schoolhouse Rock!* herstellen. Wir dürfen also keine Zeit verschwenden.«

»Worauf warten wir also noch?«, rief Shoto aufgeregt. »Wir wissen, wo das Tor ist und wie es sich öffnen lässt! Lasst uns loslegen! Möge der beste Jäger gewinnen!«

»Du hast da etwas vergessen, Shoto-san«, sagte Aech. »Parzival hat uns noch nicht verraten, wie wir an dem Schild vorbeikommen, uns durch die Armee der Sechser kämpfen und in die Burg gelangen.« Er wandte sich mir zu. »Dafür hast du doch auch einen Plan, oder, Z?«

»Natürlich«, sagte ich. »Dazu wollte ich gerade kommen.« Ich machte eine ausladende Geste mit der rechten Hand, und vor mir in der Luft erschien ein dreidimensionales Hologramm von Burg Anorak. Der durchsichtige blaue Schild, der von der Kugel von Osuvox erzeugt wurde, war ebenfalls zu sehen. Er umgab die Burg auf allen Seiten. Ich deutete darauf. »Dieser Schild wird am Montag um zwölf Uhr mittags, also in etwa sechsunddreißig Stunden, verschwinden. Und dann werden wir die Burg direkt durch den Vordereingang betreten.«

»Der Schild wird verschwinden? Von ganz allein?«, wiederholte Art3mis. »Die Clans bepfeffern ihn schon seit zwei Wochen mit Atombomben, und bisher haben sie nicht mal einen Kratzer hinterlassen. Wie willst du es da schaffen, dass er ›von selbst verschwindet‹?«

»Ist arrangiert«, sagte ich. »Ihr werdet mir einfach vertrauen müssen.«

»Ich vertrau dir, Z«, sagte Aech. »Aber selbst wenn der Schild zusammenbricht, müssen wir uns immer noch unseren Weg durch die größte Armee in der ganzen OASIS kämpfen, um die Burg zu erreichen.« Er deutete auf das Hologramm, auf dem die Truppen der Sechser zu sehen waren, die im Inneren der Kugel rund um die Burg stationiert waren. »Was ist mit diesen Idioten? Und ihren Panzern und Kampfschiffen?«

»Natürlich werden wir ein bisschen Hilfe brauchen«, sagte ich.

»Eine Menge Hilfe«, berichtigte mich Art3mis.

»Und wen genau sollen wir davon überzeugen, mit uns in den Krieg gegen die Sechser zu ziehen?«, fragte Aech.

»Alle«, sagte ich. »Jeden einzelnen Jäger in der OASIS.« Ich öffnete ein weiteres Fenster und zeigte ihnen die kurze E-Mail, die ich verfasst hatte, bevor ich mich im *Basement* eingeloggt hatte. »Heute Abend werde ich diese Nachricht an sämtliche OASIS-Nutzer rausschicken.«

› Liebe Jäger,
   wir leben in einer dunklen Zeit. Nach Jahren des
   Betrugs, der Ausbeutung und Gaunerei ist es den
   Sechsern mit Hilfe unlauterer Tricks gelungen, das dritte
   Tor zu erreichen.
   Wie Ihr alle wisst, hat IOI eine Barrikade um Burg Anorak
   errichtet, um zu verhindern, dass jemand anderes das

Ei erreicht. Außerdem haben sie illegale Methoden angewendet, um die Identität der Jäger aufzudecken, die sie als Bedrohung empfinden, mit dem Ziel, sie zu entführen und zu ermorden.

Wenn wir uns nicht zusammenschließen, um die Sechser aufzuhalten, werden sie das Ei erreichen und den Wettbewerb gewinnen. Und dann wird die OASIS unter die imperialistische Herrschaft von IOI fallen.

Es ist Zeit, Widerstand zu leisten! Unser Angriff auf die Sechser beginnt morgen Mittag, OSZ.

Schließt Euch uns an!

Herzlichst

Aech, Art3mis, Parzival und Shoto

»Gaunerei‹?«, sagte Art3mis, als sie die E-Mail gelesen hatte. »Hast du den Thesaurus benutzt, als du das geschrieben hast?«

»Ich wollte, na ja, dass es nach was klingt«, sagte ich. »Irgendwie offiziell.«

»Michse mögen das, Z«, sagte Aech. »Bringt das Blut in Wallung.«

»Danke, Aech.«

»Das ist es also? Das ist dein Plan?«, sagte Art3mis. »Die ganze OASIS vollspammen und die anderen Jäger um Hilfe bitten?«

»Im Großen und Ganzen, ja. Das ist der Plan.«

»Und du glaubst wirklich, dass alle einfach auftauchen werden, um uns im Kampf gegen die Sechser zur Seite zu stehen?«, sagte sie. »Nur so zum Spaß?«

»Ja«, sagte ich. »Das glaube ich.«

Aech nickte. »Er hat recht. Niemand will, dass die Sechser den Wettbewerb gewinnen und IOI die Herrschaft über die OASIS übernimmt. Die Leute werden nur zu gern bereit sein, den Sechsern eins auszuwischen. Und welcher Jäger wird sich schon eine solch epische, geschichtsträchtige Schlacht entgehen lassen?«

»Aber werden die Clans nicht denken, dass wir sie bloß manipulieren wollen?«, fragte Shoto. »Damit wir das Tor als Erste erreichen?«

»Natürlich«, sagte ich. »Aber die meisten von ihnen haben längst aufgegeben. Jeder weiß, dass das Ende der Jagd kurz bevorsteht. Die Frage ist doch, wen der Großteil der Leute lieber gewinnen sieht: einen von uns oder Sorrento und die Sechser?«

Art3mis dachte einen Moment darüber nach. »Du hast recht. Es könnte funktionieren.«

»Z«, sagte Aech und schlug mir auf den Rücken. »Du bist ein fieses Supergenie! Wenn diese E-Mail rausgeht, werden die Medien verrücktspielen! Das wird sich blitzschnell herumsprechen. Morgen um diese Zeit werden sämtliche Avatare der OASIS nach Chthonia unterwegs sein.«

»Wollen wir es hoffen«, sagte ich.

»Auftauchen werden sie bestimmt«, sagte Art3mis. »Aber wie viele werden sich tatsächlich am Kampf beteiligen, wenn sie erst einmal sehen, womit wir es zu tun haben? Die meisten werden wahrscheinlich Klappstühle aufstellen und Popcorn essen, während sie uns dabei zusehen, wie wir uns verprügeln lassen.«

»Das ist natürlich möglich«, sagte ich. »Aber die Clans werden uns ganz sicher helfen. Sie haben nichts zu verlieren. Außerdem müssen wir ja nicht die gesamte Armee der Sechser besiegen. Wir müssen nur eine Bresche hineinschlagen, damit wir die Burg betreten und das Tor erreichen können.«

»*Drei* von uns müssen das Tor erreichen«, sagte Aech. »Wenn es nur einer oder zwei von uns schaffen, haben wir ein Problem.«

»Das stimmt«, sagte ich. »Wir sollten uns also alle große Mühe geben zu überleben.«

Art3mis und Aech lachten nervös. Shoto schüttelte nur den Kopf. »Selbst wenn es uns gelingt, das Tor zu öffnen, müssen wir auch noch die Aufgabe lösen, die uns im Inneren erwartet«, sagte er. »Und die wird wahrscheinlich schwieriger sein als bei den ersten beiden Toren.«

»Darüber können wir uns immer noch Gedanken machen«, sagte ich, »wenn wir das Tor erst mal erreicht haben.«

»Also gut«, sagte Shoto. »Dann lasst uns das durchziehen.«

»Ich bin dafür«, sagte Aech.

»Ihr zwei wollt da also tatsächlich mitmachen?«, fragte Art3mis.

»Hast du eine bessere Idee, Schwester?«, fragte Aech.

Sie zuckte mit den Achseln. »Nein. Leider nicht.«

»Okay, dann ist es also beschlossene Sache«, sagte Aech.

Ich klickte die E-Mail weg. »Ich sende euch eine Kopie der Nachricht«, sagte ich. »Schickt sie am besten schon heute Abend an alle, die auf euren Kontaktlisten stehen. Postet sie auf euren Blogs. Bringt sie auf euren POV-Kanälen. Uns bleiben sechsunddreißig Stunden, um die Nachricht zu verbreiten. Das sollte ausreichen, damit sich alle bewaffnen und mit ihren Avataren nach Chthonia reisen können.«

»Sobald die Sechser Wind von der Sache bekommen, werden sie sich auf einen Angriff vorbereiten«, sagte Art3mis. »Sie werden alle Register ziehen.«

»Vielleicht werden sie es auch einfach nicht ernst nehmen«, sagte ich. »Sie halten ihren Schild für undurchdringlich.«

»Er *ist* undurchdringlich«, sagte Art3mis. »Ich hoffe, dass du es tatsächlich schaffst, ihn auszuschalten.«

»Keine Sorge.«

»Warum sollte ich mir Sorgen machen?«, gab Art3mis zurück. »Ich bin momentan ja nur obdachlos und auf der Flucht! Ich befinde mich in einem öffentlichen Terminal auf einem Flughafen und zahle minutenweise für die Verbindung. Wie ich von hier aus einen Krieg führen oder versuchen soll, das dritte Tor zu knacken, ist mir absolut schleierhaft. Und ich habe nicht die geringste Ahnung, wo ich sonst hinkann.«

Shoto nickte. »Ich werde auch nicht lange hierbleiben können. Ich befinde mich in einer Mietkabine in einem Manga-Café in Osaka. Null Privatsphäre. Und sicher ist es hier auch nicht, falls die Sechser nach mir suchen.«

Art3mis sah mich an. »Irgendwelche Vorschläge?«

»Ich sag's ja nur ungern, Leute, aber ich bin momentan auch obdachlos und von einem öffentlichen Salon aus eingeloggt«, sagte ich. »Ich verstecke mich schon seit über einem Jahr vor den Sechsern, falls ihr euch erinnert.«

»Ich habe ein Wohnmobil«, sagte Aech. »Ihr seid alle herzlich eingeladen, bei mir unterzukommen. Aber ich glaube nicht, dass ich es in den nächsten sechsunddreißig Stunden nach Columbus, Vancouver und Japan schaffen werde.«

»Ich glaube, da könnte ich euch weiterhelfen«, sagte eine tiefe Stimme.

Erschrocken drehten wir uns um und sahen einen hochgewachsenen, grauhaarigen Avatar vor uns auftauchen. Es war der große und mächtige Og. Ogden Morrows Avatar. Und er nahm nicht langsam Gestalt an, wie es bei einem Avatar normalerweise der Fall wäre, wenn er sich in einen Chatroom einloggte. Er erschien einfach aus dem Nichts, als sei er die ganze Zeit da gewesen und hätte erst jetzt beschlossen, sich zu zeigen.

»War einer von euch schon mal in Oregon?«, fragte er. »Um diese Jahreszeit ist es da sehr schön.«

0033

VÖLLIG FASSUNGSLOS starrten wir den großen Og an.

»Wie sind Sie hier reingekommen?«, fragte Aech schließlich, nachdem er sich gesammelt hatte. »Das ist ein privater Chatroom.«

»Ja, ich weiß.« Morrow wirkte ein wenig zerknirscht. »Ich habe euch schon eine ganze Weile belauscht. Und ich möchte mich dafür entschuldigen, dass ich hier eingedrungen bin. Ich habe es mit den besten Absichten getan, das versichere ich euch.«

»Bei allem Respekt, Sir«, sagte Art3mis, »Sie haben die Frage nicht beantwortet. Wie konnten Sie diesen Chatroom ohne Einladung betreten? Und sich hier aufhalten, ohne dass wir etwas gemerkt haben?«

»Tut mir leid«, sagte er. »Ich verstehe, dass euch das beunruhigt. Aber ihr braucht euch keine Sorgen zu machen. Mein Avatar verfügt über viele einzigartige Kräfte, darunter auch die Fähigkeit, ohne Einladung einen privaten Chatroom betreten zu können.« Während er das sagte, ging er zu einem von Aechs Bücherregalen und ließ den Blick über die alten Rollenspielregelwerke schweifen. »Bevor die OASIS auf den Markt gekommen ist, haben Jim und ich für unsere Avatare einen Superuser-Zugang zur gesamten Simulation geschaffen. Unsere Avatare sind nicht nur unsterblich und unbesiegbar, sie können auch überallhin gehen und alles machen, was sie wollen. Nun, da Anorak nicht mehr existiert, ist mein Avatar der einzige, der diese Fähigkeiten besitzt.« Er drehte sich zu uns um. »Niemand sonst kann euch belauschen. Schon gar nicht die Sechser. Die Verschlüsselungsprotokolle der OASIS-Chatrooms sind bombensicher, das kann ich euch sagen.« Er kicherte. »Trotz meiner Anwesenheit hier.«

»Er war es, der damals den Stapel Comics umgeworfen hat!«, sagte ich zu Aech. »Nach unserem ersten gemeinsamen Treffen, erinnerst du dich? Ich habe dir doch gesagt, dass es kein Softwarefehler war.«

Og nickte und zuckte schuldbewusst mit den Achseln. »Ja, das war ich. Manchmal bin ich etwas ungeschickt.«

Einen Moment lang herrschte Stille, und dann brachte ich endlich den Mut auf, Morrow direkt anzusprechen. »Mr Morrow …«, begann ich.

»Bitte«, sagte Morrow und hob eine Hand. »Nennt mich Og.«

»Okay«, sagte ich und lachte nervös. Selbst unter diesen Umständen hatte ich das Gefühl, einer Legende gegenüberzustehen. Ich konnte nicht glauben, dass ich tatsächlich mit *dem* Ogden Morrow redete. »*Og*. Würde es Ihnen etwas ausmachen, uns zu sagen, warum Sie uns belauschen?«

»Weil ich euch helfen will«, erwiderte er. »Und nach dem zu urteilen, was ich vorhin gehört habe, könnt ihr ein wenig Hilfe gebrauchen.« Og sah uns unsere Skepsis an. »Bitte versteht mich nicht falsch«, fuhr er fort. »Ich werde euch keine Hinweise auf das Ei geben. Ich bin kein Spielverderber.« Er kam wieder zu uns herüber, und seine Stimme klang nun deutlich ernster. »Vor seinem Tod habe ich Jim versprochen, darauf zu achten, dass nichts geschieht, das dem Geist seines Wettbewerbs widerspricht. Deswegen bin ich hier.«

»Aber, Sir … Og«, sagte ich. »In Ihrer Autobiographie schreiben Sie, dass Sie während der letzten zehn Jahre von Hallidays Leben nicht mehr mit ihm gesprochen haben.«

Morrow schenkte mir ein amüsiertes Lächeln. »Komm

schon, Junge«, sagte er. »Man sollte nicht alles glauben, was man so liest.« Er lachte. »Allerdings entspricht diese Aussage fast der Wahrheit. Ich habe tatsächlich zehn Jahre lang nicht mehr mit ihm gesprochen. Wir haben uns erst ein paar Wochen vor seinem Tod wiedergetroffen.« Er hielt inne, als würde er sich zurückerinnern. »Damals wusste ich nicht einmal, dass er krank ist. Er hat mich einfach aus heiterem Himmel angerufen, und wir haben uns in einem privaten Chatroom getroffen, diesem hier nicht unähnlich. Dann hat er mir von seiner Krankheit und dem Wettbewerb erzählt. Er befürchtete, in den Toren könnten noch ein paar Programmierfehler stecken. Oder dass es nach seinem Tod zu Verwicklungen kommen könnte, die verhindern würden, dass der Wettbewerb seinen gewünschten Gang geht.«

»Sie meinen die Sechser?«, fragte Shoto.

»Genau«, sagte Og. »Die Sechser. Jim hat mich gebeten, den Wettbewerb zu überwachen und einzugreifen, wenn ich es für nötig hielt.« Er kratzte sich den Bart. »Ehrlich gesagt habe ich mich ein bisschen davor gescheut, diese Verantwortung zu übernehmen. Aber es war der letzte Wunsch meines ältesten Freundes. Ich konnte es ihm einfach nicht abschlagen. Während der letzten sechs Jahre habe ich das Geschehen beobachtet. Obwohl die Sechser sich große Mühe geben, euch Steine in den Weg zu legen, habt ihr vier es trotzdem geschafft dabeizubleiben. Aber nachdem ich gehört habe, in was für einer Lage ihr euch befindet, glaube ich, dass es endlich an der Zeit für mich ist, die Fairness in Jims Spiel wiederherzustellen.«

Art3mis, Shoto, Aech und ich tauschten verwunderte Blicke aus, als wollten wir uns gegenseitig versichern, dass all das wirklich geschah.

»Ich möchte euch vier in meinem Haus in Oregon eine Zuflucht bieten«, sagte Og. »Von hier aus werdet ihr in der Lage sein, euren Plan in die Tat umzusetzen und eure Quest zu beenden, ohne Angst haben zu müssen, dass die Agenten der Sechser euch aufspüren und eure Tür eintreten. Ich kann jedem von euch eine topmoderne Immersionsausrüstung und eine Glasfaserverbindung zur OASIS zur Verfügung stellen. Und alles, was ihr sonst noch braucht.«

Wieder herrschte fassungsloses Schweigen. »Danke, Sir!«, platzte es schließlich aus mir heraus, und ich musste mich beherrschen, um nicht auf die Knie zu sinken und mich mehrmals zu verbeugen.

»Es ist das mindeste, was ich tun kann.«

»Ihr Angebot ehrt mich, Mr Morrow«, sagte Shoto. »Aber ich lebe in Japan.«

»Ich weiß, Shoto«, sagte Og. »Ich habe bereits einen Privatjet gechartert. Er wartet am Flughafen von Osaka auf dich. Wenn du mir sagst, wo du dich gerade aufhältst, schicke ich dir eine Limousine, die dich direkt zur Rollbahn bringt.«

Shoto war einen Moment lang sprachlos, dann verbeugte er sich tief. »Arigato, Morrow-san.«

»Nicht der Rede wert, Kiddo.« Er wandte sich Art3mis zu. »Junge Dame, wie ich gehört habe, befindest du dich gerade am Flughafen von Vancouver? Für dich habe ich ebenfalls Reisevorbereitungen getroffen. An der Gepäckausgabe wartet ein Fahrer auf dich, der ein Schild mit dem Namen ›Benatar‹ in der Hand hält. Er wird dich zu dem Flugzeug bringen, das ich für dich gechartert habe.«

Einen Moment lang dachte ich, Art3mis würde sich ebenfalls verbeugen. Doch dann lief sie zu Og hinüber und umarmte ihn stürmisch. »Danke, Og«, sagte sie. »Danke, danke, danke!«

»Gern geschehen, meine Liebe«, sagte er mit einem verlegenen Lachen. Als sie ihn schließlich losließ, wandte er sich Aech und mir zu. »Aech, wenn ich es recht verstehe, besitzt du ein Fahrzeug und befindest dich momentan in der Nähe von Pittsburgh?« Aech nickte. »Wenn es dir nichts ausmacht, nach Columbus zu fahren und deinen Freund Parzival unterwegs aufzusammeln, würde ich euch beide mit einem Jet vom Flughafen dort abholen lassen. Das heißt, wenn ihr Jungs nichts dagegen habt, zusammen zu reisen?«

»Nein, das klingt perfekt«, sagte Aech und warf mir einen Seitenblick zu. »Danke, Og.«

»Ja, vielen Dank«, warf ich ein. »Sie sind echt der Retter in der Not.«

»Das will ich hoffen.« Er schenkte mir ein grimmiges Lächeln und wandte sich dann wieder an alle. »Ich wünsche euch eine gute Reise. Bis bald.« Damit verschwand er, genauso schnell, wie er aufgetaucht war.

»Also, das ist echt unfair«, sagte ich an Aech gewandt. »Art3-mis und Shoto kriegen Limousinen, und ich muss mich von dir Arschgesicht zum Flughafen mitnehmen lassen? In einem schrottreifen Wohnmobil?«

»Es ist nicht schrottreif«, sagte Aech lachend. »Und du kannst gerne ein Taxi nehmen, du Wichser.«

»Das wird interessant«, sagte ich und warf einen verstohlenen Blick zu Art3mis hinüber. »Dann werden wir vier uns also doch mal persönlich begegnen.«

»Es wird mir eine Ehre sein«, sagte Shoto. »Ich freue mich schon darauf.«

»Yeah«, sagte Art3mis und sah mich direkt an. »Kann's kaum erwarten.«

Nachdem Shoto und Art3mis sich ausgeloggt hatten, nannte ich Aech meinen gegenwärtigen Standort. »Es ist ein Salon aus der *Plug*-Kette. Ruf mich an, wenn du da bist, dann komme ich raus.«

»Alles klar«, sagte er. »Aber hör mal, ich sollte dich vorwarnen. Ich sehe meinem Avatar nicht besonders ähnlich.«

»Ach ja? Wer tut das schon? In Wirklichkeit bin ich auch nicht so groß und muskulös. Und meine Nase ist ein bisschen breiter …«

»Wollte es nur gesagt haben. Du könntest sonst vielleicht … na ja, einen Schreck kriegen, wenn du mich siehst.«

»Okay. Warum sagst du mir dann nicht einfach jetzt gleich, wie du aussiehst?«

»Ich bin schon unterwegs«, sagte er, ohne auf meine Frage einzugehen. »Wir sehen uns in ein paar Stunden, okay?«

»Gut. Fahr vorsichtig, Amigo.«

Auch wenn ich es mir nicht hatte anmerken lassen, machte es mich schon ein bisschen nervös, Aech nach all den Jahren persönlich zu begegnen. Aber das war nichts im Vergleich zu der Besorgnis, die ich jetzt schon bei dem Gedanken empfand, Art3mis in Oregon zu treffen. Wenn ich mir diesen Augenblick vorstellte, wurde ich von einer Mischung aus Aufregung und entsetzlicher Furcht heimgesucht. Wie würde sie in Wirklichkeit sein? War das Foto, das ich in ihrer Akte gesehen hatte, womöglich eine Fälschung? Hatte ich überhaupt noch eine Chance bei ihr?

Es kostete mich große Willensanstrengung, nicht mehr an Art3mis zu denken, sondern mich auf die bevorstehende Schlacht zu konzentrieren.

Als ich mich aus Aechs *Basement* ausgeloggt hatte, schickte ich meinen Kampfaufruf an sämtliche OASIS-Nutzer, deren Adressen ich besaß. Da ich wusste, dass die meisten E-Mails in den Spamfiltern hängen bleiben würden, postete ich den Brief auch in allen Jägerforen. Dann machte ich eine kurze Vidcap-Aufnahme davon, wie mein Avatar die E-Mail vorlas, und ließ sie in einer Endlosschleife auf meinem POV-Kanal laufen.

Die Nachricht sprach sich schnell herum. Innerhalb einer Stunde war unser bevorstehender Angriff auf Burg Anorak das Topthema auf allen Newsfeeds, begleitet von Überschriften wie JÄGER ERKLÄREN SECHSERN DEN KRIEG, PROMINENTE JÄGER BEZICHTIGEN IOI DER ENTFÜHRUNG UND DES MORDES und IST DIE JAGD NACH HALLIDAYS EI BALD VORBEI?

Einige der Newsfeeds sendeten bereits den Videoclip von Daitos Ermordung, zusammen mit dem Text von Sorrentos Mitteilung, wobei sie für beides eine anonyme Quelle angaben. Bislang hatte sich IOI geweigert, dazu Stellung zu nehmen. Inzwischen wusste Sorrento wahrscheinlich, dass es mir irgendwie gelungen war, die Datenbank der Sechser zu knacken. Ich wünschte, ich könnte sein Gesicht sehen, wenn er erfuhr, dass ich mich dafür eine ganze Woche lang nur wenige Stockwerke unter seinem Büro aufgehalten hatte.

Die nächsten Stunden verbrachte ich damit, meinen Avatar auszurüsten und mich geistig und moralisch auf das Kommende vorzubereiten. Als ich die Augen nicht mehr offen halten konnte, beschloss ich, eine Runde zu schlafen, bis Aech eintraf. Ich schaltete die Auto-Log-out-Funktion an meinem OASIS-Konto aus und döste, meine neue Jacke wie eine Decke über mich gelegt, die Pistole in der Hand, auf dem haptischen Stuhl ein.

Kurze Zeit später wurde ich von Aechs Klingelton geweckt. Er rief an, um mir zu sagen, dass er draußen vor der Tür stand. Ich kletterte aus der Immersionsanlage, sammelte meine Sachen zusammen und gab die gemietete Ausrüstung am Empfangstresen zurück. Als ich auf die Straße hinaustrat, stellte ich fest, dass es bereits Nacht war. Die eisige Luft traf mich wie ein Schwall kaltes Wasser.

Aechs kleines Wohnmobil stand nur ein paar Meter entfernt an der Bordsteinkante. Es war ein mokkafarbener SunRider, etwa sechs Meter lang und bestimmt zwei Jahrzehnte alt. Dach und Karosserie waren rostig und mit einem Flickwerk aus Solarzellen bedeckt. Die Fenster waren schwarz getönt, so dass ich nicht ins Innere schauen konnte.

Ich holte tief Luft und ging über den matschigen Bürgersteig, erfüllt von einer seltsamen Mischung aus Aufregung und Furcht. Als ich mich dem Wohnmobil näherte, öffnete sich eine Tür an der rechten Seite, und eine kurze Leiter wurde ausgefahren. Ich kletterte hinein, und die Tür schloss sich hinter mir. Ich fand mich in einer winzigen Küche wieder. Abgesehen von den Lichtleisten im Teppichboden war es dunkel. Zu meiner Linken sah ich eine kleine Schlafnische mit einem Hochbett, das sich über der Batteriekammer des Wohnmobils befand. Ich ging langsam durch die dunkle Küche und schob einen Perlenvorhang beiseite, der den Wohnbereich vom Fahrerhaus abtrennte.

Auf dem Fahrersitz saß eine korpulente Afroamerikanerin, die das Lenkrad fest umklammert hielt und starr geradeaus blickte. Sie war etwa in meinem Alter, hatte kurzes, krauses Haar und eine schokoladenbraune Haut, die im sanften Licht des Armaturenbretts leicht schimmerte. Ein altes *Rush-2112*-Konzert-T-Shirt spannte sich über ihrem üppigen Busen. Außerdem hatte sie ein Paar ausgeblichene schwarze Jeans und nietenbesetzte Kampfstiefel an. Sie schien zu zittern, obwohl es im Fahrerhaus angenehm warm war.

Einen Moment lang stand ich nur da und starrte sie schweigend an, während ich darauf wartete, dass sie meine Anwesenheit zur Kenntnis nahm. Schließlich drehte sie sich um und lächelte mir zu, und dieses Lächeln erkannte ich sofort. Es war dasselbe breite Grinsen, das ich schon tausendmal auf dem

Gesicht von Aechs Avatar gesehen hatte, während der endlosen Nächte, die wir zusammen in der OASIS verbracht, uns schlechte Witze erzählt und schlechte Filme geguckt hatten. Und ihr Lächeln war nicht das Einzige, was mir vertraut vorkam. Ich erkannte auch die Stellung ihrer Augen und ihre Gesichtszüge. Für mich gab es keinen Zweifel. Die junge Frau vor mir war mein bester Freund Aech.

Eine Welle widerstreitender Empfindungen überkam mich. Schreck machte einem Gefühl von Verrat Platz. Wie hatte er – *sie* – mich all die Jahre so täuschen können? Vor lauter Peinlichkeit bekam ich einen roten Kopf, als ich daran dachte, was für intime Einzelheiten ich Aech offenbart hatte. Einem Menschen, dem ich bedingungslos vertraut hatte. Jemand, den ich zu kennen glaubte.

Als ich nichts sagte, senkte sie den Blick und starrte ihre Stiefel an. Ich ließ mich auf den Beifahrersitz sinken, unschlüssig, was ich sagen sollte. Sie sah ein paarmal nervös zu mir herüber, wandte den Blick aber gleich wieder ab. Sie zitterte immer noch.

Meine Wut und das Gefühl, hintergangen worden zu sein, lösten sich rasch in Luft auf.

Ich konnte nicht anders, ich musste lachen. Es war kein böswilliges Lachen, und sie merkte das auch, denn ihre Schultern sanken ein wenig herab, und sie stieß ein erleichtertes Seufzen aus. Dann fing sie ebenfalls an zu lachen. Ein Lachen, das halb Weinen war.

»Hallo, Aech«, sagte ich, als wir uns wieder beruhigt hatten. »Was geht?«

»Gut geht's, Z«, sagte sie. »Alles im grünen Bereich.« Auch ihre Stimme war mir vertraut. Sie war in echt nur nicht ganz so tief wie online. Offenbar hatte Aech eine Software benutzt, um ihre Stimme zu verzerren.

»Tja«, sagte ich. »Da wär'n wir also.«

»Yeah«, erwiderte Aech. »Da wär'n wir.«

Eine unangenehme Stille folgte. Ich zögerte einen Moment, unsicher, was ich tun sollte. Dann folgte ich meinen Instinkten, beugte mich vor und umarmte sie. »Schön, dich zu sehen, alter Freund«, sagte ich. »Danke, dass du mich abholst.«

Sie erwiderte meine Umarmung. »Freut mich auch, dich zu sehen«, sagte sie, und ich merkte, dass sie es ernst meinte.

Ich ließ sie los und trat einen Schritt zurück. »Verdammt, Aech«, sagte ich lächelnd. »Ich wusste, dass du mir etwas verschweigst. Aber ich hätte nie vermutet …«

»Was?«, fragte sie ein wenig bissig. »Was hättest du nie vermutet?«

»Dass der berühmte Jäger Aech, der gefürchtetste und unbarmherzigste Arenakämpfer der ganzen OASIS in Wahrheit …«

»Eine dicke Schwarze ist?«

»Ich wollte sagen: ›junge Afroamerikanerin‹.«

Ihre Miene verfinsterte sich. »Es gibt einen Grund, warum ich es dir nicht gesagt habe, weißt du.«

»Und es ist sicher ein guter Grund«, sagte ich. »Aber eigentlich spielt es keine Rolle.«

»Nein?«

»Natürlich nicht. Du bist mein bester Freund, Aech. Mein *einziger* Freund, um genau zu sein.«

»Aber ich will es dir trotzdem erklären.«

»Okay. Aber kann das warten, bis wir in der Luft sind?«, fragte ich. »Wir haben eine lange Reise vor uns. Und ich werde mich bedeutend sicherer fühlen, wenn wir diese Stadt erst mal hinter uns gelassen haben.«

»Sind schon unterwegs, Amigo«, sagte sie und startete den Motor des Wohnmobils.

Aech folgte Ogs Wegbeschreibung zu einem privaten Hangar in der Nähe des Flughafens von Columbus, wo ein kleiner Luxusjet auf uns wartete. Og hatte Vorkehrungen getroffen, damit Aech ihr Wohnmobil in einem nahe gelegenen Hangar unterstellen konnte, aber es war viele Jahre ihr Zuhause gewesen, und ganz offensichtlich behagte ihr der Gedanke ganz und gar nicht, es hier zurückzulassen.

Beide betrachteten wir voller Staunen den Jet, als wir darauf zuliefen. Es war das erste Mal, dass ich ein Flugzeug aus der Nähe sah. Mit einem Jet zu reisen konnten sich nur Reiche leisten. Dass Og, ohne mit der Wimper zu zucken, gleich drei Flugzeuge auf einmal chartern konnte, zeugte davon, wie unglaublich wohlhabend er war.

Der Jet war vollautomatisiert, es befand sich also keine Crew an Bord. Wir waren ganz allein. Die angenehme Stimme des Autopiloten begrüßte uns und gab uns Anweisung, uns anzuschnallen und für den Abflug bereitzumachen. Wenige Minuten später befanden wir uns in der Luft.

Es war für uns beide die erste Flugreise, deshalb verbrachten wir anfangs die Zeit nur damit, aus dem Fenster zu schauen, überwältigt von dem Ausblick, während wir in dreitausend Meter Höhe in westliche Richtung durch die Atmosphäre rasten, unterwegs nach Oregon. Als wir das erste Staunen überwunden hatten, sah ich, dass Aech gerne mit mir reden wollte.

»Also gut, Aech«, sagte ich. »Leg schon los.«

Sie schenkte mir ihr breites Grinsen und holte tief Luft. »Ursprünglich stammte die Idee von meiner Mutter«, sagte sie. Dann erzählte sie mir etwas verkürzt ihre Lebensgeschichte. Sie sagte, dass ihr echter Name Helen Harris sei. Sie war nur ein paar Monate älter als ich und in Atlanta aufgewachsen. Ihre Mutter hatte sie allein großgezogen – ihr Vater war in Afghanistan gestorben, als sie noch ein Säugling gewesen war.

Ihre Mutter, Marie, hatte von zu Hause aus für ein Datenverarbeitungszentrum gearbeitet. Ihrer Meinung nach war die OASIS das Beste, was Frauen und Farbigen je passiert war. Von Anfang an hatte Marie für ihre Online-Geschäfte einen weißen, männlichen Avatar benutzt, weil sie dann deutlich höflicher behandelt wurde und bessere Karrierechancen hatte.

Als Aech sich das erste Mal in die OASIS einloggte, folgte sie dem Rat ihrer Mutter und erschuf ebenfalls einen weißen, männlichen Avatar. »H« war der Spitzname, den ihre Mutter ihr in ihrer Kindheit gegeben hatte, deshalb beschloss sie, ihn als Namen für ihre Online-Identität zu verwenden. Als sie ein paar Jahre später in der OASIS zur Schule gehen sollte, machte ihre Mutter auf dem Anmeldeformular falsche Angaben über Geschlecht und Hautfarbe. Statt eines Fotos gab Aech für das Schulprofil eine fotorealistisch gerenderte Aufnahme des Gesichts ihres Avatars ab, das sie an ihre eigenen Gesichtszüge angelehnt hatte.

Aech erzählte mir, dass sie nicht mehr mit ihrer Mutter gesprochen hatte, seit sie an ihrem achtzehnten Geburtstag von zu Hause ausgezogen war. Damals hatte sie sich ihrer Mutter gegenüber endlich geoutet. Anfangs hatte ihre Mutter nicht wahrhaben wollen, dass sie lesbisch sei. Aber dann hatte Helen ihr gestanden, dass sie schon seit fast einem Jahr mit einem Mädchen ausging, das sie online kennengelernt hatte.

Während Aech mir das alles erzählte, konnte ich sehen, dass sie auf meine Reaktion achtete. Eigentlich war ich gar nicht so arg überrascht. In den vergangenen Jahren hatten Aech und ich uns des Öfteren über die Schönheit des weiblichen Körpers ausgetauscht. Ich war sogar erleichtert, dass Aech mich zumindest in dieser Hinsicht nicht getäuscht hatte.

»Wie hat deine Mutter reagiert, als sie herausgefunden hat, dass du eine Freundin hattest?«, fragte ich.

»Wie sich herausstellte, hatte meine Mutter ihre eigenen unüberwindlichen Vorurteile«, sagte Aech. »Sie hat mich rausgeschmissen und gesagt, dass ich mich nie wieder blicken lassen soll. Eine Weile lang war ich obdachlos. Hab in einer Reihe von Notunterkünften gewohnt. Bis ich schließlich bei den Arenakämpfen in der OASIS genug verdiente, um mir das Wohnmobil zu kaufen, und seitdem habe ich darin gewohnt. Normalerweise halte ich nur an, um die Batterien aufzuladen.«

Während wir uns unterhielten und miteinander bekanntmachten, wurde mir klar, dass wir uns längst kannten – so gut, wie man einen anderen Menschen überhaupt kennen konnte. Jahrelang waren wir eng befreundet gewesen, hatten auf einer rein geistigen Ebene eine Verbindung hergestellt. Ich verstand sie, vertraute ihr und mochte sie als einen lieben Freund. Daran hatte sich nichts geändert. So nebensächliche Dinge wie Geschlecht, Hautfarbe oder sexuelle Orientierung hatten darauf keinen Einfluss.

Der Rest des Fluges rauschte nur so an uns vorbei. Aech und ich verfielen schon bald wieder in unseren vertrauten Rhythmus, und es dauerte nicht lange, bis ich das Gefühl hatte, mich einmal mehr im *Basement* zu befinden und bei einer Partie *Quake* oder *Joust* mit Aech herumzuwitzeln. All meine Befürchtungen, unsere Freundschaft könnte in der wirklichen Welt keinen Bestand haben, hatten sich verflüchtigt, als unser Jet auf Ogs privatem Landeplatz in Oregon niederging.

Wir waren nach Westen geflogen, dem Sonnenaufgang immer ein paar Stunden voraus. Deshalb war es noch dunkel, als wir landeten. Aech und ich blieben wie angewurzelt stehen, als wir aus dem Flugzeug stiegen, und betrachteten verwundert die Szenerie um uns herum. Selbst im trüben Mondlicht war der Anblick atemberaubend. Überall erhoben sich die dunklen Silhouetten der Wallowa Mountains. Reihen blauer Landelichter erstreckten sich über den Talboden hinter uns und markierten die Begrenzungen von Ogs privatem Flugplatz. Direkt vor uns führte eine steile Treppe aus Feldsteinen vom Rand der Landebahn zu einer großen, von Scheinwerfern angestrahlten Villa hinauf, die auf einem Plateau am Fuß der Bergkette stand. In der Ferne waren mehrere Wasserfälle zu sehen, die hinter Morrows Villa aus den Berghängen entsprangen.

»Sieht aus wie Bruchtal«, sagte Aech und nahm mir damit die Worte aus dem Mund.

Ich nickte. »Genau wie Bruchtal in den *Herr-der-Ringe*-Filmen.« Ehrfurchtsvoll blickte ich mich um. »Ogs Frau war ein großer Tolkien-Fan, erinnerst du dich? Er hat dieses Anwesen für sie gebaut.«

Hinter uns hörten wir ein elektrisches Summen, als die Gangway des Jets eingezogen wurde und sich die Luke schloss. Der Antrieb wurde gestartet, der Jet vollzog eine Kehrtwende und beschleunigte. Wir sahen zu, wie er in den klaren, sternenbedeckten Himmel aufstieg. Dann begannen wir, die Treppe zu erklimmen, die zur Villa führte. Als wir endlich oben angekommen waren, wartete Ogden Morrow bereits auf uns.

»Willkommen, meine Freunde!«, rief er und streckte uns beide Hände entgegen, um uns zu begrüßen. Er trug einen karierten Bademantel und Kaninchenhausschuhe. »Willkommen in meinem Haus!«

»Danke, Sir«, sagte Aech. »Danke für die Einladung.«

»Ah, du bist wahrscheinlich Aech«, erwiderte er und ergriff ihre Hand. Wenn ihn ihr Anblick überraschte, ließ er es sich zumindest nicht anmerken. »Ich erkenne deine Stimme.« Er zwinkerte ihr zu und umarmte sie fest. Dann drehte er sich um und umarmte auch mich. »Und du bist sicher Wade – ich meine, Parzival! Willkommen! Willkommen! Es ist mir eine Ehre, euch beide kennenzulernen!«

»Die Ehre ist ganz auf unserer Seite«, sagte ich. »Wir können Ihnen wirklich nicht genug dafür danken, dass Sie uns helfen.«

»Ihr habt euch schon ausgiebig bei mir bedankt, also jetzt mal genug damit!«, sagte er. Er führte uns über einen weiten grünen Rasen auf sein riesiges Haus zu. »Ich kann euch gar nicht sagen, wie schön es ist, Besucher zu haben. Leider lebe ich seit Kiras Tod ganz allein hier.« Einen Moment lang schwieg er, dann lachte er herzlich. »Abgesehen von meinen Köchen, Hausangestellten und Gärtnern, natürlich. Aber die wohnen alle hier, zählen also nicht als Besucher.«

Aech und ich wussten nicht, was wir darauf erwidern sollten, deshalb lächelten wir nur und nickten. Schließlich nahm ich all meinen Mut zusammen und fragte: »Sind die anderen schon eingetroffen? Shoto und Art3mis?«

Die Art, wie ich Art3mis' Namen sagte, brachte Morrow zum Kichern. Und dann fiel mir auf, dass Aech ebenfalls lachte.

»Was?«, fragte ich. »Was ist denn so lustig?«

»Ja«, sagte Og grinsend. »Art3mis ist als Erste eingetroffen, vor ein paar Stunden. Und Shotos Flugzeug ist etwa eine halbe Stunde vor euch hier gelandet.«

»Werden wir sie jetzt gleich sehen?«, fragte ich und bemühte mich dabei erfolglos, mir meine Anspannung nicht anmerken zu lassen.

Og schüttelte den Kopf. »Art3mis war der Meinung, dass es eine unnötige Ablenkung wäre, wenn sie euch beide jetzt gleich treffen würde. Sie möchte damit warten, bis das ›große Ereignis‹ vorbei ist. Und Shoto schien derselben Ansicht zu sein.« Er musterte mich einen Moment lang. »Wahrscheinlich ist es wirklich besser so. Ihr habt alle einen anstrengenden Tag vor euch.«

Ich nickte und verspürte eine merkwürdige Mischung aus Erleichterung und Enttäuschung.

»Wo sind sie jetzt?«, fragte Aech.

Og reckte triumphierend eine Faust in die Luft. »Sie sind bereits eingeloggt und bereiten euren Angriff auf die Sechser vor!« Seine Stimme hallte von den hohen Mauern der Villa wider. »Folgt mir! Die Stunde naht!«

Ogs Enthusiasmus holte mich wieder in die Gegenwart zurück, und ich spürte, wie sich mein Magen vor Nervosität verkrampfte. Wir gingen hinter unserem Wohltäter im Bademantel her über den weiten, mondbeschienenen Hof. Auf dem Weg zum Haupthaus kamen wir an einem eingezäunten Gärtchen vorbei, in dem zahllose Blumen wuchsen. Ich wunderte mich darüber, bis ich den großen Grabstein in der Mitte sah. Das musste Kira Morrows Grab sein. Doch trotz des hellen Mondlichts war es zu dunkel, als dass ich die Inschrift auf dem Stein hätte lesen können.

Og führte uns durch den reichverzierten Vordereingang der Villa. Drinnen war es dunkel, aber anstatt die Lichter anzuschalten, nahm Morrow doch tatsächlich eine Fackel von der Wand, um uns den Weg zu leuchten. Selbst im trüben Schein der Fackel erfüllte mich die Pracht des Anwesens mit Ehrfurcht. Gewaltige Wandteppiche und eine große Sammlung von Fantasygemälden zierten die Wände, während die Korridore von Gargoylestatuen und Ritterrüstungen gesäumt wurden.

Während wir Og folgten, nahm ich meinen Mut zusammen und sagte: »Wahrscheinlich ist das gerade kein günstiger Zeitpunkt, aber ich bin ein großer Fan Ihrer Arbeit. Mit den Lernspielen von Halcydonia Interactive bin ich aufgewachsen. Damit habe ich Lesen und Schreiben gelernt und Mathematik und …« So plapperte ich weiter, schwärmte von meinen Lieblingsspielen und benahm mich Og gegenüber wie der allerletzte peinliche Nerd.

Aech dachte wohl, ich wolle Og in den Arsch kriechen, denn

während meines gestammelten Monologs kicherte sie die ganze Zeit. Aber Og nahm es mit Gelassenheit auf. »Freut mich zu hören«, sagte er, offenbar ehrlich geschmeichelt. »Meine Frau und ich waren auf diese Spiele sehr stolz. Schön, dass du dich gerne an sie erinnerst.«

Wir gingen um eine Ecke, und Aech und ich blieben am Eingang eines riesigen Raumes stehen, der mit Reihen alter Spielautomaten angefüllt war. Wir wussten beide, dass es sich um James Hallidays Sammlung von klassischen Automaten-spielen handeln musste – die Sammlung, die er Morrow nach seinem Tod hinterlassen hatte. Og blickte sich um, sah uns am Eingang des Raumes stehen und eilte zu uns zurück.

»Ich verspreche euch, dass ich euch nachher eine Führung geben werde, wenn die ganze Aufregung vorbei ist«, sagte Og ein wenig außer Atem. Für einen Mann seines Alters und seiner Körpergröße bewegte er sich sehr schnell. Wir stiegen eine steinerne Wendeltreppe hinunter und erreichten einen Aufzug, mit dem wir einige Stockwerke tiefer in den Keller der Villa fuhren. Hier unten war die Einrichtung wesentlich mo-derner. Wir folgten Og durch ein Labyrinth aus mit Teppich ausgelegten Fluren, bis wir sieben runde, nummerierte Türen erreichten.

»Da sind wir!«, sagte Morrow und deutete mit der Fackel auf die Türen. »Das sind meine Immersionskabinen. Alles topmo-derne Habashaw-Anlagen. OIR-Neunzig-Vierhunderter.«

»Neunzig-Vierhunderter? Im Ernst?« Aech pfiff leise durch die Zähne. »Sauber, Mann.«

»Wo sind die anderen?«, fragte ich und blickte mich nervös um.

»Art3mis und Shoto sind in den Kabinen zwei und drei«, sagte er. »Kabine eins ist meine. Ihr könnt euch jeder eine der anderen aussuchen.«

Ich starrte die Türen an und fragte mich, hinter welcher sich Art3mis wohl befinden mochte.

Og deutete auf das Ende des Flurs. »In den Ankleideräumen findet ihr haptische Anzüge in allen Größen. Jetzt macht euch bereit!«

Er strahlte über das ganze Gesicht, als Aech und ich wenige Minuten später aus den Ankleideräumen kamen, in brandneue haptische Anzüge gehüllt.

»Wunderbar!«, sagte Og. »Sucht euch eine Kabine aus und loggt euch ein. Die Zeit drängt!«

Aech wandte sich mir zu. Sie wollte offenbar etwas sagen, schien aber nicht die richtigen Worte zu finden. Nach einem Moment streckte sie eine Hand aus. Ich schüttelte sie.

»Viel Glück, Aech«, sagte ich.

»Viel Glück, Z«, erwiderte sie. Dann wandte sie sich zu Og um und sagte: »Noch mal vielen Dank, Og.« Bevor er etwas erwidern konnte, stellte sie sich auf die Zehenspitzen und küsste ihn auf die Wange. Dann verschwand sie durch die Tür von Kabine vier, die sich zischend hinter ihr schloss.

Og blickte ihr mit einem Grinsen nach und wandte sich dann mir zu. »Die ganze Welt feuert euch vier an. Lasst sie nicht im Stich.«

»Wir werden unser Bestes geben.«

»Ich weiß.« Er reichte mir eine Hand, und ich schüttelte sie.

Ich ging auf eine der freien Immersionskabinen zu und drehte mich dann noch einmal um. »Og, kann ich Sie noch was fragen?«, sagte ich.

Er hob eine Augenbraue. »Wenn du wissen willst, was sich im Inneren des dritten Tors befindet – ich habe keine Ahnung«, sagte er. »Und selbst wenn, würde ich es dir nicht verraten …«

Ich schüttelte den Kopf. »Nein, darum geht's nicht. Ich wollte fragen, warum Ihre Freundschaft mit Halliday damals in die Brüche gegangen ist. Trotz all meiner Recherchen habe ich den wahren Grund nie herausfinden können. Was ist passiert?«

Morrow betrachtete mich einen Moment lang. Diese Frage war ihm in Interviews schon oft gestellt worden, und er war nie darauf eingegangen. Ich weiß nicht, warum er beschloss, es mir zu sagen. Vielleicht hatte er all die Jahre darauf gewartet, es jemandem erzählen zu können.

»Es war wegen Kira, meiner Frau.« Er hielt kurz inne, dann räusperte er sich und sprach weiter. »Genau wie ich war er seit der Highschool in sie verliebt. Natürlich hat er sich nie getraut, ihr seine Gefühle zu gestehen. Sie wusste deshalb nichts davon. Und ich auch nicht. Er hat mir erst davon erzählt, als wir uns kurz vor seinem Tod das letzte Mal getroffen haben. Selbst damals fiel es ihm noch schwer, mit mir darüber zu reden. Jim konnte nie gut mit Leuten umgehen oder seine Gefühle ausdrücken.«

Ich nickte schweigend und wartete darauf, dass er weitersprach.

»Sogar als Kira und ich uns verlobten, glaubte Jim wohl insgeheim immer noch, sie für sich gewinnen zu können. Aber nach unserer Hochzeit gab er diese Vorstellung auf. Er hat mir gesagt, dass er nicht mehr mit mir gesprochen hat, weil er so furchtbar eifersüchtig auf mich war. Kira war die einzige Frau, die er je geliebt hat.« Morrow versagte die Stimme. »Ich kann ihn verstehen. Kira war ein ganz besonderer Mensch. Es war unmöglich, sich nicht in sie zu verlieben.« Er lächelte mich an. »Du weißt, wie es ist, so jemandem zu begegnen, oder?«

»Ja«, erwiderte ich. Als mir klarwurde, dass er nicht mehr weitersprechen würde, sagte ich: »Danke, Mr Morrow. Danke, dass Sie mir das alles erzählt haben.«

»Gern geschehen«, sagte er. Dann ging er zu seiner Immersionskabine, und die Tür glitt auf. Im Inneren konnte ich sehen, dass seine Anlage einige seltsame Komponenten umfasste, unter anderem eine OASIS-Konsole, die einem alten Commodore 64 glich. Er sah noch einmal zu mir zurück. »Viel Glück, Parzival. Ihr werdet es brauchen.«

»Was werden Sie während des Kampfes tun?«, fragte ich.

»Na, zugucken natürlich!«, sagte er. »Das wird wahrscheinlich die größte Schlacht in der Geschichte des Videospiels.« Er grinste mir ein weiteres Mal zu und verschwand dann durch die Tür. Ich war allein in dem trübe erleuchteten Flur.

Einen Moment lang dachte ich über das nach, was Morrow mir erzählt hatte. Dann betrat ich meine Immersionskabine.

Es war ein kleiner, kugelförmiger Raum. Ein funkelnder haptischer Stuhl hing an einem hydraulischen Arm mit mehreren Gelenken von der Decke. Es gab kein Laufband, weil der Raum selbst diese Funktion übernahm. War man erst einmal eingeloggt, konnte man in jede beliebige Richtung laufen, und der kugelförmige Raum rotierte um einen herum, so dass man nie an der Wand ankam. Als würde man sich in einem riesigen Hamsterlaufrad befinden.

Ich kletterte in den Stuhl und spürte, wie er sich den Konturen meines Körpers anpasste. Ein Roboterarm setzte mir eine brandneue Oculance-Videobrille auf. Sie passte sich ebenfalls perfekt an mein Gesicht an. Die Videobrille scannte meine Netzhaut, und das System forderte mich auf, meine neue Passphrase zu sprechen: »Reindeer Flotilla Setec Astronomy«.

Ich holte tief Luft, als das System mich einloggte.

0034

ICH WAR BEREIT.

Mein Avatar war bis an die Zähne bewaffnet. Ich hatte so viele magische Gegenstände und Feuerwaffen bei mir, wie in mein Inventar passten.

Alles war geklärt. Unser Plan stand fest. Es wurde Zeit, sich auf den Weg zu machen.

Ich betrat den Hangar meiner Festung und drückte auf einen Knopf an der Wand, um die Tore zu öffnen. Dahinter kam der Starttunnel zum Vorschein, der senkrecht nach oben zur Oberfläche von Falco führte. Ich schritt zum Ende der Rollbahn, an meinem X-Wing und der *Vonnegut* vorbei. Es waren gute Schiffe mit beeindruckenden Waffen und Verteidigungssystemen, doch sie würden mir in der bevorstehenden Schlacht auf Chthonia zu wenig Schutz bieten. Zum Glück besaß ich inzwischen ein neues Transportmittel.

Ich holte den dreißig Zentimeter großen Leopardon-Roboter aus dem Inventar meines Avatars und stellte ihn vorsichtig auf die Rollbahn. Kurz bevor ich von IOI verhaftet worden war, hatte ich mir noch die Zeit genommen, den Spielzeugroboter genauer in Augenschein zu nehmen. Wie ich schon vermutet hatte, war der Roboter in Wahrheit ein mächtiger magischer Gegenstand. Es dauerte nicht lange, bis ich den Aktivierungsbefehl gefunden hatte. Wie in der original *Supaidaman*-Fernsehserie von Toei aktivierte man den Roboter einfach, indem man seinen Namen rief. Ich trat sicherheitshalber ein paar Schritte zurück und sagte: »Leopardon!«

Ein durchdringendes Quietschen ertönte, wie von reißendem Metall. Augenblicklich wuchs der winzige Roboter zu einer Höhe von beinahe hundert Metern an. Sein Kopf ragte nun durch das offene Hangartor in der Decke.

Ich blickte zu dem riesigen Roboter hoch und bewunderte die Detailfreude, mit der Halliday ihn programmiert hatte. Der japanische Mech war originalgetreu nachgebildet worden, bis hin zu seinem gewaltigen, glänzenden Schwert und dem Spinnennetz auf seinem Schild. Im linken Fuß des Roboters befand sich eine winzige Luke. Sie öffnete sich, als ich mich näherte, und dahinter kam ein kleiner Fahrstuhl zum Vorschein. Er trug mich durch das Bein und den Rumpf des Roboters hinauf zum Cockpit in seiner gepanzerten Brust. Als ich auf dem Kommandosessel Platz nahm, entdeckte ich in einem Glaskasten an der Wand ein silbernes Steuerarmband. Ich nahm es heraus und befestigte es am Handgelenk meines Avatars. Mit Hilfe des Armbands konnte ich dem Roboter Stimmbefehle geben, wenn ich mich außerhalb seines Körpers befand.

Auf der Steuerkonsole vor mir waren mehrere Reihen Knöpfe zu sehen, die alle auf Japanisch beschriftet waren. Ich drückte einen davon, und der Antrieb erwachte dröhnend zum Leben. Dann betätigte ich den Startknopf, und die doppelten Raketendüsen in den Füßen des Roboters zündeten. Er schoss nach oben, aus meiner Festung heraus und in den sternenbedeckten Himmel über Falco.

Mir fiel auf, dass Halliday auch einen alten Kassettenrekorder in die Steuerkonsole des Cockpits eingebaut hatte. Über meiner rechten Schulter befand sich ein Regal mit der passenden Musik. Ich nahm eine Kassette heraus und schob sie in das Abspielgerät. *Dirty Deeds Done Dirty Cheap* von AC/DC dröhnte aus den Innen- und Außenlautsprechern des Roboters – so laut, dass mein Stuhl vibrierte.

Nachdem der Roboter den Hangar verlassen hatte, rief ich »Umwandlung *Marveller*!« in das Steuerarmband (die Stimmbefehle schienen nur zu funktionieren, wenn man sie laut schrie). Arme, Beine und Kopf des Roboters wurden nach innen geklappt, und er verwandelte sich in ein Raumschiff namens *Marveller*. Als die Umwandlung abgeschlossen war, verließ ich Falcos Orbit und nahm Kurs auf das nächstgelegene Sternentor.

Mein Radarschirm leuchtete auf wie ein Weihnachtsbaum, als mich das Sternentor in Sektor 10 ausspuckte. Tausende von Raumfahrzeugen der unterschiedlichsten Modelle krochen durch die sternenerfüllte Schwärze – vom Einmannjäger bis hin zu Frachtern von der Größe eines Mondes. Noch nie hatte ich so viele Raumschiffe auf einmal gesehen. Ein steter Strom von ihnen drang aus dem Sternentor, während sich weitere aus jeder nur denkbaren Richtung dem Gebiet näherten. Die Schiffe bildeten eine lange Karawane, die sich auf Chthonia zubewegte, eine winzige blaubraune Kugel in der Ferne. Es sah aus, als seien sämtliche Bewohner der OASIS unterwegs zu Burg Anorak. Einen Moment lang wurde ich von einer unbändigen Freude erfasst, obwohl ich wusste, dass Art3mis mit ihrer Warnung durchaus recht behalten könnte und die meisten vielleicht nur hier waren, um sich das Spektakel anzusehen, ohne tatsächlich im Kampf gegen die Sechser ihr Leben aufs Spiel zu setzen.

Art3mis. Nach all der Zeit befand sie sich nun in einem Raum nur wenige Meter von mir entfernt. Wenn dieser Kampf vorbei war, würden wir einander zum ersten Mal leibhaftig begegnen. Der Gedanke hätte mich mit Furcht erfüllen sollen, doch stattdessen spürte ich eine zenartige Ruhe in mir: Was immer auf Chthonia passieren würde, die Risiken, die ich eingegangen war, hatten sich bereits gelohnt.

Ich wandelte die *Marveller* wieder in ihre Robotergestalt um und schloss mich dann der langen Parade von Raumfahrzeugen an. Mein Schiff hob sich von den anderen ab, weil es der einzige Riesenroboter war. Eine Wolke kleinerer Schiffe sammelte sich rasch um mich – gesteuert von neugierigen Avataren, die sich Leopardon genauer anschauen wollten. Ich musste mein Funkgerät stummschalten, weil so viele verschiedene Leute versuchten, mit mir Kontakt aufzunehmen, um mich zu fragen, wer zum Teufel ich war und woher ich ein derart cooles Gefährt hatte.

Je größer der Planet Chthonia in meinem Cockpitfenster wurde, desto mehr Schiffe begleiteten mich. Als ich endlich in die Atmosphäre des Planeten eintrat und zur Oberfläche hinabsank, hatte ich das Gefühl, durch einen Schwarm Metallinsekten zu fliegen. Schließlich erreichte ich die Gegend um Burg Anorak und traute meinen Augen kaum. Eine konzentrierte, pulsierende Masse aus Schiffen und Avataren bedeckte den Boden und erfüllte die Luft. Es war wie bei einem extraterrestrischen Woodstock. Die Menge der Avatare, die Schulter an Schulter nebeneinanderstanden, erstreckte sich in alle Richtungen bis zum Horizont. Tausende weitere schwebten durch die Luft und wichen dem konstanten Strom herannahender Schiffe aus. Und in der Mitte dieses ganzen Wahnsinns erhob sich Burg Anorak, ein pechschwarzes Juwel, das unter dem durchsichtigen, kugelförmigen Schild der Sechser funkelte. Alle paar Sekunden flog irgendein Pechvogel versehentlich gegen den Schild und wurde pulverisiert, wie ein Insekt, das gegen eine elektrische Fliegenfalle stieß.

Als ich näher kam, entdeckte ich direkt außerhalb der Schildwand eine freie Fläche, in deren Mitte drei riesige Gestalten nebeneinanderstanden. In dem Versuch, einen respektvollen Abstand zu den funkelnden Riesenrobotern von Aech, Art3mis und Shoto zu wahren, strömte die Menge unablässig auf sie zu und zog sich wieder zurück.

Zum ersten Mal sah ich, welche Roboter sich meine Freunde ausgesucht hatten, nachdem sie das zweite Tor überwunden hatten. Es dauerte einen Moment, bis ich den großen weiblichen Roboter erkannte, den Art3mis steuerte. Er war schwarz und chromfarben und trug eine komplizierte, bumerangförmige Kopfbedeckung. Die roten Brustpanzer ließen ihn wie eine weibliche Version von Mazinger Z aussehen. Dann wurde mir klar, dass es sich tatsächlich um die weibliche Version dieses Roboters handelte, eine wenig bekannte Figur aus der *Mazinger-Z*-Animeserie, die den Namen Minerva X trug.

Aech hatte einen RX-78-Gundam-Mech aus *Mobile Suit Gundam* gewählt, eine seiner absoluten Lieblingsserien. (Obwohl ich inzwischen wusste, dass Aech im echten Leben weiblich war, war ihr Avatar männlich, weshalb ich beschlossen hatte, ihn weiterhin als solches zu bezeichnen.)

Shoto war einige Köpfe größer als die beiden anderen. Er saß im Cockpit von Raideen, dem gewaltigen rotblauen Roboter aus *Brave Raideen*, einer Animeserie aus der Mitte der 70er Jahre. Der riesenhafte Mech hielt einen goldenen Bogen in der einen Hand und in der anderen einen großen, mit Nägeln besetzten Schild.

Ein Aufschrei ging durch die Menge, als ich tief über den Schild hinwegflog und über den anderen aufrecht in der Luft zum Stehen kam. Ich schaltete den Antrieb aus und ließ den Roboter zu Boden fallen. Er landete auf einem Knie, und der Aufprall erschütterte den Boden. Als ich mich aufrichtete, begann das Meer der Schaulustigen den Namen meines Avatars zu rufen: *Par-zi-val! Par-zi-val!*

Während die Rufe in ein allgemeines Getöse übergingen, wandte ich mich meinen Gefährten zu.

»Cooler Auftritt, du Angeber«, sagte Art3mis über unseren privaten Funkkanal. »Bist du etwa absichtlich zu spät gekommen?«

»War nicht meine Schuld, wirklich«, sagte ich und versuchte, möglichst locker zu klingen. »Am Sternentor gab's 'ne lange Schlange.«

Aech nickte mit dem riesigen Kopf seines Mechs. »Die Transportterminals auf dem Planeten spucken schon seit gestern Abend jede Menge Avatare aus«, sagte er und wies mit der gewaltigen Pranke seines Gundams auf unsere Umgebung. »Kaum zu glauben. Ich habe noch nie so viele Schiffe und Avatare auf einem Haufen gesehen.«

»Ich auch nicht«, sagte Art3mis. »Ich bin überrascht, dass die GSS-Server bei so viel Aktivität in einem Sektor nicht zusammenbrechen. Aber es scheint keinerlei Verzögerung zu geben.«

Ich ließ den Blick noch einmal über die Menge der Avatare gleiten und richtete meine Aufmerksamkeit dann auf die Burg. Tausende fliegender Avatare und Schiffe umrundeten den Schild und feuerten hin und wieder Kugeln, Laserstrahlen, Raketen und andere Geschosse darauf ab, die allesamt auf seiner Oberfläche einschlugen, ohne irgendwelchen Schaden zu hinterlassen. Im Inneren der Kugel standen Tausende stark gepanzerte Avatare der Sechser schweigend rund um die Burg in Formation. Dazwischen ragten Reihen von Luftkissenpanzern und Kampfschiffen auf. Unter anderen Umständen hätte die Armee der Sechser eindrucksvoll gewirkt. Vielleicht sogar unaufhaltsam. Aber angesichts der endlosen Menge, die sie belagerte, erschien die zahlenmäßig weit unterlegene Sechser-Armee nicht ganz so grandios.

»Also, Parzival«, sagte Shoto und drehte den riesigen Kopf seines Roboters in meine Richtung. »Jetzt wird's ernst, mein Freund. Wenn der Schild nicht verschwindet, wie du es uns versprochen hast, dann wird das eine ziemlich peinliche Angelegenheit.«

»Han wird es mit dem Generator schon schaffen!«, zitierte Aech. »Wir müssen ihm mehr Zeit geben!«

Ich musste lachen und tippte dann mit der rechten Hand meines Roboters gegen sein linkes Handgelenk, wo sich normalerweise eine Uhr befand. »Aech hat recht. Bis Mittag sind es noch sechs Minuten.«

Das Ende meines Satzes wurde von einem weiteren Aufschrei der Menge übertönt. Direkt vor uns, im Inneren der Kugel, hatte sich das gewaltige Eingangstor von Burg Anorak geöffnet, und ein einzelner Avatar der Sechser war herausgetreten.

Sorrento.

Grinsend angesichts der Buhrufe und des Zischens der Menge gab er den Sechsertruppen vor dem Burgeingang mit der Hand ein Zeichen. Sie gruppierten sich augenblicklich um und schufen einen großen freien Platz. Sorrento betrat ihn und stellte sich uns direkt gegenüber, nur wenige Meter entfernt auf der anderen Seite des Schildes. Zehn weitere Avatare der Sechser kamen aus der Burg heraus und nahmen hinter Sorrento Aufstellung, wobei sie großen Abstand zueinander hielten.

»Ich habe bei der Sache kein gutes Gefühl«, murmelte Art3mis in ihr Headset.

»Yeah«, flüsterte Aech. »Ich auch nicht.«

Sorrento ließ den Blick über die Szenerie gleiten und lächelte dann zu uns hoch. Als er das Wort ergriff, wurde seine Stimme durch die mächtigen Lautsprecher auf den Kampfschiffen und Luftkissenpanzern der Sechser verstärkt. Und da sämtliche großen Newsfeeds Kameras und Reporter vor Ort hatten, wusste ich, dass seine Worte auf der ganzen Welt übertragen wurden.

»Willkommen auf Burg Anorak«, sagte Sorrento. »Wir haben euch schon erwartet.« Er machte eine ausladende Geste, die die wütende Menge um ihn herum umfasste. »Ich muss sagen, dass es uns ein bisschen überrascht, wie viele von euch heute hier aufgetaucht sind. Inzwischen müsste doch selbst dem Unwissendsten unter euch klar sein, dass unser Schild undurchdringlich ist.«

Seine Worte trafen auf ein ohrenbetäubendes Getöse aus Drohrufen, Beleidigungen und derben Flüchen. Ich wartete einen Moment und hob dann beide Hände meines Roboters, um für Ruhe zu sorgen. Nachdem es einigermaßen still geworden war, öffnete ich den öffentlichen Funkkanal, was denselben Effekt hatte, als würde ich eine riesige PA-Anlage benutzen. Ich drehte die Lautstärke meines Headsets herunter, um ein Feedback zu vermeiden, und sagte dann: »Du irrst dich, Sorrento. Wir kommen rein. Zur Mittagszeit. Wir alle.«

Ein zustimmendes Gebrüll ertönte von den versammelten Jägern. Sorrento wartete gar nicht erst darauf, dass es verebbte. »Ihr könnt es gerne versuchen«, sagte er immer noch grinsend. Dann holte er einen Gegenstand aus seinem Inventar und stellte ihn vor sich auf den Boden. Ich zoomte näher heran und biss die Zähne zusammen. Es war ein Spielzeugroboter. Ein Dinosaurier auf zwei Beinen mit gepanzerter Haut und zwei großen Kanonen auf den Schultern. Ich erkannte ihn sofort aus mehreren japanischen Monsterfilmen aus der Zeit um die Jahrhundertwende.

Es war Mechagodzilla.

»*Kiryu!*«, rief Sorrento, und seine Stimme wurde immer noch über die Lautsprecher verstärkt. Auf seinen Befehl hin wuchs der winzige Roboter augenblicklich an, bis er beinahe so groß war wie Burg Anorak. Er überragte die Riesenroboter, die Aech, Shoto, Art3mis und ich steuerten, um gut das Doppelte. Der gepanzerte Kopf der mechanischen Echse stieß fast gegen den kugelförmigen Schild.

Eine ehrfurchtsvolle Stille legte sich über die Menge, gefolgt von furchtsamem Gemurmel, als die Jäger den stählernen Giganten erkannten. Alle wussten sie, dass er nahezu unzerstörbar war.

Sorrento begab sich durch eine Eingangstür im Fuß des Mechs ins Innere. Wenige Sekunden später begannen die Augen des Untiers gelb zu leuchten. Dann legte es den Kopf zurück, öffnete sein zähnebewehrtes Riesenmaul und stieß ein gellendes, metallisches Brüllen aus.

Wie auf ein Stichwort holten die zehn Avatare hinter Sorrento ebenfalls ihre Spielzeugroboter heraus und aktivierten sie. Fünf von ihnen besaßen die großen Löwenroboter, die zusammen Voltron formen konnten. Die anderen fünf steuerten riesige Mechs aus *Robotech* und *Neon Genesis Evangelion.*

»O verdammt«, hörte ich Art3mis und Aech im Chor flüstern.

»Na los, kommt schon!«, rief Sorrento herausfordernd. Seine Worte hallten über die Menge der Avatare hinweg.

Viele Jäger in den Frontlinien wichen unwillkürlich einen Schritt zurück. Einige nahmen sogar ganz Reißaus. Aber Aech, Shoto, Art3mis und ich hielten die Stellung.

Ich sah auf die Zeitanzeige auf meinem Display. Uns blieb noch mindestens eine Minute. Ich drückte einen Knopf auf der Steuerkonsole von Leopardon, und mein Riesenroboter zog sein glänzendes Schwert.

Zwar habe ich es nicht mit eigenen Augen gesehen, aber ich kann mit einiger Sicherheit sagen, was als Nächstes passierte:

Die Sechser hatten hinter Burg Anorak einen großen gepanzerten Bunker errichtet, der mit Paletten voller Waffen und Kampfausrüstung gefüllt war, die vor der Aktivierung des Schildes hierher teleportiert worden waren. An der Ostwand des Bunkers gab es außerdem einen Abstellplatz mit dreißig Hilfsdroiden. Ihrem ursprünglichen Designer hatte es offenbar an Phantasie gemangelt, weshalb sie alle wie Johnny 5 aus dem Film *Nummer 5 lebt!* von 1986 aussahen. Die Sechser benutzten diese Droiden in erster Linie als Laufburschen. Sie erledigten Botengänge und lieferten Ausrüstung und Munition an die Truppen.

Genau eine Minute vor zwölf fuhr sich einer der Hilfsdroiden mit der Bezeichnung SD-03 von selbst hoch und löste sich aus seiner Ladestation. Er rollte auf seinen Raupenketten zur Waffenkammer am anderen Ende des Bunkers. Zwei Roboterwachen standen vor dem Eingang der Kammer. SD-03 teilte ihnen mit, dass er den Befehl erhalten habe, einen bestimmten Ausrüstungsgegenstand herbeizuschaffen – einen Befehl, den ich zwei Tage zuvor über das Intranet der Sechser eingegeben hatte. Die Wachen verifizierten den Befehl und traten beiseite, worauf SD-03 in die Waffenkammer hineinrollte. Er fuhr an langen Lagerregalen vorbei, die alle mögliche Ausrüstung enthielten: magische Schwerter, Schilde, Rüstungen, Plasmaflinten, Maschinengewehre und zahllose andere Waffen. Vor einem Regal mit fünf großen oktaederförmigen Geräten, etwa von der Größe eines Fußballs, blieb der Droide stehen. An einer ihrer acht Seiten besaßen die Geräte ein kleines Bedienfeld mit einer Seriennummer. SD-03 fand die Seriennummer, die mit der in meinem Anforderungsformular übereinstimmte. Dann folgte der kleine Droide einer Reihe von Anweisungen, die ich ihm einprogrammiert hatte, und gab mit seinem gekrümmten Zeigefinger Befehle in das Bedienfeld des Geräts ein. Schließlich schaltete eine winzige Leuchte über dem Tastenfeld von Grün auf Rot. SD-03 nahm den Oktaeder aus dem Regal. Als er die Waffenkammer verließ, wurde eine Antimateriebombe aus dem Inventar der Sechser ausgetragen.

SD-03 rollte aus dem Bunker und begann, eine Reihe von Rampen und Treppen zu erklimmen, die die Sechser an die Außenmauer der Burg angebaut hatten, um auf die höheren Ebenen zu gelangen. Unterwegs durchlief der Droide mehrere Sicherheitskontrollen. Die Roboterwachen überprüften seine Sicherheitsfreigabe und stellten fest, dass der Droide mehr oder weniger hingehen konnte, wo er wollte. Als SD-03 das Dach von Burg Anorak erreicht hatte, rollte er auf eine große Aussichtsplattform, die sich dort befand.

Zu diesem Zeitpunkt zog SD-03 möglicherweise ein paar neugierige Blicke von einer Schwadron Eliteavatare der Sechser auf sich, die die Plattform bewachten. Aber selbst wenn die Wachen irgendwie geahnt hatten, was als Nächstes passieren würde, und auf den kleinen Droiden gefeuert hätten, wäre es zu spät gewesen.

SD-03 rollte weiter zur Mitte des Daches, wo ein hochrangiger Magier der Sechser saß, der die Kugel von Osuvox in der Hand hielt – das Artefakt, mit dem der undurchdringliche Schild um die Burg erzeugt wurde.

Dann führte SD-03 die letzte Anweisung aus, die ich ihm zwei Tage zuvor einprogrammiert hatte. Er hob die Antimateriebombe hoch über den Kopf und zündete sie.

Die Explosion pulverisierte den Droiden und sämtliche Avatare auf der Plattform, darunter auch den Magier der Sechser, der die Kugel von Osuvox in den Händen gehalten hatte. Als er starb, wurde das Artefakt deaktiviert und fiel auf die nunmehr leere Plattform.

0035

EIN GRELLER LICHTBLITZ, begleitet von einer Detonation, blendete mich einen Moment lang. Als ich wieder etwas sehen konnte, richtete ich den Blick auf die Burg. Der Schild war verschwunden. Jetzt wurden die mächtigen Armeen der Sechser und die Jäger nur noch durch eine freie Fläche voneinander getrennt.

Etwa fünf Sekunden lang geschah nichts. Die Zeit schien stillzustehen. Dann brach die Hölle los.

Im Cockpit meines Mechs jubelte ich stumm. Unglaublich, aber mein Plan hatte funktioniert! Mir blieb jedoch keine Zeit zum Feiern, weil ich mich nun inmitten der größten Schlacht in der Geschichte der OASIS befand.

Ich weiß nicht, was ich erwartet hatte. Ich hatte gehofft, dass sich vielleicht ein Zehntel der anwesenden Jäger unserem Angriff auf die Sechser anschließen würde. Aber innerhalb weniger Sekunden wurde klar, dass jeder Einzelne von ihnen mitkämpfen wollte. Ein gewaltiger Schlachtruf erhob sich vom Meer der Jäger um uns herum, und alle strömten vorwärts, auf die Armee der Sechser zu. Ihre Bereitwilligkeit, sich in die Schlacht zu stürzen, erstaunte mich, denn es war offensichtlich, dass viele von ihnen in den sicheren Tod liefen.

Voller Verwunderung sah ich zu, wie die beiden gewaltigen Armeen am Boden und in der Luft aufeinandertrafen. Es war ein chaotischer, atemberaubender Anblick, als hätten sich Bienen und Wespen zusammengetan, um gegen einen riesigen Ameisenhaufen ins Feld zu ziehen.

Art3mis, Aech, Shoto und ich standen mitten im Gedränge. Anfangs traute ich mich gar nicht, mich zu bewegen, weil ich Angst hatte, die Jäger zu meinen Füßen zu zerquetschen. Sorrento dagegen wartete nicht, bis man ihm Platz machte. Er zermalmte mehrere Dutzend Avatare (darunter auch ein paar Sechser) unter den gigantischen Füßen seines Mechs, als er auf uns zugestapft kam. Jeder seiner Schritte hinterließ einen kleinen Krater in der steinigen Oberfläche des Planeten.

»Oh-oh«, hörte ich Shoto murmeln, während sein Mech Verteidigungshaltung einnahm. »Da kommt er.«

Die Mechs der Sechser zogen eine Menge Feuer aus allen Richtungen auf sich. Sorrento wurde am häufigsten getroffen, weil sein Mech das größte Ziel auf dem ganzen Schlachtfeld abgab und offenbar kein Jäger in Reichweite der Verlockung widerstehen konnte, auf ihn zu schießen. Das konstante Sperrfeuer aus Geschossen, Feuerkugeln, magischen Raketen und Laserstrahlen machte den anderen Mechs der Sechser (die gar nicht erst dazu kamen, Voltron zu formen) rasch den Garaus. Aber Sorrentos Roboter blieb aus irgendeinem Grund unbeschädigt. Sämtliche Geschosse schienen vom gepanzerten Leib seines Mechs abzuprallen. Dutzende Raumfahrzeuge umkreisten ihn und deckten seinen Mech mit Raketen ein, doch auch ihre Angriffe schienen wenig auszurichten.

»Es geht los, Leute!«, schrie Aech in sein Comlink. »Jetzt geht's richtig zur Sache!« Und damit richtete er die beträchtliche Feuerkraft seines Gundams auf Sorrento. Im selben Moment begann Shoto, Raideens Bogen zu benutzen, während Art3mis' Mech eine Art roten Energiestrahl abfeuerte, der aus den riesigen Metallbrüsten von Minerva X zu kommen schien. Um nicht zurückzustehen, setzte ich nun ebenfalls Leopardons Waffe ein – einen goldenen Bumerang, der sich vom Helm des Mechs löste.

All unsere Angriffe trafen ihr Ziel, aber Art3mis' Strahlen-waffe schien als einzige irgendwelchen Schaden anzurichten. Sie sprengte ein Stück aus der rechten Schulter der Stahlechse heraus und schaltete die Kanone aus, die sich dort befand. Doch Sorrento ließ sich davon nicht beirren. Als er sich uns weiter näherte, begannen Mechagodzillas Augen hellblau zu leuchten. Dann öffnete die Echse ihr Maul, und blaue Licht-blitze schossen kaskadenartig daraus hervor. Der Strahl schlug vor uns in den Boden ein und hinterließ eine tiefe, rauchende Furche in der Erde, während er weiterwanderte und sämtliche Avatare und Schiffe, auf die er traf, pulverisierte. Uns vier ge-lang es gerade noch, rechtzeitig auszuweichen, indem wir un-sere Roboter in den Himmel aufsteigen ließen. Kurz darauf er-starb der Blitzstrahl, und Sorrento stapfte weiter vorwärts. Mir fiel auf, dass die Augen seines Mechs nicht länger blau leuchte-ten. Offenbar musste der Blitz wiederaufgeladen werden.

»Ich glaube, wir haben endlich einen würdigen Gegner ge-funden«, witzelte Aech über die Funkverbindung. Wir vier hat-ten uns verteilt und kreisten nun über Sorrento – bewegliche Ziele.

»Scheiß drauf, Leute«, sagte ich. »Ich glaube nicht, dass wir dieses Ding zerstören können.«

»Gut beobachtet, Z«, sagte Art3mis. »Irgendwelche cleveren Ideen?«

Ich dachte einen Moment nach. »Wie wäre es, wenn ich ihn ablenke, während ihr drei versucht, an ihm vorbeizukommen und den Burgeingang zu erreichen?«

»Klingt nach einem guten Plan«, erwiderte Shoto. Aber an-statt in Richtung Burg zu fliegen, machte er eine Kehrtwende und hielt direkt auf Sorrento zu.

»Fliegt los!«, schrie er in sein Comlink. »Dieser Scheißkerl gehört mir!«

Aech flog an Sorrentos rechter Flanke vorbei und Art3mis an seiner linken, während ich aufstieg und über seinen Kopf hinwegraste. Unter mir sah ich, wie Shoto Sorrento gegenübertrat. Der Größenunterschied zwischen ihren beiden Mechs war gewaltig. Neben Sorrentos riesigem Metalldrachen wirkte Shotos Roboter wie eine Actionfigur. Dennoch schaltete Shoto seine Flugdüsen aus und ließ sich direkt vor Mechagodzilla zu Boden sinken.

»Beeilt euch!«, hörte ich Aech rufen. »Der Burgeingang steht weit offen!«

Von meinem Aussichtspunkt hoch oben am Himmel konnte ich sehen, dass die Truppen der Sechser, die die Burg bewachten, bereits von der gewaltigen Menge der gegnerischen Avatare überrannt wurden. In den Reihen der Sechser klafften Lücken, und Hunderte von Jägern strömten bereits an ihnen vorbei auf den offenen Burgeingang zu, nur um dort festzustellen, dass sie die Burg nicht betreten konnten, weil sie keinen Kristallschlüssel besaßen.

Aech drehte vor mir seinen Mech herum. Drei Meter über dem Boden öffnete er die Luke im Cockpit seines Gundams und sprang hinaus, wobei er gleichzeitig das Befehlswort des Roboters flüsterte. Während der Roboter wieder auf seine ursprüngliche Größe zusammenschrumpfte, fing Aech ihn in der Luft auf und verstaute ihn in seinem Inventar. Mit Hilfe von Magie flog Aechs Avatar weiter über die Jäger hinweg, die sich vor dem Burgeingang drängten, und verschwand durch die offene Doppeltür. Kurz darauf vollführte Art3mis dasselbe Manöver.

Ich ließ Leopardon nach unten sinken und machte mich bereit, ihnen zu folgen.

»Shoto«, rief ich ins Funkgerät. »Wir gehen jetzt rein! Komm mit!«

»Geht schon mal vor«, erwiderte Shoto. »Ich komme nach.«

Aber etwas am Klang seiner Stimme beunruhigte mich, und ich zog meinen Mech herum. Shoto schwebte an Sorrentos rechter Flanke. Sorrento wendete langsam seinen Mech und begann, zur Burg zurückzustapfen. Die Schwäche seines Mechs war dessen Trägheit. Mechagodzillas langsame Bewegungen glichen seine scheinbare Unverwundbarkeit wieder aus.

»Shoto!«, schrie ich. »Worauf wartest du noch? Komm schon!«

»Geht ohne mich rein«, sagte Shoto. »Ich habe mit diesem Fettarsch noch eine Rechnung offen.«

Bevor ich etwas erwidern konnte, stürzte sich Shoto auf Sorrento. Sein Mech schwang riesige Schwerter in beiden Händen. Er schlug die Klingen in Sorrentos rechte Seite und erzeugte einen Funkenregen. Zu meiner Überraschung richteten sie tatsächlich Schaden an. Als der Rauch sich gelichtet hatte, stellte ich fest, dass Mechagodzillas rechter Arm schlaff herabhing. Er war am Ellbogen beinahe abgetrennt.

»Jetzt wirst du dir wohl mit der linken Hand den Hintern wischen müssen, Sorrento!«, schrie Shoto triumphierend. Dann zündete er Raideens Düsen und flog auf mich zu, in Richtung Burg. Aber Sorrento hatte bereits den Kopf seines Mechs herumgedreht und visierte Shoto nun mit seinen blau leuchtenden Augen an.

»Shoto!«, rief ich. »Pass auf!« Aber meine Stimme wurde vom Zischen des Blitzes übertönt, der aus dem Maul des Metalldrachen schoss. Er traf Shotos Mech direkt im Rücken. Der Roboter explodierte in einem orangenen Feuerball.

Ich hörte ein kurzes Statikrauschen auf dem Funkkanal. Als ich erneut Shotos Namen rief, erhielt ich keine Antwort. Dann blinkte eine Nachricht auf meinem Display auf, die mich darüber informierte, dass Shoto soeben vom Scoreboard verschwunden war.

Er war tot.

Einen Moment lang war ich wie gelähmt, was ungünstig war, weil Sorrentos Mech immer noch Blitze spuckte, die in einem geschwungenen Bogen den Boden zerfurchten und dann diagonal über die Burgmauer direkt auf mich zurasten. Ich reagierte zu spät, und Sorrento erwischte meinen Mech noch knapp im Unterleib, bevor der Blitzstrahl erstarb.

Als ich an mir hinabsah, stellte ich fest, dass die untere Hälfte meines Roboters fehlte. Sämtliche Warnleuchten in meinem Cockpit blinkten, während die beiden rauchenden, brennenden Teile meines Roboters vom Himmel stürzten.

Irgendwie besaß ich die Geistesgegenwart, am Nothebel über meinem Sitz zu reißen. Die Cockpithaube klappte auf, und ich sprang aus dem herabstürzenden Mech, nur einen Sekundenbruchteil bevor dieser auf den Stufen der Burg zerschellte und mehrere Dutzend Avatare tötete, die sich dort drängten.

Ich zündete noch kurz die Düsenstiefel meines Avatars, ehe ich auf dem Boden aufkam, und stellte dann rasch meine Immersionsausrüstung neu ein, da ich statt eines Riesenroboters nun wieder meinen Avatar steuerte. Es gelang mir, ein paar Schritte von Leopardons brennenden Überresten entfernt sicher auf den Füßen zu landen. Eine Sekunde später fiel ein Schatten auf mich, und als ich mich umdrehte, sah ich Sorrentos Mech, der den Himmel verdeckte. Er hob seinen massigen linken Fuß, um mich darunter zu zerquetschen.

Ich lief drei Schritte und machte dann einen Satz, wobei ich meine Düsenstiefel aktivierte. Der Schwung trug mich gerade weit genug vorwärts, um Mechagodzillas gewaltigem, klauenähnlichem Fuß zu entkommen, der einen kleinen Krater in den Boden stanzte. Das metallene Untier stieß ein weiteres ohrenbetäubendes Kreischen aus, gefolgt von hohlem, dröhnendem Gelächter. Sorrentos Gelächter.

Ich schaltete meine Düsenstiefel aus, rollte mich ab und kam wieder auf die Beine. Ich spähte zum Kopf der Metallechse hoch. Ihre Augen leuchteten nicht – noch nicht. Eigentlich hätte ich nur meine Düsenstiefel aktivieren müssen und wäre im Inneren der Burg verschwunden, bevor Sorrento erneut auf mich feuern könnte. Er würde mir nicht nach drinnen folgen können, jedenfalls nicht mit seinem überdimensionierten Mech.

Ich hörte, wie Art3mis und Aech über die Funkverbindung nach mir riefen. Sie standen bereits vor dem Tor und warteten auf mich.

Ich musste nur in die Burg hineinfliegen und mich ihnen anschließen. Wir drei würden das Tor öffnen und hindurchtreten, bevor Sorrento uns einholen könnte. Dessen war ich mir sicher.

Aber ich rührte mich nicht von der Stelle. Stattdessen holte ich die Betakapsel hervor und hielt den kleinen Metallzylinder in der Handfläche meines Avatars.

Sorrento hatte versucht, mich umzubringen. Und er hatte meine Tante und mehrere meiner Nachbarn getötet, darunter auch die freundliche alte Mrs Gilmore, die niemandem etwas zuleide getan hatte. Er hatte Daito ermorden lassen, einen Freund, auch wenn ich ihm niemals persönlich begegnet war.

Und jetzt hatte Sorrento gerade Shotos Avatar umgebracht und ihn damit seiner Chance beraubt, das dritte Tor zu erreichen. Sorrento hatte seine Macht und seine Stellung nicht verdient. Ich beschloss deshalb, ihn öffentlich zu demontieren. Die ganze Welt sollte seine Niederlage mit ansehen.

Ich hielt die Betakapsel hoch über den Kopf und drückte den Aktivierungsknopf.

Ein greller Lichtblitz flammte auf, und der Himmel nahm

eine dunkelrote Farbe an, als mein Avatar sich in den gigantischen menschenähnlichen Außerirdischen mit dem rotsilbrigen Äußeren, den glühenden eierförmigen Augen und der merkwürdigen Finne auf dem Kopf verwandelte. In der Mitte meiner Brust leuchtete eine Lampe. Für die nächsten drei Minuten war ich Ultraman.

Mechagodzilla blieb kreischend stehen und schlug mit dem Schwanz. Sein Blick war immer noch auf den Boden gerichtet, wo mein Avatar soeben gestanden hatte. Jetzt drehte er langsam den Kopf, um seinen neuen Gegner in Augenschein zu nehmen, bis sich unsere glühenden Blicke schließlich trafen. Ich stand Sorrento nun auf Augenhöhe gegenüber.

Sorrentos Mech wich ungelenk einige Schritte zurück. Seine Augen begannen, wieder blau zu leuchten.

Ich ging leicht in die Knie und nahm eine Verteidigungshaltung ein. In der Ecke meines Displays war ein Timer aufgetaucht war, der von drei Minuten rückwärts zählte.

2:59. 2:58. 2:57.

Unter dem Timer befand sich ein Menü, auf dem Ultramans verschiedene Angriffsmöglichkeiten auf Japanisch aufgelistet waren. Ich entschied mich rasch für den »Energiestrahl« und kreuzte die Arme vor der Brust. Ein pulsierender Strahl weißer Energie schoss aus meinen Unterarmen hervor, traf Mechagodzilla in der Brust und schleuderte das Ungetüm nach hinten. Aus dem Gleichgewicht gebracht, verlor Sorrento die Kontrolle und stolperte über seine eigenen riesigen Füße. Sein Mech stürzte zu Boden und landete auf der Seite.

Ein Jubeln stieg von den zahllosen Avataren auf, die auf dem chaotischen Schlachtfeld zusahen.

Ich sprang in die Luft und stieg einen halben Kilometer in die Höhe. Dann ließ ich mich mit den Füßen voran zu Boden fallen, die Hacken direkt auf Mechagodzillas gekrümmtes

Rückgrat gerichtet. Als meine Füße aufkamen, hörte ich im Inneren des metallenen Ungeheuers etwas brechen. Rauch drang aus seinem Maul, und das blaue Leuchten seiner Augen erlosch.

Ich vollführte einen Salto rückwärts und landete hinter dem am Boden liegenden Mech in der Hocke. Sein noch funktionierender Arm schlug wild um sich, während er gleichzeitig mit Schwanz und Beinen die Luft durchfurchte. Sorrento kämpfte offenbar mit der Steuerung, um das Untier wieder aufzurichten.

Als Nächstes wählte ich aus meinem Waffenmenü »Yatsuaki Kohrin« aus: *Ultra-Schneider*. In meiner rechten Hand erschien ein leuchtendes, rundes Sägeblatt aus elektrisch-blauer Energie, das sich sehr schnell drehte. Ich warf es wie eine Frisbee aus dem Handgelenk auf Sorrento. Es sirrte durch die Luft und traf Mechagodzilla im Bauch. Die Energieklinge durchtrennte seine metallene Haut wie Tofu und schnitt den Mech in zwei Hälften. Bevor die Maschine explodierte, wurde der Kopf – Sorrentos Rettungskapsel – vom Rumpf abgesprengt und schoss parallel zum Boden dahin. Sorrento korrigierte rasch seinen Kurs, und die Düsen, die am Kopf des Mechs angebracht waren, trugen ihn in den Himmel hinauf. Bevor er jedoch entkommen konnte, kreuzte ich erneut die Arme und feuerte einen weiteren Energiestrahl ab, der den davonfliegenden Kopf vom Himmel holte wie eine Tontaube. Eine schönere Explosion hat es noch nie gegeben.

Die Menge flippte aus.

Ich sah auf dem Scoreboard nach und stellte fest, dass Sorrentos Mitarbeiternummer tatsächlich verschwunden war. Sein Avatar war tot. Allerdings konnte ich nicht allzu viel Genugtuung daraus schöpfen, weil ich wusste, dass er vermutlich in diesem Moment einen seiner Untergebenen aus seinem haptischen Stuhl zerrte, damit er die Kontrolle über einen neuen Avatar übernehmen konnte.

Auf dem Timer auf meinem Display waren nur noch fünfzehn Sekunden verblieben, als ich die Betakapsel deaktivierte. Mein Avatar schrumpfte augenblicklich zu seiner normalen Größe zusammen. Ich wirbelte herum, zündete meine Düsenstiefel und flog in die Burg hinein.

Als ich das andere Ende der riesigen Eingangshalle erreicht hatte, sah ich Art3mis und Aech vor dem Kristalltor auf mich warten. Auf dem Steinboden um sie herum lösten sich gerade die rauchenden Leichen von über einem Dutzend Avataren der Sechser auf. Anscheinend hatte es eine kurze, erbitterte Auseinandersetzung gegeben, die ich knapp verpasst hatte.

»Das ist unfair«, sagte ich, deaktivierte meine Düsenstiefel und ließ mich neben Aech zu Boden sinken. »Ihr hättet mir wenigstens einen übrig lassen können.«

Art3mis antwortete nicht, sondern zeigte mir nur den Mittelfinger.

»Glückwunsch, dass du Sorrento erledigt hast«, sagte Aech. »Ein epischer Kampf, Alter. Aber ein Idiot bist du trotzdem. Das weißt du, oder?«

»Yeah.« Ich zuckte mit den Achseln. »Ich weiß.«

»Du bist ein selbstsüchtiges Arschloch!«, rief Art3mis. »Was, wenn du nun auch getötet worden wärst?«

»Wurde ich aber nicht. Oder?«, sagte ich und ging an ihr vorbei, um mir das Kristalltor genauer anzusehen. »Also, beruhig dich und lass uns dieses Ding öffnen.«

Ich betrachtete das Schlüsselloch in der Mitte des Tors und las die Worte, die in die facettierte Oberfläche geritzt waren: *Charity. Hope. Faith.*

Ich holte meinen Kristallschlüssel hervor und hielt ihn hoch. Aech und Art3mis taten es mir nach.

Nichts geschah.

Wir tauschten besorgte Blicke aus. Dann kam mir eine Idee, und ich räusperte mich. »Three is a magic number«, sagte ich und zitierte damit die erste Zeile aus dem Song von *Schoolhouse Rock!* Sobald ich die Worte ausgesprochen hatte, begann das Kristalltor zu glühen, und zwei zusätzliche Schlüssellöcher tauchten links und rechts neben dem ersten auf.

»Es hat funktioniert!«, flüsterte Aech. »Heilige Scheiße. Ich kann's nicht glauben. Wir sind wirklich hier. Vor dem dritten Tor.«

Art3mis nickte. »Endlich.«

Ich steckte meinen Schlüssel in das mittlere Schlüsselloch. Aech schob seinen in das linke und Art3mis ihren in das rechte.

»Im Uhrzeigersinn?«, fragte Art3mis. »Bei drei?«

Aech und ich nickten. Art3mis zählte bis drei, und dann drehten wir gleichzeitig unsere Schlüssel herum. Ein blauer Lichtblitz flammte auf, und unsere Schlüssel und das Kristalltor verschwanden. Das dritte Tor öffnete sich vor uns, ein Durchgang mit kristallenem Rahmen, der in ein wirbelndes Sternenfeld führte.

»Wow«, hörte ich Art3mis neben mir flüstern. »Na, dann mal los.«

Als wir drei vortraten, um durch das Tor zu gehen, hörte ich plötzlich einen ohrenbetäubenden Knall. Es klang, als würde das ganze Universum entzweibrechen.

Und dann starben wir alle.

OO36

WENN DER EIGENE AVATAR ums Leben kam, wurde die Anzeige nicht sofort schwarz. Stattdessen verließ man automatisch seinen Körper und beobachtete das Geschehen wie ein unbeteiligter Betrachter von außen. In einer kurzen Wiederholung wurde man noch einmal Zeuge dessen, was mit dem eigenen Avatar geschehen war.

Kurz nachdem wir den donnernden Knall gehört hatten, veränderte sich meine Perspektive, und ich sah unsere drei Avatare vor mir, die vor dem offenen Tor standen. Dann wurde alles von einem grellweißen Licht überstrahlt, begleitet von einer dröhnenden Geräuschkulisse. Genau so hatte ich mir immer eine nukleare Explosion vorgestellt.

Einen Moment lang sah ich die Skelette unserer Avatare im Inneren unserer durchsichtigen Körper. Dann sank meine Lebensenergie schlagartig auf null.

Die Druckwelle traf eine Sekunde später ein und vernichtete alles, was ihr im Weg stand – unsere Avatare, den Boden, die Mauern, die Burg selbst und die zahllosen Avatare, die darum versammelt waren. Alles wurde in feinen Staub verwandelt, der noch einen Augenblick in der Luft hing, ehe er langsam zur Erde hinabsank.

Die gesamte Oberfläche des Planeten war wie leergefegt. Die Gegend um Burg Anorak, in der noch wenige Sekunden zuvor eine Schlacht getobt hatte, lag nun einsam und verlassen da. Alles und jeder war vernichtet worden. Nur das dritte Tor blieb übrig, ein kristallener Rahmen, der über dem Krater, wo sich gerade noch die Burg befunden hatte, in der Luft schwebte.

Zuerst war ich völlig geschockt, aber als mir klarwurde, was soeben geschehen war, erfasste mich die pure Angst.

Die Sechser hatten den Kataklysten gezündet.

Das war die einzige Erklärung. Nur dieses unglaublich mächtige Artefakt hätte eine solche Zerstörung anrichten können. Nicht nur hatte es sämtliche Avatare im Sektor getötet, es hatte auch eine Festung vernichtet, die bislang als unzerstörbar galt.

Ich starrte auf das offene Tor, das in der Luft schwebte, und wartete auf die unvermeidliche letzte Nachricht auf meinem Display, die Worte, die vermutlich jeder Avatar im Sektor in diesem Moment sah: GAME OVER.

Die Nachricht, die schließlich vor mir erschien, war jedoch eine ganz andere: »Herzlichen Glückwunsch! Sie haben ein Extraleben!«

Zu meiner Überraschung tauchte mein Avatar wieder auf. Er nahm an derselben Stelle Gestalt an, wo ich kurz zuvor gestorben war. Ich stand wieder vor dem offenen Tor. Aber das Tor schwebte nun mitten in der Luft, mehrere Dutzend Meter über der Planetenoberfläche. Ich blickte nach unten und stellte fest, dass es den Fußboden, auf dem ich eben noch gestanden hatte, nicht mehr gab. Auch meine Düsenstiefel und alles, was ich sonst noch bei mir getragen hatte, waren verschwunden.

Einen Moment lang hing ich in der Luft wie Karl der Cojote in den alten *Roadrunner*-Trickfilmen. Dann stürzte ich wie ein Stein zu Boden. Ich versuchte verzweifelt, das offene Tor vor mir zu fassen zu bekommen, aber es befand sich außerhalb meiner Reichweite.

Ich schlug hart auf dem Boden auf und verlor dabei ein Drittel meiner Lebensenergie. Dann richtete ich mich langsam auf und blickte mich um. Ich stand in einem riesigen, würfelförmigen Krater, wo sich zuvor das Fundament und die Kellergeschosse von Burg Anorak befunden hatten. Er war komplett leer, und es herrschte eine unheimliche Stille. Von der zerstörten Burg waren keine Trümmer übrig, und auch von den Raumschiffen und Flugzeugen, die kurz zuvor noch zu Tausenden den Himmel erfüllt hatten, waren keine Wracks zu sehen. Es gab nicht das geringste Anzeichen dafür, dass hier gerade noch eine Schlacht stattgefunden hatte. Der Kataklyst hatte alles pulverisiert.

Ich sah an meinem Avatar hinab und stellte fest, dass ich ein schwarzes T-Shirt und Bluejeans trug – das Standardoutfit neugeschaffener Avatare. Dann rief ich meine Charakterwerte und mein Inventar auf. Mein Avatar besaß dieselbe Stufe und die gleichen Fähigkeiten wie vorher, aber mein Inventar war komplett leer, abgesehen von einem Gegenstand – dem Vierteldollar, den ich bekommen hatte, nachdem ich auf Archaide ein perfektes *Pac-Man*-Spiel abgeliefert hatte. Nachdem ich den Vierteldollar in mein Inventar gelegt hatte, hatte ich ihn nicht mehr herausholen können. Ich hatte also keine Identifizierungszauber darauf anwenden können. So hatte ich nie herausgefunden, welchen Zweck oder welche Kräfte er hatte. Und während der turbulenten Ereignisse in den vergangenen Monaten hatte ich vergessen, dass ich das verdammte Ding überhaupt besaß.

Aber jetzt wusste ich, wozu der Vierteldollar gut war – es war ein Artefakt, das meinem Avatar ein zusätzliches Leben verschafft hatte. Bis dahin hatte ich nicht einmal gewusst, dass so etwas möglich war. In der Geschichte der OASIS war es bisher noch nicht vorgekommen, dass ein Avatar mehr als ein Leben besessen hatte.

Ich versuchte erneut, den Vierteldollar aus meinem Inventar herauszunehmen. Und dieses Mal gelang es mir. Ich wog ihn in der Handfläche meines Avatars. Nachdem das Artefakt nun seinen Zweck erfüllt hatte, besaß es keine magischen Eigenschaften mehr. Es war einfach nur ein Vierteldollar.

Ich sah zu dem Kristalltor hoch, das zwanzig Meter über mir in der Luft schwebte. Es stand immer noch weit offen. Aber ich hatte keine Ahnung, wie ich dort hinaufkommen sollte. Ich besaß keine Düsenstiefel, kein Schiff und auch keine magischen Gegenstände oder Zaubersprüche. Nichts, womit ich mich in die Luft erheben könnte. Und es war keine Leiter in Sicht.

Da stand ich nun, einen Katzensprung vom dritten Tor entfernt, und konnte es nicht erreichen.

»He, Z«, hörte ich eine Stimme sagen. »Kannst du mich hören?«

Es war Aech, aber sie klang anders, nicht mehr so männlich. Ich konnte sie klar und deutlich verstehen, als würde sie über Funk mit mir sprechen. Aber das ergab keinen Sinn, weil mein Avatar kein Funkgerät mehr besaß. Und Aechs Avatar war tot.

»Wo bist du?«, fragte ich ins Leere hinein.

»Ich bin tot, so wie alle anderen auch«, sagte Aech. »Alle, außer dir.«

»Wieso kann ich dich dann hören?«

»Og hat uns mit deinen Audio- und Videokanälen verbunden«, sagte sie. »Damit wir sehen können, was du siehst, und hören, was du hörst.«

»Geht das in Ordnung, Parzival?«, hörte ich Og fragen. »Wenn du das nicht willst, sag Bescheid.«

Ich dachte einen Moment darüber nach. »Nein, das ist schon okay«, sagte ich. »Hören Shoto und Art3mis auch zu?«

»Ja«, sagte Shoto. »Ich bin hier.«

»Wir sind alle hier«, sagte Art3mis, und ich hörte die kaum

unterdrückte Wut in ihrer Stimme. »Und wir sind alle mausetot. Die Frage ist nur, warum du am Leben geblieben bist, Parzival?«

»Yeah, Z«, sagte Aech. »Das würde mich auch interessieren. Was ist passiert?«

Ich holte den Vierteldollar hervor und hielt ihn vor meine Augen. »Diesen Vierteldollar habe ich vor ein paar Monaten auf Archaide gewonnen, weil ich ein perfektes *Pac-Man*-Spiel hingelegt habe. Es war ein Artefakt, aber ich wusste nicht, welchen Zweck es hatte. Bis jetzt. Anscheinend hat es mir ein Extraleben gegeben.«

Einen Moment lang herrschte Schweigen, dann begann Aech zu lachen. »Du verdammter Glückspilz!«, sagte sie. »In den Newsfeeds heißt es, sämtliche Avatare im Sektor seien gerade getötet worden. Mehr als die Hälfte der Bevölkerung der ganzen OASIS.«

»War es der Kataklyst?«, fragte ich.

»Muss wohl«, sagte Art3mis. »Die Sechser haben ihn sich offenbar gekrallt, als er vor ein paar Jahren versteigert wurde. Und die ganze Zeit haben sie auf den richtigen Moment gewartet, um ihn zu zünden.«

»Aber sie haben damit auch ihre eigenen Leute getötet«, sagte Shoto. »Warum haben sie das gemacht?«

»Ich glaube, die meisten waren sowieso schon hin«, sagte Art3mis.

»Sie hatten keine andere Wahl«, sagte ich. »Es war die einzige Möglichkeit, uns aufzuhalten. Wir hatten bereits das dritte Tor geöffnet und wollten gerade hindurchtreten, als sie das Ding gezündet haben …« Ich hielt inne, als mir etwas klarwurde. »Woher wussten sie eigentlich, dass wir es geöffnet hatten? Das kann doch nur heißen …«

»Dass sie uns beobachtet haben«, sagte Aech. »Vermutlich

hatten die Sechser rund um das Tor Überwachungskameras versteckt.«

»Sie haben also gesehen, wie wir es geöffnet haben«, sagte Art3mis. »Was bedeutet, dass sie jetzt wissen, wie es geht.«

»Na und?«, warf Shoto ein. »Sorrentos Avatar ist tot. Und die anderen Sechser auch.«

»Falsch«, sagte Art3mis. »Seht mal auf dem Scoreboard nach. Unter Parzival stehen da immer noch zwanzig Avatare der Sechser. Und ihrer Punktzahl zufolge besitzen sie alle den Kristallschlüssel.«

»Verdammt!«, sagten Aech und Shoto im Chor.

»Die Sechser wussten, dass sie möglicherweise den Kataklysten würden zünden müssen«, sagte ich. »Offenbar haben sie ein paar ihrer Avatare in Sicherheit gebracht. Vermutlich haben sie in einem Kampfschiff direkt vor der Sektorgrenze gewartet.«

»Du hast recht«, sagte Aech. »Was bedeutet, dass zwanzig weitere Sechser auf dem Weg zu dir sind, Z. Komm also endlich in die Gänge, Alter. Wahrscheinlich ist das deine einzige Chance, das Tor zu meistern.« Ich hörte, wie sie ein niedergeschlagenes Seufzen ausstieß. »Wir sind aus dem Rennen. Die ganze Hoffnung ruht auf dir, Amigo. Viel Glück!«

»Danke, Aech.«

»*Gokouun o inorimasu*«, sagte Shoto. »Gib dein Bestes!«

»Das werde ich«, sagte ich. Ich wartete darauf, dass auch Art3mis mir ihren Segen gab.

»Viel Glück, Parzival«, sagte sie nach einer langen Pause. »Aech hat recht, weißt du. Noch eine Chance wirst du vermutlich nicht bekommen. Genauso wenig wie die anderen Jäger.« Ich hörte, wie ihr die Stimme versagte, als würde sie mit den Tränen kämpfen. Dann holte sie tief Luft und sagte: »Vermassel es nicht, Z.«

»Wird schon«, sagte ich. »Ist ja nicht so, als ob ich unter Druck stehen würde.«

Ich sah zu dem offenen Tor hoch, das über mir in der Luft hing – weit außerhalb meiner Reichweite. Dann ließ ich den Blick über meine Umgebung schweifen, auf der Suche nach irgendetwas, das mir weiterhelfen könnte. Ein paar flackernde Pixel in der Ferne am anderen Ende des Kraters fielen mir ins Auge. Ich lief darauf zu.

»Ähm, ich will ja nicht meckern«, sagte Aech. »Aber wohin zum Teufel gehst du?«

»Sämtliche Gegenstände im Inventar meines Avatars wurden vom Kataklysten vernichtet«, sagte ich. »Ich kann also nicht zum Tor hinauffliegen.«

»Du machst wohl Witze!« Aech seufzte. »Mann, das wird ja immer besser.«

Als ich mich dem Gegenstand genähert hatte, erkannte ich, dass es die Betakapsel war, die ein paar Zentimeter über dem Boden schwebte und sich im Uhrzeigersinn um die eigene Achse drehte. Der Kataklyst hatte alles im Sektor vernichtet, das vernichtet werden konnte, aber Artefakte waren unzerstörbar. Genau wie das Tor.

»Es ist die Betakapsel!«, rief Shoto. »Sie wurde wahrscheinlich von der Druckwelle dorthin geschleudert. Du kannst sie benutzen, um dich in Ultraman zu verwandeln und zum Tor hinaufzufliegen!«

Ich nickte, hob die Kapsel über den Kopf und drückte dann auf den Knopf an der Seite, um sie zu aktivieren. Aber nichts geschah. »Verdammt!«, murmelte ich, als mir die Erklärung dafür einfiel. »Sie funktioniert nicht. Man kann sie nur einmal am Tag benutzen.« Ich steckte die Betakapsel ein und blickte mich suchend um. »Hier muss es noch mehr Artefakte geben«, sagte ich. Ich begann, den Rand des Kraters abzulaufen, den Blick auf den Boden gerichtet. »Hatte einer von euch eines dabei? Eines, das mir die Fähigkeit verleihen könnte zu fliegen? Oder in der Luft zu schweben? Oder zu teleportieren?«

»Nein«, erwiderte Shoto. »Ich habe keine Artefakte besessen.«

»Mein Schwert der Ba'Heer war ein Artefakt«, sagte Aech. »Aber es würde dir nicht dabei helfen, das Tor zu erreichen.«

»Meine Chucks schon«, sagte Art3mis.

»Deine Chucks?«, wiederholte ich.

»Meine Schuhe. Schwarze Chuck Taylor All Stars. Sie verleihen ihrem Träger übermenschliche Schnelligkeit und die Fähigkeit zu fliegen.«

»Großartig! Perfekt!«, sagte ich. »Jetzt muss ich sie nur noch finden.« Ich lief weiter und suchte mit den Augen den Boden ab. Kurze Zeit später fand ich Aechs Schwert und verstaute es in meinem Inventar, aber es dauerte weitere fünf Minuten, bis ich am Südende des Kraters Art3mis' magische Turnschuhe entdeckt hatte. Ich zog sie an, und sie passten sich augenblicklich den Füßen meines Avatars an. »Du kriegst sie wieder«, sagte ich, nachdem ich die Schuhe geschnürt hatte. »Versprochen.«

»Das will ich hoffen«, sagte sie. »Es waren meine Lieblingsschuhe.«

Ich lief drei Schritte, sprang in die Luft, und dann flog ich. Ich drehte eine Runde, machte kehrt und glitt direkt auf das Tor zu. Aber im letzten Moment wich ich aus und segelte rechts daran vorbei. Dann beschrieb ich einen Bogen und blieb schließlich vor dem offenen Tor in der Luft stehen. Der kristallene Rahmen befand sich nur wenige Meter von mir entfernt. Er erinnerte mich an die schwebende Tür im Vorspann der ursprünglichen *Twilight-Zone*-Serie.

»Worauf wartest du noch?«, rief Aech. »Die Sechser können jeden Moment eintreffen!«

»Ich weiß«, sagte ich. »Aber ich muss euch noch etwas sagen, bevor ich durch das Tor trete.«

»Ach, ja?«, sagte Art3mis. »Na dann, spuck's aus! Die Uhr tickt.«

»Okay, okay!«, sagte ich. »Ich wollte nur sagen, dass ich mir vorstellen kann, wie ihr drei euch jetzt wahrscheinlich fühlt. Die ganze Sache ist einfach nicht fair gelaufen. Wir sollten eigentlich alle zusammen durch das Tor treten. Bevor ich hineingehe, möchte ich euch deshalb etwas versprechen. Wenn es mir gelingt, das Ei zu gewinnen, werde ich das Preisgeld unter uns vier aufteilen.«

Es herrschte überraschtes Schweigen.

»Hallo?«, sagte ich nach einem Moment. »Habt ihr mich gehört?«

»Bist du verrückt?«, fragte Aech. »Warum willst du das machen, Z?«

»Weil es das einzig Richtige ist«, sagte ich. »Weil ich alleine nie so weit gekommen wäre. Weil wir alle vier verdient haben zu erfahren, was sich hinter diesem Tor verbirgt und wie das Spiel endet. Und weil ich eure Hilfe brauche.«

»Kannst du das Letzte bitte noch mal wiederholen?«, fragte Art3mis.

»Ich brauche eure Hilfe«, sagte ich. »Ihr habt recht. Das ist meine einzige Chance, das dritte Tor zu meistern. Eine weitere wird es nicht geben, für niemanden. Die Sechser werden bald hier sein, und sie werden sofort durch das Tor treten, wenn sie angekommen sind. Ich muss es also vor ihnen schaffen, mit dem ersten Versuch. Die Wahrscheinlichkeit, dass mir das gelingt, wird drastisch steigen, wenn ihr mir helft. Also ... was sagt ihr, haben wir einen Deal?«

»Ich bin dabei, Z«, sagte Aech. »Ich wollte dir Esel sowieso unter die Arme greifen.«

»Ich mach auch mit«, sagte Shoto. »Schließlich habe ich nichts mehr zu verlieren.«

»Lass mich das noch mal klarstellen«, sagte Art3mis. »Wir helfen dir, das Tor zu meistern, und im Gegenzug wirst du das Preisgeld mit uns teilen?«

»Falsch«, sagte ich. »Wenn ich gewinne, werde ich das Preisgeld in jedem Fall mit euch teilen, egal, ob ihr mir helft oder nicht. Mir zu helfen liegt also vermutlich in eurem Interesse.«

»Wahrscheinlich haben wir keine Zeit mehr, das schriftlich festzuhalten, oder?«, sagte Art3mis.

Ich dachte einen Moment nach, dann rief ich das Bedienmenü meines POV-Kanals auf. Ich schaltete auf Live-Übertragung, so dass alle, die gegenwärtig meinen Kanal schauten (laut Quotenzähler hatte ich momentan mehr als zweihundert Millionen Zuschauer), hören konnten, was ich sagte. »Hallo«, begann ich. »Hier ist Wade Watts, auch als Parzival bekannt. Ich möchte, dass die ganze Welt weiß, dass ich geschworen habe, mein Preisgeld gerecht mit Art3mis, Aech und Shoto zu teilen, wenn es mir gelingen sollte, Hallidays *Easter Egg* zu finden. Großes Pfadfinderehrenwort. Bei meinem Ruf als Jäger. Und so weiter. Wenn ich lüge, soll ich für immer als rückgratloser Schweinehund bekannt sein, der den Sechsern in den Arsch kriecht.«

Als ich die Übertragung beendet hatte, hörte ich Art3mis sagen: »Mann, bist du verrückt? Ich hab doch nur Spaß gemacht!«

»Ach so?«, sagte ich. »Na klar, weiß ich doch.«

Ich ließ meine Fingerknöchel knacken und flog durch das Tor. Mein Avatar verschwand in dem wirbelnden Sternenfeld.

0037

ICH FAND MICH in einem weiten, dunklen, leeren Raum wieder. Weder Wände noch eine Decke waren zu sehen, aber es schien einen Boden zu geben, denn ich stand auf irgendetwas. Ich wartete einen Moment lang, unschlüssig, was ich tun sollte. Dann hallte eine dröhnende elektronische Stimme durch die Leere. Sie klang, als sei sie von einem primitiven Sprachgenerator erzeugt worden wie in *Q*Bert* oder *Gorf*. »*Überbiete den Highscore oder stirb!*«, sagte die Stimme. Von irgendwo hoch oben fiel ein Lichtstrahl herab. Und vor mir, am Fuß der langen Lichtsäule, wurde ein alter Münzspielautomat sichtbar. Das charakteristische, eckige Gehäuse erkannte ich sofort. *Tempest*, Atari, 1980.

Ich schloss die Augen und ließ den Kopf hängen. »Mist«, murmelte ich. »Dieses Spiel liegt mir nicht besonders, Leute.«

»Komm schon«, hörte ich Art3mis flüstern. »Du musst doch gewusst haben, dass *Tempest* beim dritten Tor eine Rolle spielen würde. Das war so offensichtlich!«

»Ach, ja?«, sagte ich. »Warum?«

»Wegen des Zitats auf der letzten Seite des *Almanachs*«, erwiderte sie. »»Den schnellen Handel muss ich erschweren, dass nicht leichter Sieg den Preis verringre.‹«

»Ich kenne dieses Zitat«, sagte ich verärgert. »Das ist von Shakespeare. Aber ich dachte immer, Halliday wollte uns damit nur wissen lassen, dass er uns die Suche nicht zu leicht machen wird.«

»Das ist richtig«, sagte Art3mis. »Aber gleichzeitig war es

auch ein Hinweis. Dieses Zitat stammt aus Shakespeares letztem Drama *The Tempest – Der Sturm*.«

»Verflucht!«, zischte ich. »Wie konnte mir das entgehen?«

»Ich habe diesen Zusammenhang auch nicht hergestellt«, gab Aech zu. »Bravo, Art3mis.«

»Das Spiel *Tempest* taucht außerdem kurz in dem Musikvideo zu ›Subdivision‹ von Rush auf«, fügte sie hinzu. »Einer von Hallidays Lieblingssongs. Das ist schon ziemlich schwer zu übersehen.«

»Wow«, sagte Shoto. »Sie ist echt gut.«

»Okay!«, rief ich. »Es hätte also offensichtlich sein sollen. Kein Grund, es mir noch länger unter die Nase zu reiben!«

»Wenn ich es recht verstehe, hast du das Spiel also nicht besonders oft gespielt, Z?«, fragte Aech.

»Ein bisschen. Ist schon etwas her«, sagte ich. »Und längst nicht oft genug. Schaut euch mal den Highscore an.« Ich deutete auf den Bildschirm des Automaten. Der Highscore lag bei 728 329. Daneben standen die Initialen JDH – James Donovan Halliday. Und wie ich befürchtet hatte, stand der Creditzähler am unteren Rand des Bildschirms auf eins.

»Mist, verdammter!«, sagte Aech. »Nur ein Credit. Wie bei *Black Tiger*.«

Mir fiel wieder der inzwischen nutzlose Vierteldollar in meinem Inventar ein, der mir ein zusätzliches Leben verschafft hatte, und ich nahm ihn heraus. Aber als ich ihn in den Münzschlitz steckte, fiel er direkt durch und landete in der Rückgabeschale. Ich nahm ihn wieder an mich und bemerkte dabei einen Aufkleber neben der Schale: NUR SPIELMARKEN.

»So viel dazu«, sagte ich. »Und ich sehe hier nirgendwo einen Automaten, aus dem man Spielmarken ziehen könnte.«

»Anscheinend bekommst du nur dieses eine Spiel«, sagte Aech. »Alles oder nichts.«

»Leute, ich habe *Tempest* schon seit Jahren nicht mehr gespielt«, sagte ich. »Ich bin komplett angeschissen. Ich habe nicht die geringste Chance, Hallidays Highscore beim ersten Versuch zu überbieten.«

»Musst du auch nicht«, sagte Art3mis. »Schau dir mal das Copyright an.«

Ich sah zum unteren Bildschirmrand: © MCMLXXX ATARI.

»Neunzehnhundertachtzig. Na und?«, sagte Aech. »Wie soll ihm das weiterhelfen?«

»Ja«, sagte ich. »Wie soll mir das helfen?«

»Das bedeutet, dass das die allererste Version von *Tempest* ist«, sagte Art3mis. »Die Version, bei der es einen Fehler im Programmcode gab. Als *Tempest* ursprünglich in die Spielhallen kam, haben die Kids entdeckt, dass der Automat einem einen Haufen kostenlose Credits schenkte, wenn man bei einem bestimmten Spielstand sein Leben verlor.«

»Ach so?«, sagte ich ein wenig beschämt. »Das habe ich nicht gewusst.«

»Du würdest es wissen«, sagte Art3mis, »wenn du so viel über das Spiel recherchiert hättest wie ich.«

»Verdammt, Art3mis«, sagte Aech. »Unglaublich, was du alles weißt!«

»Danke«, sagte sie. »Es hat doch seine Vorteile, ein neurotischer Nerd ohne Privatleben zu sein.« Alle lachten, außer mir. Ich war zu nervös.

»Also gut, Arty«, sagte ich. »Was muss ich machen, um diese zusätzlichen Spiele zu gewinnen?«

»Ich schau gerade in meinem Questtagebuch nach«, sagte sie. Ich hörte Papier rascheln. Es klang, als würde sie die Seiten eines echten Buches umblättern.

»Du hast einen Ausdruck deines Tagebuchs bei dir?«, fragte ich.

»Ich habe mein Tagebuch immer von Hand in Notizbüchern geführt«, sagte sie. »Und das war auch gut so, weil mein OASIS-Account und alles, was darin war, soeben gelöscht wurde.« Wieder ein Rascheln. »Hier ist es! Als Erstes musst du über hundertachtzigtausend Punkte sammeln. Wenn du das geschafft hast, musst du darauf achten, das Spiel genau dann zu beenden, wenn dein Punktestand eine Zahl aufweist, die auf null sechs, elf oder zwölf endet. Wenn alles klappt, erhältst du vierzig zusätzliche Credits.«

»Und du bist dir absolut sicher?«

»Hundert Pro.«

»Okay«, sagte ich. »Dann mal los.«

Ich vollführte mein übliches Ritual, streckte mich, ließ meine Fingerknöchel knacken, rollte meinen Kopf hin und her und lockerte meinen Nacken.

»Verdammt, heute noch!«, sagte Aech. »Sonst krieg ich noch'n Herzkasper!«

»Ruhe!«, sagte Shoto. »Lasst ihn einfach mal machen, okay!«

Alle schwiegen, während ich mich sammelte. »Dann woll'n wir mal«, sagte ich und drückte auf den blinkenden *Player-One*-Knopf.

Tempest war mit einer altmodischen Vektorgraphik programmiert worden, leuchtende Neonlinien vor einem nachtschwarzen Bildschirm. Man blickt auf einen dreidimensionalen Tunnel und benutzt einen Drehregler, um ein Raumschiff zu steuern, das sich am Rand des Tunnels entlangbewegt. Ziel des Spiels ist es, die Gegner abzuschießen, die aus dem Tunnel auf einen zukommen, während man ihrem Beschuss ausweicht und Hindernisse umfliegt. Mit jedem neuen Level nimmt der Tunnel eine komplexere geometrische Form an, und die Zahl der Gegner und Hindernisse erhöht sich drastisch.

Halliday hatte den Automaten auf Turniermodus eingestellt,

so dass ich maximal im neunten Level einsteigen konnte. Es dauerte etwa fünfzehn Minuten, bis ich die 180 000 Punkte gesammelt hatte, und ich verlor dabei zwei Leben. Meine Fähigkeiten waren noch mehr eingerostet, als ich gedacht hatte. Als mein Punktestand 189 412 erreicht hatte, ließ ich mich absichtlich von einem Dorn aufspießen und verbrauchte damit mein letztes verbliebenes Leben. Ich wurde aufgefordert, meine Initialen einzugeben, und tippte nervös: W-O-W.

Als ich fertig war, sprang der Creditzähler des Spiels von null auf vierzig.

Das wilde Jubeln meiner Freunde dröhnte mir in den Ohren und versetzte mir einen Riesenschreck. »Art3mis, du bist ein Genie«, sagte ich, als sich alle wieder beruhigt hatten.

»Ich weiß.«

Ich drückte erneut auf den *Player-One*-Knopf und begann ein zweites Spiel. Jetzt konzentrierte ich mich darauf, Hallidays Highscore zu schlagen. Ich war zwar immer noch nervös, aber längst nicht mehr so sehr wie am Anfang. Wenn es mir diesmal nicht gelang, den Highscore zu erreichen, hatte ich noch neununddreißig weitere Versuche.

Während einer kurzen Pause im Spiel fragte Art3mis: »Deine Initialen sind also W-O-W? Wofür steht das O?«

»Oberdepp«, sagte ich.

Sie lachte. »Nein, im Ernst.«

»Owen.«

»Owen«, wiederholte sie. »Wade Owen Watts. Das klingt nett.« Dann schwieg sie wieder, während die nächste Angriffswelle begann. Wenige Minuten später hatte ich mit einem Punktestand von 219 584 mein zweites Spiel beendet. Kein miserables Ergebnis, aber immer noch weit von meinem Ziel entfernt.

»Nicht schlecht«, sagte Aech.

»Ja, aber auch nicht wirklich gut«, stellte Shoto fest. Dann fiel ihm offenbar wieder ein, dass ich ihn hören konnte. »Ich meine: schon viel besser, Parzival. Du hältst dich tapfer.«

»Danke, Shoto. Du machst mir echt Mut.«

»Heh, hört mal her«, sagte Art3mis und las aus ihrem Tagebuch vor: »Dem Schöpfer von *Tempest*, Dave Theurer, kam die Idee für das Spiel ursprünglich, nachdem er einen Albtraum hatte, in dem Monster aus einem Loch in der Erde gekrochen kamen und ihn verfolgten.« Sie ließ ihr kleines, melodiöses Lachen ertönen, das ich so lange nicht gehört hatte. »Ist das nicht cool, Z?«, sagte sie.

»Das ist tatsächlich cool«, erwiderte ich. Irgendwie beruhigte es mich, ihre Stimme zu hören. Ich glaube, sie wusste das, und deshalb redete sie mit mir. Ich spürte, wie mich neue Energie durchströmte. Ich drückte erneut auf den *Player-One-*Knopf und begann mein drittes Spiel.

Während ich spielte, herrschte komplettes Schweigen. Knapp eine Stunde später verlor ich mein letztes Leben. Mein Punktestand lag bei 437 977.

Als das Spiel vorbei war, meldete sich Aech zu Wort. »Es gibt schlechte Neuigkeiten, Amigo«, sagte sie.

»Was denn?«

»Wir hatten recht. Bevor der Kataklyst gezündet wurde, haben die Sechser eine Gruppe Avatare in Sicherheit gebracht, die vor der Sektorgrenze gewartet haben. Direkt nach der Detonation sind sie wieder in den Sektor hineingeflogen und haben sich auf den Weg nach Chthonia gemacht. Sie …« Ihre Stimme brach ab.

»Sie *was*?«

»Sie sind gerade durch das Tor, vor ein paar Minuten«, antwortete Art3mis. »Es hatte sich wieder geschlossen, nachdem du durchgegangen bist, aber als die Sechser eingetroffen sind, haben sie drei ihrer eigenen Schlüssel benutzt, um es erneut zu öffnen.«

»Du meinst, die Sechser sind schon im Tor? Jetzt, in diesem Moment?«

»Achtzehn von ihnen«, sagte Aech. »Als sie durch das Tor getreten sind, ist jeder von ihnen in eine eigenständige Simulation gelangt. Alle achtzehn spielen jetzt *Tempest*, so wie du. Und versuchen, Hallidays Highscore zu schlagen. Und alle haben sie den Exploit benutzt, um die vierzig zusätzlichen Credits zu erhalten. Die meisten sind nicht besonders gut, aber einer von denen hat ziemliches Talent. Wir glauben, dass Sorrento diesen Avatar steuert. Er hat gerade sein zweites Spiel angefangen …«

»Moment mal!«, unterbrach ich ihn. »Woher wisst ihr das alles eigentlich?«

»Weil wir sie sehen können«, sagte Shoto. »Jeder, der momentan in die OASIS eingeloggt ist, kann sie sehen. Dich übrigens auch.«

»*Wovon zum Teufel sprichst du?*«

»Wenn jemand durch das dritte Tor tritt, taucht ein Live-Vidfeed seines Avatars über dem Scoreboard auf«, sagte Art3mis. »Offensichtlich wollte Halliday, dass beim letzten Tor alle den Spielern zusehen können.«

»Warte mal«, sagte ich. »Willst du damit sagen, dass während der letzten Stunde die ganze Welt zugesehen hat, wie ich *Tempest* spiele?«

»Richtig«, sagte Art3mis. »Und die Leute sehen dich jetzt auch da stehen und mit uns schwafeln, also pass auf, was du sagst.«

»*Warum erzählt ihr mir das erst jetzt?*«, rief ich.

»Wir wollten dich nicht nervös machen«, sagte Aech. »Oder dich ablenken.«

»Oh, großartig! Perfekt! Danke!«, brüllte ich leicht hysterisch.

»Beruhig dich, Parzival«, sagte Art3mis. »Konzentrier dich wieder aufs Spiel. Du stehst jetzt in einem Wettrennen. Achtzehn Avatare der Sechser sind dir auf den Fersen. Beim nächsten Spiel musst du dich also besonders anstrengen. Verstanden?«

»Ja«, sagte ich und atmete langsam aus. »Ich hab verstanden.« Ich holte noch einmal tief Luft und drückte wieder auf den *Player-One*-Knopf.

Die Konkurrenz beflügelte mich. Dieses Mal kam ich gut ins Spiel. Der Drehregler bewegte sich wie von selbst. Zapper, Super-Zapper, Level geschafft, den Dornen ausweichen. Meine Hände bedienten die Steuerung, ohne dass ich darüber nachdenken musste. Ich vergaß, worum es ging und dass mir Millionen Menschen zusahen. Ich verlor mich ganz im Spiel.

Ich hatte über eine Stunde gespielt und gerade Level 81 beendet, als ich erneut ein wildes Jubeln vernahm. »Du hast es geschafft, Mann!«, hörte ich Shoto rufen.

Mein Blick huschte zum oberen Bildschirmrand. Der Punktestand lag bei 802 488.

Meine erste Reaktion war weiterzuspielen, um einen möglichst hohen Punktestand zu erreichen. Doch dann hörte ich, wie sich Art3mis laut räusperte, und mir wurde bewusst, dass ich nicht weitermachen musste. Ich verschwendete nur wertvolle Sekunden, in denen der geringe Vorsprung, den ich vor den Sechsern hatte, weiter zusammenschrumpfte. Rasch verbrauchte ich meine zwei verbliebenen Leben, und auf dem Bildschirm tauchten die Worte GAME OVER auf. Erneut gab ich meine Initialen ein, und sie erschienen auf dem obersten Platz, direkt über Hallidays Highscore. Dann wurde der Bildschirm leer, und eine Nachricht leuchtete in der Mitte auf:

Dann verschwand der Spielautomat und mein Avatar mit ihm.

Als Nächstes galoppierte ich durch eine in Nebel gehüllte Hügellandschaft. Zumindest ging ich davon aus, dass ich auf einem Pferd saß, weil ich auf und ab hüpfte und das Klappern von Hufen zu hören war. Direkt vor mir tauchte eine Burg aus dem Nebel auf, die mir vertraut vorkam.

Aber als ich am Körper meines Avatars hinabblickte, sah ich, dass ich gar nicht auf einem Pferd saß. Ich lief über den Boden. Mein Avatar trug ein Kettenhemd, und ich hatte die Hände vor dem Körper ausgestreckt, als würde ich ein Paar Zügel halten. Aber in Wahrheit hielt ich gar nichts. Meine Hände waren leer.

Ich blieb stehen, und das Hufgeklapper verstummte – allerdings erst ein paar Sekunden später. Ich blickte mich um und entdeckte die Quelle des Geräuschs. Ein Mann, der zwei Kokosnusshälften gegeneinanderschlug.

Da wusste ich, wo ich mich befand. Es war die erste Szene von *Die Ritter der Kokosnuss*. Einer von Hallidays Lieblingsfilmen und vielleicht der beliebteste Nerd-Film überhaupt.

Offenbar handelte es sich wieder um ein Flicksync wie bei der *WarGames*-Simulation.

Mir wurde klar, dass ich die Rolle von König Artus spielte. Ich trug dasselbe Kostüm wie Graham Chapman in dem Film. Und der Mann mit den Kokosnüssen war mein treuer Diener Patsy, gespielt von Terry Gilliam.

Patsy verbeugte sich, als ich mich ihm zuwandte, sagte jedoch nichts.

»Das ist *Die Ritter der Kokosnuss* von Monty Python!«, hörte ich Shoto aufgeregt flüstern.

»Natürlich«, sagte ich, einen Moment lang unbedacht. »Das weiß ich doch, Shoto.«

Eine Warnung leuchtete auf meinem Display auf: FAL-SCHER DIALOG! In einer Ecke erschien ein Punktestand von −100.

»Sehr clever, du Schlaumeier«, hörte ich Art3mis sagen.

»Gib uns einfach Bescheid, wenn du Hilfe brauchst, Z«, sagte Aech. »Wink mit den Händen oder so, und wir liefern dir die nächste Textzeile.«

Ich nickte und hielt einen Daumen hoch. Ich glaubte jedoch nicht, dass ich viel Hilfe brauchen würde. In den vergangenen sechs Jahren hatte ich *Die Ritter der Kokosnuss* genau 157 Mal gesehen. Ich kannte jedes Wort auswendig.

Ich sah wieder zur Burg hoch und wusste, was mich dort als Nächstes erwarten würde. Ich »galoppierte«, die unsichtbaren Zügel in der Hand, weiter darauf zu. Wieder schlug Patsy die Kokosnusshälften gegeneinander und galoppierte hinter mir her. Als wir den Burgeingang erreicht hatten, zog ich an den »Zügeln« und brachte mein »Reittier« zum Stehen.

»Brrr, halt ein, mein Ross!«, rief ich.

Meine Punktzahl erhöhte sich um hundert Punkte. Ich stand nun wieder bei null.

Zwei Soldaten tauchten oben auf der Burg auf und beugten sich über die Mauer. »Halt! Wer trabt so spät durch Nacht und Wind?«, rief einer von ihnen zu uns herunter.

»Ich habe den Sachsen das Angeln beigebracht, seitdem heißen sie Angelsachsen«, rezitierte ich. »Ich bin der König aller Angler! Ich bin Artus, Erfinder des Eukalyptusbonbons am Stiel!«

Mein Punktestand erhöhte sich um weitere 500 Punkte, und eine Nachricht informierte mich darüber, dass ich gerade einen Bonus für Akzent und Tonfall erhalten hatte. Ich spürte, wie ich mich entspannte. Die Sache begann langsam, Spaß zu machen.

»Noch so eine Lüge, und mir platzt das Rohr!«, erwiderte der Soldat.

»Hoffentlich riecht's nicht«, fuhr ich fort. »Der hier Geräusche macht, heißt Patsy. Wir durchreiten das Land Länge mal Breite mal Höhe, um Gastritter zu finden, die an meinen Hof nach Camelot kommen wollen. Bitte melde mich deinem Herrn und Meister!«

Weitere 500 Punkte. Ich hörte meine Freunde kichern und applaudieren.

»Ihr durchreitet das Land?«, erwiderte der andere Soldat.

»Ja!«, sagte ich. 100 Punkte.

»Eure Pferde sind Kokosnüsse!«

»Was?«, sagte ich. 100 Punkte.

»Euer Tausendfüßler nimmt zwei leere Kokosnusshälften und schlägt sie gegeneinander!«

»Energiekrise! Was sollen wir denn machen, wenn die Mohren kein Öl mehr liefern? Selbst die Mongolen tragen ihre Kamele!« Weitere 500 Punkte.

»Woher habt ihr die Kokosnüsse?«

Und so ging es weiter. Die Figur, die ich spielte, wechselte von Szene zu Szene – immer zu der, die den meisten Dialog hatte. Ich patzte nur bei sechs oder sieben Dialogzeilen. Wenn ich nicht mehr weiterwusste, musste ich lediglich mit den Schultern zucken oder die Hände mit den Handflächen nach oben halten – mein Zeichen, dass ich Hilfe brauchte –, und Aech, Art3mis und Shoto lieferten mir mit Freuden den richtigen Text. Die restliche Zeit schwiegen sie, abgesehen von einem gelegentlichen Kichern oder Lachanfall. Das einzig Schwierige war, nicht selbst in Gelächter auszubrechen, besonders als Art3mis in der »Schloss Dosenschreck«-Szene anfing, punktgenau sämtliche Dialogzeilen von Carol Cleveland zu rezitieren. Ein paarmal konnte ich jedoch nicht an mich halten und wurde mit Punktabzug bestraft. Sonst lief die Sache vollkommen glatt.

Etwa nach der Hälfte des Films, direkt nach meiner Konfrontation mit den Rittern vom Ni, öffnete ich ein Textfenster auf meinem Display und tippte: STATUS DER SECHSER?

»Fünfzehn von ihnen spielen immer noch *Tempest*«, hörte ich Aech antworten. »Aber den anderen drei ist es gelungen, Hallidays Highscore zu toppen, und sie befinden sich jetzt in der *Ritter-der-Kokosnuss*-Simulation.« Er schwieg einen Moment. »Und der Beste von ihnen – der, den wir für Sorrento halten – liegt nur neun Minuten hinter dir.«

»Und bisher hat er noch nicht eine Dialogzeile verpatzt«, fügte Shoto hinzu.

Beinahe hätte ich laut geflucht, riss mich aber noch rechtzeitig zusammen und tippte: SCHEISSE!

»Genau«, sagte Art3mis.

Ich holte tief Luft und wandte meine Aufmerksamkeit der nächsten Szene zu (»Die Sage von Ritter Lancelot«). Aech brachte mich hin und wieder auf den neuesten Stand über die Fortschritte der Sechser, während ich weitermachte.

Als ich die letzte Szene des Films erreicht hatte (den Angriff auf die französische Burg), wurde ich wieder von Nervosität erfasst. Was würde als Nächstes geschehen? Im ersten Tor musste ich einen Film nachspielen (*WarGames*), im zweiten ein Videospiel meistern (*Black Tiger*). Bisher wurde im dritten Tor beides verlangt. Ich wusste, dass es noch eine dritte Stufe geben würde, aber ich hatte keine Ahnung, wie sie aussehen könnte.

Wenige Minuten später wusste ich Bescheid. Als ich die

letzte Szene von *Die Ritter der Kokosnuss* durchgespielt hatte, wurde mein Display dunkel, während ein paar Minuten lang die alberne Orgelmusik zu hören war, mit der der Film endet. Schließlich verklang die Musik, und die folgende Nachricht erschien auf meinem Display:

```
GRATULATION!
DU HAST DAS ENDE ERREICHT!
READY PLAYER 1
```

Als der Text verschwand, fand ich mich in einem riesigen Raum mit eichengetäfelten Wänden wieder. Der Raum war so groß wie ein Lagerhaus, hatte eine hohe, gewölbte Decke und nur einen Ausgang – eine gewaltige Doppeltür in einer der ansonsten kahlen Wände. In der Mitte des weiten Raumes stand eine nun schon etwas ältere OASIS-Immersionsanlage. Sie war von über hundert Glastischen umgeben, die ein großes Oval bildeten. Auf jedem Tisch stand ein anderer Heimcomputer oder ein Videospielsystem und daneben sämtliche Peripheriegeräte, Controller, Software und Spiele, die dazugehörten. Das ganze Ensemble erinnerte mich an eine Ausstellung in einem Museum. Die Computer waren anscheinend nach Baujahren geordnet. Ein PDP-1. Dann ein Altair 8800. Ein IMSAI 8080. Ein Apple I, direkt neben einem Apple II. Ein Atari 2600. Ein Commodore PET. Ein Intellivision. Mehrere verschiedene TRS-80-Modelle. Ein Atari 400 und 800. Ein ColecoVision. Ein TI-99/4. Ein Sinclair ZX80. Ein Commodore 64. Verschiedene Spielsysteme von Nintendo und Sega. Die gesamte Abfolge von Macs und PCs, Playstations und Xboxen. Und schließlich am Ende des Kreises eine OASIS-Konsole – die mit der Immersionsausrüstung in der Mitte des Raumes verbunden war.

Mir wurde klar, dass ich in einer Nachbildung von James

Hallidays Büro stand, dem Raum in seiner Villa, in dem er einen Großteil der letzten fünfzehn Jahre seines Lebens verbracht hatte. Der Ort, wo er sein letztes und großartigstes Spiel entwickelt hatte. Das Spiel, das ich gerade spielte.

Ich hatte nie irgendwelche Fotos von diesem Raum gesehen, aber Grundriss und Einrichtung waren von den Möbelpackern, die nach Hallidays Tod seine Villa ausgeräumt hatten, bis ins kleinste Detail beschrieben worden.

Ich sah an meinem Avatar hinab und stellte fest, dass ich nicht mehr die Kleidung eines Ritters der Kokosnuss trug. Ich war wieder Parzival.

Als Erstes tat ich das Offensichtliche und versuchte, die Tür zu öffnen. Sie war jedoch verschlossen.

Ich ließ den Blick erneut durch den Raum schweifen und betrachtete die lange Reihe der Exponate aus der Geschichte des Computers und der Videospiele.

Da erst fiel mir auf, dass die Form, in der sie angeordnet waren, den Umriss eines Eis bildete.

Im Geiste rezitierte ich die Worte von Hallidays erstem Rätsel, dem aus *Anoraks Einladung:*

<blockquote>

Drei Schlüssel öffnen der Tore drei,

Und wer sich als würdig erweist dabei,

Muss alsbald auf sein Geschick sich besinnen,

Will er das »Ende« erreichen und den Preis gewinnen.

</blockquote>

Ich hatte das Ende erreicht. Das war's. Hallidays *Easter Egg* musste irgendwo in diesem Raum versteckt sein.

0038

»SEHT IHR DAS?«, flüsterte ich.

Es kam keine Antwort.

»Hallo? Aech? Art3mis? Shoto? Seid ihr da?«

Immer noch keine Antwort. Entweder hatte Og die Verbindung gekappt, oder Halliday hatte diese Stufe des Tors so programmiert, dass keine Kommunikation nach außen möglich war. Ich war mir ziemlich sicher, dass Letzteres zutraf.

Einen Moment lang stand ich schweigend da, unsicher, was ich tun sollte. Dann folgte ich meinem Instinkt und ging zu dem Atari 2600. Er war mit einem Zenith-Farbfernseher von 1977 verbunden. Ich schaltete den Fernseher ein, aber nichts geschah. Dann schaltete ich den Atari ein. Wieder nichts. Es gab keinen Strom, obwohl Fernseher und Konsole mit Steckdosen im Fußboden verbunden waren.

Ich versuchte es mit dem Apple II auf dem Tisch daneben. Er ließ sich ebenso wenig anschalten.

Nachdem ich eine Weile rumprobiert hatte, stellte ich fest, dass sich nur ein einziger Computer einschalten ließ, der IMSAI 8080 – dasselbe Computermodell, das Matthew Broderick in *WarGames* besessen hatte.

Als ich den Computer hochfuhr, war der Bildschirm völlig leer, abgesehen von einem Wort:

LOG-IN:

Ich tippte ANORAK ein und drückte auf »Enter«.

IDENTIFIKATIONSWORT NICHT ERKANNT –
VERBINDUNG UNTERBROCHEN.

Der Computer schaltete sich aus, und ich musste ihn erneut hochfahren, um wieder zum Log-in zu gelangen.

Ich versuchte es mit HALLIDAY. Ohne Erfolg.

In *WarGames* lautet das Passwort zur Hintertür für den WOPR-Supercomputer »Joshua«. Professor Falken, der Schöpfer des WOPR, hatte den Namen seines Sohnes als Passwort benutzt. Den Namen des Menschen, den er am meisten liebte.

Ich tippte OG ein. Es funktionierte nicht. Auch OGDEN brachte keine Ergebnisse.

Ich tippte KIRA und drückte auf die »Enter«-Taste.

IDENTIFIKATIONSWORT NICHT ERKANNT –
VERBINDUNG UNTERBROCHEN.

Ich versuchte es mit den Vornamen von Hallidays Eltern. Ich gab ZAPHOD ein, den Namen von Hallidays Fisch. Dann TIBE-RIUS – so hieß ein Frettchen, das er einmal besessen hatte.

Nichts davon funktionierte.

Ich sah auf die Zeitanzeige. Ich befand mich nun schon seit mehr als zehn Minuten in dem Raum. Was bedeutete, dass Sorrento inzwischen aufgeholt hatte. Vermutlich befand er sich jetzt in einer anderen Kopie dieses Raumes, und dank seiner gehackten Immersionsausrüstung stand ihm ein Team von Halliday-Experten zur Seite, die ihm die Vorschläge so schnell ins Ohr flüsterten, wie er tippen konnte.

Mir lief die Zeit davon.

Frustriert biss ich die Zähne zusammen. Ich hatte keine Ahnung, was ich als Nächstes versuchen sollte.

Dann fiel mir wieder die Stelle aus Ogs Biographie ein:

Das andere Geschlecht machte Jim außerordentlich nervös, und Kira war, soweit ich weiß, die einzige Frau, mit der er sich jemals zwanglos unterhalten hat – aber auch das nur während der Spieleabende, wenn er in die Rolle von Anorak schlüpfte. Und er redete sie immer nur mit ›Leucosia‹ an, dem Namen ihres D&D-Charakters.

Ich startete den Computer erneut. Als die LOG-IN-Aufforderung erschien, tippte ich LEUCOSIA ein. Dann drückte ich die »Enter«-Taste.

Sämtliche Computersysteme im Raum fuhren sich hoch. Das Sirren von Diskettenlaufwerken, das Piepsen von Selbsttests und andere Startgeräusche hallten von der gewölbten Decke wider.

Ich lief zum Atari 2600 zurück und durchforstete das riesige Regal voller alphabetisch geordneter Spielmodule daneben, bis ich gefunden hatte, wonach ich suchte: *Adventure*. Ich schob das Spiel in den Atari und schaltete das System ein. Dann drückte ich auf den »Reset«-Knopf, um es zu starten.

Es dauerte nur wenige Minuten, bis ich den Geheimen Raum erreicht hatte.

Ich nahm das Schwert und erschlug damit alle drei Drachen. Ich fand den schwarzen Schlüssel, öffnete das Tor der Schwarzen Burg und begab mich in das Labyrinth. Der graue Punkt war genau dort versteckt, wo er sein sollte. Ich nahm ihn und trug ihn durch das winzige 8-Bit-Königreich. Dann benutzte ich ihn dazu, die magische Barriere zu überwinden und den Geheimen Raum zu betreten. Doch dieser enthielt nicht wie im ursprünglichen Atarispiel den Namen des Programmierers, Warren Robinett. Stattdessen befand sich in der Mitte des Bildschirms ein großes, weißes Oval mit pixeligen Rändern. Ein Ei.

Das Ei.

Einen Moment lang starrte ich nur fassungslos auf den Fernsehbildschirm. Dann zog ich den Atari-Joystick nach rechts, und mein winziger, eckiger Avatar wanderte über den flackernden Bildschirm. Der Monolautsprecher des Fernsehers gab ein kurzes, elektronisches *Bip* von sich, als ich den grauen Punkt ablegte und stattdessen das Ei aufnahm. Ein greller Lichtblitz blendete mich, und dann sah ich, dass mein Avatar nicht mehr länger einen Joystick in der Hand hatte. Jetzt hielt er mit beiden Händen ein großes, silbernes Ei. Auf der gewölbten Oberfläche war sein verzerrtes Spiegelbild zu sehen.

Als ich den Blick endlich davon losreißen konnte, stellte ich fest, dass sich die Doppeltür am anderen Ende des Raumes in ein Portal mit einem Kristallrahmen verwandelt hatte, das in die Eingangshalle von Burg Anorak zurückführte. Die Burg war anscheinend komplett wiederhergestellt, obwohl der OASIS-Server erst in ein paar Stunden zurückgesetzt werden würde.

Ich ließ den Blick noch einmal durch Hallidays Büro schweifen. Dann schritt ich mit dem Ei in den Händen zum Ausgang.

Als ich hindurchgegangen war, drehte ich mich um und sah, dass sich das Kristalltor in eine große Holztür verwandelt hatte.

Ich öffnete die Tür und stieg die Wendeltreppe hoch, die zur Spitze des höchsten Turms von Burg Anorak führte – zu Anoraks Bibliothek. An den Wänden standen Regale voller alter Schriftrollen und staubiger Zauberbücher.

Ich ging zum Fenster, von dem aus man eine atemberaubende Aussicht auf die Umgebung hatte. Die Landschaft war nicht länger trostlos und leer. Die Auswirkungen des Kataklysten waren komplett rückgängig gemacht worden, und ganz Chthonia schien wiederauferstanden zu sein.

Ich sah mich im Raum um. Direkt unter dem vertrauten

Gemälde mit dem schwarzen Drachen befand sich ein reichverzierter kristallener Sockel, auf dem ein goldener, mit winzigen Edelsteinen geschmückter Kelch stand. Sein Durchmesser entsprach genau dem des silbernen Eis in meinen Händen.

Ich legte das Ei in den Kelch, und es passte perfekt.

In der Ferne hörte ich eine Trompetenfanfare, und das Ei begann zu leuchten.

»Du hast gewonnen«, hörte ich eine Stimme sagen. Ich drehte mich um und sah Anorak hinter mir stehen. Sein nachtschwarzes Gewand schien alles Licht im Raum zu schlucken. »Ich gratuliere dir«, sagte er und streckte seine langgliedrige Hand aus.

Ich zögerte. Handelte es sich womöglich um einen weiteren Trick oder einen letzten Test …?

»Das Spiel ist vorbei«, sagte Anorak, als hätte er meine Gedanken gelesen. »Es wird Zeit, dass du deine Belohnung erhältst.«

Ich betrachtete seine ausgestreckte Hand. Dann nahm ich allen Mut zusammen und ergriff sie.

Blaue Lichtblitze flammten zwischen uns auf und hüllten uns mit ihren feinen Verästelungen ein, als würde ein Energiestrom von Anoraks Avatar zu meinem fließen. Als die Blitze verblassten, stellte ich fest, dass Anorak nicht mehr seinen schwarzen Magierumhang trug. Er sah auch gar nicht mehr wie Anorak aus. Er war kleiner und schmaler geworden und sah nicht mehr ganz so gut aus. Er hatte sich in James Halliday verwandelt. Blass. Im mittleren Alter. Gekleidet in abgetragene Jeans und ein ausgeblichenes *Space-Invaders*-T-Shirt.

Ich sah an meinem eigenen Avatar hinab und stellte fest, dass ich jetzt Anoraks Umhang trug. Auch die Icons und Anzeigen am Rand meines Displays hatten sich verändert. Meine Eigenschaften standen alle auf Maximum. Außerdem verfügte ich nun über eine endlos lange Liste von Zaubersprüchen, besonderen Fähigkeiten und magischen Gegenständen.

Sowohl vor der Level- als auch der Lebensenergieanzeige meines Avatars stand ein Endlos-Symbol.

Und mein Creditzähler wies eine Zahl mit zwölf Ziffern auf. Ich war Multimilliardär.

»Ich übertrage dir jetzt die Verantwortung für die OASIS, Parzival«, sagte Halliday. »Dein Avatar ist unsterblich und unendlich mächtig. Was immer du willst, du musst es dir nur wünschen. Ziemlich cool, was?« Er beugte sich vor und senkte seine Stimme. »Tu mir einen Gefallen und versuch, deine Macht nur zum Guten zu verwenden. Okay?«

»Okay«, sagte ich, und meine Stimme war kaum mehr als ein Flüstern.

Halliday lächelte und machte eine ausladende Geste. »Diese Burg gehört jetzt dir. Ich habe diesen Raum so programmiert, dass nur dein Avatar ihn betreten kann. Damit wollte ich sicherstellen, dass du allein Zugang hierzu hast.« Er ging zu einem Bücherregal und zog an einem der Bücher darin. Ich hörte ein Klicken, dann glitt das Regal beiseite und enthüllte eine rechteckige Metallplatte, die in die Wand eingelassen war. In der Mitte der Platte befand sich ein übertrieben großer roter Knopf, in den ein einzelnes Wort eingeprägt war: AUS.

»Ich nenne ihn den großen roten Knopf«, sagte Halliday. »Wenn du draufdrückst, wird die gesamte OASIS abgeschaltet und ein Wurm freigesetzt, der sämtliche Daten auf den GSS-Servern vernichtet, darunter auch den kompletten Quellcode der OASIS. Damit wird die OASIS für immer heruntergefahren.« Er grinste. »Also drück bitte nur darauf, wenn du dir absolut sicher bist, dass es das Richtige ist. Okay?« Er schenkte mir ein seltsames Lächeln. »Ich vertraue auf dein Urteilsvermögen.«

Halliday ließ das Bücherregal zurückgleiten, so dass der Knopf wieder verborgen war. Dann überraschte er mich, indem er mir den Arm um die Schultern legte. »Hör zu«, sagte er in vertraulichem Ton. »Bevor ich gehe, muss ich dir noch etwas sagen. Etwas, das ich selbst erst begriffen habe, als es zu spät war.« Er führte mich zum Fenster und deutete auf die Landschaft draußen. »Ich habe die OASIS geschaffen, weil ich mich in der wirklichen Welt nie heimisch gefühlt habe. Ich wusste nicht, wie ich mich dort den Menschen gegenüber verhalten sollte. Mein ganzes Leben lang habe ich Angst gehabt. Bis ich erfuhr, dass ich bald sterben würde. Erst da ist mir eines klargeworden: So furchteinflößend und schmerzhaft die Realität auch sein kann, sie ist der einzige Ort, an dem man wahres Glück finden kann. Weil die Wirklichkeit *echt* ist. Verstehst du?«

»Ja«, sagte ich. »Ich denke schon.«

»Gut«, sagte er und zwinkerte mir zu. »Mach nicht denselben Fehler wie ich. Versteck dich nicht ewig hier drin.«

Er lächelte und trat ein paar Schritte zurück. »Also gut. Damit ist, glaube ich, alles gesagt. Wird Zeit, dass ich meinen Hut nehme.«

Halliday begann zu verblassen. Er lächelte und winkte mir zum Abschied zu, während sich sein Avatar langsam auflöste.

»Viel Glück, Parzival«, sagte er. »Und danke. Danke, dass du mein Spiel gespielt hast.«

Mit diesen Worten verschwand er.

»Seid ihr da?«, fragte ich ein paar Minuten später ins Leere.

»Ja!«, rief Aech aufgekratzt. »Kannst du uns hören?«

»Jetzt, ja. Was ist passiert?«

»Das System hat unsere Stimmverbindung zu dir unterbrochen, als du Hallidays Büro betreten hast, deshalb konnten wir nicht mehr mit dir reden.«

»Zum Glück hast du unsere Hilfe ja nicht gebraucht«, sagte Shoto. »Gut gemacht, Mann.«

»Gratulation, Wade«, hörte ich Art3mis sagen. Und ich merkte, dass sie es ehrlich meinte.

»Danke«, sagte ich. »Aber ohne euch hätte ich es nicht geschafft.«

»Da hast du wohl recht«, sagte Art3mis. »Denk dran, dass du das den Medien gegenüber erwähnst. Og sagt, dass sich ein paar hundert Reporter auf dem Weg hierher befinden.«

Ich sah zu dem Bücherregal hinüber, hinter dem sich der große, rote Knopf verbarg. »Habt ihr gehört, was Halliday zu mir gesagt hat, bevor er verschwunden ist?«, fragte ich.

»Nein«, sagte Art3mis. »Wir haben alles gesehen, bis zu dem Moment, als er gesagt hat: ›Versuch, deine Macht nur zum Guten zu verwenden.‹ Dann ist der Vidfeed abgebrochen. Was ist danach passiert?«

»Nicht viel«, sagte ich. »Das erzähl ich euch später.«

»Alter«, sagte Aech. »Schau dir mal das Scoreboard an.«

Ich öffnete ein Fenster und rief das Scoreboard auf. Die Highscore-Liste war verschwunden. Auf Hallidays Website war nur noch ein Bild meines Avatars zu sehen, der Anoraks Umhang trug und das silberne Ei in den Händen hielt. Darunter stand: PARZIVAL HAT GEWONNEN!

»Was ist mit den Sechsern passiert?«, fragte ich. »Mit denen, die sich im Inneren des Tors befanden?«

»Wir sind uns nicht sicher«, sagte Aech. »Ihre Vidfeeds sind mit dem Scoreboard verschwunden.«

»Vielleicht wurden ihre Avatare getötet«, sagte Shoto. »Oder …«

»Vielleicht wurden sie auch einfach nur aus dem Tor rausgeworfen«, sagte ich.

Ich rief eine Karte von Chthonia auf und stellte fest, dass

ich nun an jeden beliebigen Ort in der OASIS teleportieren konnte, einfach indem ich mein gewünschtes Ziel auf dem Atlas berührte. Ich zoomte Burg Anorak heran und tippte auf eine Stelle vor dem Haupteingang, und einen Moment später stand mein Avatar dort.

Ich hatte recht. Die achtzehn Avatare der Sechser, die sich noch im Inneren befunden hatten, waren rausgeworfen und vor den Eingang der Burg versetzt worden. Dort standen sie mit verwirrten Gesichtern, als ich in meinem prächtigen neuen Aufzug vor ihnen auftauchte.

Einen Moment lang starrten sie mich schweigend an, dann zogen sie ihre Waffen und Schwerter, um mich anzugreifen. Sie sahen alle gleich aus, deshalb konnte ich nicht feststellen, welchen Avatar Sorrento steuerte. Aber inzwischen war mir das auch egal.

Ich machte eine ausladende Geste mit der Hand und markierte mit Hilfe meines neuen Superuser-Interface alle Avatare der Sechser auf meinem Display. Ihre Umrisse begannen, rot zu leuchten. Dann drückte ich auf das Totenschädel-Icon, das in der Werkzeugleiste meines Avatars aufgetaucht war. Alle achtzehn Avatare der Sechser fielen augenblicklich tot zu Boden. Ihre Körper verblassten langsam, und jeder ließ einen winzigen Stapel Waffen und Beute zurück.

»Heilige Scheiße!«, hörte ich Shoto über Funk sagen. »Wie hast du das denn gemacht?«

»Du hast doch gehört, was Halliday gesagt hat«, warf Aech ein. »Sein Avatar ist unsterblich und unendlich mächtig.«

»Ja«, sagte ich. »Und das war nicht übertrieben.«

»Halliday hat außerdem gesagt, dass all deine Wünsche in Erfüllung gehen«, sagte Aech. »Was willst du dir als Erstes wünschen?«

Ich dachte einen Moment darüber nach, dann drückte ich

auf das neue Befehls-Icon, das am Rand meines Displays aufgetaucht war, und sagte: »Ich möchte, dass Aech, Art3mis und Shoto wiederauferstehen.«

Ein Dialogfenster öffnete sich, und ich wurde aufgefordert, die Schreibweise der Namen zu bestätigen. Dann fragte mich das System, ob ich den Avataren auch alle verlorenen Gegenstände wiedergeben wollte. Ich tippte auf »Ja«. Schließlich erschien eine Nachricht in der Mitte meines Displays: AUFERSTEHUNG KOMPLETT. AVATARE WIEDERHERGESTELLT.

»Leute?«, sagte ich. »Versucht mal, euch in eure Accounts einzuloggen.«

»Schon dabei!«, rief Aech.

Ein paar Sekunden später hatte Shoto sich eingeloggt, und sein Avatar nahm an derselben Stelle, wo er vor ein paar Stunden getötet worden war, Gestalt an. Mit einem breiten Grinsen im Gesicht lief er zu mir herüber. »*Arigato*, Parzival-san«, sagte er und verbeugte sich tief.

Ich erwiderte seine Verbeugung, und dann umarmten wir uns. »Willkommen zurück«, sagte ich. Einen Moment später trat Aech aus dem Burgeingang und kam auf uns zu.

»So gut wie neu«, sagte er und betrachtete grinsend seinen wiederhergestellten Avatar. »Danke, Z.«

»*De nada*, Alter.« Ich sah zum offenen Burgeingang hinüber. »Wo ist Art3mis? Sie hätte eigentlich direkt neben dir auftauchen müssen …«

»Sie hat sich nicht wieder eingeloggt«, sagte Aech. »Sie wollte rausgehen und ein bisschen frische Luft schnappen.«

»Ihr habt sie gesehen? Was …?« Ich suchte nach den passenden Worten. »Wie hat sie ausgesehen?«

Sie lächelten mich nur an, und Aech legte mir eine Hand auf die Schulter. »Sie hat gesagt, dass sie draußen auf dich wartet. Bis du bereit bist, sie zu treffen.«

Ich nickte. Gerade wollte ich auf das Log-out-Icon tippen, als Aech ihre – seine – Hand hob. »Einen Moment! Bevor du dich ausloggst, solltest du das hier noch sehen«, sagte er und öffnete ein Fenster vor mir. »Das wird gerade auf allen Newsfeeds gesendet. Das FBI hat soeben Sorrento verhaftet. Sie haben die Firmenzentrale von IOI gestürmt und ihn direkt aus seinem haptischen Stuhl rausgeholt!«

Ein Videoclip war zu sehen. Eine Handkamera filmte ein paar FBI-Agenten, die Sorrento durch das Foyer der Firmenzentrale von IOI führten. Er trug noch seinen haptischen Anzug, und ein grauhaariger Mann in Businesskleidung, vermutlich sein Anwalt, folgte ihm. Sorrento sah in erster Linie verärgert aus, als sei das alles nur eine lästige Unannehmlichkeit. Am unteren Bildrand stand: *Leitender Angestellter von IOI des Mordes beschuldigt.*

»Die Newsfeeds senden schon den ganzen Tag Ausschnitte aus dem SimCap deines Chatlink-Treffens mit Sorrento«, sagte Aech und hielt den Clip an. »Besonders den Teil, als er droht, dich umzubringen, und dann den Wohnwagen deiner Tante in die Luft jagt.«

Aech drückte auf »Play«, und der Clip lief weiter. Die FBI-Agenten führten Sorrento durch das Foyer, das voller Reporter war, die ihm ihre Fragen entgegenriefen. Der Reporter, dessen Videoaufnahme wir uns gerade anschauten, machte einen Satz nach vorn und hielt Sorrento die Kamera direkt ins Gesicht. »Haben Sie persönlich die Anweisung gegeben, Wade Watts zu töten?«, rief der Reporter. »Was ist das für ein Gefühl, den Wettbewerb verloren zu haben?«

Sorrento lächelte, antwortete jedoch nicht. Dann trat sein Anwalt vor die Kamera und wandte sich an den Reporter. »Die Vorwürfe gegen meinen Klienten sind völlig lächerlich«, sagte er. »Der SimCap, der in den Medien zirkuliert, ist eindeutig eine Fälschung. Im Augenblick werden wir keinen weiteren Kommentar dazu abgeben.«

Sorrento nickte. Er lächelte weiter, während die FBI-Agenten ihn aus dem Gebäude führten.

»Der Scheißkerl wird wahrscheinlich ungestraft davonkommen«, sagte ich. »IOI kann es sich leisten, die besten Anwälte der Welt zu engagieren.«

»Ja«, sagte Aech. Dann schenkte er mir sein breites Grinsen. »Aber wir können das jetzt auch.«

0039

ALS ICH aus der Immersionskabine trat, wartete Og auf mich. »Gut gemacht, Wade!«, sagte er und umarmte mich stürmisch. »Gut gemacht!«

»Danke, Og.« Ich fühlte mich immer noch benommen und etwas wackelig auf den Beinen.

»Mehrere Mitglieder der Geschäftsführung von GSS sind eingetroffen, als du noch eingeloggt warst«, sagte Og. »Und Jims Anwälte. Sie warten oben. Wie du dir vorstellen kannst, würden sie gerne mit dir sprechen.«

»Muss ich mich sofort mit ihnen treffen?«

»Nein, natürlich nicht!« Er lachte. »Schließlich arbeiten sie jetzt alle für dich, schon vergessen? Du kannst die Mistkerle also so lange warten lassen, wie du willst!« Er beugte sich vor. »Mein Anwalt ist auch da. Er ist ein cooler Typ. Eine richtige Bulldogge. Er wird dafür sorgen, dass dich niemand über den Tisch zieht, okay?«

»Danke, Og«, sagte ich. »Ich schulde Ihnen was.«

»Ach, Unfug!«, sagte er. »Ich habe dir zu danken. So viel Spaß hatte ich schon ewig nicht mehr! Du hast dich wirklich gut geschlagen, mein Junge.«

Ich sah mich unsicher um. Aech und Shoto befanden sich noch in ihren Immersionskabinen und hielten eine improvisierte Online-Pressekonferenz ab. Aber Art3mis' Kabine war leer. Ich wandte mich wieder Og zu.

»Wissen Sie, wohin Art3mis gegangen ist?«

Og schenkte mir ein Grinsen und wies mir dann den Weg.

»Die Treppe rauf und durch die erste Tür, die du siehst«, sagte er. »Sie hat gesagt, dass sie in der Mitte meines Irrgartens auf dich wartet.« Er lächelte. »Der Irrgarten ist recht einfach. Du solltest sie also schnell gefunden haben.«

Ich trat hinaus und blinzelte, während meine Augen sich an das Licht gewöhnten. Die Luft war warm, und die Sonne stand bereits hoch am Himmel. Keine einzige Wolke war in Sicht.

Es war ein schöner Tag.

Das Heckenlabyrinth hinter der Villa erstreckte sich über mehrere Morgen Land. Der Eingang war so gestaltet, dass er an ein offenes Burgtor erinnerte. Die dichten Hecken, aus denen das Labyrinth bestand, waren drei Meter hoch. Man konnte unmöglich über sie hinwegblicken, selbst wenn man sich auf eine der Bänke stellte, die überall verteilt waren.

Ich betrat das Labyrinth und irrte eine Weile lang im Kreis herum, bis mir klarwurde, dass der Grundriss des Irrgartens dem Labyrinth in *Adventure* entsprach.

Danach dauerte es nicht lange, bis ich den Weg zu der freien Fläche in der Mitte gefunden hatte. Ein großer Springbrunnen stand dort, mit einer detailreichen Steinskulptur der drei entenförmigen Drachen aus *Adventure*. Statt Feuer spuckten die Drachen Wasser.

Und dann sah ich sie.

Sie saß auf einer Steinbank und betrachtete den Springbrunnen. Sie hatte mir den Rücken zugewandt und hielt den Kopf gesenkt. Ihr langes schwarzes Haar floss über ihre rechte Schulter. Ich sah, dass sie die Hände im Schoß knetete.

Ich traute mich nicht, näher heranzutreten. Schließlich nahm ich meinen Mut zusammen und sagte: »Hallo.«

Als sie meine Stimme vernahm, hob sie den Kopf, drehte sich jedoch nicht um.

»Hallo«, hörte ich sie sagen. Und es war ihre Stimme. Art3-

mis' Stimme. Die Stimme, der ich so viele Stunden gelauscht hatte. Und das gab mir die Kraft, auf sie zuzugehen.

Ich lief um den Springbrunnen herum und blieb direkt vor ihr stehen. Als sie mich kommen hörte, drehte sie den Kopf weg und wandte den Blick ab, damit sie mich nicht anschauen musste.

Aber ich konnte sie sehen.

Sie sah genauso aus wie auf dem Foto. Dieselbe Rubensfigur. Dieselbe blasse, sommersprossige Haut. Dieselben haselnuss-braunen Augen und das rabenschwarze Haar. Dasselbe hüb-sche, runde Gesicht mit dem roten Feuermal. Aber im Unter-schied zum Foto versuchte sie nicht, das Mal unter ihrem Haar zu verstecken. Im Gegenteil, sie hatte das Haar zurückgescho-ben, damit ich es sehen konnte.

Ich wartete schweigend. Aber sie blickte mich immer noch nicht an.

»Du siehst genauso aus, wie ich es mir immer vorgestellt habe«, sagte ich. »Wunderschön.«

»Wirklich?«, sagte sie leise. Langsam wandte sie mir ihr Ge-sicht zu und musterte mich eingehend. Angefangen bei den Füßen wanderte ihr Blick Stück für Stück bis zu meinem Ge-sicht hoch. Als wir einander schließlich in die Augen sahen, lächelte sie nervös. »Tja, wer hätte das gedacht? Du siehst auch genauso aus, wie ich es mir vorgestellt habe«, sagte sie. »Pott-hässlich.«

Wir lachten beide, und ein Großteil der Spannung zwischen uns löste sich auf. Dann blickten wir einander lange Zeit in die Augen. Das erste Mal.

»Wir haben uns noch gar nicht richtig vorgestellt«, sagte sie. »Ich bin Samantha.«

»Hallo, Samantha. Ich bin Wade.«

»Schön, dir endlich persönlich zu begegnen, Wade.«

Sie klopfte neben sich auf die Bank, und ich setzte mich.

Nachdem wir beide eine Weile geschwiegen hatten, sagte sie: »Also, was machen wir jetzt?«

Ich lächelte. »Wir werden mit der ganzen Kohle, die wir gerade gewonnen haben, den Hunger auf der Welt beseitigen. Wir werden die Erde in einen besseren Ort verwandeln, oder?«

Sie grinste. »Sollen wir nicht lieber ein großes interstellares Raumschiff bauen, jede Menge Videospiele, Junkfood und bequeme Sofas einladen und dann von hier verschwinden?«

»Auch keine schlechte Idee«, sagte ich. »Solange es bedeutet, dass ich für den Rest meines Lebens mit dir zusammen sein kann.«

Sie schenkte mir ein schüchternes Lächeln. »Mal sehen«, sagte sie. »Schließlich haben wir uns gerade erst kennengelernt, weißt du.«

»Ich bin in dich verliebt.«

Ihre Unterlippe begann zu zittern. »Bist du dir dessen absolut sicher?«

»Ja. Weil es stimmt.«

Sie lächelte mir zu, aber ich sah auch, dass sie weinte. »Es tut mir leid, dass ich mit dir Schluss gemacht habe«, sagte sie. »Dass ich aus deinem Leben verschwunden bin. Ich wollte nur …«

»Schon okay«, sagte ich. »Inzwischen verstehe ich, warum du das gemacht hast.«

Sie sah erleichtert aus. »Ja?«

Ich nickte. »Du hast das Richtige getan.«

»Meinst du wirklich?«

»Schließlich haben wir gewonnen, oder?«

Sie lächelte mich an, und ich erwiderte ihr Lächeln.

»Hör zu«, sagte ich. »Wir müssen nichts überstürzen. Ich bin wirklich ein ganz netter Typ, wenn man mich erst mal näher kennt, versprochen.«

Sie lachte und wischte ein paar Tränen fort, sagte jedoch nichts.

»Hab ich schon erwähnt, dass ich außerdem unglaublich reich bin?«, sagte ich. »Allerdings bist du das ja jetzt auch. Kein gutes Verkaufsargument.«

»Du musst mir nichts verkaufen, Wade«, sagte sie. »Du bist mein bester Freund. Der liebste Mensch in meinem Leben.« Offensichtlich kostete es sie einige Überwindung, mir in die Augen zu blicken. »Ich habe dich wirklich vermisst, weißt du das?«

Ich hatte das Gefühl, mein Herz stünde in Flammen. Es dauerte einen Moment, bis ich den Mut aufbrachte, ihre Hand zu ergreifen. So saßen wir eine Zeitlang da, hielten uns an den Händen und erfreuten uns an dem merkwürdigen, neuen Gefühl, einander tatsächlich zu berühren.

Nach einer Weile beugte sie sich vor und küsste mich. Die ganzen Songs und Gedichte hatten nicht übertrieben. Es fühlte sich wunderschön an. Als würde man vom Blitz getroffen.

Zum ersten Mal in meinem Leben konnte mir die OASIS gestohlen bleiben.

DANKSAGUNG

Einige der liebsten Menschen in meinem Leben haben sich frühe Entwürfe dieses Buches angesehen, mir unschätzbar wertvolle Hinweise gegeben und mich dazu ermutigt weiterzumachen. Mein aufrichtiger Dank gilt Eric Cline, Susan Somers-Willett, Chris Beaver, Harry Knowles, Amber Bird, Ingrid Richter, Sara Sutterfield Winn, Jeff Knight, Hilary Thomas, Anne Miano, Tonie Knight, Nichole Cook, Cristin O'Keefe Aptowicz, Jay Smith, Mike Henry, Jed Strahm, Andy Howell und Chris Fry.

Außerdem bin ich Yfat Reiss Gendell zu Dank verpflichtet, der coolsten Agentin des ganzen Universums, der es nur wenige Monate nach unserer ersten Begegnung gelungen ist, mehrere meiner langgehegten Wunschträume Wirklichkeit werden zu lassen. Danke schön auch an Stéphanie Abou, Hannah Brown Gordon, Cecilia Campbell-Westlind und die vielen großartigen Leute bei Foundry Literary and Media.

Ein großer Applaus für den erstaunlichen Dan Farah, meinen Freund, Manager und Hollywood-Komplizen. Meine Dankbarkeit gilt auch Donald De Line, Andrew Haas und Jesse Ehrman bei Warner Bros., die daran glauben, dass sich aus diesem Buch ein guter Film machen lässt.

Vielen Dank an das unglaublich talentierte und hilfsbereite Team bei Crown, vor allem an Patty Berg, Sarah Breivogel, Jacob Bronstein, David Drake, Jill Flaxman, Jacqui Lebow, Rachelle Mandik, Maya Mavjee, Seth Morris, Michael Palgon, Tina Pohlman, Annsley Rosner und Molly Stern. Und an meine phantastische Verlagslektorin Deanna Hoak, die in ihrer Jugend selbst den Geheimen Raum in *Adventure* gefunden hat.

Ein besonderer Dank gilt auch meinem brillanten Lektor Julian Pavia, der an meine Fähigkeiten als Schriftsteller geglaubt hat, lange bevor ich dieses Buch beendet hatte. Julians erstaunliche Intelligenz, seine Ideen und seine unbarmherzige Detailgenauigkeit haben mir geholfen, *Ready Player One* in das Buch zu verwandeln, das ich immer schreiben wollte. Er hat aus mir einen besseren Autor gemacht.

Zum Schluss möchte ich noch all den Schriftstellern, Regisseuren, Schauspielern, Künstlern, Musikern, Programmierern, Spieledesignern und Nerds danken, deren Werken ich in diesem Roman meine Reverenz erweise. Diese Menschen haben mich unterhalten und mir tiefere Einsichten geschenkt, und ich hoffe, dass – wie Hallidays Jagd – dieses Buch andere Leute dazu inspirieren wird, sich mit ihren Schöpfungen zu befassen.

DAS REICH DER MENSCHEN STEHT VOR DEM UNTERGANG ...

Die Menschheit hat ein gewaltiges Sternenreich errichtet. »Ströme«, extra-dimensionale Verbindungswege, auf denen Raumschiffe in kürzester Zeit Lichtjahre zurücklegen können, halten dieses Imperium zusammen. Doch dieses fein gesponnene Netz scheint gefährdet. Nur drei Menschen können den Zusammenbruch verhindern – die Imperiatox des Sternenreiches, ein junger Wissenschaftler und die ehrgeizige Erbin eines Handelshauses ...

»Kollaps« ist der Auftakt von John Scalzis neuer, bisher größter Science-Fiction-Serie.

John Scalzi
Kollaps
Das Imperium der Ströme
Roman

Aus dem Amerikanischen
von Bernhard Kempen

412 Seiten
Klappenbroschur

ISBN 978-3-596-29966-9

Hintergrund: © Guter Punkt

Jetzt für den Newsletter anmelden unter:

TOR-ONLINE.DE

fi 10-29966/1